尚志钧本草文献全集

本草古籍辑注丛书 · 第二辑

尚志钧/辑注
尚元胜 尚云飞
尚元藕 任 何/整理

2020年度国家古籍整理出版专项经费资助项目

尚志钧百年诞辰典藏

《政和本草》校点（上）

〔宋〕唐慎微 撰
尚志钧 校点
尚元藕 尚元胜 整理

北京科学技术出版社

图书在版编目（CIP）数据

本草古籍辑注丛书. 第二辑.《政和本草》校点 ：全3册 /（宋）唐慎微撰 ；尚志钧校点；尚元藕，尚元胜整理. —北京 ：北京科学技术出版社，2021. 10

ISBN 978-7-5714-1292-0

Ⅰ. ①本… Ⅱ. ①唐… ②尚… Ⅲ. ①本草－中医典籍－注释②本草－中国－宋代 Ⅳ. ①R281. 3

中国版本图书馆 CIP 数据核字(2020)第263477号

策划编辑：侍 伟 段 瑶
责任编辑：杨朝晖 董桂红
文字编辑：刘 雪 孙 硕 刘雪怡 杨朝晖
责任校对：贾 荣
图文制作：北京艺海正印广告有限公司
责任印制：李 茗
出 版 人：曾庆宇
出版发行：北京科学技术出版社
社　　址：北京西直门南大街16号
邮政编码：100035
电　　话：0086-10-66135495（总编室） 0086-10-66113227（发行部）
网　　址：www. bkydw. cn
印　　刷：北京捷迅佳彩印刷有限公司
开　　本：787 mm×1092 mm 1/16
字　　数：2448 千字
印　　张：119. 25
版　　次：2021 年 10 月第 1 版
印　　次：2021 年 10 月第 1 次印刷
ISBN 978-7-5714-1292-0

定　　价：1980. 00 元（全 3 册）

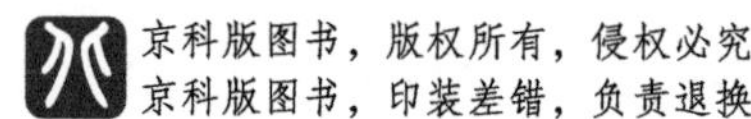

总前言

把工作放在日后做，是空的。一日不死，工作不止。

——尚志钧

千年中医，巨变振兴。真正的学者是将学术与生命紧密地联系在一起的，尚公直面人生的艰辛，以理性的思维、冷性的文字、激越的情怀著书立说，将一生奉献给了中医药学。站在中医药学发展的角度，纵观纷繁的沧桑医事，也许更可以使人获得理性的通明，使今天的中医药学术更加繁荣。

一

辑佚，在北宋已成为一门独立的学科。南宋·郑樵说：“书有亡者，有虽亡而不亡者。”近代余嘉锡也说：“东部藏书者书虽亡，而天下之书不必与之俱亡。”对于亡书，或原书已亡佚，但部分内容保存在史书、类书、方志、金石、古书注解、杂纂散抄之中的书，可以通过搜集诸书所征引的章句，窥其原貌，甚至可以通过类书总集，恢复原书旧貌。

孟子说：“不专心致志，则不得也。”尚公下苦功数十年，终成本草大家，他辑复的《新修本草》填补了本草文献整复工作的空白。范行准先生早年指出：“我们知道从事重辑《新修本草》者，中外不止一家，而俱未能问世。今尚先生竟能着其失鞭，使1300年前世界上第一部国家药典的原貌，灿然复见于世，是值得我们庆幸的一件事。”

对《吴氏本草经》《名医别录》《雷公炮炙论》《新修本草》《食疗本草》《日华子本草》《开宝本草》《本草图经》等主要的19部本草名著的辑复，是尚公最重要的学术成果。其中，《新修本草》是中国最早也是世界上最早的国家药典，文献价值极高，原书在国内久佚。清末，日本人发现其传抄卷子本10卷，尚缺10卷。清人李梦莹、近人范行准，及日本的小岛宝素、中尾万三、冈西为人等都曾试图对其进行辑复，但均未成功。尚公自1948年开始辑复《新修本草》，于1958年完成初稿，后又重辑，以油印本发行；后尚公再修改、补充之，并于1981年正式出版该书。尚公辑复《新修本草》，历时33年，援引各种参考书91种，做详细校记6319条。他先选定底本、主校本、旁校本和其他资料，再把各种古书中所载《新修本草》药物条文全部录出，加以比较互勘。他以最早的敦煌出土的《新修本草》残卷，及武田本《新修本草》、傅氏影刻本《新修本草》和罗振玉收藏的抄本《新修本草》为底本；《新修本草》所缺，即以《千金翼方》为底本；《千金翼方》亦缺，再以人民卫生出版社影印的《重修政和经史证类备用本草》为底本；最后以其他后出本为核校本核校之。尚公不仅校误字，还校书中有关错引、脱漏、增衍以及《神农本草经》文与《名医别录》文的混淆等。此外，他还对避讳字、通假字进行了解释，对全书进行了断句标点。他所辑复的《新修本草》还原了该书本来面貌，对找回后世本草脱漏佚失的资料有重要价值，如蒲公英治乳痈、蚤休解蛇毒、乌贼骨疗目翳等药物功效，在《新修本草》中即已有记述。此外，对《新修本草》进行辑复还有助于鉴别后世本草中资料的真伪，有助于校正后世本草的舛错，如《本草纲目》卷一“历代诸家本草”项“《名医别录》”条和“陶隐居《名医别录》合药分剂法则”项下所节录的注文，实为《本草经集注》的内容，并非《名医别录》的内容。

二

在驾驭大量本草文献史料上，尚公表现出极强的能力。他自觉地摆脱历史上不同时期本草文献资料谬误对遗佚本草辑复的干扰，力求通过目录学、版本学、校勘学、辑佚学、避讳学等多种学科的知识，结合具体对象和内容，手抄笔录，全面、系统地核实诸多文献记载，建立本草书籍、本草人物及单味药物3个系统的卡片档案，由源及流，追根问底，查清药物运用的概貌。在此基础上，他旁征博引，上下贯通，建成了一张辑佚医药方书的联合网图，进入了左右逢源、得心应手的学术研究佳境。32部本草文献的辑复本、校点本、注释集纂编写本，见证了其学术功底的深厚广博。

《神农本草经》原书已佚，尚公在校注该书时，首先理顺了其文献源流。尚公认为《汉书·艺文志》没有记载《神农本草经》，故可以推测《神农本草经》成书于东汉。《隋书·经籍志》记载《神农本草经》有6种，《本草经》有9种。其中有的《本草经》既含有最早的《神农本草经》文，亦含有名医增补的《名医名录》文。陶弘景将诸经中《神农本草经》文加以总结，收入《本草经集注》中，以朱笔书写，定为《神农本草经》文。尚公以《本草经集注》为分界点，把在《本草经集注》以前的多种《本草经》称为“陶弘景以前的《本草经》”，其存于宋以前类书和文、史、哲古文献的注文中；把收载于《本草经集注》中的《本草经》称为“陶弘景总结的《本草经》”，其存于历代主流本草专著中。经过勘比考订可知，“陶弘景以前的《本草经》”在内容上有产地、生境、药物性状、形态、生态、采收时月、剂型、七情畏恶等，并且含有名医增补的内容。“陶弘景总结的《本草经》”有产地但无药物性状、形态、生态和七情畏恶等内容。所以，尚公得出结论：现存的《证类本草》中的白字内容，向上推溯，是由陶弘景综合当时流行的多种《本草经》的本子而成的。明清时期国内外学者，又从《证类本草》白字内容辑成多种单行本《神农本草经》，这些文字实际上是陶弘景整理的，并不是原始古本《神农本草经》。尚公校点的《神农本草经》将文献源流系统、条理地展现出来，对不同时代、不同版本的《本草经》药物条文、内容、取材论断均甚得法，资料搜集甚广，并务求其本源。

三

就尚公具体的学术成就与贡献而言，《〈唐·新修本草〉（辑复本）》和《神农本草经校点》这2部传世之作，打通了一道长期令人望而生畏的难关。但仅靠对本草辑复的贡献和成就，还难以窥见尚公学问之全貌。下面就尚公学术思想之一端，进一步证实其学问之博大精深。

“药性趋向分类”是尚公提出的一种新的药性分类方法。尚公根据药物作用趋势将药物分为行、守两大类。行类又分为上行、下行、通行、化行4类。上行类药物功用以升散为主，如升举下陷、发散外邪；下行类药物功用以降下为主，如平喘止咳、泻下利水；通行类药物功用以通畅为主，如使气血通畅以止痛；化行类药物功用以转化为主，如将食积、痰饮通过转化，成为无害物质。守即固守，不固守即出现虚损，凡虚损宜补。守类又分为补益和收敛2类。各类再分若干小类，每小类先述概要、举药名，次述共同作用、用途，再次述各药其他作用。尚公积50多年研究本草之经验，使药物分类更科学，药性更清晰。他对300多种常用中药的药性作用直说引述，正说反证，浅说深论，描述得淋漓尽致，十分切合临床，这是尚公对本草学研究的一项创新。

尚公不仅在本草学领域有颇多建树，在临床领域也有所创新。如尚公在《脏腑病因条辨》一书中，以中医五脏、六腑和病因（风、寒、暑、湿、燥、火、气、血、痰、饮）为单元，对临床症状进行归类。例如，患者胃脘隐隐作痛，喜暖喜按，泛吐清水，四肢不温，舌质淡白，脉虚软。从症状分析，胃脘痛和吐清水说明病在胃；四肢不温是脾寒；脉软表示虚；舌质淡白为虚寒。辨证应是脾胃虚寒证。此证是由3个单元——脾、胃、寒组成，脾属脏，胃属腑，寒属病因。从上个例子可以看出，五脏、六腑和病因3个单元是组成多种证的基础。

综上可以看出尚公之博学多思，勤于实践、总结。

四

尚公集毕生精力和情感于本草文献，在古本草史料的世界寻寻觅觅，始终如一地刻苦钻研而终于成为本草文献的知音。《尚志钧本草文献研究集》“论文题录”部分收录了尚公268篇学术论文。这些论文的内容广博而深入，不仅有对古本草史料的广搜精求，也有对纸上遗文的爬梳考订和辨证精释，还有对新发掘的地下实物的阐释（如对马王堆出土《五十二病方》、敦煌出土残卷等的整理和运用）。在268篇学术论文中，关于李时珍和《本草纲目》的论文有《〈本草纲目〉版本简介》《〈本草纲目〉断句误例二则》《〈本草纲目·序例〉辨误两则》《〈本草纲目〉标注〈本经〉药物总数的讨论》《金陵版〈本草纲目〉引〈日华子本草〉误注例》等。

在学术思想方面，《本草文献研究的意义及作用》《本草文献研究的目的》等是“熔铸古今，学以致用”的实践，亦相当引人入胜。一方面，尚公自觉脱除旧染与时弊，融目录、版本、校勘、考据、章句、修辞之法于本草学之中；另一方面，其继承并发展中国学术传统中的优秀方法，并赋予它们新的时代内涵，使之超胜前人。这既彰显出尚公的本草学思想和风格，亦彰显出其著述之功力。

五

客观地讲，除分散在各综合本草著作的矿物药外，自唐以来，矿物药专著寥若晨星。唐·梅彪撰写的《石药尔雅》疏注了唐以前道家炼丹书所用的药物。王嘉荫编著的《本草纲目的矿物史料》仅收录了《本草纲目》正文及集解中所列有关矿物、岩石等137种；李焕编写的《矿物药浅谈》、谢崇源等主编的《药用矿物》分别介绍了70种和50种矿物药的性味功用等；郭兰忠主编的《矿物本草》收载了108种矿物药。尚公的《中国矿物药集纂》一书独树一帜，对矿物药进行了详尽而深入的论述。该书分上、下两篇，上篇为总论，分述历代主要矿物药发展概况、矿物药的分类、矿物药化学成分概述、矿物药化学成分与药效关系、矿物药的物理性状、矿物药有关中药的药性、有毒矿物药毒性、矿物药配伍宜忌、矿物药炮制加工和煎煮。下篇收载单味矿物药1200余种，几乎将矿物药搜罗殆尽。书末附珍贵的矿物药研究资料10篇。从尚公对历代本草专著矿物药文献的排检和整理，可见其编纂工作之认真及对矿物药资料学术别择之广博与细致。《中国矿物药集纂》一书不仅在文献整理方面有很大价值，而且在集纂方面亦有很大价值，其体大思精的特点，反映了尚公学术的创新，更能为中医药学术发展指出一条道路。

《中国矿物药集纂》展现的是尚公精彩而寂寞的本草人生。自1977年以来，尚公闭户不交人事，甘坐冷板凳，独得东坡“万人如海一身藏”的状态。诚如熊十力所云“不孤冷到极度，不堪与世谐和”。尚公堂堂巍巍做人，独立不苟为学，一生出版著作近3000万言，这些冷性文字蕴含着他激越的情怀及集毕生精力和情感于本草文献的决心。尚公在古本草史料的世界里寻寻觅觅，搜剔爬梳，终于成为本草文献的拓荒者和耕耘者。

六

写到这里，我需要交代一下关于本丛书的一些情况。立意编纂本丛书始于2008年冬日追悼尚公的余绪；形成具体计划，确定出版，是在2017年春月，其间经历了8个春秋。尚元藕学妹、尚元胜学弟全力支持和参与这项工作，谨在此，深致谢忱。北京科学技术出版社与我们不约而同地意识到“文章千古事”，出版尚公本草文献，利在当代，功在千秋。在合作过程中，北京科学技术出版社的工作人员精勤慎细，审校书稿，为本丛书的编校质量提供了有力保障。

一个时代有一个时代的学术观念，一个时代的学者有其处身时代的思想烙印。愿本丛书能在追求本草学术的途中与你相遇。

任　何

于合肥倚云居，戊戌春日

前　言

《政和本草》源于宋·唐慎微《经史证类备急本草》。大观二年（1108），艾晟将陈承《重广补注神农本草并图经》中的“别说”内容加入《经史证类备急本草》中，并将其改名为《大观经史证类备急本草》（简称《大观本草》）。政和六年（1116），曹孝忠重新校订《大观本草》，并将其改名为《政和新修经史证类备用本草》。至淳祐九年（1249），张存惠将《本草衍义》随文散入书中，将书名改为《重修政和经史证类备用本草》（简称《政和本草》）。此后至明·李时珍《本草纲目》刊行前，该书一直被当作研究中国本草的范本。

《政和本草》原书30卷，载药1746种，新增药628种，附古方3000余首，汇集唐宋以前各家医药名著，以及经史传记、山经地志、诗赋杂记、佛书道藏等书中有关本草学的知识，详述药物功用、采集、炮制、鉴别及名医心得，涉及宋以前秘本300余种，保存了许多今已失传的医药典籍的内容。李时珍给予该书高度评价：“使诸家本草及各药单方，垂之千古，不致沦没者，皆其功也。”

该书对所收录的前代本草资料皆原文转录，按时代次序排列，使之形成层层包裹的状态。这比《本草纲目》脔切前代本草原始面貌要更高一筹。因此，该书成为我们今天考察古本草发展，厘清单味药历史和辑佚古方书、古本草的重要文献来源，同时该书也成为我们今后发掘中医药遗产、丰富和发展中国医药学宝库的重要参考资料。

该书是对宋代本草发展最高峰时期的内容的总结，其对众多药物形态的记述和药图的收录也最为齐全。这为研究中国历代药物品种考证提供了重要参考依据。

李约瑟博士在《中国科学技术史》中赞扬该书说："要比 15 和 16 世纪早期欧洲的植物学著作高明得多。"因此，该书一直与《本草纲目》齐名，它在学术方面、实用方面都有极高的价值。

该书经历代翻刻，刊本极多，各种刊本之间存在很大差异，如衍脱、讹误、颠倒、错简等问题，各本皆有，这是该书存在的一些缺点。同时由于原书是繁体字，无标点，这也给一些年轻读者带来一定的阅读困难。为此，笔者以存真复原为准则，从各种刊本中选择最好的版本为底本，用各种善本详加校勘，改正底本中一些讹误，并加标点和释疑，将底本繁体竖排改为简体横排，以悦目美观的版式影绘原书附图，使其易读、实用，以便更多的人从中发掘中医药学的精华。

早在 1958 年，笔者于原国家卫生部举办的北京中医学院（现北京中医药大学）中药研究班进修时，即以 1957 年人民卫生出版社影印的《政和本草》为底本，用各种善本（如《大观本草》）进行校勘，并撰写校记。1960 年 8 月回到芜湖后，笔者又利用寒暑假时间到南京古籍图书馆查找资料，继续校勘。

1993 年 5 月，华夏出版社出版了笔者校点的《证类本草》。经过细读，笔者发现书中仍存在错字、漏字等错误。随后又继续校勘，并增添《政和本草》文献研究资料 57 篇、《政和本草》药名索引 1 篇，而成本书。

由于笔者学识水平有限，错误难免，请读者指正。

尚志钧

于皖南医学院弋矶山医院

2004 年 12 月

校点说明

（一）唐慎微所撰的《经史证类备急本草》（简称《证类本草》），曾被多次修订、翻刻，且每次修订、翻刻后，其书名和内容与之前不尽相同。今以 1957 年人民卫生出版社（简称人卫）据扬州季范董氏藏金泰和张存惠晦明轩本影印的《重修政和经史证类备用本草》为底本。人卫将该底本影印成 2 种本子：一种是线装本，简称线装本《政和》；另一种为 4 页合 1 页精装本，简称人卫《政和》。

（二）本次出版除用不同版本《政和本草》互校外，亦用不同版本《大观本草》《新修本草》《本草经集注》等予以校勘。对其间所存在的各种异文，予以出注。在出注时，对各种校本书名均用简称。兹将各书的版本、全称，以及简称介绍如下。

1. 宋嘉定四年（1211）刘甲校刊《经史证类备急本草》（简称刘《大观》）。

2. 清光绪三十年（1904）武昌医馆柯逢时影宋并重刊《经史证类大观本草》（简称柯《大观》）。

3. 明成化四年（1468）山东巡抚原杰据晦明轩本翻刻本（简称成化《政和》）。

4. 1921—1929 年商务印书馆影印金泰和甲子下己酉晦明轩刊本（简称商务《政和》）。

5. 清乾隆十年（1745）《钦定四库全书·子部·医家类》中的抄本《证类本

草》（简称四库《证类》）。

6. 1955 年群联出版社影印《吉石盦丛书》中的开元写本《本草经集注·序录》残卷（简称敦煌《集注》）。

7. 1952 年罗福颐《西陲古方技书残卷汇编》影抄吐鲁番出土《本草经集注》残片（简称吐鲁番《集注》）。

8. 清光绪十五年（1889）傅云龙影刻唐卷子本《新修本草》（简称傅《新修》）。

9. 1985 年上海古籍出版社影印上虞罗振玉收藏日本传抄唐卷子本《新修本草》（简称罗《新修》）。

10. 宋庆元元年（1195）江南西路转运司修刊寇宗奭《本草衍义》（简称庆元《衍义》）。

11. 1957 年商务印书馆出版寇宗奭《本草衍义》（简称商务《衍义》）。

12. 1977—1981 年人卫出版刘衡如校点李时珍《本草纲目》（简称《纲目》）。

（三）在校勘时参考其他书，如《肘后备急方》（简称《肘后方》）、《外台秘要》（简称《外台》）、《备急千金要方》（简称《千金方》）、《千金翼方》（简称《千金翼》）、《医心方》、《本草和名》、《尔雅》、《说文解字》（简称《说文》）、《博物志》、《十三经注疏》，以及史书、类书，如《太平御览》（简称《御览》）等，此处不再一一介绍。

（四）本书校点时以底本为主，以诸校本为辅，其他书仅作参考。

（五）本书对底本中书名及其他细节的校点原则如下。

1. 凡底本引同一种书，所用书名不一致，均依底本原貌，不加改动。底本所引的书有 300 余种，对同一种书，所引书名很复杂，或用其全称，或用其异名，或用其简称，或用其作者名，或用其作者姓氏。

例如，援引陈藏器《本草拾遗》，或作“陈藏器”，或作“陈藏器解纷”，或作“陈氏拾遗”，或作“陈氏”。又如，引葛洪《肘后方》，或作“葛洪”，或作“葛稚川”，或作“葛稚川百一方”。

2. 有时同一条下各注对同一种书所用的名称也不同。

例如，底本 93 页同一“紫石英”条，在掌禹锡注中引有“《岭南录异》”，在苏颂《本草图经》注中作“《岭表录异》”。按《四库全书总目提要》，“《岭南录异》”“《岭表录异》”是同书异名。在校点时，对此类同书异名，均依底本原貌，不加改动，亦不出注。

3. 对底本总目录及各卷分目录均予以保留。凡目录与正文不一致的，则以正文为是。

例如，底本卷 19 禽部目录“陈藏器余”标题下有“鹳猬”“鹦蝉”“鸟目无毒”等药名，各衍“猬”“蝉”“无毒”等字，即据底本正文删。又底本卷 22“蓝蛇头”的“头”字，亦属衍文，即据正文删。

4. 凡底本引前代文献有省略处，本书出注说明，但不在底本上补。

例如，底本卷 20“鲤鱼”条“图经曰”，引崔豹《古今注》释鱼有 3 种：“兖州人谓赤鲤为玄驹，谓白鲤为白骥，黄鲤为黄雉。”但今本崔豹《古今注》作“兖州人谓赤鲤为赤骥，谓青鲤为青马，黑鲤为玄驹，谓白鲤为白骥，黄鲤为黄雉”。文中划有横线者为底本所省略。本书仅出注说明，但不改动底本。

5. 凡底本与诸校本有异文时，若其异文并不影响文义，只出注说明，但不改动底本。

例如，底本卷 16“龙骨”条引《衍义》曰：“孔子曰：君子有所不知。”《十三经注疏·论语·子路》作“君子于其所不知”。前句中用“有”，后句中用“于其”。二者于文义均无碍，故仅出注说明，但不改底本。《衍义》是宋代寇宗奭所撰。寇氏引文仅取其义，不重视转录原文。

（六）本书以对校、本校、他校等校勘方法为主，兼用理校。

（七）凡底本文有讹误或脱漏，则据诸校本改或补。如诸校本均讹误或脱漏，则参考其他有关文献改或补。

例如，底本卷 15“发髲”条有一“疗小儿惊热”句。《政和本草》《大观本草》诸校本同。但《纲目》作“疗小儿惊热百病”。傅《新修》、罗《新修》作“疗小儿惊热下”。按，“下”字不可解。底本卷 19“丹雄鸡”条引“图经曰”：“发髲，《本经》云‘发髲合鸡子黄煎之，消为水，疗小儿惊热，下痢’。”又《小儿卫生总微论方》卷 10 胎中病论“蓐疮”条引刘禹锡文和底本“图经曰”文全同，本书据此补“下痢”2 字。

又如，底本卷 1“梁·陶隐居序”中有“阮德如张茂先辈逸民皇甫士安”句。诸校本同。《纲目》断句为“阮德如。张茂先辈。逸民皇甫士安”。但句中“辈”，敦煌本《本草经集注》作“裴”，则此句应断为“阮德如、张茂先、裴逸民、皇甫士安”，本书据此改“辈”为“裴”。

（八）凡底本文献标记讹误或脱漏，按底本体例删改或补正。

1. 底本白大字《本经》文标记有误，据诸校本改。

例如，底本卷3“曾青”条有“曾青，味酸，小寒。主目痛，止泪出，风痹，利关节，通九窍，破癥坚积聚。久服轻身不老。能化金、铜”，此35字原属白大字《本经》文，而底本作墨字《别录》文。本书据成化《政和》、商务《政和》将“曾青”条的《本经》文改为白字标记。

2. 底本所注白小字标记有误，则据诸校本及底本体例改。

例如，底本卷9“王孙”条的注文有“陶隐居”“唐本注”等小标题，按底本体例此当作白小字标记，但底本并未作小字标记。本书据底本体例改。

3. 底本大小字标记有误，即据底本体例改。按底本体例所引文献名称，均作大字标记。凡未作大字标记文献的名称，则据底本体例改。

例如，底本卷10“豚耳草”条引《百一方》，该方后半部分是《颜氏家训》文。此《颜氏家训》与《百一方》均是文献名称，都应作大字标记。由于《颜氏家训》未作大字标记，易误《颜氏家训》文为《百一方》文。本书则据底本体例改。

4. 底本药物条文出典标记有误或脱漏，则据本书体例删改或补正。

例如，底本卷11“蒴藋”条末误注“今附”2字，则据底本体例删。“今附”是《开宝本草》新增药的标记，而蒴藋是《别录》药，不应当注“今附”2字。

又如，底本卷13伏牛花、密蒙花、五倍子、金樱子等药，都是《开宝本草》新增药，当注“今附”。但底本均脱漏“今附”2字，本书则据底本体例补。

底本卷19乌鸦、练鹊等药均脱漏“新补”标记，本书据底本体例补。“新补”是《嘉祐本草》新增药的标记。乌鸦、练鹊都是《嘉祐本草》新增药，按底本体例，应加“新补”2字为标记。

5. 底本墨盖子标记有误，即据底本体例删改或补正。

按底本体例，凡属唐慎微所增诸家文献，在诸家文献为首的文献头上，皆冠以墨盖子“▀”标记。但底本朴硝、白石英、食盐、大盐、鸢尾、松脂、夫衣带、蜂子等条，均有唐慎微增补文献，皆脱漏墨盖子标记。本书据底本体例补。

还有些引文，如“别说”资料，不是唐慎微所增，是艾晟修《大观本草》所增，即不能冠以墨盖子。例如，底本卷4“铁”条及卷12“藿香”条下引的“别说”，其上冠有墨盖子，本书据底本体例删。

（九）凡底本引同一家资料，前后不一致时，择其善者而从之。

例如，底本卷14“赤爪木”条引陈藏器文有“梂以小查而赤”，线装本《政和》、成化《政和》、商务《政和》“赤爪木”条俱作“梂以小查面赤”。从文理上讲

“梂以小查而赤”“梂以小查面赤”都不可解，但底本卷13“吴茱萸”条引陈藏器文亦作“梂似小查而赤”，此文较“梂以小查面赤”为善，本书即择“梂似小查而赤”。

（十）凡底本所云事物与历史不符合者，则据诸校本改。如诸校本也不一致，则参考有关文献改。如一时查不出有关文献，则存疑待考。

例如，底本卷3“车渠”条引有《集韵》书名，底本卷5“青琅玕”条陈藏器引文同，但书名作《韵集》。车渠是唐代药，《集韵》是宋治平四年（1067）丁度所撰，二者时代不合。《旧唐书·经籍志》《新唐书·艺文志》载有吕静撰《韵集》，则底本卷3“车渠”条所引《集韵》，当是《韵集》倒置之误。本书据此改。

又如，底本卷5“不灰木”条引陈藏器引文有“中和二年，于李宗处见传”。陈藏器是唐代开元年间（713—741）人，而“中和二年”是唐僖宗年号，即公元882年，晚于陈藏器生活年代，陈藏器《本草拾遗》不可能记载100多年以后的事。由于暂未查出有关文献，故存疑待考。

（十一）凡需校勘的词、字多次重出者，每见均校之。

例如，底本全书中，对“己”“已”“巳”，均作“巳”。如“防己”“及已”俱作“防巳”“及巳”，又“已上”俱作“巳上”。凡此重出“己”“已”笔误，每见均校之。

（十二）凡底本词、字与诸校本不同，但与现存最早的本草或方书词、字相同，则从底本为正，不予改动。

例如，底本卷5“青琅玕”条陶隐居注文有“琅玕亦是昆山上树名”。文中“昆”，刘《大观》、柯《大观》作“昆仑”。查傅《新修》、罗《新修》仍作“昆”。本书从底本为正，不予改动。

又如，底本卷23“杏仁”条引有《外台秘要》方。其方有“日料一升取尽”，句中“日”，柯《大观》作“每”。查《外台秘要》仍作“日”。本书从底本为正，不加改动。

（十三）对于底本中出现的难字、僻字进行训释。如属药名，仅注音，不释义。凡需训释之词、字多次重出者，于首见时出注，以后重出者，不再加注。

（十四）对于底本中的避讳字一般不予改动。如有影响文义的，即出注说明。

例如，“开宝重定序”有“梁正白陶景”，按文理应作“梁贞白陶弘景”。此因底本沿袭旧本避讳例所致。旧本避宋仁宗赵祯讳，改文中“贞”为“正”，又避宋太宗父赵弘讳，删去文中“弘”字。本书不予改动，仅出注说明。

（十五）底本中同名异物的药，在校勘时出注说明。如石蜜在底本卷20是

《本经》药，在底本卷23是《唐本草》新增药。女萎在底本卷6是《本经》药，在底本卷8是《唐本草》新增药。

（十六）校勘、训释出注，均用方括号加数字上标，置于标点符号之前。

（十七）底本中所用的字体大小有四，即黑大字、黑小字、白大字、白小字。本次校点时，对于药物条文，《本经》文用宋体加粗表示，《别录》文及后世新增文字用宋体字表示，药物条文中的小字用宋体小字表示。药物注文的标记比较复杂，分以下几种情况。①“七情畏恶”的相关注文，以宋体小字编排，续于药物条文之后。②药物条文来源用楷体小字。③药物条文后诸家所引之文字皆用楷体字表示；且其出处加“[ ]”，出处为白小字者用楷体表示，出处为黑大字者用黑体字表示。④“重修政和经史证类备用本草目录”中的小字，表示药物来源的用楷体小字，其余皆用宋体小字。

（十八）底本中的异体字或古体字均直接改为现代通行简化字，不再出注。

（十九）原书是繁体竖排，无标点。为使广大读者方便阅读，现改用简体横排，并加标点。

（二十）书前总目录为此次校点所加，以便读者查阅。

（二十一）数十年来笔者专门致力于《政和本草》的研究，将关于该书各方面的问题，如作者、成书年代、收载药数、编排体例、后人对该书的修订、书名的更改，以及宋以后历代书坊对该书的重刊等写成专题性论文，并在国内医药刊物上发表。兹从中选择部分论文，题为“《政和本草》文献研究资料”，附于书末，让读者对《政和本草》的背景能有一个全面的了解，从而使读者免受翻检各种繁杂资料之劳。

编校说明

（一）本书为尚志钧先生辑注的本草古籍。本次整理以尚志钧先生修订后的《证类本草》原书（简称“原书”）为基础书稿。

（二）原书有简化字，也有繁体字，本书统一使用简化字。本书在编辑加工时，主要依据国家语言文字工作委员会文字规范文件（《简化字总表》《异体字整理表》等）的规定，以及《汉语大字典》的相关释义，在不影响原义的情况下，将原书中的繁体字、异体字、通假字等改为现行规范字，但在以下情况中做变通或特别处理。

1. 将原书文字进行简化时，若简化后字义容易淆错或不明晰，则慎重直接简化，如中医病名“癥瘕”之“癥”不简化为“症”。个别字词根据学界专家意见进行简化，如“禹餘粮”之“餘”只简化为“馀”而不作“余”。

2. 《异体字整理表》等书中归并不当或关系有歧见的异体字，本书不做简单归并。如《异体字整理表》将“剉”并入“锉”，但“剉”（本草古籍中的“剉”为中草药切制的方法）与“锉”使用的工具、加工的方式与结果都不相同，故不予归并；“鱓”与“鼍”“鳝”2字有关，但由于不确定原书所指，故保留原字。

3. 原书中的特有的、习惯的用词，不改为现代用词。如“文理”不改为“纹理”。

4. 尚志钧先生摘录古籍药名时为尊重古籍文字原貌，所写药名与现代规范药名不同的，如“芒消”“黄耆”“真珠”“昌蒲”等，本书不做改动。但在非古籍引文部分，仍用现行规范名称表述。

5. 摘录古籍原文的字词，在不影响阅读的情况下，为尊重古籍原貌，未做统一。如“曝干”与“暴干”，“凌冬”与“陵冬”。

（三）对于书稿中明显的错别字和常识性错误，编加时直接予以改正，不予出注。

（四）书稿中部分引文前后不对应，由于无从查证尚志钧先生当时所用版本，故尊原书，不予改动。

（五）为方便读者阅读，在描述古籍卷页时，均用阿拉伯数字表示，如“卷13页28”等。但若为引用文字，则尊古书习惯，用汉字，如“卷三十一”。

（六）本书涉及诸多古籍，为方便阅读，对正文部分中多次出现的部分本草著作只写简称，除前面“校点说明”已提及的本草著作外，尚有《神农本草经》简称《本经》，《名医别录》简称《别录》等。附篇部分是由尚志钧先生多篇本草文献研究资料汇集而成，其中出现的本草著作名称则根据具体应用情况进行调整。

（七）文中涉及的反切注音，悉尊原书。

在本书的编辑整理过程中，有幸得到了尚志钧先生弟子郑金生研究员，以及国内多位中医文献学者、古籍出版专家的悉心指教。由于本书专业性强、体量较大，且出版时间紧促，编辑水平有限，疏漏谬误恐所难免，欢迎广大读者批评指正，以期再版更正。

目　录

上　册

重修本草之记 …… 1

重修《证类本草》序 …… 3

政和新修经史证类备用本草序 …… 5

《证类本草》所出经史方书 …… 7

重修政和经史证类备用本草目录 …… 11

重修政和经史证类备用本草卷第一　己酉新增衍义 …… 49

序例上 …… 51

嘉祐补注总叙 …… 51

本草图经序 …… 53

开宝重定序 …… 55

唐本序礼部郎中孔志约撰 …… 56

梁·陶隐居序 …… 57

右合药分剂料理法则 …… 77

补注所引书传 …… 79

林枢密重广本草图经序 …… 81

雷公炮炙论序 …… 82

新添本草衍义序 …… 85

重修政和经史证类备用本草卷第二　己酉新增衍义 …… 97

序例下 …… 99

凡墨盖子下并唐慎微续添 …… 100

臣禹锡等谨按序例所载外《药对》主疗如后 …… 137

解百药及金石等毒例 …… 140

服药食忌例 …… 146

凡药不宜入饧酒者 …… 147

重修政和经史证类备用本草卷第三　己酉新增衍义 …… 161

丹砂 …… 164

云母 …… 168

玉屑 …… 171

玉泉 …… 174

石钟乳 …… 175

矾石 …… 179

消石 …… 184

芒消 …… 186

朴消 …… 188

玄明粉 …… 191

马牙消 …… 192

生消 …… 193

滑石 …… 193

石胆 …… 195

空青 …… 197

曾青 …… 198

禹馀粮 …… 199

太一馀粮 …… 201

白石英 …… 202

紫石英 …… 203

青石脂 …… 205

赤石脂 …… 205

黄石脂 …… 206
白石脂 …… 207
黑石脂 …… 208
白青 …… 208
绿青 …… 209
石中黄子 …… 210
无名异 …… 210
菩萨石 …… 211
婆娑石 …… 211
绿矾 …… 212
柳絮矾 …… 212
扁青 …… 212
三种海药余 …… 213
车渠 …… 213
金线矾 …… 213
波斯白矾 …… 213
三十五种陈藏器余 …… 213
金浆 …… 213
古镜 …… 214
劳铁 …… 214
神丹 …… 214
铁锈 …… 214
布针 …… 214
铜盆 …… 214
钉棺下斧声 …… 214
枷上铁钉 …… 215
黄银 …… 215
石黄 …… 215
石脾 …… 215
诸金 …… 215
水中石子 …… 216

石漆 …… 216
烧石 …… 216
石药 …… 216
研朱石槌 …… 216
晕石 …… 217
流黄香 …… 217
白师子 …… 217
玄黄石 …… 217
石栏干 …… 217
玻璃 …… 218
石髓 …… 218
霹雳针 …… 218
大石镇宅 …… 218
金石 …… 219
玉膏 …… 219
温石及烧砖 …… 219
印纸 …… 219
烟药 …… 219
特蓬杀 …… 220
阿婆赵荣二药 …… 220
六月河中诸热砂 …… 220
重修政和经史证类备用本草卷第四　已酉新增衍义 …… 221
雄黄 …… 225
石硫黄 …… 230
雌黄 …… 233
食盐 …… 235
水银 …… 241
石膏 …… 244
金屑 …… 247
银屑 …… 250
生银 …… 251

灵砂 …… 252
水银粉 …… 253
磁石 …… 253
玄石 …… 255
绿盐 …… 256
凝水石 …… 256
阳起石 …… 258
孔公孽 …… 259
殷孽 …… 260
蜜陀僧 …… 261
铁精 …… 262
铁浆 …… 263
秤锤 …… 264
铁华粉 …… 264
生铁 …… 265
铁粉 …… 266
铁落 …… 266
钢铁 …… 266
铁 …… 266
石脑 …… 267
理石 …… 268
珊瑚 …… 268
石蟹 …… 269
长石 …… 270
马衔 …… 271
砺石 …… 271
石花 …… 271
桃花石 …… 272
光明盐 …… 272
石床 …… 273
肤青 …… 273

马脑 …… 273
太阴玄精 …… 274
车辖 …… 275
南恩州石蛇 …… 275
兖州黑羊石 …… 275
兖州白羊石 …… 275
一种唐本余 …… 276
银膏 …… 276
四十种陈藏器余 …… 276
天子耤田三推犁下土 …… 276
社坛四角土 …… 276
土地 …… 276
市门土 …… 276
自然灰 …… 277
铸钟黄土 …… 277
户垠下土 …… 277
铸铧锄孔中黄土 …… 277
瓷坯中里白灰 …… 277
弹丸土 …… 277
执日取天星上土 …… 277
大甑中蒸土 …… 278
鼢鼠壤堆上土 …… 278
冢上土及砖石 …… 278
桑根下土 …… 278
春牛角上土 …… 278
土蜂窠上细土 …… 278
载盐车牛角上土 …… 278
驴溺泥土 …… 278
故鞋底下土 …… 279
鼠壤土 …… 279
屋内壖下虫尘土 …… 279

鬼屎 ······ 279
寡妇床头尘土 ······ 279
床四脚下土 ······ 279
瓦甑 ······ 279
甘土 ······ 279
二月上壬日取土 ······ 280
柱下土 ······ 280
胡燕窠内土 ······ 280
道中热尘土 ······ 280
正月十五日灯盏 ······ 280
仰天皮 ······ 280
蚁穴中出土 ······ 280
古砖 ······ 280
富家中庭土 ······ 281
百舌鸟窠中土 ······ 281
猪槽上垢及土 ······ 281
故茅屋上尘 ······ 281
诸土有毒 ······ 281
重修政和经史证类备用本草卷第五　己酉新增衍义 ······ 283
伏龙肝 ······ 287
石灰 ······ 289
礜石 ······ 292
砒霜 ······ 294
铛墨 ······ 297
硇砂 ······ 297
铅丹 ······ 299
铅 ······ 301
粉锡 ······ 303
东壁土 ······ 304
赤铜屑 ······ 306
锡铜镜鼻 ······ 306

铜青 …… 307
井底沙 …… 308
代赭 …… 308
石燕 …… 310
戎盐 …… 311
大盐 …… 313
卤咸 …… 313
浆水 …… 314
井华水 …… 314
菊花水 …… 315
地浆 …… 316
腊雪 …… 316
泉水 …… 316
半天河 …… 317
热汤 …… 317
白垩 …… 318
冬灰 …… 319
青琅玕 …… 320
自然铜 …… 321
金牙 …… 322
铜矿石 …… 323
铜弩牙 …… 324
金星石 …… 324
特生礜石 …… 324
握雪礜石 …… 325
梁上尘 …… 325
土阴孽 …… 326
车脂 …… 326
缸中膏 …… 327
锻灶灰 …… 327
淋石 …… 328

方解石 …… 328
礞石 …… 328
姜石 …… 328
井泉石 …… 330
苍石 …… 330
花乳石 …… 330
石蚕 …… 331
石脑油 …… 331
白瓷瓦屑 …… 331
乌古瓦 …… 332
不灰木 …… 332
蓬砂 …… 332
铅霜 …… 333
古文钱 …… 333
蛇黄 …… 334
三十五种陈藏器余 …… 334
玉井水 …… 334
碧海水 …… 335
千里水及东流水 …… 335
秋露水 …… 335
甘露水 …… 335
繁露水 …… 335
六天气 …… 336
梅雨水 …… 336
醴泉 …… 336
甘露蜜 …… 336
冬霜 …… 337
雹 …… 337
温汤 …… 337
夏冰 …… 337
方诸水 …… 337

乳穴中水 …… 338
水花 …… 338
赤龙浴水 …… 338
粮罂中水 …… 338
甑气水 …… 338
好井水及土石间新出泉水 …… 339
正月雨水 …… 339
生熟汤 …… 339
屋漏水 …… 339
三家洗碗水 …… 339
蟹膏投漆中化为水 …… 339
猪槽中水 …… 340
市门众人溺坑中水 …… 340
盐胆水 …… 340
水气 …… 340
冢井中水 …… 340
阴地流泉 …… 340
铜器盖食器上汗 …… 341
炊汤 …… 341
诸水有毒 …… 341
重修政和经史证类备用本草卷第六　已酉新增衍义 …… 343
黄精 …… 346
昌蒲 …… 350
菊花 …… 354
人参 …… 356
天门冬 …… 360
甘草 …… 363
干地黄 …… 367
术 …… 371
菟丝子 …… 374
牛膝 …… 377

茺蔚子 …… 379
女萎　萎蕤 …… 382
防葵 …… 384
茈胡 …… 385
麦门冬 …… 388
独活 …… 390
升麻 …… 392
车前子 …… 394
木香 …… 396
署预 …… 399
薏苡仁 …… 401
泽泻 …… 403
远志 …… 405
龙胆 …… 407
细辛 …… 409
石斛 …… 411
巴戟天 …… 412
白英 …… 414
白蒿 …… 414
赤箭 …… 416
菴蕳子 …… 418
菥蓂子 …… 419
蓍实 …… 420
赤芝 …… 421
黑芝 …… 421
青芝 …… 422
白芝 …… 422
黄芝 …… 422
紫芝 …… 422
卷柏 …… 423
一种唐本余 …… 424

辟虺雷 …… 424
四十六种陈藏器余 …… 424
药王 …… 424
兜木香 …… 424
草犀根 …… 425
薇 …… 425
无风独摇草 …… 425
零余子 …… 425
百草花 …… 426
红莲花、白莲花 …… 426
旱藕 …… 426
羊不吃草 …… 426
萍蓬草根 …… 426
石蕊 …… 426
仙人草 …… 427
会州白药 …… 427
救穷草 …… 427
草豉 …… 427
陈思岌 …… 427
千里及 …… 427
孝文韭 …… 428
倚待草 …… 428
鸡侯菜 …… 428
桃朱术 …… 428
铁葛 …… 428
伏鸡子根 …… 428
陈家白药 …… 429
龙珠 …… 429
搥胡根 …… 429
甜藤 …… 429
孟娘菜 …… 429

吉祥草 …… 430
地衣草 …… 430
郎耶草 …… 430
地杨梅 …… 430
茅膏菜 …… 430
鼇菜 …… 430
益奶草 …… 430
蜀胡烂 …… 431
鸡脚草 …… 431
难火兰 …… 431
蓼荞 …… 431
石荠宁 …… 431
蓝藤根 …… 431
七仙草 …… 431
甘家白药 …… 432
天竺干姜 …… 432
池德勒 …… 432
重修政和经史证类备用本草卷第七　己酉新增衍义 …… 433
蓝实 …… 436
芎䓖 …… 439
蘼芜 …… 442
黄连 …… 443
络石 …… 447
蒺藜子 …… 449
黄芪 …… 452
肉苁蓉 …… 454
防风 …… 456
蒲黄 …… 457
香蒲 …… 459
续断 …… 460
漏芦 …… 462

营实 …… 464
天名精 …… 465
决明子 …… 467
丹参 …… 468
茜根 …… 470
飞廉 …… 471
五味子 …… 472
旋花 …… 473
兰草 …… 475
忍冬 …… 476
蛇床子 …… 477
地肤子 …… 478
千岁蘽汁 …… 479
景天 …… 481
茵陈蒿 …… 482
杜若 …… 484
沙参 …… 485
白兔藿 …… 486
徐长卿 …… 487
石龙刍 …… 487
薇衔 …… 488
云实 …… 488
王不留行 …… 489
鬼督邮 …… 490
白花藤 …… 491
五种唐本余 …… 491
留军待 …… 491
地不容 …… 491
独用将军 …… 492
山胡椒 …… 492
灯笼草 …… 492

一十种陈藏器余 …… 492
人肝藤 …… 492
越王馀筭 …… 493
石莼 …… 493
海根 …… 493
寡妇荐 …… 493
自经死绳 …… 493
刺蜜 …… 494
骨路支 …… 494
长松 …… 494
合子草 …… 494
重修政和经史证类备用本草卷第八　已酉新增衍义 …… 495
干姜 …… 498
生姜 …… 499
葈耳实 …… 503
葛根 …… 506
葛粉 …… 509
栝楼 …… 509
苦参 …… 512
当归 …… 515
麻黄 …… 517
通草 …… 519
芍药 …… 522
蠡实 …… 524
瞿麦 …… 526
玄参 …… 527
秦艽 …… 528
百合 …… 530
知母 …… 532
贝母 …… 533
白芷 …… 535

淫羊藿 …… 536
黄芩 …… 537
狗脊 …… 538
石龙芮 …… 539
茅根 …… 540
紫菀 …… 542
紫草 …… 543
前胡 …… 544
败酱 …… 546
白鲜 …… 547
酸浆 …… 547
紫参 …… 548
藁本 …… 549
石韦 …… 550
萆薢 …… 551
杜蘅 …… 552
白薇 …… 553
菝葜 …… 554
大青 …… 555
女萎 …… 555
石香菜 …… 556
二十二种陈藏器余 …… 556
兜纳香 …… 556
风延母 …… 556
耕香 …… 556
大瓠藤水 …… 557
筋子根 …… 557
土芋 …… 557
优殿 …… 557
土落草 …… 557
狈菜 …… 557

必似勒 …… 558
胡面莽 …… 558
海蕴 …… 558
百丈青 …… 558
斫合子 …… 558
独自草 …… 558
金钗股 …… 559
博落回 …… 559
毛建草及子 …… 559
数低 …… 559
仰盆 …… 559
离鬲草 …… 559
䕡药 …… 560

中 册

重修政和经史证类备用本草卷第九　己酉新增衍义 …… 561
艾叶 …… 565
恶实 …… 568
水萍 …… 570
王瓜 …… 572
地榆 …… 573
大小蓟根 …… 575
海藻 …… 577
泽兰 …… 580
昆布 …… 582
防己 …… 583
天麻 …… 584
阿魏 …… 586
高良姜 …… 587
百部根 …… 588
蘹香子 …… 589

款冬花 …… 590
红蓝花 …… 592
牡丹 …… 593
京三棱 …… 595
姜黄 …… 597
荜拨 …… 598
蒟酱 …… 599
萝摩子 …… 600
青黛 …… 601
郁金 …… 602
卢会 …… 603
马先蒿 …… 604
延胡索 …… 605
肉豆蔻 …… 606
补骨脂 …… 607
零陵香 …… 608
缩沙蜜 …… 609
蓬莪茂 …… 609
积雪草 …… 611
白前 …… 612
荠苨 …… 613
白药 …… 614
茳草 …… 615
莎草根 …… 616
荜澄茄 …… 617
胡黄连 …… 618
船底苔 …… 619
红豆蔻 …… 619
莳萝 …… 619
艾蒳香 …… 620
甘松香 …… 620

垣衣 …… 621
陟厘 …… 621
凫葵 …… 622
女菀 …… 622
王孙 …… 623
土马鬃 …… 623
蜀羊泉 …… 624
菟葵 …… 624
鼐草 …… 624
鳢肠 …… 625
爵床 …… 626
井中苔及萍 …… 626
茅香花 …… 626
马兰 …… 627
使君子 …… 628
干苔 …… 628
百脉根 …… 628
白豆蔻 …… 629
地笋 …… 629
海带 …… 629
陀得花 …… 629
蒴草 …… 630
一十种陈藏器余 …… 630
迷迭香 …… 630
故鱼网 …… 631
故缴脚布 …… 631
江中采出芦 …… 631
虱建草 …… 631
含生草 …… 631
兔肝草 …… 631
石芒 …… 631

蚕茵草 …… 632
问荆 …… 632
重修政和经史证类备用本草卷第十　己酉新增衍义 …… 633
附子 …… 636
乌头 …… 638
天雄 …… 643
侧子 …… 644
半夏 …… 647
虎掌 …… 650
由跋 …… 651
鸢尾 …… 652
大黄 …… 652
葶苈 …… 656
桔梗 …… 659
莨菪子 …… 662
草蒿 …… 664
旋覆花 …… 666
藜芦 …… 668
钩吻 …… 670
射干 …… 672
蛇全 …… 674
常山 …… 675
蜀漆 …… 676
甘遂 …… 678
白蔹 …… 679
青葙子 …… 680
雚菌 …… 682
白及 …… 683
大戟 …… 684
泽漆 …… 685
茵芋 …… 686

赭魁 …… 687
贯众 …… 687
荛花 …… 688
牙子 …… 689
及已 …… 690
羊踯躅 …… 691
三种海药余 …… 692
瓶香 …… 692
钗子股 …… 692
宜南草 …… 692
二十五种陈藏器余 …… 692
䕷车香 …… 692
朝生暮落花 …… 693
冲洞根 …… 693
井口边草 …… 693
豚耳草 …… 693
灯花末 …… 694
千金鑩草 …… 694
断罐草 …… 694
狼杷草 …… 694
百草灰 …… 695
产死妇人冢上草 …… 695
孝子衫襟灰 …… 695
灵床下鞋履 …… 695
虻母草 …… 695
故蓑衣结 …… 695
故炊帚 …… 695
天罗勒 …… 696
毛蓼 …… 696
蛇芮草 …… 696
万一藤 …… 696

螺黡草 ······ 696
继母草 ······ 697
甲煎 ······ 697
金疮小草 ······ 697
鬼钗草 ······ 697
重修政和经史证类备用本草卷第十一　己酉新增衍义 ······ 699
何首乌 ······ 703
商陆 ······ 706
威灵仙 ······ 708
牵牛子 ······ 710
蓖麻子 ······ 712
蒴藋 ······ 714
天南星 ······ 716
羊蹄 ······ 718
菰根 ······ 720
萹蓄 ······ 722
狼毒 ······ 723
豨莶 ······ 724
马鞭草 ······ 726
苎根 ······ 727
白头翁 ······ 728
甘蕉根 ······ 730
芦根 ······ 732
鬼臼 ······ 733
角蒿 ······ 735
马兜铃 ······ 735
仙茅 ······ 737
羊桃 ······ 738
鼠尾草 ······ 739
女青 ······ 740
故麻鞋底 ······ 741

刘寄奴草 …… 741
骨碎补 …… 742
连翘 …… 744
续随子 …… 745
败蒲席 …… 746
山豆根 …… 747
三白草 …… 748
蔄茹 …… 748
蛇莓汁 …… 749
金星草 …… 750
葎草 …… 751
鹤虱 …… 752
地菘 …… 753
雀麦 …… 753
甑带灰 …… 754
赤地利 …… 754
乌韭 …… 755
白附子 …… 755
紫葛 …… 756
独行根 …… 757
猪膏莓 …… 757
鹿藿 …… 758
蚤休 …… 758
石长生 …… 759
乌蔹莓 …… 759
陆英 …… 760
预知子 …… 760
葫芦巴 …… 761
弓弩弦 …… 762
木贼 …… 763
荩草 …… 764

蒲公草 …… 764
谷精草 …… 765
牛扁 …… 766
苦芙 …… 766
酢浆草 …… 767
昨叶何草 …… 767
蒻头 …… 768
夏枯草 …… 768
燕蓐草 …… 769
鸭跖草 …… 769
山慈菰根 …… 769
茼实 …… 769
赤车使者 …… 770
狼跋子 …… 770
屋游 …… 771
地锦草 …… 771
败船茹 …… 771
灯心草 …… 772
五毒草 …… 772
鼠曲草 …… 772
列当 …… 772
马勃 …… 773
屐屧鼻绳灰 …… 773
质汗 …… 773
水蓼 …… 774
莸草 …… 774
败芒箔 …… 774
狗舌草 …… 775
海金沙 …… 775
萱草根 …… 775
格注草 …… 776

鸡窠中草 …… 776

鸡冠子 …… 776

地椒 …… 776

草三棱根 …… 777

合明草 …… 777

鹿药 …… 777

败天公 …… 777

一十一种陈藏器余 …… 777

毛茛 …… 777

茵命 …… 777

毒菌 …… 778

草禹馀粮 …… 778

鼠蓑草 …… 778

廉姜 …… 778

草石蚕 …… 778

漆姑草 …… 779

麂目 …… 779

梨豆 …… 779

诸草有毒 …… 779

重修政和经史证类备用本草卷第十二　己酉新增衍义 …… 781

桂 …… 785

牡桂 …… 790

菌桂 …… 791

松脂 …… 791

槐实 …… 795

槐胶 …… 799

槐花 …… 799

枸杞 …… 799

柏实 …… 804

茯苓 …… 807

琥珀 …… 811

翳 …… 813
榆皮 …… 813
酸枣 …… 816
檗木 …… 818
楮实 …… 820
干漆 …… 823
五加皮 …… 825
牡荆实 …… 827
蔓荆实 …… 829
辛夷 …… 830
桑上寄生 …… 832
杜仲 …… 834
枫香脂 …… 835
女贞实 …… 836
木兰 …… 838
蕤核 …… 839
丁香 …… 840
沉香 …… 841
薰陆香 …… 845
鸡舌香 …… 845
藿香 …… 846
詹糖香 …… 847
檀香 …… 848
乳香 …… 848
降真香 …… 849
苏合香 …… 849
金樱子 …… 850
八种海药余 …… 851
藤黄 …… 851
返魂香 …… 852
海红豆 …… 852

落雁木 …… 852
莎木 …… 852
柵木皮 …… 853
无名木皮 …… 853
奴会子 …… 853
二十六种陈藏器余 …… 853
乾陀木皮 …… 853
含水藤中水 …… 853
皋芦叶 …… 854
蜜香 …… 854
阿勒勃 …… 854
鼠藤 …… 855
浮烂罗勒 …… 855
灵寿木根皮 …… 855
缑木 …… 855
斑珠藤 …… 855
阿月浑子 …… 856
不雕木 …… 856
曼游藤 …… 856
龙手藤 …… 856
放杖木 …… 856
石松 …… 856
牛奶藤 …… 857
震烧木 …… 857
木麻 …… 857
帝休 …… 857
河边木 …… 857
櫰桓 …… 857
木蜜 …… 858
朗榆皮 …… 858
那耆悉 …… 858

黄屑 …… 858

重修政和经史证类备用本草卷第十三　己酉新增衍义 …… 859

桑根白皮 …… 863

竹叶篁 …… 869

吴茱萸 …… 874

槟榔 …… 877

栀子 …… 879

紫鉚　骐驎竭 …… 882

龙脑香及膏香 …… 883

食茱萸 …… 885

芜荑 …… 886

枳壳 …… 888

枳实 …… 889

厚朴 …… 891

茗、苦搽 …… 893

秦皮 …… 895

秦椒 …… 896

山茱萸 …… 898

紫葳 …… 899

胡桐泪 …… 900

墨 …… 901

棘刺花 …… 902

猪苓 …… 903

白棘 …… 904

乌药 …… 905

没药 …… 906

龙眼 …… 907

安息香 …… 908

仙人杖 …… 909

松萝 …… 909

毗梨勒 …… 910

庵摩勒 …… 910
郁金香 …… 911
卫矛 …… 911
海桐皮 …… 912
大腹 …… 913
紫藤 …… 913
合欢 …… 913
虎杖根 …… 915
五倍子 …… 916
伏牛花 …… 917
天竺黄 …… 917
密蒙花 …… 918
天竺桂 …… 918
折伤木 …… 919
桑花 …… 919
椋子木 …… 919
每始王木 …… 919
四十五种陈藏器余 …… 920
必栗香 …… 920
桐木 …… 920
研药 …… 920
黄龙眼 …… 920
箭笴及镞 …… 920
元慈勒 …… 921
都咸子及皮、叶 …… 921
凿孔中木 …… 921
栎木皮 …… 921
省藤 …… 921
松杨木皮 …… 922
杨庐耳 …… 922
故甑蔽 …… 922

梫木 …… 922
象豆 …… 922
地主 …… 922
腐木 …… 923
石刺木根皮 …… 923
楠木枝叶 …… 923
息王藤 …… 923
角落木皮 …… 923
鸩鸟浆 …… 923
紫珠 …… 923
牛领藤 …… 924
枕材 …… 924
鬼膊藤 …… 924
木戟 …… 924
奴柘 …… 924
温藤 …… 924
鬼齿 …… 924
铁槌柄 …… 925
古榇板 …… 925
慈母 …… 925
饭箩烧作灰 …… 925
白马骨 …… 925
紫衣 …… 925
梳篦 …… 926
倒挂藤 …… 926
故木砧 …… 926
古厕木 …… 926
桃掘 …… 926
梭头 …… 926
救月杖 …… 926
地龙藤 …… 927

火槽头 …… 927
重修政和经史证类备用本草卷第十四　己酉新增衍义 …… 929
巴豆 …… 933
蜀椒 …… 935
皂荚 …… 939
诃梨勒 …… 942
柳华 …… 945
楝实 …… 948
椿木叶 …… 949
郁李仁 …… 952
莽草 …… 954
无食子 …… 956
黄药根 …… 957
雷丸 …… 958
槲若 …… 959
白杨树皮 …… 960
桄榔子 …… 962
苏方木 …… 963
榉树皮 …… 964
桐叶 …… 965
胡椒 …… 966
钓樟根皮 …… 967
千金藤 …… 967
南烛枝叶 …… 968
无患子皮 …… 970
梓白皮 …… 971
橡实 …… 972
石南 …… 973
木天蓼 …… 974
黄环 …… 975
益智子 …… 975

溲疏 …… 976

鼠李 …… 977

椰子皮 …… 978

枳椇 …… 978

小天蓼 …… 979

小檗 …… 979

荚蒾 …… 980

紫荆木 …… 980

紫真檀 …… 980

乌臼木根皮 …… 981

南藤 …… 981

盐麸子 …… 982

杉材 …… 982

接骨木 …… 984

枫柳皮 …… 984

赤爪木 …… 985

桦木皮 …… 985

榼藤子 …… 986

榧实 …… 986

栾荆 …… 987

扶移木皮 …… 987

木鳖子 …… 988

药实根 …… 988

钓藤 …… 989

栾华 …… 989

蔓椒 …… 990

感藤 …… 990

赤柽木 …… 991

突厥白 …… 991

卖子木 …… 991

婆罗得 …… 992

甘露藤 …… 992
大空 …… 992
椿荚 …… 992
水杨叶 …… 993
杨栌木 …… 993
榄子 …… 993
楠材 …… 993
柘木 …… 994
柞木皮 …… 994
黄栌 …… 994
椶榈子 …… 994
木槿 …… 995
芫花 …… 995
二十六种陈藏器余 …… 997
栟榈木皮 …… 997
楸木皮 …… 997
没离梨 …… 998
柯树皮 …… 998
败扇 …… 999
楤根 …… 999
橉木灰 …… 999
椰桐皮 …… 999
竹肉 …… 999
桃竹笋 …… 1000
罂子桐子 …… 1000
马疡木根皮 …… 1000
木细辛 …… 1000
百家箸 …… 1000
桪木皮 …… 1000
刀鞘 …… 1001
芙树 …… 1001

丹桎木皮 …… 1001
结杀 …… 1001
杓 …… 1001
车家鸡栖木 …… 1001
檀 …… 1001
石荆 …… 1002
木黎芦 …… 1002
爪芦 …… 1002
诸木有毒 …… 1002
重修政和经史证类备用本草卷第十五　己酉新增衍义 …… 1003
发髮 …… 1006
乱发 …… 1007
人乳汁 …… 1008
头垢 …… 1009
人牙齿 …… 1010
耳塞 …… 1010
人屎 …… 1010
人溺 …… 1012
溺白垽 …… 1013
妇人月水 …… 1013
浣裈汁 …… 1014
人精 …… 1014
怀妊妇人爪甲 …… 1014
天灵盖 …… 1014
人髭 …… 1015
一十种陈藏器余 …… 1015
人血 …… 1015
人肉 …… 1016
人胞 …… 1016
妇人裈裆 …… 1016
人胆 …… 1016

男子阴毛 …… 1016
死人枕及席 …… 1016
夫衣带 …… 1017
衣中故绵絮 …… 1017
新生小儿脐中屎 …… 1017
重修政和经史证类备用本草卷第十六　己酉新增衍义 …… 1019
龙骨 …… 1022
麝香 …… 1025
牛黄 …… 1028
熊脂 …… 1030
象牙 …… 1032
白胶 …… 1034
阿胶 …… 1035
羊乳 …… 1037
牛乳 …… 1037
酥 …… 1038
酪 …… 1039
醍醐 …… 1039
马乳 …… 1040
乳腐 …… 1040
底野迦 …… 1041
五种陈藏器余 …… 1041
蔡苴机屎 …… 1041
诸朽骨 …… 1041
乌毡 …… 1041
海獭 …… 1041
土拨鼠 …… 1042
重修政和经史证类备用本草卷第十七　己酉新增衍义 …… 1043
白马茎 …… 1046
鹿茸 …… 1051
牛角鳃 …… 1056

羖羊角 …… 1061
牡狗阴茎 …… 1067
羚羊角 …… 1071
犀角 …… 1073
虎骨 …… 1077
兔头骨 …… 1080
狸骨 …… 1082
獐骨 …… 1084
豹肉 …… 1085
笔头灰 …… 1086
四种陈藏器余 …… 1087
犊子脐屎 …… 1087
灵猫 …… 1087
震肉 …… 1087
鼺鼺 …… 1087
重修政和经史证类备用本草卷第十八　己酉新增衍义 …… 1089
豚卵 …… 1092
麋脂 …… 1098
驴屎 …… 1100
狐阴茎 …… 1102
獭肝 …… 1103
貒肉、胞膏 …… 1106
鼹鼠 …… 1106
鼺鼠 …… 1108
野猪黄 …… 1108
豺皮 …… 1109
腽肭脐 …… 1110
麂 …… 1111
野驼脂 …… 1111
猕猴 …… 1112
败鼓皮 …… 1113

六畜毛蹄甲 …… 1114
五种陈藏器余 …… 1114
诸血 …… 1114
果然肉 …… 1114
狨兽 …… 1115
狼筋 …… 1115
诸肉有毒 …… 1115
重修政和经史证类备用本草卷第十九　己酉新增衍义 …… 1117
［禽　上］ …… 1120
丹雄鸡 …… 1120
白鹅膏 …… 1129
鹜肪 …… 1130
白鸭屎 …… 1130
鹧鸪 …… 1132
雁肪 …… 1132
［禽　中］ …… 1133
雀卵 …… 1133
燕屎 …… 1136
伏翼 …… 1137
天鼠屎 …… 1138
鹰屎白 …… 1139
雉肉 …… 1139
［禽　下］ …… 1141
孔雀屎 …… 1141
鸱头 …… 1141
鸂鶒 …… 1141
斑鵻 …… 1142
白鹤 …… 1142
乌鸦 …… 1142
练鹊 …… 1142
鸲鹆肉 …… 1143

雄鹊肉 …… 1143
鸬鹚屎 …… 1144
鹳骨 …… 1145
白鸽 …… 1146
百劳 …… 1146
鹑 …… 1146
啄木鸟 …… 1147
慈鸦 …… 1147
鹘嘲 …… 1148
鹈鹕嘴 …… 1148
鸳鸯 …… 1148
二十六种陈藏器余 …… 1148
鹬 …… 1148
鹖 …… 1149
阳乌 …… 1149
凤凰台 …… 1149
鸀鳿鸟 …… 1149
巧妇鸟 …… 1150
英鸡 …… 1150
鱼狗 …… 1150
驼鸟屎 …… 1150
鸩䴖 …… 1150
蒿雀 …… 1151
鹖鸡 …… 1151
山菌子 …… 1151
百舌鸟 …… 1151
黄褐侯 …… 1151
鷩雉 …… 1151
乌目 …… 1152
鸊鷉膏 …… 1152
布谷脚、脑、骨 …… 1152

蚊母鸟翅 …… 1152
杜鹃 …… 1152
鸮目 …… 1153
鸲鹆 …… 1153
姑获 …… 1153
鬼车 …… 1154
诸鸟有毒 …… 1154

下　册

重修政和经史证类备用本草卷第二十　己酉新增衍义 …… 1155
［上　品］ …… 1158
石蜜 …… 1158
蜂子 …… 1162
蜜蜡 …… 1163
牡蛎 …… 1164
龟甲 …… 1166
秦龟 …… 1167
真珠 …… 1170
玳瑁 …… 1171
桑螵蛸 …… 1172
石决明 …… 1174
海蛤 …… 1175
文蛤 …… 1177
魁蛤 …… 1178
蠡鱼 …… 1178
鲮鱼 …… 1179
鲫鱼 …… 1181
鳝鱼 …… 1183
鲍鱼 …… 1185
鲤鱼胆 …… 1186

八种食疗余 …… 1189
时鱼 …… 1189
黄赖鱼 …… 1189
比目鱼 …… 1189
鲚鱼 …… 1189
鯸鮧鱼 …… 1189
鯮鱼 …… 1189
黄鱼 …… 1189
鲂鱼 …… 1190
二十三种陈藏器余 …… 1190
鲟鱼 …… 1190
鮧鳀鱼白 …… 1190
文鳐鱼 …… 1190
牛鱼 …… 1191
海豚鱼 …… 1191
杜父鱼 …… 1191
海鹞鱼齿 …… 1191
鮠鱼 …… 1191
鮹鱼 …… 1192
鳣鱼肝 …… 1192
石鮅鱼 …… 1192
鱼鲊 …… 1192
鱼脂 …… 1192
鲙 …… 1192
昌侯鱼 …… 1193
鲩鱼 …… 1193
鲵鱼肝及子 …… 1193
鱼虎 …… 1193
鮇鱼、鳅鱼、鼠尾鱼、地青鱼、鯆魮鱼、邵阳鱼 …… 1193
鲵鱼 …… 1194
诸鱼有毒者 …… 1194

水龟 …… 1194
疟龟 …… 1194
重修政和经史证类备用本草卷第二十一　己酉新增衍义 …… 1195
［中　品］ …… 1198
猬皮 …… 1198
露蜂房 …… 1200
鳖甲 …… 1203
蟹 …… 1206
蚱蝉 …… 1209
蝉花 …… 1211
蛴螬 …… 1211
乌贼鱼骨 …… 1213
原蚕蛾 …… 1215
蚕退 …… 1217
缘桑螺 …… 1217
白僵蚕 …… 1218
鳗鲡鱼 …… 1220
鮀鱼甲 …… 1222
樗鸡 …… 1223
蛞蝓 …… 1224
蜗牛 …… 1225
石龙子 …… 1226
木虻 …… 1228
蜚虻 …… 1229
蜚蠊 …… 1230
䗪虫 …… 1230
鲛鱼皮 …… 1231
白鱼 …… 1232
鳜鱼 …… 1233
青鱼 …… 1233
河豚 …… 1234

石首鱼 …… 1234
嘉鱼 …… 1235
鲻鱼 …… 1235
紫贝 …… 1235
鲈鱼 …… 1236
鲎 …… 1236
二种海药余 …… 1237
郎君子 …… 1237
海蚕沙 …… 1237
二十一种陈藏器余 …… 1237
鼋 …… 1237
海马 …… 1238
齐蛤 …… 1238
柘虫屎 …… 1238
蚱蜢 …… 1238
寄居虫 …… 1238
蚍蜉 …… 1239
负蠜 …… 1239
蠼螋 …… 1239
蛊虫 …… 1239
土虫 …… 1239
鳙鱼 …… 1240
予脂 …… 1240
砂挼子 …… 1240
蛔虫汁 …… 1240
蟲螽 …… 1240
灰药 …… 1241
吉丁虫 …… 1241
腆颗虫 …… 1241
鼷鼠 …… 1241
诸虫有毒 …… 1241

重修政和经史证类备用本草卷第二十二　己酉新增衍义 …… 1243

［下　品］ …… 1247

虾蟆 …… 1247

牡鼠 …… 1250

马刀 …… 1253

蛤蜊 …… 1254

蚬 …… 1254

蝛蜼 …… 1255

蚌蛤 …… 1255

车螯 …… 1255

蚶 …… 1256

蛏 …… 1256

淡菜 …… 1256

虾 …… 1257

蚺蛇胆 …… 1257

蛇蜕 …… 1260

蜘蛛 …… 1262

蝮蛇胆 …… 1264

白颈蚯蚓 …… 1265

蠮螉 …… 1267

葛上亭长 …… 1269

蜈蚣 …… 1269

蛤蚧 …… 1271

水蛭 …… 1272

斑猫 …… 1274

田中螺汁 …… 1275

贝子 …… 1276

石蚕 …… 1277

雀瓮 …… 1278

白花蛇 …… 1279

乌蛇 …… 1281

金蛇 …… 1281

蜣螂 …… 1282

五灵脂 …… 1283

蝎 …… 1285

蝼蛄 …… 1286

马陆 …… 1287

蛙 …… 1288

鲮鲤甲 …… 1288

芫青 …… 1290

地胆 …… 1291

珂 …… 1291

蜻蛉 …… 1292

鼠妇 …… 1292

萤火 …… 1293

甲香 …… 1293

衣鱼 …… 1294

三十六种陈藏器余 …… 1296

海螺 …… 1296

海月 …… 1296

青蚨 …… 1296

豉虫 …… 1297

乌烂死蚕 …… 1297

茧卤汁 …… 1297

壁钱 …… 1297

针线袋 …… 1297

故锦烧作灰 …… 1297

故绯帛 …… 1298

赦日线 …… 1298

苟印 …… 1298

溪鬼虫 …… 1298

赤翅蜂 …… 1299

独脚蜂 …… 1299
蜡 …… 1299
盘蝥虫 …… 1299
蛭蟷 …… 1299
山蛩虫 …… 1300
溪狗 …… 1300
水黾 …… 1300
飞生虫 …… 1300
芦中虫 …… 1300
蓼螺 …… 1300
蛇婆 …… 1301
朱鳖 …… 1301
担罗 …… 1301
青腰虫 …… 1301
虱 …… 1301
苟杞上虫 …… 1301
大红虾鲊 …… 1302
木蠹 …… 1302
留师蜜 …… 1302
蓝蛇 …… 1302
两头蛇 …… 1302
活师 …… 1303
重修政和经史证类备用本草卷第二十三　己酉新增衍义 …… 1305
[上　品] …… 1308
豆蔻 …… 1308
藕实茎 …… 1309
橘柚 …… 1313
大枣 …… 1316
仲思枣 …… 1319
葡萄 …… 1319
栗 …… 1321

蓬蘽 …… 1322
覆盆子 …… 1324
芰实 …… 1325
橙子皮 …… 1326
樱桃 …… 1327
鸡头实 …… 1328
[中　品] …… 1329
梅实 …… 1329
木瓜实 …… 1331
柿 …… 1333
芋 …… 1335
乌芋 …… 1337
枇杷叶 …… 1338
荔枝子 …… 1339
乳柑子 …… 1340
石蜜 …… 1341
甘蔗 …… 1341
沙糖 …… 1343
椑柿 …… 1343
[下　品] …… 1343
桃核仁 …… 1343
杏核仁 …… 1350
安石榴 …… 1356
梨 …… 1358
林檎 …… 1360
李核仁 …… 1361
杨梅 …… 1363
胡桃 …… 1363
猕猴桃 …… 1364
海松子 …… 1365
柰 …… 1365

庵罗果 …… 1366
橄榄 …… 1366
榅桲 …… 1367
榛子 …… 1368
一十三种陈藏器余 …… 1368
灵床上果子 …… 1368
无漏子 …… 1368
都角子 …… 1369
文林郎 …… 1369
木威子 …… 1369
摩厨子 …… 1369
悬钩根 …… 1369
钩栗 …… 1370
石都念子 …… 1370
君迁子 …… 1370
韶子 …… 1370
椓子 …… 1370
诸果有毒 …… 1371
重修政和经史证类备用本草卷第二十四　己酉新增衍义 …… 1373
胡麻 …… 1375
青蘘 …… 1379
麻蕡 …… 1379
胡麻油 …… 1383
白油麻 …… 1384
饴糖 …… 1386
灰藋 …… 1387
重修政和经史证类备用本草卷第二十五　己酉新增衍义 …… 1389
生大豆 …… 1392
赤小豆 …… 1396
大豆黄卷 …… 1398
酒 …… 1399

粟米 …… 1401
秫米 …… 1403
粳米 …… 1404
青粱米 …… 1405
黍米 …… 1407
丹黍米 …… 1408
白粱米 …… 1409
黄粱米 …… 1410
蘖米 …… 1410
舂杵头细糠 …… 1411
小麦 …… 1411
大麦 …… 1414
曲 …… 1415
穬麦 …… 1416
荞麦 …… 1416
藊豆 …… 1417
豉 …… 1417
绿豆 …… 1420
白豆 …… 1420
重修政和经史证类备用本草卷第二十六　己酉新增衍义 …… 1423
醋 …… 1426
稻米 …… 1428
稷米 …… 1431
腐婢 …… 1433
酱 …… 1434
陈廪米 …… 1435
罂子粟 …… 1435
一十一种陈藏器余 …… 1437
师草实 …… 1437
寒食飰 …… 1437
罔米 …… 1437

狼尾草 …… 1437
胡豆子 …… 1438
东墙 …… 1438
麦苗 …… 1438
糟笋中酒 …… 1438
社酒 …… 1438
蓬草子 …… 1438
寒食麦仁粥 …… 1438
重修政和经史证类备用本草卷第二十七　己酉新增衍义 …… 1439
冬葵子 …… 1442
苋实 …… 1444
胡荽 …… 1446
邪蒿 …… 1447
同蒿 …… 1447
罗勒 …… 1448
石胡荽 …… 1448
芜菁及芦菔 …… 1448
瓜蒂 …… 1453
白冬瓜 …… 1455
白瓜子 …… 1456
甜瓜 …… 1458
胡瓜叶 …… 1458
越瓜 …… 1459
白芥 …… 1459
芥 …… 1460
莱菔根 …… 1461
菘 …… 1463
苦菜 …… 1465
荏子 …… 1466
黄蜀葵花 …… 1467
蜀葵 …… 1467

龙葵 …… 1468
苦耽 …… 1469
苦苣 …… 1469
苜蓿 …… 1469
荠 …… 1470
三种陈藏器余 …… 1470
蕨 …… 1470
翘摇 …… 1471
甘蓝 …… 1471
重修政和经史证类备用本草卷第二十八　己酉新增衍义 …… 1473
蓼实 …… 1476
葱实 …… 1478
韭 …… 1482
薤 …… 1484
菾菜 …… 1487
假苏 …… 1487
白蘘荷 …… 1489
苏 …… 1490
水苏 …… 1492
香薷 …… 1494
薄荷 …… 1495
秦荻梨 …… 1496
醍醐菜 …… 1497
重修政和经史证类备用本草卷第二十九　己酉新增衍义 …… 1499
苦瓠 …… 1502
葫 …… 1504
蒜 …… 1507
胡葱 …… 1508
莼 …… 1509
水斳 …… 1510
马齿苋 …… 1511

茄子 …… 1513
蘩蒌 …… 1515
鸡肠草 …… 1516
白苣 …… 1517
落葵 …… 1517
堇汁 …… 1518
蕺 …… 1518
马芹子 …… 1519
芸薹 …… 1519
雍菜 …… 1520
菠薐 …… 1520
苦荬 …… 1520
鹿角菜 …… 1521
莙荙 …… 1521
东风菜 …… 1521
重修政和经史证类备用本草卷第三十　己酉新增衍义 …… 1523
水英 …… 1528
丽春草 …… 1528
坐拿草 …… 1529
紫堇 …… 1529
杏叶草 …… 1530
水甘草 …… 1530
地柏 …… 1530
紫背龙牙 …… 1530
攀倒甑 …… 1531
佛甲草 …… 1531
百乳草 …… 1531
撮石合草 …… 1531
石苋 …… 1532
百两金 …… 1532
小青 …… 1532

曲节草 …… 1533
独脚仙 …… 1533
露筋草 …… 1533
红茂草 …… 1533
见肿消 …… 1534
半天回 …… 1534
剪刀草 …… 1534
龙牙草 …… 1535
苦芥子 …… 1535
野兰根 …… 1535
都管草 …… 1535
小儿群 …… 1536
菩萨草 …… 1536
仙人掌草 …… 1536
紫背金盘草 …… 1537
石逍遥草 …… 1537
胡堇草 …… 1537
无心草 …… 1538
千里光 …… 1538
九牛草 …… 1538
刺虎 …… 1539
生瓜菜 …… 1539
建水草 …… 1539
紫袍 …… 1540
老鸦眼睛草 …… 1540
天花粉 …… 1540
琼田草 …… 1540
石垂 …… 1541
紫金牛 …… 1541
鸡项草 …… 1541
拳参 …… 1541

根子 …… 1542
杏参 …… 1542
赤孙施 …… 1542
田母草 …… 1542
铁线 …… 1543
天寿根 …… 1543
百药祖 …… 1543
黄寮郎 …… 1543
催风使 …… 1544
阴地厥 …… 1544
千里急 …… 1544
地芙蓉 …… 1544
黄花了 …… 1544
布里草 …… 1545
香麻 …… 1545
半边山 …… 1545
火炭母草 …… 1545
亚麻子 …… 1546
田麻 …… 1546
鸩鸟威 …… 1546
茆质汗 …… 1546
地蜈蚣 …… 1546
地茄子 …… 1547
水麻 …… 1547
金灯 …… 1547
石蒜 …… 1548
荨麻 …… 1548
山姜 …… 1548
马肠根 …… 1548
大木皮 …… 1549
崖棕 …… 1549

鹅抱 …… 1549
鸡翁藤 …… 1550
紫金藤 …… 1550
独用藤 …… 1550
瓜藤 …… 1550
金棱藤 …… 1551
野猪尾 …… 1551
烈节 …… 1551
杜茎山 …… 1551
血藤 …… 1552
土红山 …… 1552
百棱藤 …… 1552
祁婆藤 …… 1553
含春藤 …… 1553
清风藤 …… 1553
七星草 …… 1553
石南藤 …… 1554
石合草 …… 1554
马接脚 …… 1554
芥心草 …… 1554
棠球子 …… 1555
醋林子 …… 1555
天仙藤 …… 1555
二十六种玉石类 …… 1556
青玉 …… 1556
白玉髓 …… 1556
玉英 …… 1556
璧玉 …… 1556
合玉石 …… 1556
紫石华 …… 1556
白石华 …… 1557

黑石华 …… 1557
黄石华 …… 1557
厉石华 …… 1557
石肺 …… 1557
石肝 …… 1557
石脾 …… 1557
石肾 …… 1557
封石 …… 1558
陵石 …… 1558
碧石青 …… 1558
遂石 …… 1558
白肌石 …… 1558
龙石膏 …… 1558
五羽石 …… 1558
石流青 …… 1558
石流赤 …… 1559
石耆 …… 1559
紫加石 …… 1559
终石 …… 1559
一百三十二种草木类 …… 1559
玉伯 …… 1559
文石 …… 1559
曼诸石 …… 1560
山慈石 …… 1560
石濡 …… 1560
石芸 …… 1560
石剧 …… 1560
路石 …… 1560
旷石 …… 1561
败石 …… 1561
越砥 …… 1561

金茎 …… 1561
夏台 …… 1561
柒紫 …… 1561
鬼目 …… 1561
鬼盖 …… 1562
马颠 …… 1562
马唐 …… 1562
马逢 …… 1562
牛舌实 …… 1562
羊乳 …… 1563
羊实 …… 1563
犀洛 …… 1563
鹿良 …… 1563
菟枣 …… 1563
雀梅 …… 1563
雀翘 …… 1563
鸡涅 …… 1564
相乌 …… 1564
鼠耳 …… 1564
蛇舌 …… 1564
龙常草 …… 1564
离楼草 …… 1564
神护草 …… 1564
黄护草 …… 1564
吴唐草 …… 1565
天雄草 …… 1565
雀医草 …… 1565
木甘草 …… 1565
益决草 …… 1565
九熟草 …… 1565
兑草 …… 1565

酸草 …………………………………………………………………………… 1566
异草 …………………………………………………………………………… 1566
灌草 …………………………………………………………………………… 1566
葩草 …………………………………………………………………………… 1566
莘草 …………………………………………………………………………… 1566
勒草 …………………………………………………………………………… 1566
英草华 ………………………………………………………………………… 1566
吴葵华 ………………………………………………………………………… 1567
封华 …………………………………………………………………………… 1567
䧌华 …………………………………………………………………………… 1567
棑华 …………………………………………………………………………… 1567
节华 …………………………………………………………………………… 1567
徐李 …………………………………………………………………………… 1567
新雉木 ………………………………………………………………………… 1567
合新木 ………………………………………………………………………… 1568
俳蒲木 ………………………………………………………………………… 1568
遂阳木 ………………………………………………………………………… 1568
学木核 ………………………………………………………………………… 1568
木核 …………………………………………………………………………… 1568
栒核 …………………………………………………………………………… 1568
荻皮 …………………………………………………………………………… 1568
桑茎实 ………………………………………………………………………… 1568
满阴实 ………………………………………………………………………… 1569
可聚实 ………………………………………………………………………… 1569
让实 …………………………………………………………………………… 1569
蕙实 …………………………………………………………………………… 1569
青雌 …………………………………………………………………………… 1569
白背 …………………………………………………………………………… 1569
白女肠 ………………………………………………………………………… 1569
白扇根 ………………………………………………………………………… 1570
白给 …………………………………………………………………………… 1570

白并 …… 1570
白辛 …… 1570
白昌 …… 1570
赤举 …… 1570
赤涅 …… 1570
黄秫 …… 1571
徐黄 …… 1571
黄白支 …… 1571
紫蓝 …… 1571
紫给 …… 1571
天蓼 …… 1571
地朕 …… 1571
地芩 …… 1571
地筋 …… 1572
地耳 …… 1572
土齿 …… 1572
燕齿 …… 1572
酸恶 …… 1572
酸赭 …… 1572
巴棘 …… 1572
巴朱 …… 1572
蜀格 …… 1573
累根 …… 1573
苗根 …… 1573
参果根 …… 1573
黄辩 …… 1573
良达 …… 1573
对庐 …… 1573
粪蓝 …… 1574
委蛇 …… 1574
麻伯 …… 1574

王明 …… 1574
类鼻 …… 1574
师系 …… 1574
逐折 …… 1574
并苦 …… 1575
父陛根 …… 1575
索干 …… 1575
荆茎 …… 1575
鬼䍡 …… 1575
竹付 …… 1575
秘恶 …… 1576
唐夷 …… 1576
知杖 …… 1576
垫松 …… 1576
河煎 …… 1576
区余 …… 1576
三叶 …… 1576
五母麻 …… 1576
疥拍腹 …… 1577
常吏之生 …… 1577
救赦人者 …… 1577
丁公寄 …… 1577
城里赤柱 …… 1577
城东腐木 …… 1577
芥 …… 1578
载 …… 1578
庆 …… 1578
腂 …… 1578
一十五种虫类 …… 1578
雄黄虫 …… 1578
天社虫 …… 1578

桑蠹虫 …… 1578
石蠹虫 …… 1579
行夜 …… 1579
蜗篱 …… 1579
麋鱼 …… 1579
丹戬 …… 1580
扁前 …… 1580
蚖类 …… 1580
蜚厉 …… 1580
梗鸡 …… 1580
益符 …… 1580
地防 …… 1580
黄虫 …… 1580
唐本退二十种 …… 1581
薰草 …… 1581
姑活 …… 1581
别羇 …… 1581
牡蒿 …… 1582
石下长卿 …… 1582
麋舌 …… 1582
练石草 …… 1582
弋共 …… 1582
蕈草 …… 1583
五色符 …… 1583
蘘草 …… 1583
翘根 …… 1583
鼠姑 …… 1583
船虹 …… 1583
屈草 …… 1584
赤赫 …… 1584
淮木 …… 1584

占斯 …… 1584
婴桃 …… 1585
鸩鸟毛 …… 1585
今新退一种 …… 1585
彼子 …… 1585
补注本草奏敕 …… 1587
《图经本草》奏敕 …… 1591
翰林学士宇文公书《证类本草》后 …… 1595
附篇　《政和本草》文献研究资料 …… 1599
一、唐慎微生平及其《证类本草》 …… 1600
（一）《证类本草》作者唐慎微的生平 …… 1600
（二）唐慎微编《证类本草》的背景 …… 1602
（三）《证类本草》成书年代 …… 1604
（四）《证类本草》收载药物数量 …… 1605
（五）《证类本草》编纂体例 …… 1607
（六）《证类本草》文献的标记 …… 1607
（七）《证类本草》的价值 …… 1611
（八）历代书目所著录《证类本草》书名 …… 1612
（九）《证类本草》墨盖子下“唐本”“唐本注”的讨论 …… 1613
（十）《证类本草》中“唐本余”的讨论 …… 1615
（十一）《证类本草》中“今附”的讨论 …… 1618
（十二）《证类本草》药物新分条的讨论 …… 1619
（十三）《证类本草》药图的考察 …… 1623
（十四）《证类本草》药图所附古地名今释 …… 1624
（十五）“《证类本草》所出经史方书”来源的讨论 …… 1627
（十六）《证类本草》“图经文”所引书目 …… 1632
（十七）《证类本草》墨盖子下唐慎微引书目 …… 1645
二、《证类本草》囊括宋以前主流本草内容 …… 1655
（十八）从《神农本草经》到《证类本草》的发展概况 …… 1655
（十九）《证类本草》注文中所引《本经》书名的讨论 …… 1660

(二十)《证类本草》白字考异 …… 1663
(二十一)《证类本草》白字序文和药物内容的矛盾 …… 1668
(二十二) 诸类书所引《神农本草经》文不同于《证类本草》白字 …… 1672
(二十三)《证类本草》白字《本经》药物产地的考察 …… 1675
(二十四)《证类本草》白字《本经》药物三品的考异 …… 1678
(二十五)《证类本草》白字《本经》药物合并分条的讨论 …… 1682
(二十六)《证类本草》白字《本经》药物总数的讨论 …… 1685
(二十七)《证类本草》白字《本经》药365种之数是陶弘景定的 …… 1687
(二十八) 诸家辑本《神农本草经》皆出于《证类本草》白字 …… 1689
(二十九)《证类本草》白字和单行本《本草经》文都是陶弘景整理的 …… 1692
(三十)《证类本草》引"梁·陶隐居序"的考察 …… 1698
(三十一)《证类本草》"梁·陶隐居序"中"诸经"的讨论 …… 1702
(三十二)《证类本草》中黑字《别录》药来源的讨论 …… 1703
(三十三) 从《证类本草》探索陶弘景《名医别录》是取材于名医在"诸经"中增录的资料 …… 1707
(三十四) 从《证类本草》"梁·陶隐居序"看陶弘景对中国本草学的贡献 …… 1714
(三十五)《本草纲目》误《证类本草》"梁·陶隐居序"为《名医别录》序 …… 1717
(三十六)《证类本草》"梁·陶隐居序"和《名医别录》存在历史性相混的关系 …… 1718
(三十七)《证类本草》引"雷公曰"药物出处分析 …… 1722
(三十八)《证类本草》所引《开宝本草》新增药出处分析 …… 1725
三、《证类本草》成书后被修订成多种同书异名本 …… 1727
(三十九) 艾晟校《大观本草》增补陈承"别说" …… 1730
(四十)《大观本草》的刊本 …… 1733
(四十一)《绍兴本草》 …… 1737
(四十二)《大全本草》 …… 1738
(四十三)《政和本草》 …… 1742
(四十四) 张存惠重修《政和本草》所据底本的讨论 …… 1744

（四十五）张存惠重修《政和本草》凡例 …… 1744
（四十六）《政和本草》增入寇氏《衍义》 …… 1745
（四十七）张存惠重修《政和本草》所题甲子纪年“己酉”年代的讨论 …… 1748
（四十八）重修《政和本草》刊本 …… 1749
（四十九）成化本《政和本草》版本的讨论 …… 1757
（五十）《四库全书》所录《证类本草》的底本是成化本《政和本草》 …… 1762
（五十一）《本草纲目》参考成化《政和本草》系列本例证 …… 1766
（五十二）商务影印《政和本草》错简例 …… 1768
（五十三）商务影印《政和本草》版本辨伪 …… 1771
（五十四）人卫《政和本草》2 种刊本比较 …… 1774
（五十五）人卫《政和》和柯《大观》异同的比较 …… 1777
（五十六）人卫《政和本草》脱误的讨论 …… 1783
（五十七）《政和本草》避讳字举例 …… 1788
附录　药名索引 …… 1794
后记 …… 1813
写在《〈政和本草〉校点》出版之际 …… 1817

重修本草之记[1]

此书世行[2]久矣，诸家因革不同，今取证类本尤善者为窠模，增以寇氏《衍义》，别本中方论多者，悉为补入。又有本经、别录、先附、分条之类，其数旧多差互，今亦考正。凡药有异名者，取其俗称注之目录各条下，俾读者易识。如蚤休云紫河车，假苏云荆芥之类是也。图像失真者，据所尝见，皆更写之。如竹分淡、苦、堇三种，食盐著古今二法之类是也。字画谬误，殊关利害。如升斗、疸疸、上下、千十、未末之类，无虑千数；或证以别本，质以诸书，悉为厘正。疑者阙之，敬俟来哲，仍广其脊行，以便缀缉，庶历久不坏。其间致力极意，诸所营制，难以具载，不敢一毫苟简，与旧本颇异，故目之曰重修。天下贤[3]士夫以旧鉴新，自知矣。泰和甲子下已[4]酉冬日南至晦明轩谨记。

---

① 重修本草之记：此标题，原书刻在"螭首龟座牌记"（以下简称"牌记"）的头额上。今拔出列在"记文"的开头。刘《大观》、柯《大观》无此牌记。

② 行：成化《政和》、商务《政和》作"传"。

③ 贤：其上原本缺字，成化《政和》、商务《政和》有"名"字。

④ 已：成化《政和》、商务《政和》误作"巳"。

重修《证类本草》序

自古人俞穴针石之法不大传，而后世亦鲜有得其妙者，遂专用汤液、丸粒理疾。至于刳肠、剖臆、刮骨、续筋之神奇，以为别术所得，终非神农家事。维圣哲审证以制方，因方而见药，故方家言盛行，而神农之经不可一朝而舍也。其书大抵源于神农氏。自神农氏而下，名本草者，固非一家。又有所谓唐本、蜀本者，迄于有宋政和间①，天子留意生人，乃命宏儒名医，诠定诸家之说，为之图绘，使人验其草木根茎、花实之微，与夫玉石、金土、虫鱼、飞走之状，以辨②其药之真赝而易知，为之类例，使人别其物产③，风气之殊宜，君、臣、佐、使之异用，甘、辛、咸、苦、酸之异味，温、凉、寒、热、缓、急、有毒、无毒之不同而易见，其书始大备而加察焉。行于中州者，旧有解人庞氏本，兵烟荡析之余，所存无几，故人罕得恣窥。今平阳张君魏卿，惜其浸遂湮坠，乃命工刻梓，实因庞氏本，仍附以寇氏《衍义》，比之旧本益备而加察焉。书成④，过余属为序引。余谓人之所甚重者生也，卫生之资，所甚急者药也，药之考订，使无以乙乱丙，误用妄投之失者，神农家书也。开卷之际，指掌斯见，政如止水鉴形，洪钟答响，顾安所逃遂其形声

① 间：成化《政和》、商务《政和》作“閒”。

② 辨：成化《政和》、商务《政和》作“辫”。

③ 产：成化《政和》、商务《政和》作“生”。

④ 成：成化《政和》、商务《政和》作“阅”。

哉？养老慈幼之家，固当家置一本，况业医者之流乎？然其论著，自梁·陶隐居，唐、宋以来诸人备矣。余言其赘乎？世固有无用之学，无益之书，余特嘉张君爱物之周，用心之勤，能为是大有益之书，以暨群生，以图永久，非若世之市儿、贩夫侥幸目前，规规然专以利为也。故喜闻而乐道之。君讳存惠，字魏卿。岁己酉孟秋望日贻溪麻革信之序。

政和新修经史证类备用本草序

中卫大夫康州防御使句当龙德宫总辖修建明堂所医药提举入内医官编类圣济经提举太医学臣曹孝忠奉敕撰

成周六典，列医师于天官，聚毒药以共医事。盖虽治道绪余，仁民爱物之意寓焉。圣人有不能后也。国朝阐神农书，康济斯民，嘉祐中，两命儒臣，图经、补注、训义、剖治，亦已详矣。而重熙累洽，文物滋盛，士之闻见益广，视前世书，犹可缉熙而赓续者。蜀人唐慎微，近以医术称，因本草旧经，衍以证类、医方之外，旁摭经史至仙经、道书，下逮百家之说，兼收并录，其义明，其理博，览之者，可以洞达。臣因侍燕间，亲奉玉音，以谓此书，实可垂济。乃诏节使臣杨戬总工刊写，继又命臣校正而润色之。臣仰惟睿圣当天，慈仁在宥，诞振三坟，跻民寿域，肇设学校，俾革俗弊；复诏天下进以奇方善术，将为《圣济经》，以幸天下万世。臣以匪才，叨列是职，兢临渊谷。而《证类本草》诚为治病之总括，又得以厘而正之，荣幸深矣。谨奉明诏，钦帅官联，朝夕讲究，删繁缉紊，务底厥理。诸有援引误谬，则断以经传；字画鄙俚，则正以字说；余或讹戾肴互缮录之不当者，又复随笔刊正，无虑数千；遂完然为成书，凡六十余万言，请目以《政和新修经史证类备用本草》云。政和六年九月一日。中卫大夫、康州防御使、句当龙德宫总辖、修建明堂所医药提举、入内医官编类圣济经提举、太医学臣曹孝忠谨序。

《证类本草》所出经史方书

毛诗注疏	尚书注疏	礼记注疏	周礼注疏
春秋左传注疏	尔雅注疏	史记①	前汉书
后汉书②	三国志	晋书③	南史④
宋书	隋书	唐书	文选
孔子家语	庄子	列子	荀子
淮南子	抱朴子	山海经	说文
通典	素问	巢氏病源	蜀本草
吴氏本草	食疗本草	四声本草	删繁本草
食性本草	唐本草余	南海药谱	药性论
本草性事类	日华子本草	雷公炮炙论	药总诀
陈藏器本草拾遗	药对	张仲景方	圣惠方
千金方	千金翼	千金髓	外台秘要

① 史记：后条“秦穆公”引自本条，当是重出。

② 后汉书：后条“王莽书”引自本条，当是重出。

③ 晋书：本书中“犀角”条引作“晋温峤”。

④ 南史：原作“南北史”。本书虾蟆所引《南北史》，其文实出《南史》，据此改。

灵苑方	肘后方①	经效方	集验方
斗门方	十全方	广利方	梅师方
范汪方	产宝方	胜金方	广济方
小品方	葛氏方②	玉函方③	百一方④
鬼遗方	崔氏方	陈巽方	刘氏方
杜壬方	孙兆方	修真方	扁鹊方
塞上方	老唐方	欧阳方	苏恭方
近效方	必效方	成汭方⑤	张咏方⑥
姚氏方	深师方	救急方	徐文伯方
崔知悌方	张文仲方	姚和众方	食医心镜
子母秘录	王氏博济	简要济众	御药院方
杨氏产乳	孙用和方	姚大夫方	苏学士方
初虞世方	席延赏方	杨文蔚方	太仓公方
支太医方	高供奉方	杨尧夫方	秦运副方
家传验方	十全博救方	续十全方	新续十全方
金匮玉函方⑦	兵部手集方	张潞大效方	箧中秘宝方
钱氏箧中方	秉闲集效方	韦宙独行方	文潞公药准
服气精义方	小儿宫气方	谭氏小儿方	古今录验方
拾遗诸方	刘禹锡传信方	续传信方	李世勣方⑧
经验后方	孙真人食忌	治劳瘵方	催生诸方
头疼诸方	治痁诸方	治疮诸方	治痢诸方
背痈诸方	治疽诸方	海药	孙兆口诀
崔氏海上集	产书	仙方	金光明经

---

① 肘后方：其后条“葛氏方”“百一方”，均系本条重出。

② 葛氏方：与前条“肘后方”重出。

③ 玉函方：与后条“金匮玉函方”重出。

④ 百一方：与前条“肘后方”重出。

⑤ 成汭方：即《成汭日稀莶表》。

⑥ 张咏方：即《张忠定公语录》中的“进火枚草方表”。

⑦ 金匮玉函方：与前条“玉函方”重出。

⑧ 李世勣方：与后条“唐宝臣传”同引自《新唐书》，是同书异篇。

斗门经	太上八帝玄变经	三洞要录	青霞子
道书八帝圣化经	神仙秘旨	宝藏论	太清服炼灵砂法
丹房镜源	神仙传	东华真人煮石经	明皇杂录
列仙传	马明先生金丹诀	修真秘旨	神异经
叶天师枕中记	酉阳杂俎	异物志	伯夷叔齐外说
朝野佥载	房室经	孙真人枕中记	修真秘诀
广五行记	左慈秘诀	神仙芝草经	夏禹神仙经
灵芝瑞草经	神仙服饵法	太清草木记	太清石壁记
紫灵元君传	感应神仙传	耳珠先生法	黄帝问天老
贾相公牛经	崔豹古今注	孝经援神契	周成王传①
鲁定公记	颜氏家训	何晏九州记	秦穆公传②
蜀王本记	龙鱼河图	汉武帝内传	魏文帝令
四时纂要	齐民要术	荆楚岁时记	张司空记③
续齐谐记	陈承别说	南岳夫人传	崔魏公传④
太平广记	天宝遗事	唐武后外传	唐宝臣传⑤
李孝伯传	李司封传	沈存中笔谈⑥	何君谟传
柳宗元集⑦	北梦琐言	杨文公谈苑	宋王微赞
刘元绍⑧书	庾肩吾启	唐李文公集	壶居士传
野人闲话	王莽书⑨	宋齐丘化书	博物志⑩

---

① 周成王传：本条引自《述异记》。

② 秦穆公传：本条引自前条"史记"，是重出。

③ 张司空记：本条引自后条"博物志"，是重出。

④ 崔魏公传：书中在此标题下错引《北梦琐言》文。

⑤ 唐宝臣传：本条与前条"李世勣方"同引自《新唐书》，是重出。

⑥ 沈存中笔谈：即《梦溪笔谈》。

⑦ 柳宗元集："集"，原作"传"，本书"石钟乳"条引"柳宗元文"，实出《柳宗元集》卷23，据此改。

⑧ 绍：成化《政和》、商务《政和》作"纲"。

⑨ 王莽书：本条引自前条"后汉书"，是重出。

⑩ 博物志：前条"张司空记"引自本条，是重出。

太[①]阴号　玄中记　徐表南方记　顾含传[②]
李预书　广异记　李畋该闻集　稽神录
归田录　白泽图　狐刚子粉图　洞微志
搜神记　华山记　顾微广州记　南蛮记
南越记　南州记　韩终采药诗　张协赋
江淹颂　茆亭话[③]　本事诗　异术
异苑　典术　楚词　广韵
简文帝劝医文　纂文　本草衍义

◣[④]凡二百四十七家

① 太：成化《政和》、商务《政和》作“大”。

② 顾含传：“顾”，《纲目》卷43“蚺蛇胆”条同，《太平广记》卷456作“颜”。

③ 茆亭话：本书“灵砂”条引作《茅亭话》，本书“豉”条引作《茆亭客话》。

④ ◣：成化《政和》、商务《政和》无。

重修政和经史证类备用本草目录

第一卷

序例上　　　衍义序例①

第二卷

序例下

第三卷

玉石部上品总七十三种

一十八种神农本经　白字

三种名医别录　墨字

一种唐本先附　注云唐附

三种今附　皆医家尝用有效。注云今附

五种新补

五种新分条

① 衍义序例：柯《大观》无。

三种海药余

三十五种陈藏器余

凡墨盖子已下并唐慎微续证类[①]

丹砂	**云母**	玉屑	**玉泉**
石钟乳	**矾石**	**消石**	芒消
朴消 甜消附	玄明粉 新补	马牙消 新补	生消 今附
滑石	**石胆**	**空青**	**曾青**
禹馀粮	**太一馀粮**	**白石英**	**紫石英**
五色石脂	青石脂	赤石脂	黄石脂
白石脂	黑石脂 已上五种元附五色石脂 今新分条		
白青	绿青	石中黄子 唐附	无名异 今附
菩萨石 新补	婆娑石 今附	绿矾 新补	柳絮矾 新补
扁青音褊			

三种海药余

车渠	金线矾	波斯矾

三十五种陈藏器余

金浆	古镜	劳铁	神丹
铁锈	布针	铜盆	钉棺下斧声
枷上铁钉	黄银	石黄	石脾
诸金	水中石子	石漆	烧石
石药	研朱石槌	晕石	流黄香
白师子	玄黄石	石栏干	玻璃
石髓	霹雳针	大石镇宅	金石
玉膏	温石	印纸	烟药
特蓬杀	阿婆赵荣二药	六月河中诸热砂	

第四卷

玉石部中品总八十七[②]种 金、银、铁、盐、土等附

---

① 凡墨盖子已下并唐慎微续证类：柯《大观》无。又“已”，原作“巳”，据文理改。

② 七：柯《大观》作“四”。

一十六种神农本经 白字

七种名医别录 墨字

七种唐本先附 注云唐附

八种今附 皆医家尝用有效。注云今附

三种新补

一种新分条

三种图经余①

一种唐慎微续添 墨盖子下是②

一种唐本余

四十种陈藏器余

凡墨盖子已下并唐慎微续证类③

雄黄　**石硫黄**　**雌黄**　食盐 自米部今移④

水银　**石膏**⑤玉火石附⑥　金屑　银屑

生银 今附 朱砂⑦银 续注　■⑧灵砂　水银粉 新补

磁石 磁石毛 续注　玄石　绿盐 唐附

凝水石　**阳起石**　**孔公孽**　**殷孽**

蜜陀僧 唐附

铁精 铁蘸、淬铁水、针砂、煅锁⑨下铁屑、刀刃、犁镵尖 续注

铁浆 元附铁精下 新分条　秤锤 今附 铁杵、故锯、钥匙 续注

铁华粉 今附　生铁　铁粉 今附　**铁落**

钢铁　**铁**　石脑　**理石**

珊瑚 唐附　石蟹 今附 浮石 续注　**长石**

---

① 三种图经余：柯《大观》无。

② 墨盖子下是：柯《大观》作“墨筐子者是”。

③ 凡墨……证类：以上13字，柯《大观》无。

④ 食盐 自米部今移：柯《大观》将其排在“雄黄”条之下。

⑤ 雄黄……石膏：以上5味药属《本经》药，《政和》作白字标记，刘《大观》仍作黑字标记。

⑥ 玉火石附：柯《大观》无。

⑦ 砂：刘《大观》无。

⑧ ■：刘《大观》、柯《大观》作方框“□”。

⑨ 煅锁：刘《大观》作“投镆”。

马衔 今附　砺石 新补　石花 唐附　桃花石 唐附
光明盐 唐附　石床 唐附　**肤青**　马脑 新补
太阴玄精 今附 盐精附①　车辖 今附　石蛇 图经余
黑羊石 图经余　白羊石 图经余②　银膏 唐本余

四十种陈藏器余

天子耤田三推犁下土　社坛四角土　土地
市门土　自然灰　铸钟黄土　户垠下土
铸铧锄孔中黄土　瓷瓯中里白灰　弹丸土　执日取天星上土
大甑中蒸土　鼢鼠壤堆上土　冢上土及砖石　桑根下土
春牛角上土　土蜂窠上细土　载盐车牛角上土　驴溺泥土
故鞋底下土　鼠壤土　屋内墉③下虫尘土
鬼屎　寡妇床头尘土　床四脚下土　瓦甑
甘土　二月上壬日取土　柱下土　胡燕窠内土
道中热尘土　正月十五日灯盏　仰天皮　蚁穴中出土
古砖　富家中庭土　百舌鸟窠中土　猪槽上垢及土
故茅屋上尘　诸土有毒

第五卷

玉石部下品总九十三种 铜、锡、瓦、盐、水、土、灰等附

一十二种神农本经 白字

一十一种名医别录 墨字

一十种唐本先附 注云唐附

八种今附 皆医家尝用有效。注云今附

一十一种新补

五种新定

---

① 盐精附：柯《大观》无。

② 石蛇　图经余　黑羊石　图经余　白羊石　图经余：柯《大观》无。

③ 墉：柯《大观》作“壖”。

一种唐慎微续补　墨盖①子下②是

三十五种陈藏器余

凡墨盖子已下并唐慎微续证类③

伏龙肝　**石灰**　百草霜附④　**礜石**

砒霜　今附　砒黄　续注

铛墨　今附　硇⑤砂　唐附　**铅丹**　铅　新补

粉锡　东壁土　好土、土消、土槟榔　续注

赤铜屑　唐附　铜器　续注　**锡铜镜鼻**　古镜　续注

铜青　新补　■⑥井底砂　**代赭**　赤土附⑦　石燕　唐附

戎盐　盐药　续注　**大盐**　**卤咸**　浆水　新补　冰浆附⑧

井华水　新补　菊花水　新补　地浆　自草部移　腊雪　新补

泉水　新补　半天河　自草部移　热汤　新补　缲丝汤、燖猪汤附

白垩乌恪切　白土也⑨　**冬灰**　**青琅玕**　琉璃、玻璃　续注

自然铜　今附　䃜石附⑩　金牙　铜矿石　唐附

铜弩牙　金星石新定银星石附　特生礜石

握雪礜石　唐附　梁上尘　唐附　土阴孽　车脂　今附

釭音工中膏　今附　锻灶灰　灶突墨、灶中热灰　续注　淋石　今附

方解石　礞石　新定　姜石　唐附　粗黄石、麦饭石⑪、水中圆石⑫等附

井泉石　新定　苍石　花乳石　新定　石蚕　今附

石脑油　新定　白瓷瓦屑　唐附　乌古瓦　唐附　不灰木　今附

---

① 盖：柯《大观》作“筐”。

② 下：柯《大观》作“者”。

③ 凡墨盖……证类：以上13字，柯《大观》无。

④ 百草霜附：柯《大观》无。

⑤ 硇：柯《大观》作“碙”。

⑥ ■：柯《大观》作方框“□”。

⑦ 赤土附：柯《大观》无。

⑧ 冰浆附：柯《大观》无。

⑨ 白土也：柯《大观》无。

⑩ 䃜石附：柯《大观》无。

⑪ 粗黄石、麦饭石：柯《大观》无。

⑫ 水中圆石：原脱，据本书卷5分目录补。

蓬砂 新补　铅霜 新补　古文钱 新补　蛇黄 元在虫部 今移 唐附

三十五种陈藏器余

玉井水　碧海水　千里水　秋露水
甘露水　繁露水　六天气　梅雨水
醴泉　甘露蜜　冬霜　雹
温汤　夏冰　方诸[1]水　乳穴中水
水花　赤龙浴水　粮罂中水　甑气水
好井水　正月雨水　生熟汤　屋漏水
三家洗碗水　蟹膏投漆中化为水　猪槽中水
市门众人溺坑中水　盐胆水　水气
冢井中水　阴地流泉　铜器盖食器上汗　炊汤
诸水有毒

第六卷

草部上品之上总[2]八十七种

三十八种神农本经 白字

二种名医别录 墨字

一种唐本余

四十六种陈藏器余

凡墨盖子已下并唐慎微续证类[3]

黄精　**昌蒲**　**菊花** 苦薏、白菊 续注
人参　**天门冬**　**甘草**　**干地黄**
术　**菟丝子**　**牛膝**　**茺蔚子** 茎附
女萎萎蕤　**防葵**　**茈**音柴[4]**胡**　**麦门冬**
独活 羌活附[5]　升麻　**车前子** 叶、根等附

---

① 方诸：刘《大观》、柯《大观》倒置。

② 总：原作“种”，据柯《大观》改，使与本书各卷目录体例合。

③ 凡墨盖……续证类：以上13字，柯《大观》无。

④ 音柴：柯《大观》作“柴字”2字。

⑤ 羌活附：柯《大观》无。

木香　**薯预**今呼山药①　**薏**②**苡**音以**仁**　**泽泻**叶、实等附
远志小草附③　**龙胆**　**细辛**　**石斛**
巴戟天　**白英**　**白蒿**　**赤箭**
庵音淹**蕳**音闾**子**　**菥**音锡**蓂**音觅**子**　**蓍实**　**赤芝**
黑芝　**青芝**　**白芝**　**黄芝**
紫芝　**卷柏**

辟④虺雷　唐本余⑤

四十六种陈藏器余

药王　兜木香　草犀根　薇
无风独摇草　零余子　百草花　红莲花白莲花
旱藕　羊不吃草　萍蓬草根　石蕊
仙人草　会州白药　救穷草　草豉
陈思岌　千里及　孝文韭　倚待草
鸡侯菜　桃朱术　铁葛　伏鸡子根
陈家白药　龙珠　捶胡根　甜藤
孟娘菜　吉祥草　地衣草　郎耶草
地杨梅　茅膏菜　鳖菜　益奶草
蜀胡烂　鸡脚草　难火兰　蓼荞
石荠宁　蓝藤根　七仙草　甘家白药
天竺干姜　池德勒

第七卷

草部上品之下总五十三种

三十四种神农本经　白字

二种名医别录　墨字

---

① 今呼山药：柯《大观》无。

② 薏：其下，柯《大观》有"音意"2字。

③ 小草附：柯《大观》无。

④ 辟：其上，柯《大观》有"一种唐本余"5字。

⑤ 唐本余：柯《大观》无。

二种唐本先附 注云唐附

五种唐本余

一十种陈藏器余

凡墨盖子已[1]下并唐慎微续证类[2]

蓝实 淀[3]青布 续注 **芎䓖** **蘼芜** **黄连**

络石 薜荔、石血[4]、地锦、扶芳、土鼓、木莲、常春藤等 续注

蒺藜子 **黄芪** 白水芪、赤水芪、木芪 续注

肉苁蓉 草苁蓉附[5] **防风** 叶附 花 续注

蒲黄 **香蒲** **续断** **漏芦**

营实 白蔷薇根 续注 **天名精** **决明子** 茳芏[6] 续注

丹参 **茜根** **飞廉** **五味子**

旋花 续筋附[7] **兰草**[8] 忍冬 **蛇床子**

地肤子 鸭舌草附[9] 千岁虆 藤是也[10] **景天** 花附

茵陈蒿 **杜若** **沙参** **白兔藿**

徐长卿 **石龙刍** 败席[11] 续注 **薇衔**

云实 花附 **王不留行** 鬼督邮 唐附 白花藤 唐附

五种唐本余

留军待 地不容 独用将军 山胡椒

灯笼草

一十种陈藏器余

---

① 已：原作"巳"，据文理改。

② 凡墨盖……证类：以上13字，柯《大观》无。

③ 淀：刘《大观》作"溺"。

④ 薜荔、石血：柯《大观》无。

⑤ 草苁蓉附：柯《大观》无。

⑥ 芏：原作"芏"，据柯《大观》及本书"决明子"条引《本草拾遗》文改。

⑦ 续筋附：柯《大观》无。

⑧ 兰草：刘《大观》、柯《大观》、商务《政和》误作"閫草"。

⑨ 鸭舌草附：柯《大观》无。

⑩ 藤是也：柯《大观》无。

⑪ 席：刘《大观》误作"唐"。

人肝藤　越王余筭　石莼　海根
寡妇荐　自经死绳　刺蜜　骨路支
长松　合子草

第八卷

草部中品之上总六十二种

三十二种神农本经　白字

四种名医别录　墨字

一种唐本先附　注云唐附

二种今附　皆医家尝用有效。注云今附

一种新分条

二十二种陈藏器余

凡墨盖子已[①]下并唐慎微续证类[②]

干姜　生姜　元附干姜下　今分条　**葈**私以切**耳实**　苍耳也[③]叶附
葛根　汁、叶、花附　葛粉　今附　**栝楼**　实、茎、叶附
苦参　**当归**　**麻黄**　**通草**　燕覆子、通脱木　续注
芍药　**蠡实**　马蔺子是也　花叶等附　**瞿**[④]**麦**　叶　续注
玄参　**秦艽**音胶　**百合**　红百合　续注
知母　**贝母**　**白芷**　**淫羊藿**　仙灵脾是也[⑤]
黄芩　**狗脊**　**石龙芮**[⑥]
茅根　茅花、茅针、屋茅　续注
紫菀　**紫草**　前胡　**败酱**
白鲜皮　**酸浆**　根　续注　**紫参**　**藁本**　实附
石韦　石皮、瓦韦　续注[⑦]　**萆薢**

---

① 已：原作“巳”，据文理改。

② 凡墨盖……证类：以上13字，柯《大观》无。

③ 苍耳也：柯《大观》无。

④ 瞿：其下，柯《大观》有“音劬”2字。

⑤ 仙灵脾是也：刘《大观》无。

⑥ 龙芮：刘《大观》无。

⑦ 石皮、瓦韦　续注：柯《大观》无。

杜蘅　　**白薇**　　菝蒲公切葜弃八切　叶　续注

大青　　女萎　唐附　　石香葇　今附

二十二种陈藏器余

兜纳香　　风延母　　耕香　　大瓠藤水

筋子根　　土芋　　优殿　　土落草

狝菜　　必似勒　　胡面莽　　海蕴

百丈青　　斫合子　　独自草　　金钗股

博落回　　毛建草　　数低　　仰盆

离鬲草　　䗪药

第九卷

草部中品之下总七十八种

一十四种神农本经　白字

一十三种名医别录　墨字

一十二种唐本先附　注云唐附

二十二种今附　皆医家尝用有效。注云今附

四种新补

二种新定

一种新分条

一十种陈藏器余

凡墨盖子已下并唐慎微续证类①

艾叶　实　续注　　恶实　牛蒡叶　续注　　**水萍**

王瓜　　**地榆**　　大小蓟

海藻　石发、瓦松②、石帆、水松　续注

泽兰　　昆布　紫菜　续注　　**防己**③　木防己④　续注

① 凡墨盖……证类：以上13字，柯《大观》无。

② 石发、瓦松：柯《大观》无。

③ 己：原作"巳"，据药名改。

④ 己：成化《政和》、商务《政和》误作"巴"。

天麻 今附① 阿魏 唐附 高良姜 百部根

茠香子 一名茴香② 唐附

款冬花 红蓝花 红花也③ 今附

牡丹 京三棱 今附 鸡爪三棱、石三棱附④

姜黄 唐附 蒁药附⑤ 荜拨 根 续注 今附

蒟音矩酱 唐附 萝摩子 唐附 青黛 今附 郁金 唐附

卢会 今附 **马先蒿** 延胡索 今附 肉豆蔻 今附

补骨脂 今附 零陵香 今附 缩沙蜜 今附 蓬莪茂旬律切 今附

积雪草 连钱草附⑥ 白前 荠苨

白药 唐附 荭草 莎草 根即香附子也 水香棱附⑦

荜澄茄 今附 胡黄连 今附 船底苔 新补 红豆蔻 今附

莳萝 今附 艾蒳香 今附 甘松香 今附 垣衣 地衣 续注

陟厘音离 凫葵 莕菜也⑧ 唐附⑨ **女菀**

王孙 土马鬃 新定 **蜀羊泉** 菟葵 唐附

鹢草 唐附 鳢肠 莲子草也⑩ 唐附

爵床 今名香苏⑪ 井中苔萍 蓝附 茅香花 白茅香花 续注 今附

马兰 新补 山兰附 使君子 今附 干苔 新补

百脉根 唐附 白豆蔻 今附 地笋 新补 海带 新定

陀得花 今附 翦草 元附白药条下 今分条

一十种陈藏器余

---

① 今附：刘《大观》脱。

② 一名茴香：柯《大观》无。

③ 红花也：柯《大观》无。

④ 鸡爪三棱、石三棱附：柯《大观》无。

⑤ 蒁药附：柯《大观》无。

⑥ 连钱草附：柯《大观》无。

⑦ 根即香附子也 水香棱附：柯《大观》无。

⑧ 莕菜也：柯《大观》无。

⑨ 唐附：刘《大观》无。

⑩ 莲子草也：柯《大观》无。

⑪ 今名香苏：柯《大观》无。

迷迭① 故鱼网 故缴脚布 江中采出芦
虱建草 含生草 菟肝草 石芒
蚕网②草 问荆

第十卷

草部下品之上总六十二种

三十种神农本经 白字

四种名医别录 墨字

三种海药余

二十五种陈藏器余

凡墨盖子已下并唐慎微续证类③

附子 **乌头** 射罔、乌喙附 **天雄**
侧子 **半夏** **虎掌** 由跋
鸢尾 **大黄** **葶苈** **桔梗**
莨音浪**菪**音荡**子** **草蒿**音义作④藁 青蒿子 续注 **旋覆花**
藜芦 **钩吻** **射**音夜干 **蛇全**合是含字
常山 **蜀漆** **甘遂** **白敛** 赤敛附⑤
青葙子 **雚**音桓⑥**菌**音郡 **白及** **大戟**
泽漆 **茵芋** 赭音者魁 **贯众** 花附
荛音饶**花** **牙子** 及已 **羊踯躅**
瓶香 钗子股 宜南草已上三种⑦并海药余

二十五种陈藏器余

藒车香 朝生暮落花 冲⑧洞根 井口边草

---

① 迷迭：柯《大观》倒置。

② 网：柯《大观》作“茵”。

③ 凡墨盖……证类：以上13字，柯《大观》无。

④ 作：刘《大观》误作“竹”。

⑤ 赤敛附：柯《大观》无。

⑥ 桓：柯《大观》作“完”。

⑦ 已上三种：柯《大观》作“三种”。

⑧ 冲：成化《政和》、商务《政和》作“衝”。

豚耳草	灯花末	千金鑑草	断罐草
狼杷①草	百草灰	产死妇人冢上草	孝子衫襟灰
灵床下鞋履	虻母草	故蓑②衣结	故炊帚
天罗勒	毛蓼	蛇芮草	万一藤
螺黶草	继母草	甲煎	金疮小草
鬼钗草			

第十一卷

草部下品之下总一百五种

一十八种神农本经 白字

一十八种名医别录 墨字

二十四种唐本先附 注云唐附

一十七种今附 皆医家尝用有效。注云今附

一十一种新补

六种新定

一十一种陈藏器余

凡墨盖子已下并唐慎微续证类③

何首乌 今附	**商陆** 章柳根也④	威灵仙 今附	牵牛子
蓖音卑麻子 叶附 唐附		蒴藋	天南星 今附
羊蹄 酸模⑤ 续注		菰根	**萹蓄**
狼毒	豨音喜莶音枚 唐附		马鞭草
苎根	**白头翁**	甘焦根 芭焦油 续注⑥	
芦根 苇笋等附⑦		**鬼臼**	

---

① 杷：柯《大观》作“把”。

② 蓑：原作“蓑”，据柯《大观》改。

③ 凡墨盖……证类：以上13字，柯《大观》无。

④ 章柳根也：柯《大观》无。

⑤ 模：柯《大观》作“摸”。

⑥ 芭焦油　续注：柯《大观》无。

⑦ 苇笋等附：柯《大观》无。

角蒿 唐附 藁蒿 续注　马兜零 今附

仙茅 今附　**羊桃**　鼠尾草　**女青**

故麻鞋底 唐附　刘寄奴草 唐附　骨碎补 今附　**连翘**

续随子 今附　败蒲席 编荐索 续注　山豆根 今附 石鼠肠附①

三白草 唐附　**蔄**音闾**茹**音如　蛇莓音每　金星草 新定

葎草 唐附　鹤虱 唐附　地菘 今附　雀麦 唐附

甑带灰 唐附　赤地利 唐附　**乌韭**　白附子

紫葛 唐附　独行根 唐附　猪膏莓 唐附　**鹿藿**

蚤音早**休** 紫河车也②　**石长生**　乌蔹音敛莓 唐附

陆英　预知子 今附　葫芦芭 新定　弓弩弦

木贼 新定　**荩**音烬**草**　蒲公草 唐附　谷精草 今附

牛扁音褊　苦芙音襖　酢浆草 唐附

昨叶何草 唐附　蒻头 今附　**夏枯草**　燕蓐草 新补

鸭跖草 新补　山慈菰 新补　茼音顷实 唐附　赤车使者 唐附

狼跋子　屋游　地锦 新定　败船茹音如

灯心草 今附　五毒草 新补　鼠曲草 新补　列当 今附

马勃　屐音剧屧音燮鼻绳 唐附　质汗 今附

水蓼 唐附　莸草 新补　败芒箔 新补　狗舌草 唐附

海金沙 新定　萱草 新补　格注草 唐附　鸡窠中草 新补

鸡冠子 新补　地椒 新定　草三棱 今附　合明草 新补

鹿药 今附　败天公

一十一种陈藏器余

毛莨　茵命　毒菌　草禹馀粮

鼠蓑③草　廉姜　草石蚕　漆姑草

麂目　梨豆　诸草有毒

① 石鼠肠附：柯《大观》无。

② 紫河车也：刘《大观》无。又“河”，原作“何”，据药名改。

③ 蓑：原作“蓑”，据柯《大观》改。

第十二卷

木部上品总七十二种

一十九种神农本经 白字

六种名医别录 墨字

一种唐本先附 注云唐附

二种今附 皆医家尝用有效。注云今附

一种新补

一种新定

七种新分条

一种唐慎①微续补 墨盖子下是

八种海药余

二十六种陈藏器余

凡墨盖子已下并唐慎①微续证类②

桂 **牡桂** **菌桂**

松脂 实、叶、根、节等附 松黄、松湍 唐注 五粒松 续注

槐实 枝、皮、根等附 槐胶 新定 槐花 新补

枸杞 叶上虫窠 续注 **柏实** 叶、皮、侧柏③等附

茯苓 茯神附 琥珀 瑿 元附琥珀下 今新分条

榆皮 花附 **酸枣** **蘖木** 根附

楮实 叶、皮、茎白汁、纸④等附谷汁 续注 **干漆** 生漆附

五加皮 牡荆实 **蔓荆实** **辛夷**

桑上寄生 **杜仲** 枫香脂 皮附 唐附

女贞实 枸骨、冬青 续注 **木兰** **蕤核**

丁香 今附 母丁香 续注 沉香 薰陆香

鸡舌香 藿香 詹糖香 檀香

---

① 慎：刘《大观》作“谨”。

② 凡墨盖……证类：以上13字，柯《大观》无。

③ 侧柏：柯《大观》无。

④ 纸：柯《大观》无。

乳香　已上六种元附沉香下　今各分条　　◣[1]降真香[2]

苏合香　狮子屎　续注　　金樱子　今附　自草部今移

八种海药余

藤黄　返魂香　海红豆　落雁木

莎木　栅木皮　无名木皮　奴会子

二十六种陈藏器余

乾陀木皮　含水藤中水　皋芦叶　蜜香

阿勒勃　鼠藤　浮烂罗勒　灵寿木皮

椋木　斑[3]珠藤　阿月浑子　不雕木

曼游藤　龙手藤　放杖木　石松

牛奶藤　震烧木　木麻　帝休

河边木　檀桓　木蜜　朗榆皮

那耆悉　黄屑

第十三卷

木部中品总九十二[4]种

一十七种神农本经　白字

三种名医别录　墨字

一十一种唐本先附　注云唐附

一十四[5]种今附　皆医家尝用有效。注云今附

二种新补

四十五种陈藏器余

凡墨盖子已[6]下并唐慎微续证类[7]

---

① ◣：刘《大观》脱；柯《大观》作方框“□”。

② 降真香：刘《大观》、柯《大观》列在“金樱子”药名之下。

③ 斑：刘《大观》、柯《大观》作“班”。

④ 二：刘《大观》作“一”。

⑤ 四：刘《大观》、柯《大观》作“三”。

⑥ 已：原作“巳”，据文理改。

⑦ 凡墨盖……证类：柯《大观》无。

桑根白皮 叶、耳、五木耳附 桑椹、桑灰 唐注 蕈菌 续注

竹叶 根、汁、实、沥、皮、茹、笋附 竹黄 续注

吴茱萸 根附 叶并球子根 续注　槟榔　**栀子** 山栀子 续注

紫鉚音矿　骐驎竭 唐附 自玉石部今移

龙脑香 唐附 相思子 续注　食茱萸 唐附 皮 续注

芜荑　枳壳 今附　**枳实**　**厚朴**

茗、苦搽 唐附 **秦皮**　**秦椒**

山茱萸 胡颓子 续注　**紫葳** 茎、叶等附 根 续注

胡桐泪 唐附 自草部今移　墨 今附

棘刺花 实、叶、针附　**猪苓** 刺猪苓附　**白棘**①

乌药 今附　没药 今附　**龙眼**　安息香 唐附

仙人杖 新补 草仙人杖附　**松萝**　毗梨勒 唐附

庵摩勒 唐附　郁金香 今附　**卫矛** 鬼箭也②　海桐皮 今附

大腹 今附　紫藤 今附　**合欢**　虎杖 自草部今移

五倍子 今附 自草部今移　伏牛花 今附自草部今移

天竺黄 今附　密蒙花 今附 自草部今移　天竺桂 今附

折伤木 唐附　桑花 新补　椋子木 唐附　每始王木 唐附

四十五种陈藏器余

必栗香　桐木　研药　黄龙眼

箭秆　元慈勒　都咸子　凿孔中木

栎木皮　省藤　松杨木　杨庐耳

故甑蔽　梫木　象豆　地主

腐木　石刺木　楠木　息王藤

角落木　鸩鸟浆　紫珠　牛领藤

枕材　鬼膊藤　木戟　奴柘

温藤　鬼齿　铁槌柄　古榇板

慈母　饭箩　白马骨　紫衣

梳篦　倒挂藤　故木砧　古厕木

---

① 白棘：刘《大观》、柯《大观》将其列在“墨”条之下。

② 鬼箭也：柯《大观》无。

桃掘　　梌头　　救月杖　　地龙藤
火槽头

第十四卷

木部下品总九十九种
一十八种神农本经　白字
七种名医别录　墨字
二十一种唐本先附　注云唐附
一十七种今附　皆医家尝用有效。注云今附
九种新补
一种新定
二十六种陈藏器余
凡墨盖子已①下并唐慎②微续证类③

巴豆　**蜀椒**　崖椒附④目、叶　续注　**皂荚**　鬼皂荚　续注
诃梨勒　唐附　随风子附⑤　**柳华**　叶、实、子、汁⑥附
楝⑦实　即金铃子也　根附　皮　续注　椿木叶　樗木附　唐附　樗白皮　续注
郁李仁　根附　**莽草**　无食子　唐附　黄药根　今附
雷丸　槲音斛若　唐附　皮附　白杨皮　唐附
桄榔子　今附　苏方木　唐附　榉树皮　叶、山榉　续注
桐叶　花、梧桐附⑧　皮、油　续注　胡椒　唐附　钓樟根皮　樟材　续注
千金藤　今附　南烛枝叶　今附　无患子　今附　**梓白皮**　叶附
橡实　唐附　栎树皮　续注　**石南**　实附　木天蓼　唐附　子　续注
黄环　益智子　今附　**溲**音搜**疏**音踈　**鼠李**

---

① 已：原作“巳”，据文理改。
② 慎：刘《大观》作“谨”。
③ 凡墨盖……证类：柯《大观》无。
④ 崖椒附：柯《大观》无。
⑤ 随风子附：柯《大观》无。
⑥ 子、汁：“子”，柯《大观》无；“汁”，线装本《政和》误作“注”。
⑦ 楝：成化《政和》、商务《政和》作“拣”。
⑧ 梧桐附：柯《大观》无。

椰子皮[①] 今附 浆附　枳音止椇音矩 唐附
小天蓼 今附　小檗 唐附　荚蒾 唐附　紫荆木 今附
紫真檀　乌臼木 唐附 子 续注　南藤 今附
盐麸子 树白皮、根白皮 今附 叶上球子 续注
杉材[②] 杉菌附[③]　接骨木 唐附　枫柳皮 唐附　赤爪木侧绞切[④] 唐附
桦木皮 今附　榼藤子 今附　榧实　栾荆 唐附 子 续注
扶移木 新补　木鳖子 今附　**药实根**　钓藤
栾华　**蔓椒**　感藤 新补
赤柽木 三春柳也[⑤] 今附
突厥白 今附　卖子木 唐附　婆罗得 今附　甘露藤 新补
大空 唐附　椿荚 新定　水杨叶 唐附　杨栌木 唐附
棁子 新补　楠材　柘木 新补　柞木皮 新补
黄栌 新补　棕榈子 皮附 新补　木槿 新补
芫花 本在草部 今移

二十六种陈藏器余

栟榈木　楸木皮　没离梨　柯树皮
败扇　梂根　櫟木灰　椰桐皮
竹肉　桃竹笋　罂子桐子　马疡木
木细辛　百家箸[⑥]　杩木皮　刀鞘
芙树　丹桎木皮　结杀　杓
车家鸡栖木　檀　石荆　木黎芦
爪芦　诸木有毒

---

① 皮：刘《大观》、柯《大观》无。
② 杉材：柯《大观》将其列在“南藤”条下。
③ 杉菌附：柯《大观》无。
④ 赤爪木侧绞切：柯《大观》作“赤爪侧绞切木”。
⑤ 三春柳也：柯《大观》无。
⑥ 箸：刘《大观》作“筋”。

第十五卷

人部总二十五①种

一种神农本经 白字

四种名医别录 墨字

一种今附 皆医家尝用有效。注云今附

八②种新分条

一种唐慎③微续补 墨盖④子下⑤是

一十种陈藏器余

凡墨盖子已⑥下并唐慎微续证类⑦

发髲 乱发 人乳汁 头垢

人牙齿 齿涎 续注 元附天灵盖条下 今分条

耳塞 元附天灵盖条下 今分条 人屎 东向圊厕⑧溺坑中 青泥附

人溺 溺白涎 妇人月水 浣裈汁

人精⑨ 怀妊妇人爪甲 已上六⑩种并元附人屎条下 今分条

天灵盖 今附 ◣人髭

一十种陈藏器余

人血 人肉 人胞 妇人裈裆

人胆 男子阴毛 死人枕 夫衣带

衣中故絮 新生小儿脐中屎

---

① 五：刘《大观》、柯《大观》作"六"。

② 八：刘《大观》、柯《大观》作"九"。

③ 慎：刘《大观》作"谨"。

④ 盖：柯《大观》作"筐"。

⑤ 下：柯《大观》作"者"。

⑥ 已：原作"巳"，据文理改。

⑦ 凡墨盖……证类：以上13字，柯《大观》无。

⑧ 圊厕：原倒置，据本书正文改。

⑨ 人精：其下，刘《大观》、柯《大观》分出"人口中涎及唾"一条；《政和》将其并在"人溺"条中。

⑩ 六：刘《大观》、柯《大观》作"七"。

第十六卷

兽部上品总二十种

六种神农本经 白字

四种名医别录 墨字

三种唐本先附 注云唐附

一种今附 皆医家尝用有效。注云今附

一种新补

五种陈藏器余

凡墨盖子已下并唐慎①微续证类②

龙骨 白龙骨、齿、角、吉吊、紫梢花等附

麝香 **牛黄** **熊脂** 胆附③

象牙 齿、睛等附 今附 象胆 续注 **白胶** **阿胶**

羊乳 牛乳 酥 酪 唐附

醍醐 唐附 马乳 乳腐 新补 底野迦 唐附

五种陈藏器余

蔡苴机 诸朽骨 乌毡 海獭

土拨鼠

第十七卷

兽部中品总一十七种

七种神农本经 白字

五种名医别录 墨字

一种唐本先附 注云唐附

四种陈藏器余

凡墨盖子已下并唐慎①微续证类②

① 慎：刘《大观》作"谨"。

② 凡墨盖……证类：以上13字，柯《大观》无。

③ 胆附：柯《大观》作"熊胆附"。

白马茎 眼、蹄、齿、肺、肉、骨、屎、溺等附

鹿茸 骨、角、髓、肾①、肉等附

牛角䚡 髓、胆、心、肝、肾、齿、肉、屎、溺等附

羖羊角 髓、胆、肺、心、肾、齿、肉、骨、屎等附

狗阴茎 胆、心、脑、齿、骨、蹄、血、肉等附

羚羊角 **犀角**

虎骨 膏、爪、肉等附 兔头骨 脑、肝、肉等附

狸骨 肉、阴茎等附 獐骨 肉、髓等附

豹肉 貊附② 笔头灰 唐附 自草部今移

四种陈藏器余

犊子脐屎 灵猫③ 震肉 麢麢

第十八卷

兽部下品总二十一种

四种神农本经 白字

四种名医别录 墨字

四种唐本先附 注云唐附

三种今附 皆医家尝用有效。注云今附

一种唐慎④微续添 墨盖⑤子下⑥是

五种陈藏器余

凡墨盖子已⑦下并唐慎④微续证类⑧

豚卵 蹄、足、心、肾、胆、齿、膏、肉等附

---

① 肾：刘《大观》、柯《大观》无。

② 貊附：刘《大观》、柯《大观》无。

③ 猫：刘《大观》、柯《大观》作“狸”。

④ 慎：刘《大观》作“谨”。

⑤ 盖：柯《大观》作“筐”。

⑥ 下：柯《大观》作“者”。

⑦ 已：原作“巳”，据文理改。

⑧ 凡墨盖……证类：柯《大观》无。

麋脂 角附 麋肉、麋骨、麋茸① 续注

驴屎 尿、乳、轴垢等附 唐附 肉、脂、皮 续注

狐阴茎 五脏、肠、尿等附

獭肝 肉附

貒膏 獾、貉②、肉、胞等附 唐附

鼹音偃鼠

鼺音羸**鼠**

野猪黄 唐附

豺皮 狼附③ 唐附

腽肭脐 今附 腽肭兽 续注

麂 头、骨附 今附

野驼脂 今附

◣④猕猴 续添

败鼓皮 自草部今移

六畜毛蹄甲

五种陈藏器余

诸血 果然肉 狨兽 狼筋

诸肉有毒

第十九卷

禽部三品总五十六种

五种神农本经 白字

一十种名医别录 墨字

二种唐本先附 注云唐附

一十三种新补

二十六种陈藏器余

凡墨盖子已⑤下并唐慎⑥微续证类⑦

禽上⑧

丹雄鸡 白雄鸡、乌雄鸡、黑雌鸡、黄雌鸡等附

---

① 麋肉、麋骨、麋茸：原作"肉、骨、茸"，据本书分目改。

② 獾、貉：柯《大观》无。

③ 狼附：柯《大观》无。

④ ◣：柯《大观》作方框"□"。

⑤ 已：原作"巳"，据文理改。

⑥ 慎：刘《大观》作"谨"。

⑦ 凡墨盖……证类：以上13字，柯《大观》无。

⑧ 禽上："禽"，柯《大观》无。"上"，柯《大观》作白小字标记。

白鹅膏 毛、肉等附 苍鹅 续注
鹜肪 白鸭屎附　　鹧鸪 唐附　　**雁肪**
禽中①
雀卵 脑、头、血、尿等附　　**燕屎** 石燕 续注②
伏翼 即蝙蝠是也③ 自虫鱼部今移
天鼠屎　　鹰屎白　　雉肉
禽下④
孔雀　　鸱尺脂切头　　鸂鶒 新补　　斑鵻 新补
白鹤 新补　　乌鸦 新补　　练鹊 新补　　鸲鹆 唐附
雄鹊　　鸬鹚屎 头附　　鹳骨⑤　　白鸽 新补
百劳 新补　　鹑 新补　　啄木鸟 新补　　慈鸦 新补
鹘嘲 新补　　鹈鹕 新补　　鸳鸯 新补

二十六种陈藏器余

鹝⑥　　鶪⑦　　阳乌　　凤凰台
鸀鳿　　巧妇鸟　　英鸡　　鱼狗
驼鸟屎　　䴔鶄　　蒿雀　　鹍鸡
山菌子　　百舌鸟　　黄褐侯　　鷩雉
鸟目无毒　　鹈鹕膏　　布谷脚脑骨　　蚊母鸟
杜鹃　　鸮目　　鉤鵅　　姑获
鬼车　　诸鸟有毒

第二十卷

虫鱼部上品总五十种

一十种神农本经 白字

---

① 禽中："禽"，柯《大观》无。"中"，柯《大观》作白小字标记。
② 注：刘《大观》、柯《大观》作"附"。
③ 即蝙蝠是也：原脱，据本书分目补。
④ 禽下："禽"，柯《大观》无。"下"，柯《大观》作白小字标记。
⑤ 鹳骨：刘《大观》、柯《大观》将其列在"鸬鹚屎"条之上。
⑥ 鹝：其下原衍"猬"，据本书正文药名删。
⑦ 鶪：其下原衍"蝉"，据本书正文药名删。

六种名医别录 墨字

一种唐本先附 注云唐附

二种今附 皆医家尝用有效。注云今附

八种食疗余

二十三种陈藏器余

凡墨盖子已①下并唐慎②微续证类③

石蜜	**蜂子** 大黄蜂、土蜂附		**蜜蜡** 白蜡附
牡蛎	**龟甲**	秦龟 蟕蠵 续注	真珠 今附
玳瑁 鼍鼊附④ 今附		**桑螵蛸**	石决明
海蛤	**文蛤**	魁蛤	**蠡**音礼**鱼**
鮧音夷鱼	鲫鱼 唐附⑤	鳣音善鱼	鲍鱼
鲤鱼胆 肉、骨⑥、齿附			

八种食疗余

时鱼	黄赖鱼	比目鱼	鲚鱼
鯸鮧鱼	鯮鱼	黄鱼	魴鱼

二十三种陈藏器余

鲟鱼	鱁鳀鱼	文鹞鱼	牛鱼
海豚鱼	杜父鱼	海鹞鱼	鮠鱼
鞘鱼	鳣鱼	石鮅鱼	鱼鲊
鱼脂	鲙	昌侯鱼	鲩鱼
鳡鱼	鱼虎	鯕鱼	鲵鱼
诸鱼有毒	水龟	疟龟	

① 已：原作“巳”，据文理改。

② 慎：刘《大观》作“谨”。

③ 凡墨盖……证类：柯《大观》无。

④ 鼍鼊附：刘《大观》无。

⑤ 鲫鱼 唐附：刘《大观》将其置于“鳣鱼”条下。

⑥ 肉、骨：刘《大观》、柯《大观》倒置。

第二十一卷

虫鱼部中品总五十六种

一十六种神农本经　白字

三种名医别录　墨字

二种唐本先附　注云唐附

七种今附　皆医家尝用有效。注云今附

二种新补

一种新定

二种唐慎①微续添　墨盖②子下③是

二种海药余

二十一种陈藏器余

凡墨盖子已④下并唐慎微续证类⑤

猬皮　**露蜂房**　土蜂房　续注　**鳖甲**　肉附

蟹　蝛、蝤蛑、蟛蜞、爪等附⑥　**蚱**音笮又音侧**蝉**　蝉蜕　续注

▶⑦蝉花　**蛴螬**　**乌贼鱼骨**　肉附

原蚕蛾⑧　屎附　蚕布纸　续注　蚕退　新定　▶⑦缘桑螺

白僵蚕　蚕蛹、子　续注　鳗音谩鲡音黎鱼　鳅鱼、海鳗　续注

鮀音驼**鱼甲**　肉附　鼍　续注　**樗**丑如切⑨**鸡**　**蛞**音阔**蝓**音俞

蜗牛　**石龙子**　**木虻**　**蜚虻**

蜚蠊音廉　**䗪**音柘**虫**　鲛鱼皮　唐附　白鱼　今附

---

① 慎：刘《大观》作“谨”。

② 盖：柯《大观》作“筐”。

③ 下：柯《大观》作“者”。

④ 已：原作“巳”，据文理改。

⑤ 凡墨盖……证类：柯《大观》无。

⑥ 蝛、蝤蛑、蟛蜞、爪等附：柯《大观》作“爪附”。

⑦ ▶：刘《大观》无。

⑧ 原蚕蛾：自“原蚕蛾”以下，卷21虫鱼中品药物排列次序与刘《大观》、柯《大观》相互出入很大，此处从略。

⑨ 切：柯《大观》无。

鳜居卫切①鱼 今附　　青鱼 眼、头、胆附 今附

河豚 今附　石首鱼 今附　嘉鱼 今附　鲻鱼 今附

紫贝 唐附　鲈鱼 新补　鲎 新补

二种海药余

郎君子　海蚕

二十一种陈藏器余

鼋　海马　齐蛤　柘蚕屎

蚱蜢　寄居虫　蛐蟮　负蠜

蠼螋　蛊虫　土虫　鳙鱼

予脂　砂挼子　蛔虫　蠡螽

灰药　吉丁虫　腆颗虫　鼷鼠

诸虫有毒

第二十二卷

虫部下品总八十一②种

一十八种神农本经 白字

一十二③种名医别录 墨字

二种唐本先附 注云唐附

五种今附 皆医家尝用有效。注云今附

八种新分条

三十六种陈藏器余

凡墨盖子已④下并唐慎⑤微续证类⑥

虾音遐**蟆**音麻　牡鼠 肉、粪附　**马刀**　蛤蜊音梨

---

① 切：柯《大观》无。

② 一：刘《大观》无。

③ 二：刘《大观》作“一”。

④ 已：原作“巳”，据文理改。

⑤ 慎：刘《大观》作“谨”。

⑥ 凡墨盖……证类：柯《大观》无。

蚬音显	蝛乎咸切①蜼音进	蚌蛤	车螯
蚶	蛏	淡菜　已上八种元附马刀条　今新分条	
虾	蚺蛇胆　膏附	**蛇蜕**②	蜘蛛
腹蛇胆　肉附	**白颈蚯蚓**③	**蠮**音噎**螉**乌红切	葛上亭长
蜈蚣④	蛤蚧　今附	**水蛭**音质	**斑猫**
田⑤中螺	**贝子**	**石蚕**	**雀瓮**
白花蛇　今附	乌蛇　今附	金蛇　银蛇、金星鳝等⑥附　今附	
蜣螂	五灵脂　今附	蝎　今附	**蝼**音娄**蛄**音姑
马陆	蛙⑦	鲮鲤甲　今人谓之穿山甲⑧	
芫青	**地胆**	珂　唐附	蜻蛉
鼠妇　湿生虫也⑨	**萤火**	甲香　唐附⑩	**衣鱼**

三十六种陈藏器余

海螺	海月	青蚨	豉虫
乌烂死蚕	茧卤汁	壁钱	针线袋
故锦灰	故绯帛	赦日线	苟印
溪鬼虫	赤翅蜂	独脚蜂	蜡音蛇
盘蝥虫	蝰蟷	山蛩虫	溪狗
水黾	飞生虫	芦中虫	蓼螺
蛇婆	朱鳖	担罗	青腰虫
虱	苟杞上虫	大红虾鲊	木蠹
留师蜜	蓝蛇	两头蛇	活师

---

① 乎咸切：柯《大观》无。

② 蜕：其下，刘《大观》、柯《大观》有“音税”2字。

③ 白颈蚯蚓：刘《大观》将其置于“蛇蜕”条下。

④ 蜈蚣：刘《大观》将其置于“蛤蚧”条下。

⑤ 田：原作“甲”，据本书正文“田中螺”条改。

⑥ 金星鳝等：柯《大观》无。

⑦ 蛙：刘《大观》、柯《大观》将其置于“珂”条下。

⑧ 今人谓之穿山甲：刘《大观》、柯《大观》无。

⑨ 湿生虫也：柯《大观》无。

⑩ 甲香　唐附：刘《大观》将其置于“衣鱼”条下。

第二十三卷

果部三品总五十三种

九种神农本经 白字

一十五种名医别录 墨字

二种唐本先附 注云唐附

一十四种今附 皆医家尝用有效。注云今附

一十三种陈藏器余

凡墨盖子已①下并唐慎②微续证类③

上品

豆蔻 豆蔻花、山姜花、枸橼 续注

藕实茎 石莲子附④ 荷鼻、花、叶 续注

橘柚 自木部今移 核、筋膜 续注

大枣 生枣及叶附　仲思枣 今附 苦枣 续注

葡萄⑤　栗　**蓬蘽** 力轨切　覆盆子 莓子 续注

芰音伎实 菱角也⑥　橙子 今附　樱桃

鸡头实

中品

梅实 叶、根、核仁 续注　木瓜 榠樝 续注　柿 蒂 续注

芋 叶 续注　乌芋 茨菰、凫茨 续注　枇杷叶 子 续注

荔枝子 今附　乳柑子 今附　石蜜 乳糖也 唐附

甘蔗音柘　沙糖 唐附　椑音卑柿 今附

下品

桃核仁 花、枭、毛、蠹、皮、叶、胶、实附

---

① 已：原作"巳"，据文理改。

② 慎：刘《大观》作"谨"。

③ 凡墨盖……证类：柯《大观》无。

④ 石莲子附：柯《大观》无。

⑤ 葡萄：自"葡萄"以下，卷23果部药物目录排列次序与刘《大观》、柯《大观》出入很大，此处从略。

⑥ 菱角也：柯《大观》无。

杏核仁 花、实附　安石榴 根、壳附　梨 鹿梨附①　林檎 今附
李核仁根、实附　杨梅 今附　胡桃 今附　猕猴桃 今附
海松子 今附　柰　庵罗果 今附
橄榄音览 核中仁附 今附　榅桲 今附　榛子 今附

一十三种陈藏器余

灵床上果子　无漏子　都角子　文林郎子
木威子　摩厨子　悬钩　钩栗
石都念子　君迁子　韶子　棎子
诸果有毒

第二十四卷

米谷部上品总七种

三种神农本经 白字

二种名医别录 墨字

一种新补

一种新分条

凡墨盖子已②下并唐慎③微续证类④

胡麻 叶附　**青蘘**音箱　**麻蕡**音坟 子附
胡麻油 元附胡麻条下 今分条⑤　白麻油 新补　饴糖
灰藋 自草部今移

第二十五卷

米谷部中品总二十三种

二种神农本经 白字

---

① 鹿梨附：柯《大观》无。

② 已：原作“巳”，据文理改。

③ 慎：刘《大观》作“谨”。

④ 凡墨盖……证类：柯《大观》无。

⑤ 今分条：“今”上，刘《大观》、柯《大观》有“别本作今附”5字。又“条”，原脱，据刘《大观》、柯《大观》补，使其与本书分目合。

一十六种名医别录 墨字

一种今附 皆①医家尝用有效 注云今附

三种新补

一种新分条

凡墨盖子已②下并唐慎③微续证类④

生大豆 元附大豆黄卷条下 今分条 稆豆附

赤小豆 **大豆黄卷** 酒 甜糟、社坛余胙酒 续注

粟米 粉、泔、糗 续注 秫米 粳米

青粱⑤米 黍米 丹黍米 秬黍 续注

白粱⑤米 黄粱⑤米 蘖米 舂杵头糠 自草部今⑥移

小麦 面、麸、麦苗 续注 大麦 麸⑦ 续注 曲 新补

穬麦 荞麦 新补 藊音扁豆 叶附 豉

绿豆 今附 白豆 新补

第二十六卷

米谷下品总一十八种

一种神农本经 白字

五种名医别录 墨字

一种今附 皆医家尝用有效。注云今附

一十一种陈藏器余

凡墨盖子已②下并唐慎③微续证类④

---

① 皆：柯《大观》无。

② 已：原作“巳”，据文理改。

③ 慎：刘《大观》作“谨”。

④ 凡墨盖……证类：以上13字，柯《大观》无。

⑤ 粱：刘《大观》、成化《政和》、商务《政和》误作“梁”。

⑥ 今：柯《大观》无。

⑦ 麸：刘《大观》作“面蘖”。

醋　稻米 稻稳、稻秆 续注

稷米 雕胡、乌禾① 续注

腐婢　酱　陈廪米　罂子粟 今附

一十一种陈藏器余

师草实　寒食飰　苬米　狼尾草

胡豆子　东墙　麦苗　糟笋中酒

社酒　蓬草子　寒食麦仁粥②

第二十七卷

菜部上品总三十种

五种神农本经 白字

七种名医别录 墨字

二种唐本先附 注云唐附

二种今附 皆医家尝用有效。注云今附

一十种新补

一种新定

三种陈藏器余

凡墨盖子已③下并唐慎④微续证类⑤

冬葵子 根、叶附　**苋实**⑥　胡荽 子附 新补　邪蒿 新补

同蒿 新补　罗勒 新补　石胡荽 新补　芜菁 即蔓菁也⑦

瓜蒂 花⑧附 茎 续注　白冬瓜　**白瓜子**

① 禾：原作“米”，据柯《大观》改，使其与本书“稷米”条注文合。

② 仁粥：原脱，据本书分目及正文补。

③ 已：原作“巳”，据文理改。

④ 慎：刘《大观》作“谨”。

⑤ 凡墨盖……证类：以上13字，柯《大观》无。

⑥ 苋实：自“苋实”以下，卷27菜上品药物目录排列次序与刘《大观》、柯《大观》出入很大，此处从略。

⑦ 即蔓菁也：刘《大观》、柯《大观》无。

⑧ 花：成化《政和》、商务《政和》作“叶”。

甜瓜 叶附 新补　胡瓜叶 亦呼黄瓜[1] 实附 新补
越瓜 今附　白芥 子附 今附　芥　莱菔 即萝卜也[2] 唐附
菘 紫花菘 续注　**苦菜** 苦蘵 续注　荏子 叶附
黄蜀葵花 新定　蜀葵 花附 新补　龙葵 唐附　苦耽 新补
苦苣 新补　苜蓿　荠

三种陈藏器余

蕨　翘摇　甘蓝

第二十八卷

菜部中品总一十三种

五种神农本经 白字

五种名医别录 墨字

二种唐本先附 注云唐附

一种唐慎[3]微续补 墨盖[4]子下[5]是

凡墨盖子已[6]并唐慎[3]微续证类[7]

蓼实 马蓼附 水蓼、赤蓼 续注
葱实 白根汁附　韭 子、根附　**薤**　菾音甜菜[8]
假苏荆芥也[9]　白蘘荷　苏紫苏也[10]　**水苏**
香薷　薄荷 唐附 胡菝蔺[11] 续注

---

① 亦呼黄瓜：刘《大观》、柯《大观》无。
② 即萝卜也：刘《大观》、柯《大观》无。
③ 慎：刘《大观》作“谨”。
④ 盖：柯《大观》作“篚”。
⑤ 下：柯《大观》作“者”。
⑥ 已：原作“巳”，据文理改。
⑦ 凡墨盖……证类：柯《大观》无。
⑧ 菾菜：刘《大观》、柯《大观》将其置“薄荷”条下。
⑨ 荆芥也：刘《大观》无。“也”上，柯《大观》有“是”字。
⑩ 紫苏也：刘《大观》、柯《大观》无。
⑪ 菝蔺：即薄荷。苏颂《图经》曰：“字书作‘菝蔺’。”

秦荻梨 唐附 五辛菜 续注 ▙[1]醍醐菜

第二十九卷

菜部下品总二十二种

二种神农本经 白字

七种名医别录 墨字

三种唐本先附 注云唐附

四种今附 皆医家尝用有效。注云今附

五种新补

一种新分条

凡墨盖子已下并唐慎微续证类

苦瓠 瓠子 续注 葫 大蒜也[2] 蒜 小蒜也[3] 胡葱 今附

莼 石莼、丝莼 续注 **水蘄**音芹 马齿苋 今附[4]

茄子 今附 根附 蘩蒌 鸡肠草 自草部今移

白苣 莴苣附[5] 元附苦苣条下 今分条

落葵 堇 唐附 蕺 马芹子 唐附

芸薹 唐附 雍菜 新补 菠薐 新补 苦荬 新补

鹿角菜 新补 莙荙 新补 东风菜 今附

第三十卷[6]

本草图经本经外草类总七十五种[7]

水英 丽春草 坐拿草[8] 紫堇

---

① ▙：柯《大观》作方框“□”。

② 大蒜也：柯《大观》无。

③ 小蒜也：柯《大观》无。

④ 马齿苋 今附：刘《大观》将其置“苦瓠”条下。

⑤ 莴苣附：柯《大观》无。

⑥ 第三十卷：刘《大观》、柯《大观》作“第三十一卷”，并将其排在全书之末。

⑦ 本草图经本经外草类总七十五种：刘《大观》、柯《大观》作“本经外草类上总三十一种”。

⑧ 坐拿草：自“坐拿草”以下，原书卷30开头所列99种药物排列次序与刘《大观》、柯《大观》互有出入，此处从略。

杏叶草	水甘草	地柏	紫背龙牙
攀倒甑	佛甲草	百乳草	撮石合草
石苋	百两金	小青	曲节草
独脚仙	露筋草	红茂草	见肿消
半天回	剪刀草	龙牙草	苦芥子
野兰根	都管草	小儿群	菩萨草
仙人掌[①]	紫背金盘	石逍遥[②]	胡堇草
无心草	千里光	九牛草	刺虎
生瓜菜[③]	建水草	紫袍	老鸦眼睛草
天花粉	琼田草	石垂	紫金牛
鸡项草	拳参	根子	杏参
赤孙施	田母草	铁线草	天寿根
百药祖	黄寮郎	催风使	阴地厥
千里急	地芙蓉	黄花了	布里草
香麻	半边山	火炭母草	亚麻子
田麻	鸩鸟威	茆质汗	地蜈蚣
地茄子	水麻	金灯[④]	石蒜
荨麻	山姜	马肠根	

本草图经本经外木蔓类二十五种[⑤]

大木皮	崖棕	鹅抱	鸡翁藤
紫金藤	独用藤	瓜藤	金棱藤
野猪尾	烈节	杜茎山	血藤
土红山	百棱藤	祁婆藤	含春藤
清风藤	七星草	石南藤	石合草

---

① 掌：其下，刘《大观》、柯《大观》有“草”字。

② 遥：其下，刘《大观》、柯《大观》有“草”字。

③ 刺虎　生瓜菜：在“刺虎”与“生瓜菜”之间，刘《大观》、柯《大观》有“本经外草类下总四十三种”。

④ 水麻　金灯：本书将“水麻”“金灯”分立为2条，刘《大观》、柯《大观》将“金灯”附在“水麻”条下。

⑤ 本草图经本经外木蔓类二十五种：刘《大观》、柯《大观》作“本经外木蔓类总二十四种”。

马节脚	芥心草	棠球子	醋林子
天仙藤			

有名未用总一百九十四种①

二十六种玉石类

青玉	白玉髓	玉英	璧玉
合玉石	紫石华	白石华	黑石华
黄石华	厉石华	石肺	石肝
石脾	石肾	封石	陵石
碧石青	遂石	白肌石	龙石膏
五羽石	石流青	石流赤	石耆
紫加石	终石		

一百三十二种草木类

玉伯	文石	曼诸石	山慈石
石濡	石芸	石剧	路石
旷石	败石	越砥音旨	金茎
夏台	柒紫	鬼目	鬼盖
马颠	马唐	马逢	牛舌
羊乳	羊实	犀洛	鹿良
菟枣	雀梅	雀翘	鸡涅
相乌	鼠耳	蛇舌	龙常草
离楼草	神护草	黄护草	吴唐草
天雄草	雀医草	木甘草	益决草
九熟草	兑草	酸草	异草
灌草	莅音起草	莘草	勒草
英草华	吴葵华	封华	腆他典切华
棑华	节华	徐李	新雉木
合新木	俳蒲木	遂阳木	学木核
木核 华子根附	栒音荀核	荻皮	桑茎实

① 有名未用总一百九十四种：此标题以下，刘《大观》、柯《大观》另立为1卷。在此标题前，刘《大观》冠有"第三十卷"4字，柯《大观》冠有"卷之三十"4字。

满阴实　可聚实　让实　蕙实
青雌　白背　白女肠　赤女肠附
白扇根　白给　白并　白辛
白昌　赤举　赤涅　黄秫
徐黄　黄白支　紫蓝　紫给
天蓼　地朕　地芩　地筋
地耳　土齿　燕齿　酸恶
酸赭　巴棘　巴朱　蜀格
累根　苗根　参果根　黄辨①
良达　对庐　粪蓝②　委音威蛇音贻
麻伯　王明　类鼻　师系
逐折　并苦　父陛根　索干
荆茎　鬼麗音丽　竹付　秘恶
唐夷　知杖　坔音地松　河煎
区余　三叶　五母麻　疥拍腹
常吏之生　救赦人者　丁公寄　城里赤柱
城东腐木　芥　载　庆
腂户瓦切

一十五种虫类

雄黄虫　天社虫　桑蠹虫　石蠹虫
行夜　蜗篱　麋鱼　丹戬
扁前　蚖类　蜚厉　梗鸡
益符　地防　黄虫

唐本退二十种六种神农本经，一十四种名医别录

薰草　**姑活**　**别羇**　牡蒿
石下长卿　麇俱伦切舌　练石草　弋③共

① 辨：刘《大观》、柯《大观》作“辦”。
② 蓝：据底本校勘表、刘《大观》、柯《大观》改。
③ 弋：敦煌《集注》“七情畏恶药”作“戈”。

蕈音谭草	五色符	蘘音襄草①	**翘根**
鼠姑	船虹	**屈草**	赤赫
淮木	占斯	婴音樱桃	鸩真阴切鸟毛

今新退一种《神农本经》

彼②子

重修政和经史证类备用本草目录③

嘉祐补注本草药品一千一百一十八种，证类本草

新增药品六百二十八种，总一千七百四十六种④

晦明轩记⑤　　平阳府张宅印⑥

① 草：成化《政和》、商务《政和》无。

② 彼：自“彼子”以下，刘《大观》、柯《大观》有“第三十一卷”。

③ 重修……目录：以上14字，柯《大观》无。

④ 嘉祐补注……四十六种：以上39字，刘《大观》、柯《大观》无。

⑤ 晦明轩记：刘《大观》、柯《大观》无。

⑥ 平阳府张宅印：刘《大观》、柯《大观》无。

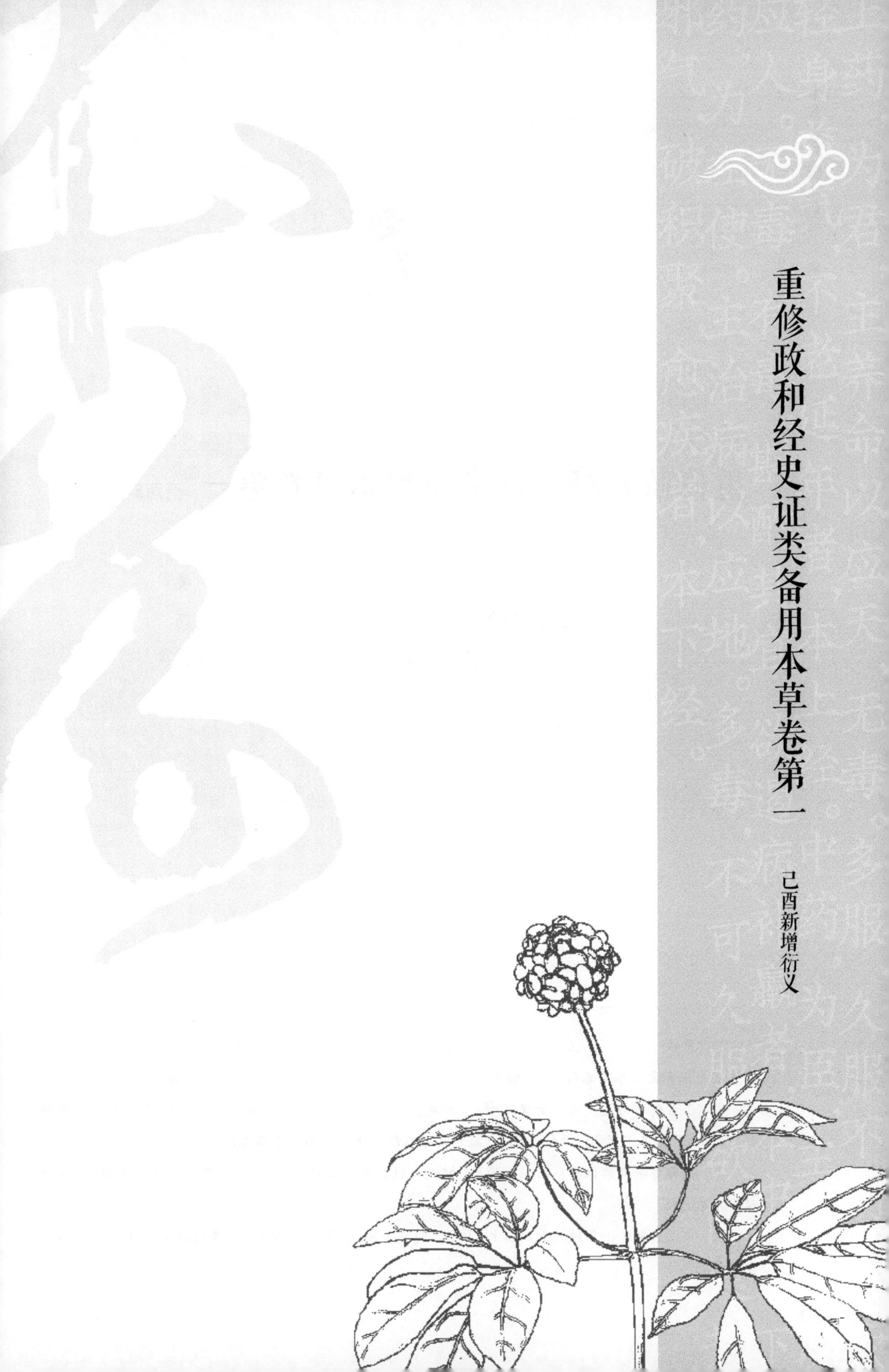

重修政和经史证类备用本草卷第一

己酉新增衍义

重修政和经史证类备用本草卷第一[①] 己酉新增衍义[②]

成　都　唐　慎　微　续　证　类[③]

中卫大夫康州防御使句当龙德宫总辖修建明堂所医药

提举入内医官编类圣济经提举太医学臣曹孝忠奉敕校勘[④]

---

① 重修……第一：以上15字，刘《大观》作“大观经史证类备急本草卷第一”，柯《大观》作“经史证类大全本草卷第一”，四库《证类》作“证类本草卷一”。本书以下各卷同此。

② 己酉新增衍义：刘《大观》、柯《大观》、四库《证类》无此6字。但四库《证类》书中增有“衍义曰”。又“己”，原作“巳”，据底本书首牌记改。本书以下各卷同此。

③ 成都唐慎微续证类：刘《大观》、柯《大观》无，四库《证类》作“宋·唐慎微撰”。本书以下各卷同此。

④ 中卫大夫……奉敕校勘：以上47字，刘《大观》、柯《大观》、四库《证类》无。本书以下各卷同此。

序例上

韩保昇云：按，药有玉石、草木、虫兽，直云本草者，为诸药中草类最多也[①]。

嘉祐[②]补注总叙

旧说《本草经》神农所作，而不经见，《汉书·艺文志》亦无录焉。《平帝纪》云：元始五年，举天下通知方术、本草者，在所为驾一封，轺传遣诣京师。《楼护传》称：护，少诵医经、本草、方术数十万言。本草之名，盖见于此。而英公李世勣[③]等注引班固叙《黄帝内、外经》云：本草石之寒温，原疾病之深浅[④]，此乃论经方之语，而无本草之名。惟梁《七录》载《神农本草》三卷，推以为始，斯为失矣。或疑其间所载生出郡县，有后汉地名者，以为似张仲景、华佗辈所为，是又不然也。《淮南子》云：神农尝百草之滋味，一日而七十毒，由是医方兴焉。盖上世未著文字，师学相传，谓之本草。两汉以来，名医益众，张机、华佗辈，始因古学，附以新说，通为编述，本草繇是见于经录。然旧经才三卷，药止三百六十五种，至梁·陶隐居，又进《名医别录》，亦三百六十五种，因而注释，分为七卷。

---

① 韩保昇……最多也：以上27字，刘《大观》、柯《大观》无。

② 嘉祐：刘《大观》、柯《大观》无。

③ 李世勣：《新修》作"李绩"。《旧唐书·李勣传》云："本姓徐氏，名世勣。永徽中，以犯太宗讳，单名勣焉。"

④ 原疾病之深浅：《汉书·艺文志》作"量疾病之浅深"。

唐显庆中，监门卫长史苏恭[①]，又摭其差谬，表请刊定，乃命司空英国公李世勣等，与恭参考得失，又增一百一十四种，分门部类，广为二十卷，世谓之《唐本草》。国朝开宝中，两诏医工刘翰、道士马志等，相与撰集；又取医家尝用有效者一百三十三种，而附益之；仍命翰林学士卢多逊、李昉、王祐、扈蒙等，重为刊定，乃有详定、重定之目，并镂板摹行。由此，医者用药，遂知适从。而伪蜀孟昶，亦尝命其学士韩保昇等，以唐本《图经》，参比为书，稍或增广，世谓之《蜀本草》，今亦传行。是书自汉迄今，甫千岁，其间三经撰著，所增药六百余种，收采弥广，可谓大备。而知医者，犹以为传行既久，后来讲求，浸多参校；近之所用，颇亦漏略，宜有纂录，以备颐生驱疾之用。嘉祐二年八月，有诏臣禹锡、臣亿、臣颂、臣洞等，再加校正。臣等亦既被命，遂更研核。窃谓前世医工，原诊用药，随效辄记，遂至增多。概见诸书，浩博难究，虽屡加删定，而去取非一。或《本经》已载，而所述粗略；或俚俗尝用，而太[②]医未闻。向非因事详著，则遗散多矣。乃请因其疏捂[③]，更为补注。应诸家医书、药谱所载物品功用，并从采掇，惟名近迂僻，类乎怪诞，则所不取。自余经史百家，虽非方饵之急，其间或有参说，药验较然可据者，亦兼[④]收载，务从该洽，以副诏意。凡名本草者非一家，今以《开宝重定》本为正，其分布卷类、经注杂糅、间以朱墨，并从旧例，不复厘改。凡补注并据诸书所说。其意义与旧文相参者，则从删削，以避重复；其旧已[⑤]著见，而意有未完，后书复言，亦具存之，欲详而易晓，仍每条并以朱书其端云"臣等谨按某书云"某事；其别立条者，则解于其末，云"见某书"。凡所引书，以《唐》《蜀》二本草为先，他书则以所著先后为次第。凡书旧名本草者，今所引用，但著其所作人名曰"某人"，惟《唐》《蜀》本则曰"唐本云""蜀本云"。凡字朱、墨之别。所谓《神农本经》者以朱字；名医因《神农》旧条而有增补者，以墨字间于朱字；余所增者，皆别立条，并以墨字。凡陶隐居所进者，谓之"名医别录"，并以其注附于末。凡显庆所增者，亦注其末曰"唐本先附"。凡开宝所增者，亦注其末曰"今附"。凡今所增补，旧经未有者，于逐条后开列云"新补"。凡药

① 苏恭：原名苏敬，是《唐本草》编者，因避宋代赵匡胤祖父赵敬讳，改"敬"为"恭"。宋以后本草沿袭旧例，引作"苏恭"。下同。

② 太：原作"大"，据柯《大观》改。

③ 捂：柯《大观》、成化《政和》、商务《政和》作"梧"。按，"捂"，义同抵牾。

④ 兼：成化《政和》、商务《政和》作"粗"。

⑤ 已：原作"巳"，据文理改。

旧分上中下三品，今之“新补”难于详辨，但以类附见，如绿矾次于矾石，山姜花次于豆蔻，扶移次于水杨之类是也。凡药有功用，《本经》未见，而旧注已曾引据，今之所增，但涉相类，更不立条，并附本注之末曰“续注”，如地衣附于垣衣，燕覆附于通草，马藻附于海藻之类是也。凡旧注出于陶氏者，曰“陶隐居云”；出于显庆者，曰“唐本注”；出于开宝者，曰“今注”；其开宝考据传记者，别曰“今按”“今详”“又按”，皆以朱字别于其端。凡药名《本经》已[①]见而功用未备，今有所益者，亦附于本注之末。凡药有今世已尝用，而诸书未见，无所辨证者，如葫芦巴、海带之类，则请从太医众论参议，别立为条，曰“新定”。旧药九百八十三种；新补八十二种，附于注者不预焉；新定一十七种。总新、旧一千八十二条，皆随类粗释。推以十五凡，则补注之意可见矣。旧著开宝、英公、陶氏三序，皆有义例，所不可去，仍载于首篇云。

新旧药合一千八十二种

三百六十种神农本经

一百八十二种名医别录

一百一十四种唐本先附

一百三十三种今附

一百九十四种有名未用

八十二种新补

一十七种新定

本草图经序

昔神农尝百草之滋味，以救万民之疾苦，后世师祖，由是本草之学兴焉。汉魏以来，名医相继，传其书者，则有吴普、李当之药录，陶隐居、苏恭[②]等注解。国初两诏近臣，总领上医，兼集诸家之说，则有《开宝重定本草》，其言药之良毒，性之寒温，味之甘苦，可谓备且详矣。然而五方物产，风气异宜，名类既多，赝伪难别，以虺床当蘼芜，以荠苨乱人参，古人犹且患之，况今医师所用，皆出于市贾，市贾所得，盖自山野之人，随时采获，无复究其所从来，以此为疗，欲其中

① 已：原作“巳”，据文理改。下同。

② 苏恭：原名苏敬，避宋讳，改为“苏恭”。

病，不亦远乎？昔唐永徽中，删定本草之外，复有图经相辅而行，图以载其形色，经以释其同异；而明皇御制又有《天宝单方药图》，皆所以叙物真滥，使人易知，原诊处方，有所依据。二书失传且久，散落殆尽，虽鸿都秘府，亦无其本。天宝方书，但存一卷，类例粗见，本末可寻。宜乎圣君哲辅，留意于搜辑也。先是诏命儒臣，重校《神农本草》等凡八书，光禄卿直秘阁臣禹锡、尚书祠部郎中秘阁校理臣亿、太常博士集贤校理臣颂、殿中丞臣检、光禄寺丞臣保衡，相次被选，仍领医官秦宗古、朱有章等，编绎累年，既而补注本草成书，奏御，又诏天下郡县，图上所产药本，用永徽故事，重命编述。臣禹锡以谓：考正群书，资众见，则其功易就；论著文字①，出异手，则其体不一。今天下所上，绘事千名，其解说物类，皆据世医之所闻见，事有详略，言多鄙俚，向非专壹整比②，缘饰以文，则前后不伦，披寻难晓。乃以臣颂向尝刻意此书，于是建言奏请，俾专撰述。臣颂既被旨，则裒集众说，类聚诠次，粗有条目。其间玉石、金土之名，草木、虫鱼之别，有一物而杂出诸郡者，有同名而形类全别者，则参用古今之说，互相发明；其荄梗之细大，华实之荣落，虽与旧说相戾，并兼存之；崖略不备，则稍援旧注，以足成文意；注又不足，乃更旁引经史，及方书、小说，以条悉其本原。若陆英为蒴藋花，则据《尔雅》之训以言之；诸香同本③，则用《岭表录异》以证之之类是也。生出郡县，则以《本经》为先，今时所宜次之。若菟丝生于朝鲜，今则出于冤句；奚毒④生于少室，今乃来自三蜀之类是也。收采时月有不同者，亦两存其说，若赤箭，《本经》但著采根，今乃并取茎苗之类是也。生于外夷者，则据今传闻，或用书传所载，若玉屑、玉泉，今人但云玉出于于阗，不究所得之因，乃用平居诲《行程记》为质之类是也。药有上中下品，皆用《本经》为次第。其性类相近，而人未的识，或出于远方，莫能形似者，但于前条附之，若溲疏附于枸杞，琥珀附于茯苓之类是也。又古方书所载，简而要者，昔人已述其明验，今世亦常用之，及今诸郡医工所陈经效之药，皆并载其方，用天宝之例也。自余书传所无，今医又不能解，则不敢以臆说浅见，傅⑤会其文，故但阙而不录。又有今医所用，而旧经不载者，并以类次，系于末卷，曰“本经外类”。其间功用尤著，与旧名附近者，则次于逐条载

① 字：刘《大观》作“事”。

② 比：成化《政和》、商务《政和》作“此”。

③ 同本：刘《大观》、柯《大观》倒置。

④ 毒：成化《政和》、商务《政和》作“独”。

⑤ 傅：成化《政和》、商务《政和》作“传”。

之，若通脱次于木通，石蛇次于石蟹之类是也。总二十卷，目录一卷。撰次甫就，将备亲览。恭惟主上，以至仁厚德，函养生类，一物失所，则为之恻然。且谓札瘥荐臻，四时代有，救恤之惠，无先医术。蚤岁屡敕近臣，酬[①]校岐黄内经，重定针艾俞穴，或范金揭石，或镂板联编，悯南方[②]蛊惑之妖，于是作《庆历善救方》以赐之；思下民资用之阙，于是作《简要济众方》以示之。今复广药谱之未备，图地产之所宜；物色万殊，指掌斯见；将使合和者，得十全之效；饮饵者，无未达之疑；纳斯民于寿康，召和气于穹壤，太平之致，兹有助焉。臣学不该通，职预编述，仰奉宸[③]旨，深愧寡闻。嘉祐六年九月日，朝奉郎太常博士充集贤校理新差知颍州军州兼管内劝农及管句开治沟洫河道事骑都尉借紫臣苏颂谨上。

开宝重定序

三坟之书，神农预其一，百药既辩，本草存其录。旧经三卷，世所流传，名医别录，互为编纂。至梁·正[④]白先生陶景[⑤]，乃以《别录》参其《本经》，朱墨杂书，时谓明白，而又考彼功用，为之注释，列为七卷，南国行焉。逮乎有唐，别加参校，增药八百余[⑥]味，添注为二十一卷。《本经》漏功则补之，陶氏误说则证之。然而载历年祀，又逾四百，朱字、墨字，无本得同；旧注、新注，其文互阙；非圣主抚大同之运，永无疆之休，其何以改而正之哉！乃命尽考传误，刊为定本；类例非允，从而革焉。至如笔头灰，兔毫也，而在草部，今移附兔头骨之下；半天河、地浆，皆水也，亦在草部，今移附土石类之间。败鼓皮移附于兽皮，胡桐泪改从于木类。紫矿亦木也，自玉石品而取焉；伏翼实禽也，由虫鱼部而移焉。橘柚附于果实，食盐附于光明[⑦]盐。生姜、干姜，同归一说。至于鸡肠、蘩蒌、陆英、蒴藋，以类相似，从而附之。仍采陈藏器《拾遗》、李含光《音义》，或讨源于别本，或传效于医家，参而较之，辨其臧否。至如突屈白，旧说灰类，今是木根；天麻根解

---

① 酬：柯《大观》校改为“仇”。

② 方：原作“六”，据线装本《政和》、商务《政和》改。

③ 宸：指帝王居处。

④ 正：原应是“贞”字，因避宋仁宗赵祯讳，改为“正”。

⑤ 陶景：原应作“陶弘景”，因避宋太宗父赵弘殷讳，删去“弘”字。

⑥ 八百余：原作“余八百”，据《医心方》所载《新修本草》药物总数改。

⑦ 明：原脱，据本书正文补。

似赤箭，今又全异。去非取是，特立新条。自余刊正，不可悉数，下采众议，定为印板。乃以白字为神农所说；墨字为名医所传；唐附、今附，各加显注；详其解释，审其形性，证谬误而辨之者，署为今注；考文记而述之者，又为今按。义既刊定，理亦详明。今以新旧药合九百八十三种，并目录二十一卷，广颁天下，传而行焉。

唐本序礼部郎中孔志约撰

盖闻天地之大德曰生，运阴阳以播物；含灵之所保曰命，资亭育[①]以尽年。蛰穴栖巢[②]，感物之情盖寡，范金揉木，逐欲之道方滋。而五味或爽，时昧甘、辛之节；六气斯沴，易愆寒燠之宜。中外交侵，形神分战。饮食伺衅，成肠胃之眚[③]；风湿候隙，构手足之灾。机当作几缠肤腠，莫知救止；渐固[④]膏肓，期于夭折。暨炎晖[⑤]纪物，识药石之功；云瑞[⑥]名官，穷诊候之术。草木咸得其性，鬼神无所遁情。刳麝剸犀[⑦]，驱泄邪恶；飞丹炼石，引纳[⑧]清和。大庇苍生，普济黔首；功侔造化，恩迈财成，日用不知，于今是赖。岐、和、彭、缓，腾绝轨于前；李、华、张、吴，振英声于后。昔秦政煨燔，兹经不预；永嘉丧乱，斯道尚存。梁·陶景[⑨]雅好摄生，研精药术，以为《本草经》者，神农之所作，不刊之书也，惜其年代浸远，简编残蠹，与桐、雷众记，颇或踳驳与言撰缉，勒成一家，亦以雕琢经方，润色医业。然而时钟鼎峙，闻见阙于殊方，事非佥议，诠释拘于独学。至如重建平之防已，弃槐里之半夏。秋采榆人，冬收云实。谬粱米之黄、白，混荆子之牡、蔓，异繁蒌于鸡肠，合由跋于鸢尾。防葵、狼毒，妄曰同根；钩吻、黄精，引为连类。铅、锡莫辨，橙、柚不分。凡此[⑩]比例，盖亦多矣。自时厥后，以迄于今。虽

---

① 亭育：文出《老子》，义同化育。

② 蛰穴栖巢：蛰穴，指穴居；栖巢，指巢居。

③ 眚：指疾患。

④ 固：柯《大观》作“因”。

⑤ 炎晖：指炎帝神农氏，此处指《神农本草经》。

⑥ 云瑞：杜预注《左传》：“黄帝受命有云瑞。”此处指《黄帝内经》。

⑦ 刳麝剸犀：指刳割麝香，剸截犀角。

⑧ 引纳：导引吐纳，指气功。

⑨ 陶景：即陶弘景，因避唐高宗太子李弘讳，省去“弘”字。

⑩ 此：原作“比”，据《大观》改。

方技分镳，名医继轨，更相祖述，罕能厘正。乃复采杜蘅于及己，求忍冬于络石；舍陟厘而取莂藤，退飞廉而用马蓟。承疑行妄，曾无有觉；疾瘵多殆，良深慨叹。既而朝议郎行右监门府长史[①]骑都尉[②]臣苏恭，摭陶氏之乖违，辨俗用之纰紊，遂表请修定，深副圣怀。乃诏太尉扬[③]州都督监修国史上柱国[④]赵国公臣无忌、太中大夫[⑤]行尚药奉御[⑥]臣许孝崇等二十二人，与苏恭详撰。窃以动植形生，因方舛性，春秋节变，感气殊功。离其本土，则质同而效异；乖于采摘，乃物是而时非。名实既爽，寒温多谬。用之凡庶，其欺已甚；施之君父，逆莫大焉。于是上禀神规，下询众议；普颁天下，营求药物。羽、毛、鳞、介，无远不臻；根、茎、花、实，有名咸萃。遂乃详探秘要，博综方术。《本经》虽阙，有验必书；《别录》虽存，无稽必正。考其同异，择其去取。铅翰昭章，定群言之得失；丹青绮焕，备庶物之形容。撰本草并图经、目录等，凡成五十四卷。[**臣禹锡等谨按蜀本草**]**序作五十三卷，及唐英公《进本草表》云：勒成本草二十卷，目录一卷，药图二十五卷，图经七卷，凡五十三卷。又英公序云：撰本草并图经、目录等，凡成五十三卷，据此三者，合作五十三卷。又据李含光《本草音义》云：正经二十卷，目录一卷，又别立图二十五卷，目录一卷，图经七卷，凡五十四卷。二说不同，今并注之。**庶以网罗今古，开涤耳目，尽医方之妙极，拯生灵之性命。传万祀而无昧，悬百王而不朽。

梁·陶隐居序

隐居先生，在乎茅山岩岭之上，以吐纳余暇，颇游意方技，览本草药性，以为尽圣人之心，故撰而论之。旧说皆称《神农本经[⑦]》，余以为信然。昔神农氏之王

---

① 朝议郎行右监门府长史：朝议郎是唐代正六品上官衔。“行”，按《唐书》记载，唐代官员，若其级别高于官职品级，在官衔前加“行”字。右监门府长史，掌宫殿门禁及守卫的官。

② 骑都尉：唐代第八等军功勋。

③ 扬：原作“杨”，据地理改。

④ 上柱国：唐代第一等军功勋。

⑤ 太中大夫：唐代从四品下文官。又“太”，《大观》作“大”。

⑥ 尚药奉御：即尚药局主管。掌宫廷诊疗及配药煎煮。

⑦ 本经：敦煌《集注》作“本草经”。

天下也：画八①卦，以通鬼神之情；造耕种，以省杀生②之弊；宣药疗疾③，以拯天伤之命。此三道者，历众④圣而滋彰。文王、孔子、彖、象繇、辞，幽赞人天。后稷、伊尹，播厥百谷，惠被群生⑤。岐、黄、彭、扁，振杨辅导，恩流含气。并岁逾三千，民到于今赖之。但轩辕以前，文字未传，如六爻指垂，画象稼穑，即事成迹。至于药性所主，当以识识相因，不尔，何由得闻。至乎⑥桐、雷，乃著在于编⑦简，此书应与《素问》同类，但后人多更修饰之尔。秦皇所焚，医方、卜术不预，故犹得全录。而遭汉献迁徒，晋怀奔迸，文籍焚靡［臣禹锡等谨按蜀本］作廑，音縻，千不遗一。今之所存，有此四卷［臣禹锡等谨按］《唐本》亦作四卷。韩保昇又云：《神农本草》上、中、下并序录，合四卷。今按，四字当作三，传写之误也。何则，按梁《七录》云：《神农本草》三卷。又据《本经》陶序后朱书云：《本草经》卷上、卷中、卷下。卷上注云：序药性之源本，论病名之形诊。卷中云：玉石、草、木三品。卷下云：虫兽、果、菜、米食三品。即不云三卷外别有序录，明知韩保昇所云：承据误本，妄生曲说，今当从三卷为正，是其《本⑧经》。所出郡县，乃后汉时制，疑仲景、元化等所记。又云有《桐君采药录》，说其花⑨叶形色。《药对》四卷，论其佐使相须。魏晋已来，吴普［臣禹锡等谨按蜀本］注云：普，广陵人也，华佗弟子。撰《本草》一卷、李当之［臣禹锡等谨按蜀本］注云：华佗弟子。修神农旧经，而世少行用等更复损益。或五百九十五，或四百四十一，或三百一十九，或三品混糅，冷热舛错，草石不分，虫兽无辨，且所主治，互有得失，医家不能备见，则识智有浅深。今辄苞综诸经，研括烦省，以《神农本经》三品，合三百六十五为主，又进名医副⑩品亦三百六十五，合七百三十种。精粗皆取，无复遗落，分别⑪

---

① 八：敦煌《集注》作“易”。

② 生：敦煌《集注》作“害”。

③ 疾：敦煌《集注》无。

④ 众：敦煌《集注》作“群”。

⑤ 群生：敦煌《集注》作“生民”。

⑥ 乎：原作“于”，据敦煌《集注》改。

⑦ 于编：敦煌《集注》作“篇”。

⑧ 本：柯《大观》作“旧”。

⑨ 花：敦煌《集注》作“华”。

⑩ 副：成化《政和》、商务《政和》作“别”。

⑪ 别：成化《政和》、商务《政和》作“副”。按本条“别”与上条“副”，是因成化《政和》翻刻错简所误，《纲目》、四库《证类》、商务《政和》皆沿袭成化《政和》之误。

科条，区畛音轸物类，兼注铭音瞑时①用，土地所出，及仙经道术所须，并此序录，合为七卷。虽未足追踵前良，盖亦一家撰制。吾去世之后，可贻诸知音尔。

本草经卷上　序药性之源本②，论③病名之形诊，题记品录，详览施用。

本草经卷中　玉石、草、木三品。

本草经卷下　虫兽、果、菜、米食三品，有名未用三品。

右三卷，其中、下二卷，药合七百三十种，各别有目录，并朱、墨杂书并子注，今④大书分为七卷。[唐本注]《汉书·艺文志》有黄帝内、外经。班固论云：经方者，本草石之寒温，原疾病之深浅⑤。乃班固论经方之语，而无本草之名。惟梁《七录》有《神农本草》三卷，陶据此以别录加之为七卷。序云：三品混糅，冷热舛错，草石不分，虫兽无辨。岂使草木同品，虫兽共条，披览既难，图绘非易。今以序为一卷，例为一卷，玉石三品为三卷，草三品为六卷，木三品为三卷，禽兽为一卷，虫鱼为一卷，果为一卷，菜为一卷，米谷为一卷，有名未用为一卷，合二十卷。其十八卷中，药合八百五十种，三百六十一种"本经"，一百八十一种"别录"，一百一十五种"新附"，一百九十三种⑥"有名未⑦用"。

上药一百二十种为君，主养命以应天，无毒，多服、久服不伤人。欲轻身益气，不老延年者，本上经。

中药一百二十种为臣，主养性以应人，无毒、有毒，斟酌其宜。欲遏病补虚羸者，本中经。

下药一百二十五种为佐使，主治病以应地，多毒，不可久服。欲除寒热邪气、破积聚⑧、愈疾者，本下经。

---

① 时：敦煌《集注》作"世"。按，编修《唐本草》时，因避唐太宗"世"字讳，改为"时"。宋代本草沿袭之。

② 源本：敦煌《集注》倒置。

③ 论：敦煌《集注》作"诠"。

④ 今：敦煌《集注》无。

⑤ 原疾病之深浅：《汉书·艺文志》作"量疾病之浅深"。

⑥ 药合八百五十……一百九十三种：上面讲《唐本草》载药850种，其中本经载361种，别录载181种，唐本新附115种，有名未用193种。在有名未用193种中，含本经6种，合前本经361种，共367种，此书云载365种，多2种。又唐本新附载115种，此文献记载114种，多1种。疑其间有误，以存待考。

⑦ 未：傅《新修》、罗《新修》作"无"。

⑧ 聚：敦煌《集注》脱。

三品合三百六十五种，法三百六十五度，一[①]度应一日，以成一岁，倍其数，合七百三十名也。［臣禹锡等谨按］本草例：《神农本经》以朱书，《名医别录》以墨书。《神农本经》药三百六十五种，今此言倍其数，合七百三十名，是并《名医别录》副品而言也。则此一节，《别录》之文也，当作墨书矣。盖传写浸久，朱、墨错乱之所致耳。遂令后世览之者，捃摭此类，以谓非神农之书，乃后人附托之文者，率以此故也。

右[②]本说如此。今按，上品药性，亦皆能遣疾，但其势力[③]和厚，不为仓卒之效，然而岁月常[④]服，必获大益，病既愈矣，命亦兼申。天道仁育，故云应天。一[⑤]百二十种者，当谓寅、卯、辰、巳之月，法万物生荣时也。

中品药性，疗病之辞渐深，轻身之说稍薄，于服之者祛患当速，而延龄为缓。人怀性情，故云应人。一百二十种者，当谓午、未、申、酉之月，法万物成熟[⑥]时也。

下品药性，专主攻击，毒烈[⑦]之气，倾损中和，不可常服，疾愈即止。地体收杀，故云应地。一[⑤]百二十五种者，当谓戌、亥、子、丑之月，法万物枯藏时也，兼以闰之，盈数加之。

凡[⑧]合和之体，不必偏用之，自随人患[⑨]，参而共行。但君臣配隶，依[⑩]后所说，若单服之者，所不论尔。

药有君、臣、佐、使，以相宣摄。合和宜用一君、二臣、三佐、五使[⑪]，又可一君、三臣、九佐、使[⑫]也。

---

① 一：敦煌《集注》脱。

② 右：敦煌《集注》无。

③ 力：敦煌《集注》作“用”。

④ 常：敦煌《集注》作“将”。

⑤ 一：其上，敦煌《集注》有“独用”2字。

⑥ 成熟：敦煌《集注》倒置。

⑦ 烈：柯《大观》作“药”。

⑧ 凡：敦煌《集注》作“今”。

⑨ 患：其下，敦煌《集注》有“苦”字。

⑩ 依：其上，敦煌《集注》有“应”字。

⑪ 三佐、五使：敦煌《集注》作“五佐”。

⑫ 使：敦煌《集注》无。

右[①]本说如此。今按[②]，用药，犹如立人之制，若多君少臣，多臣少佐，则气力不周也[③]。而检仙经、世俗[④]诸方，亦不必皆尔。大抵[⑤]养命之药则多君，养性之药则多臣，疗[⑥]病之药则多佐；犹依本性所主，而兼复斟酌，详用此者益当为善。又恐上品君中，复各有贵贱，譬如列国诸侯，虽并得称制[⑦]，而犹归宗周。臣佐之中，亦当如此，所以门冬、远志，别有君臣[⑧]。甘[⑨]草国老，大黄将军，明其优劣，皆不[⑩]同秩。自非农、岐之徒，孰敢诠正，正应领略轻重，为其分剂也。

药有阴阳配合，［臣禹锡等谨按蜀本注］云：凡天地万物，皆有阴阳、大小，各有色类，寻究其理，并有法象。故毛羽之类，皆生于阳而属于阴；鳞介之类，皆生于阴而属于阳。所以空青法木，故色青而主肝；丹砂法火，故色赤而主心；云母法金，故色白而主肺；雌黄法土，故色黄而主脾；磁石法水，故色黑而主肾。余皆以此推之，例可知也。**子母兄弟**［臣禹锡等谨按蜀本］注云：若榆皮为母，厚朴为子之类是也，**根茎[⑪]花实，草石骨肉。有单行者，有相须者，有相使者，有相畏者，有相恶者，有相反者，有相杀者。凡此[⑫]七情，合和[⑬]视之，当用[⑭]相须、相使者良，勿用相恶、相反者。若有毒宜制，可用相畏、相杀者；不尔，勿合用也。**［臣禹锡等谨按蜀本注］云：凡三百六十五种，有单行者七十一种，相须者十二种，相使者九十种，相畏者七十八种，相恶者六十种，相反者十八种，相杀者三十六种。凡此七情，合和视之。

---

① 右：敦煌《集注》无。

② 今按：敦煌《集注》倒置。

③ 也：其上，敦煌《集注》有“故”字。

④ 俗：敦煌《集注》作“道”。

⑤ 大抵：敦煌《集注》脱。

⑥ 疗：敦煌《集注》作“治”。

⑦ 制：其上，敦煌《集注》有“君”字。

⑧ 臣佐之中……别有君臣：以上18字，敦煌《集注》脱。

⑨ 甘：其上，敦煌《集注》衍“目”字。

⑩ 皆不：敦煌《集注》倒置。

⑪ 茎：敦煌《集注》作“叶”。

⑫ 此：敦煌《集注》脱。

⑬ 和：其下，柯《大观》有“时”字。

⑭ 当用：敦煌《集注》脱。

右[①]本说如此。今[②]按，其主疗虽同，而性理不和，更以成患。今检旧方用药，亦[③]有相恶、相反者，服之乃不为害[④]。或能有[⑤]制持之者，犹如寇、贾辅汉，程、周佐吴，大体既正，不得以私情为害。虽尔，恐不如[⑥]不用。今仙方甘草丸，有防已、细辛，俗方玉石散[⑦]，用[⑧]栝楼、干姜，略举大体[⑨]如此。其余复有数十条[⑩]，别注在后。半夏有毒，用之必须生姜，此是取其所畏，以相制尔。其相须、相使者，不必同[⑪]类，犹如和羹、调食鱼肉，葱、豉各有所宜，共相宣发也。

药有酸、咸、甘、苦、辛五味，又有寒、热、温、凉四气，及有毒、无毒。阴干、暴干，采造[⑫]时月生熟，土地所出，真伪陈新，并各有法。

右本说如此。又有分剂秤两，轻重多少，皆须甄别。若用得其宜，与病相会，入口必愈，身安寿延；若冷热乖衷，真假非类，分两违舛，汤丸失度，当差反剧，以至殒命。医者意也，古之所谓良医者，盖善以意量得其节也。谚云：俗无良医，枉死者半；拙医疗病，不如不疗。喻如宰夫，以鳝音善鳖为莼羹，食之更足成病，岂充饥之可望乎？故仲景云："如此死者，愚医杀之也。"

药性[⑬]有宜丸者，宜散者，宜水煮者，宜酒渍者，宜膏煎者，亦有一物兼宜者，亦有不可入汤酒者，并随药性，不得违越。

---

① 右：敦煌《集注》无。

② 今：敦煌《集注》无。

③ 亦：其上，敦煌《集注》有"并"字。

④ 害：敦煌《集注》作"忤"。

⑤ 有：其上，敦煌《集注》有"复"字。

⑥ 如：敦煌《集注》作"及"。

⑦ 俗方玉石散：敦煌《集注》作"世方五石散"。按，"俗"为唐代避"世"字讳所改，下同。又按，《千金翼方》卷22有五石更生散、五石护命散，与敦煌《集注》"五石散"合。疑"玉"为"五"之笔误。

⑧ 用：敦煌《集注》作"有"。

⑨ 体：敦煌《集注》作"者"。

⑩ 条：其上，敦煌《集注》有"余"字。

⑪ 同：敦煌《集注》作"用"。

⑫ 造：敦煌《集注》作"治"。此亦沿袭唐代避讳所改。

⑬ 性：敦煌《集注》无。

右[①]本说如此。又按，病[②]有宜服丸者，服[③]散者，服汤者，服酒者，服膏煎者，亦兼参用，察[④]病之源，以为其制也。

欲疗病[⑤]，先察其源，先候病机，五脏未虚，六腑未竭，血脉未乱，精神未散，服[⑥]药必活。若病已成，可得半愈。病势已过，命将难全。

右本说如此。按，今自非明医，听声察色，至乎诊脉，孰[⑦]能知未病之病乎？且未病之人，亦无肯自疗。故桓侯怠于皮肤之微，以致骨髓之痼。今[⑧]非但识悟之为难，亦乃信受之弗易。仓公有言曰："病不肯服药，一死也；信巫不信医，二死也；轻身薄命，不能将慎[⑨]，三死也。"夫病之所由来虽多端，而皆关于邪。邪者，不正之因，谓非人身之常理，风、寒、暑、湿，饥、饱、劳、逸，皆各是邪，非独鬼气疫[⑩]疠者矣。人生气中，如鱼在水，水浊则鱼瘦，气昏则人病[⑪]。邪气之伤人，最为深重，经络既受此气，传入脏腑[⑫]，随其虚实冷热，结以成病，病又相生，故流变遂广。精神者，本宅身以为用。身既受邪，精神[⑬]亦乱。神既乱矣，则鬼灵斯入，鬼力渐强，神守稍弱，岂得不致于死乎？古人譬之植杨，斯理当矣。但病亦别有先从鬼神来者，则宜以祈祷祛之，虽曰可祛，犹因药疗致愈[⑭]，昔李子豫有赤丸之例是也。其药疗无益者，是则不可祛，晋景公膏肓之例是也。大都鬼神[⑮]之害则[⑯]多端，疾病之源惟一种，盖有轻重者尔。《真诰》中有言曰：常不能慎[⑰]事上

---

① 右：敦煌《集注》无。下同。

② 按，病：敦煌《集注》作"疾"。

③ 服：其上，敦煌《集注》有"宜"字。下同。

④ 察：敦煌《集注》作"所"。

⑤ 欲疗病：敦煌《集注》作"凡欲治病"。

⑥ 服：敦煌《集注》作"食"。

⑦ 孰：敦煌《集注》误作"熟"。

⑧ 今：敦煌《集注》无。

⑨ 慎：柯《大观》避宋孝宗赵昚讳，改作"谨"。

⑩ 疫：敦煌《集注》作"疾"。

⑪ 病：敦煌《集注》作"疲"。

⑫ 脏腑：以上2字，刘《大观》重复。

⑬ 精神：敦煌《集注》倒置。

⑭ 愈：柯《大观》、敦煌《集注》作"益"。

⑮ 鬼神：敦煌《集注》倒置。

⑯ 则：其上，敦煌《集注》有"人"字。

⑰ 慎：柯《大观》作"谨"。下同。

者，自致百痾之本[1]，而怨咎于神灵乎？当风卧湿，反责他人于失覆[2]，皆痴人也。夫慎事上者，谓举动之事，必皆慎思；若饮食恣情，阴阳不节[3]，最为百痾之本。致使虚损内起，风湿外侵，所以共成其害，如此者，岂得关于神明乎？惟当勤于药术疗理尔[4]。

若用[5]毒药疗病，先起如[6]黍粟，病去即止，不去倍之，不去十之，取去为度。

右本说如此。按，今药中[7]单行一两种有[8]毒物，只如巴豆、甘遂之辈，不可便令至剂尔。如《经》所言[9]：一物一毒，服一丸如细麻；二物一毒，服二丸如大麻；三物一毒，服三丸如胡豆；四物一毒，服四丸如小豆；五物一毒，服五丸如大豆，六物一毒，服六丸如梧子；从此至十，皆如梧子，以数为丸。而毒中又有轻重，且如狼毒、钩吻，岂同附子、芫花辈邪？凡此之类，皆须量宜。［臣禹锡等谨按唐本］旧云：三物一毒，服三丸如小豆；四物一毒，服四丸如大豆；五物一毒，服五丸如兔矢。注云：谨按，兔矢大于梧子，等差不类，今以胡豆替小豆，小豆替大豆，大豆替兔矢，以为折衷。

疗[10]寒以热药，疗热以寒药，饮食不[11]消以吐下药，鬼疰蛊毒以毒药，痈肿疮瘤以疮药，风湿以风湿[12]药，各随其所宜。

右本说如此，又按[13]药性，一物兼主十余病者，取其偏长为本，复应观人之虚实补泻[14]、男女老少、苦乐荣悴、乡壤风俗，并各不同。褚澄疗寡妇、尼僧，异乎妻妾，此是达其性怀之所致也。

---

① 之本：敦煌《集注》无。

② 覆：敦煌《集注》作“福”。

③ 恣情，阴阳不节：敦煌《集注》作“男女”。

④ 勤于药术疗理尔：敦煌《集注》作“勤药治为理耳”。

⑤ 用：敦煌《集注》无。

⑥ 如：敦煌《集注》无。

⑦ 今药中：敦煌《集注》作“盖谓”。

⑧ 有：敦煌《集注》脱。

⑨ 如《经》所言：敦煌《集注》作“依如经言”。

⑩ 疗：敦煌《集注》作“治”。下同。

⑪ 不：其下，敦煌《集注》衍“以”字。

⑫ 湿：敦煌《集注》脱。

⑬ 又按：敦煌《集注》作“案今”。

⑭ 泻：敦煌《集注》作“写”。

病在胸膈以上者，先食后服药；病在心腹以下者，先服药而后食；病在四肢、血脉者，宜空腹而在旦；病在骨髓者，宜饱满而在夜。

右本说如此。按，其非但药性之多方，其①节适早晚，复须修②理。今方家所云"先食""后食"，盖此义也。又有须酒服者、饮服者、冷服者、暖服者。服汤则有疏、有数，煮汤则有生、有熟，各有法用，并宜审详尔③。

夫大病之主，有：中风、伤寒，寒热、温疟，中恶、霍乱，大腹、水肿，肠澼、下痢，大小便不通，奔豚上气，咳逆呕吐，黄疸、消渴，留饮、癖食，坚积、癥瘕，惊邪、癫痫、鬼疰，喉痹、齿痛，耳聋、目盲，金疮、踒乌卧切**折，痈肿、恶疮，痔瘘、瘿瘤；男子五劳七伤，虚乏羸瘦；女子带下、崩中，血闭、阴蚀；虫蛇蛊毒所伤。此④大略宗兆，其间变动枝叶，各宜⑤依端绪以取之。**

右本说如此。按，今药之所主，止⑥说病之一名，假令中风，乃有⑦数十种，伤寒证⑧候，亦有⑨二十余条，更复就中求其类例⑩，大体归其始终⑪，以本性为根宗，然后配合诸⑫证，以合⑬药尔。病之变状⑭，不可一概言之。所以医方千卷，犹未尽其理。春秋已前，及和、缓之书蔑闻，而道经略载扁鹊数法，其用药犹是本草家意。至汉·淳于意及华佗等方，今时有存者⑮，亦皆条理⑯药性。惟张仲景一部，最为众方之祖，又悉依本草。但其善诊脉，明气候，以意⑰消息之尔。至于刳

① 其：敦煌《集注》无。

② 修：敦煌《集注》作"条"。

③ 各有法用，并宜审详尔：敦煌《集注》作"皆各有法，用者并应详宜之"。

④ 此：其下，敦煌《集注》有"皆"字。

⑤ 宜：敦煌《集注》无。

⑥ 止：其上，敦煌《集注》有"各"字。

⑦ 乃有：敦煌《集注》作"中风乃"。

⑧ 证：敦煌《集注》作"诊"。

⑨ 有：敦煌《集注》脱。

⑩ 类例：敦煌《集注》倒置。

⑪ 大体归其始终：敦煌《集注》作"大归终"。

⑫ 诸：原脱，据刘《大观》、柯《大观》、敦煌《集注》补。

⑬ 合：敦煌《集注》作"命"。

⑭ 病之变状：敦煌《集注》作"病生之变"。

⑮ 今时有存者：敦煌《集注》作"今之所存者"。

⑯ 条理：敦煌《集注》作"修"。

⑰ 意：敦煌《集注》无。

肠、剖臆、刮骨、续筋之法，乃别术所得，非神农家事。自晋代已来，有张苗、宫泰、刘德、史脱、靳邵、赵泉、李子豫等，一代[①]良医。其贵胜阮德如、张茂先、裴[②]逸民、皇甫士安，及江左葛洪、蔡谟、商仲堪[③]诸名人等，并研精药术。宋有羊欣、元徽[④]、胡洽[⑤]、秦承祖，齐有尚书褚澄、徐文伯、嗣伯群从兄弟，疗病亦十愈其八[⑥]九。凡此诸人，各有所撰用方，观其指趣，莫非本草者乎？或时用别药，亦循[⑦]其性度，非相逾越。《范汪方[⑧]》百余卷，及葛洪《肘后》，其中有细碎单行经用者，或田舍试验之法，或殊域异识之术。如：藕皮散血，起自庖人；牵牛逐水，近出野老；饼店蒜齑，乃是下蛇之药；路边地菘，而为金疮所秘。此盖天地间物，莫不为天地间用，触遇则会，非其主对矣。颜光禄亦云：诠三品药性[⑨]，以本草为主。道经、仙方、服食、断谷、延年、却老，乃至飞丹炼[⑩]石之奇，云腾羽化之妙，莫不以药道[⑪]为先。用药之理，一同本草，但制御之途，小异世法。犹如粱、肉，主于济命，华夷禽兽，皆共仰资。其为主理即同[⑫]，其为性灵则异尔。大略所用不多，远至二十余物，或单行数种，便致大益，是其服食岁月深积[⑬]。即本草所云久服之效，不如俗[⑭]人微觉便止，故能臻其所极，以致遐龄，岂但充体愈疾而已哉。今庸医处疗，皆耻看本草，或倚约旧方，或闻人传说，或遇其所忆，便揽笔疏之，俄然戴面，以此表奇。其畏恶相反，故自寡昧，而药类违僻，分两参差，亦不以为疑脱。或偶尔值差，则自信方验[⑮]；若旬月未瘳，则言病源深结。了不反

---

① 代：敦煌《集注》作“世”。此沿袭唐代避太宗讳。

② 裴：原误“辈”，据敦煌《集注》改。

③ 商仲堪：敦煌《集注》作“殷渊源”，《晋书》本传、《纲目》作“殷仲堪”。

④ 元徽：敦煌《集注》作“王微”。《南史·张邵传》云：“昔王微、稽叔夜并学而不能。”

⑤ 胡洽：原名胡道洽，因避齐太祖萧道成讳，省去“道”字。

⑥ 八：敦煌《集注》无。

⑦ 循：敦煌《集注》作“修”。

⑧ 方：敦煌《集注》无。

⑨ 诠三品药性：敦煌《集注》作“诠品三药”。

⑩ 炼：敦煌《集注》作“转”。

⑪ 道：敦煌《集注》作“导”。

⑫ 主理即同：敦煌《集注》作“生理则同”。

⑬ 服食岁月深积：敦煌《集注》作“深练岁积”。

⑭ 俗：敦煌《集注》作“世”，此沿袭唐代避太宗讳。

⑮ 验：其下，敦煌《集注》衍“自信方验”。

求诸已，详思得失[1]，虚构[2]声称，多纳金帛，非惟在显宜责，固将居幽贻谴矣。其五经四部，军国礼服，若详用乖越者，犹可矣，止[3]于事迹非宜尔。至于汤药，一物有谬，便性命及之。千乘之君，百金之长，何不深思戒慎[4]邪？昔许太子[5]侍药不尝，招弑君之恶[6]；季孙馈药，仲尼有未达之辞[7]，知其药性[8]之不可轻信也，晋时有一才[9]人，欲刊正《周易》及诸药方，先与祖讷共论，祖云：辨释经典，纵有异同，不足以伤风教；至于汤药[10]，小小不达，便致[11]寿夭所由，则后人受弊不少，何可轻以裁断。祖之[12]此言，可为[13]仁识，足为龟[14]镜矣。按《论语》云：人而无恒[15]，不可以作巫医。明此二法，不可[16]以权饰妄造。所以医不三世，不服其药。九[17]折臂者，乃成良医。盖谓学功须深故也。复患今之承藉者，多恃炫名价，亦不能精心研习[18]，实为可惜[19]。虚传声美，闻风竞往；自有新学该明，而名称未播，贵胜以为始习，多不信用，委命虚名，谅可惜也。京邑诸人，皆尚声誉，不取实事[20]。余祖世已来，务敦方药，本有《范汪[21]方》一部，斟酌详用，多获其效，内护家门，傍及亲族。其有虚心告请者，不限贵贱，皆摩踵救之。凡所救活，数百

---

① 失：敦煌《集注》作“夫”，误。

② 构：刘《大观》、柯《大观》作“驾”，此沿袭避宋赵构讳。

③ 止：敦煌《集注》作“正”。

④ 慎：刘《大观》、柯《大观》作“谨”，此沿袭避宋赵昚讳。

⑤ 昔许太子：敦煌《集注》作“许世子”。

⑥ 君之恶：敦煌《集注》作“贼之辱”。

⑦ 有未达之辞：敦煌《集注》作“未达”。

⑧ 知其药性：敦煌《集注》作“知药”。

⑨ 才：其下，敦煌《集注》有“情”字。

⑩ 至于汤药：敦煌《集注》作“方药”。

⑪ 致：敦煌《集注》无。

⑫ 之：敦煌《集注》作“公”。

⑬ 为：敦煌《集注》作“谓”。

⑭ 龟：敦煌《集注》作“水”。

⑮ 恒：刘《大观》、柯《大观》作“常”，此沿袭避宋赵恒讳。下同。

⑯ 可：敦煌《集注》作“得”。

⑰ 九：其上，敦煌《集注》有“又云”。

⑱ 习：敦煌《集注》作“解”。

⑲ 实为可惜：敦煌《集注》无。

⑳ 不取实事：“取”，柯《大观》作“求”；“事”，敦煌《集注》作“录”。

㉑ 汪：敦煌《集注》无。

千人。自余投缨宅岭，犹不忘此，日夜玩味，常觉欣欣。今亦撰方①三卷，并《效验方》五卷，又补葛氏《肘后方》三卷。盖欲承②嗣善业，令诸子侄，不③敢失坠，可以辅身济物者也④。

今按⑤，诸药采造⑥之法，既并用见成，非能自采⑦，不复具论其事，惟合药须解节度，列之如左⑧。

按，诸药所生，皆的有境界。秦、汉已前，当言列国。今郡县之名，后人所改尔。江⑨东已来，小小杂药，多出近道，气力性⑩理，不及本邦。假令荆、益不通，则全⑪用历阳当归，钱塘三建，岂得相似。所以疗病不及往人，亦当缘此故也。蜀药及北药，虽有去来，亦非复⑫精者。且⑬市人不解药性，惟尚⑭形饰。上党人参，世⑮不复售。华阴细辛，弃之如芥。且各随俗⑯相竞，不能多备，诸族故往往遗漏。今之所存，二百许种尔。众医都⑰不识药，惟听市人；市人又不辨究，皆委采送之家。采送之家，传习造作⑱，真伪好恶，并皆⑲莫测。所以钟乳醋煮令白，细辛水渍使直，黄耆蜜蒸为甜，当归酒洒取润，螵蛸胶著桑枝，蜈蚣朱足令赤。诸有此

---

① 亦撰方：敦煌《集注》作“撰此”。

② 承：敦煌《集注》作“永”。

③ 不：敦煌《集注》作“弗”。

④ 也：敦煌《集注》作“孰复是先”。

⑤ 按：敦煌《集注》无。

⑥ 造：敦煌《集注》作“治”，此沿袭避唐高宗李治讳。

⑦ 采：敦煌《集注》作“掘”。

⑧ 列之如左：原作“例之左”，据敦煌《集注》、柯《大观》改。

⑨ 江：其上，敦煌《集注》有“自”字。

⑩ 力性：敦煌《集注》作“势”。

⑪ 全：敦煌《集注》作“令”。

⑫ 非复：敦煌《集注》倒置。

⑬ 且：敦煌《集注》作“又”。

⑭ 尚：成化《政和》、商务《政和》作“问”。

⑮ 世：敦煌《集注》作“殆”。

⑯ 俗：敦煌《集注》作“世”。

⑰ 都：敦煌《集注》作“睹”。

⑱ 造作：敦煌《集注》作“治拙”。

⑲ 并皆：敦煌《集注》无。

等，皆非事实，俗用既久，转以成法，非复可改，末如之何。又依方分药，不量剥除①。只②如远志、牡丹，才不收半；地黄、门冬，三分耗一。凡去皮除心之属，分两皆不复相应，病家惟依此用，不知更秤取足。又王公③贵胜，合药之日，悉付群下。其中好药贵石，无不窃换④。乃有紫石英⑤、丹砂吞出洗取，一片动经十数⑥过卖。诸有此例⑦，巧伪百端⑧，虽复监检，终⑨不能觉。以此疗病，固⑩难即效，如⑪斯并是药家之盈虚，不得咎医人之浅拙也。

凡采药⑫时月，皆是⑬建寅岁首，则从汉太初后所记也。其根物多以二月、八月采⑭者，谓春初津润始萌，未冲枝叶，势力淳浓故也。至秋⑮，枝叶干⑯枯，津润归流于下。今即事验之，春宁宜早，秋宁宜晚，华、实、茎、叶，乃各随其成熟尔。岁月亦有早晏，不必都依本文也。经说阴干者，谓就六甲阴中干之。又⑰依遁甲法，甲子旬阴中⑱在癸酉，以药著酉地也。实⑲谓不必然，正是不露日暴，于阴影处干之尔。所以亦有云暴干故也。若幸可两用，益当为善。［今按］**本草采药阴干者，皆多恶。至如鹿茸，经称阴干，皆悉烂令坏。今火干易得且良。草木根苗，阴之皆恶。九月已前采者，悉宜日干；十月已后采者，阴干乃好。**古秤惟有铢两，

---

① 除：敦煌《集注》作“治”。
② 只：敦煌《集注》无。
③ 王公：敦煌《集注》倒置。
④ 换：敦煌《集注》作“遣”。
⑤ 英：敦煌《集注》无。
⑥ 动经十数：敦煌《集注》作“经数十”。
⑦ 例：其上，敦煌《集注》有“等”字。
⑧ 端：其下，敦煌《集注》有“皆非事实”。
⑨ 终：敦煌《集注》作“初”。
⑩ 固：敦煌《集注》作“理”。
⑪ 如：敦煌《集注》无。
⑫ 凡采药：敦煌《集注》作“本草”。
⑬ 是：敦煌《集注》作“在”。
⑭ 采：敦煌《集注》无。
⑮ 秋：其下，敦煌《集注》有“则”字。
⑯ 干：敦煌《集注》作“就”。
⑰ 又：敦煌《集注》无。
⑱ 旬阴中：敦煌《集注》作“阴中中”。
⑲ 实：敦煌《集注》作“余”。

而无分名。今则以十黍为一铢，六铢为一分，四分成一两，十六两为一斤。虽有子谷秬黍之制，从来均之已久，正尔，依此用之。［**臣禹锡等谨按唐本**］**又云：但古秤皆复，今南秤是也。晋秤始后汉末已来，分一斤为二斤，一两为二两耳。金银丝绵，并与药同**①**，无轻重矣，古方惟有仲景而已，涉今秤若用古秤，作汤则水为殊少，故知非复秤，悉用今者耳。**今方家所云等分者②，非分两之分，谓诸药斤两多少皆同尔。先视病之大小，轻重所须，乃以意裁之。凡此之类③，皆是丸散；丸散竟依④度用之。汤酒之⑤中无等分⑥也。

凡散药，有云刀圭者，十分方寸匕之一，准如梧桐⑦子大也。方寸匕者，作匕正方一寸，抄散取不落为度⑧。钱五匕者，今五铢钱边五字者以抄之，亦令不落为度。一撮者，四刀圭也。十撮为一勺，十勺为一合。以药升分之者，谓药有虚实、轻重，不得用斤两，则以升平之。药升方⑨作，上径一寸，下径六分，深八分，内散药勿按抑之⑤，正尔微动令平调尔。今人分药，不⑩复用此。

凡丸药，有云如细麻者，即⑪胡麻也，不必扁扁，但令较略大小相称尔。如黍粟亦然，以十六黍为一大豆也。如大麻子⑫者，准⑬三细麻也。如胡豆者，即⑭今青斑豆是也，以二大麻子准之。如小豆者，今赤小豆也，粒有大小，以三大麻子⑫准之。如大豆者，以⑮二小豆准之。如梧子者，以二大豆准之。一方寸匕散，蜜和

---

① 同：敦煌《集注》作“用”。

② 今方家所云等分者：敦煌《集注》作“方有云分等者”。

③ 类：敦煌《集注》作“种”。

④ 依：其上，敦煌《集注》有“便”字。

⑤ 之：敦煌《集注》无。

⑥ 等分：敦煌《集注》倒置。

⑦ 桐：敦煌《集注》无。

⑧ 为度：敦煌《集注》倒置。

⑨ 方：敦煌《集注》作“合方寸”。

⑩ 不：其上，敦煌《集注》有“多”字。

⑪ 即：其下，敦煌《集注》有“今”字。

⑫ 子：敦煌《集注》无。

⑬ 准：其上，敦煌《集注》有“即大麻子”。

⑭ 即：敦煌《集注》无。

⑮ 以：敦煌《集注》无。

得如[①]梧子，准[②]十丸为度。如弹丸及鸡子黄者，以十梧子准之。［唐本注］云：**方寸匕散，为丸如梧子，得十六丸，如弹丸；一枚若鸡子黄者，准四十丸。今弹丸同鸡子黄，此甚[③]不等。**

凡汤酒膏药，旧方皆云㕮方汝切咀子与切者，谓秤毕捣之如大豆，又使吹去细末，此于事殊不允当[④]；药有易碎、难碎，多末、少末，秤两则不复均平[⑤]，今皆细切之，较略令如㕮咀者。乃[⑥]得无末，而又[⑦]粒片调和也[⑧]［唐本注］云：**㕮咀，正谓商量斟酌之，余解皆理外生情尔。**［臣禹锡等］**看详㕮咀，即上文细切之义，非商量斟酌也。**

凡丸散药，亦先切细，暴燥，乃捣之。有[⑨]各捣者，有合捣者，并[⑩]随方所言。其润湿药，如天[⑪]门冬、干地黄辈，皆先切，暴，独捣令偏碎，更出细擘，暴干。若逢阴雨，亦以微火烘火工切之，既燥，小[⑫]停冷，乃捣之。

凡湿[⑬]药，燥皆大耗，当先增分两，须得屑乃秤之为正。其汤酒中，不须[⑭]如此也。

凡筛丸药，用重密绢令细，于蜜丸易熟[⑮]。若筛散草药，用轻疏绢，于酒中服

---

① 如：敦煌《集注》无。

② 准：敦煌《集注》无。

③ 甚：成化《政和》、商务《政和》作“其”。

④ 当：敦煌《集注》无。

⑤ 平：敦煌《集注》无。

⑥ 乃：敦煌《集注》作“差”。

⑦ 又：敦煌《集注》、刘《大观》、柯《大观》无。

⑧ 也：其上，敦煌《集注》有“于药力同出，无生熟”8字。

⑨ 有：其上，敦煌《集注》有“又”字。

⑩ 并：敦煌《集注》无。

⑪ 天：敦煌《集注》无。

⑫ 小：成化《政和》、商务《政和》作“少”。

⑬ 湿：其上，敦煌《集注》有“润”字。

⑭ 须：原脱，据敦煌《集注》、刘《大观》、柯《大观》补。

⑮ 熟：其上，敦煌《集注》有“成”字。

即[①]不泥。其石药，亦用细[②]绢筛令[③]如丸者。凡筛丸散药毕[④]，皆更合于臼中，以杵捣之[⑤]数百过，视其[⑥]色理和同，为佳也。

凡汤酒膏中用诸石，皆细捣之如粟米，亦可以葛布筛令调，并以新绵别裹内中。其雄黄、朱砂辈[⑦]，细末如粉。

凡煮汤，欲微火，令小沸。其水数依方多少，大略二十两药，用水一斗，煮取四升，以此为准[⑧]。然则利汤欲生，少水而多取；补汤欲熟，多水而少取[⑨]。好详视之，不得令水多少[⑩]。用新布，两人以尺木绞之，澄去垽[⑪]鱼靳切浊，纸覆令密。温汤勿令鎗[⑫]器中有水气，于熟汤上煮，令暖亦好。服汤宁令小沸热[⑬]易下，冷则呕涌。

凡云分再服、三服者，要令势力[⑭]想及，并视人之强羸，病之轻重，以为进退增减之，不必悉依方说也。

凡渍药酒，皆须细切，生绢袋盛之，乃入酒密封[⑮]，随寒暑日数，视其浓烈，便可漉[⑯]出，不必待至酒尽也。滓可暴燥微捣，更渍饮之，亦可散服。

凡建中、肾沥诸补汤，滓合两剂，加水煮竭饮之，亦敌一剂新药，贫人可当依此用[⑰]，皆应先暴令燥。

---

① 中服即：敦煌《集注》作“服则”。
② 细：原脱，据敦煌《集注》、刘《大观》、柯《大观》补。
③ 令：敦煌《集注》无。
④ 毕：敦煌《集注》作“竟”。
⑤ 捣之：敦煌《集注》作“研之治”。
⑥ 其：敦煌《集注》无。
⑦ 辈：敦煌《集注》无。
⑧ 准：敦煌《集注》作“率”。
⑨ 取：其下，刘《大观》、柯《大观》有“汁”字。
⑩ 不得令水多少：敦煌《集注》作“所得宁令多少”。
⑪ 垽：敦煌《集注》作“泥”。
⑫ 鎗：商务《政和》作“铁”。
⑬ 宁令小沸热：敦煌《集注》作“家小热”。
⑭ 势力：敦煌《集注》作“力势足”。
⑮ 皆须细切……入酒密封：以上14字，敦煌《集注》脱。
⑯ 漉：敦煌《集注》作“沥”。
⑰ 可当依此用：敦煌《集注》作“当依此”。

凡合膏，初以苦酒渍令淹浃①，不用多汗，密覆勿泄。云晬祖对切时者，周时也，从今旦至明旦。亦有止一宿者。煮膏，当②三上三下，以泄其热③势，令药味得出。上之使匝匝沸，乃下之，使沸静良久乃止，宁欲小小④生。其中有薤白者，以两头微焦黄为候。有白芷、附子者，亦令小黄色为度。猪肪皆勿令经水，腊月者弥佳。绞膏亦以新布绞之。若是可服之膏，膏滓亦可酒煮饮之⑤。可摩之膏，膏滓则宜以傅病上⑥，此盖⑦欲兼尽其药力故也⑧。

凡膏中有雄黄、朱砂辈，皆别捣细研如面，须绞膏毕⑨乃投中，以物疾搅，至于凝强，勿使沉聚在下不调也。有水银者，于凝膏中研令消散。胡⑩粉亦尔。

凡汤酒中用大黄，不须细剉。作汤者，先以水浸⑪令淹浃，密覆一宿。明旦煮汤，临熟乃内汤⑫中，又煮两三沸，便绞出，则势力⑬猛，易得快利。丸散中用大黄，旧皆蒸之，今不须尔。

凡汤中用麻黄，皆先别煮两三沸，掠⑭去其沫，更益水如本数，乃内馀药，不尔，令人烦。麻黄皆折去节，令理通，寸剉⑮之；小草、瞿麦五分剉之；细辛、白前三分剉之；丸散膏中，则细剉也。

凡汤中用完物，皆擘破，干枣、栀子、栝楼⑯之类是也。用细核物，亦打破⑰，

---

① 令淹浃：敦煌《集注》作“取令淹溲浃后”。

② 煮膏，当：敦煌《集注》无。

③ 热：敦煌《集注》作“焦”。

④ 小小：敦煌《集注》作“小”。

⑤ 可酒煮饮之：敦煌《集注》作“即堪酒煮稍饮之”。

⑥ 则宜以傅病上：敦煌《集注》作“即宜以薄病上”。

⑦ 盖：其下，敦煌《集注》有“贫野人”3字。

⑧ 药力故也：敦煌《集注》作“力”。

⑨ 毕：敦煌《集注》作“竟”。

⑩ 胡：其上，敦煌《集注》有“有”字。

⑪ 浸：敦煌《集注》作“渍”。

⑫ 汤：敦煌《集注》无。

⑬ 势力：敦煌《集注》倒置。

⑭ 掠：敦煌《集注》作“料”。按，“掠”与“料”义同。

⑮ 剉：敦煌《集注》作“斩”。下同。

⑯ 楼：其下，敦煌《集注》有“子”字。

⑰ 破：敦煌《集注》作“碎”。

山茱萸、五味子①、蕤核、决明子之类是也。细花②子物，正尔完用之，旋覆花、菊花、地肤子、葵子之类是也。米麦豆辈，亦完用之。诸虫，先微炙之③，惟螵蛸当中破炙④之。生姜、射⑤干皆薄切之。芒消、饴糖、阿胶皆须绞汤毕⑥，内汁中，更上火两三沸，烊尽乃服之。

凡用麦门冬，皆微润抽去心。杏仁、桃仁、汤柔挞去皮。巴豆打破，剥其⑦皮，刮去心，不⑧尔，令人闷。石韦刮去毛。辛夷去毛及心。鬼箭削取羽⑨皮。藜芦剔取根微炙。枳实去其瓤⑩，亦炙之。椒去实⑪于鎗⑫中微熬令汗出，则有势力。矾⑬石于瓦上若铁物中，熬令沸，汁尽即止⑭。礜石皆以⑮黄土泥苞使燥，烧之半日，令熟⑯而解散。犀角、羚羊角皆镑刮⑰作屑。诸齿骨并炙捣碎之。皂荚去皮、子炙之。

凡汤并丸散，用天雄、附子、乌头、乌喙、侧子，皆煻灰中炮⑱令微坼，削去黑皮，乃秤之。惟姜附⑲汤及膏酒中生用，亦削皮乃秤之，直理破作七八片。随其大小，但削除外黑尖处令尽⑳。

---

① 子：敦煌《集注》无。下同。

② 花：敦煌《集注》作“华”。下同。

③ 之：其下，敦煌《集注》有“亦完煮之”。

④ 炙：原脱，据刘《大观》、柯《大观》补。

⑤ 射：敦煌《集注》作“夜”。

⑥ 毕：敦煌《集注》作“竟”。

⑦ 其：敦煌《集注》无，成化《政和》、商务《政和》作“去”。

⑧ 不：其下，敦煌《集注》重出“不”字。

⑨ 羽：其下，敦煌《集注》有“及”字。

⑩ 瓤：敦煌《集注》作“核上用皮”。

⑪ 去实：敦煌《集注》作“云实”。按，“云实”是药名，与“去实”含义不同。未知孰是，姑存待考。

⑫ 鎗：敦煌《集注》作“铛器”，成化《政和》、商务《政和》作“铛”。

⑬ 矾：柯《大观》作“礜”。

⑭ 即止：敦煌《集注》无。

⑮ 以：敦煌《集注》无。

⑯ 熟：敦煌《集注》作“势热”。

⑰ 镑刮：敦煌《集注》作“刮截”。

⑱ 灰中炮：敦煌《集注》作“灰火炮炙”。

⑲ 附：其下，敦煌《集注》有“子”字。

⑳ 但削除外黑尖处令尽：敦煌《集注》作“并割削除冰处者”。

凡汤酒丸散膏中，用半夏皆且完，用①热汤洗去上滑，以手挼之②，皮释随剥去，更复易汤洗③令滑尽。不尔，戟人咽喉④。旧方云⑤二十许过，今六七过便足。亦可煮之，一两沸一⑥易水，如此三四⑦过，仍挼洗毕，便暴干⑧；随其大小，破为细片，乃秤之以入汤。若膏酒丸散，皆须暴燥，乃秤之⑨。

凡丸散用阿⑩胶，皆先炙，使通体沸起，燥，乃可捣。有不沸⑪处，更炙之。

凡丸⑫中用蜡，皆烊⑬投少蜜中，搅调以和药。若用熟艾，先细擘，合诸药捣，令散。不可筛者，别捣内散中和之。

凡用⑭蜜，皆先火⑮煎，掠⑯去其沫，令色微黄，则丸经久不坏。掠⑰之多少，随蜜精粗。

凡丸散用巴豆⑱、杏仁、桃仁、葶苈、胡麻诸有膏腻⑲药皆先熬黄黑，别捣令如膏。指擶莫结切视泯泯尔，乃以向成散；稍稍下臼中，合研捣，令消散，仍⑳复都以轻疏绢筛度之，须尽，又内臼中，依法捣㉑数百杵也。汤膏中用，亦有熬之者，虽生并捣破之。

---

① 用：敦煌《集注》作“以”。

② 以手挼之：敦煌《集注》作“手挼”。

③ 洗：敦煌《集注》作“挼之”。

④ 喉：敦煌《集注》无。

⑤ 云：敦煌《集注》无。

⑥ 一两沸一：敦煌《集注》作“沸”。

⑦ 四：敦煌《集注》无。

⑧ 洗毕，便暴干：敦煌《集注》作“洗便毕讫”。

⑨ 之：其下，敦煌《集注》有“丸散止削上皮用之，未必皆洗也”。

⑩ 阿：敦煌《集注》无。

⑪ 沸：敦煌《集注》作“浃”。

⑫ 凡丸：敦煌《集注》作“丸方”。

⑬ 皆烊：敦煌《集注》作“洋”。

⑭ 凡用：敦煌《集注》倒置。

⑮ 火：其下，敦煌《集注》有“上”字。

⑯ 掠：敦煌《集注》作“料”。

⑰ 掠：敦煌《集注》作“剋”。

⑱ 豆：其下，刘《大观》、柯《大观》有“去皮心膜”。

⑲ 腻：敦煌《集注》作“脂”。

⑳ 仍：敦煌《集注》作“乃”。

㉑ 捣：敦煌《集注》作“治”。

凡用桂心[①]、厚朴、杜仲、秦皮、木兰之辈，皆削去[②]上虚软甲错处[③]，取里有味者秤之。茯苓、猪苓，削除[④]黑皮；牡丹、巴戟天、远志、野[⑤]葛等，皆捶破去心；紫菀洗去土皆毕，乃秤之；薤白、葱白除青令尽；莽草、石南、茵芋、泽兰，皆[⑥]剔取叶及嫩茎，去大枝；鬼臼、黄连，皆除根毛；蜀椒去闭口者及目熬之[⑦]。

凡狼毒、枳实，橘皮、半夏、麻黄、吴茱萸，皆欲得陈久者良[⑧]。其余须[⑨]精新也。

凡方云巴豆若[⑩]干枚者，粒有大小，当先去心皮，乃秤之[⑪]，以一分准十六枚。附子、乌头若干枚者，去皮毕[⑫]以半两准一枚。枳实若干枚者，去穰毕，以一分准二枚。橘皮一分准三枚。枣有大小，三[⑬]枚准一两。云干姜一累者，以重一两为正。

凡方云半夏一升者，洗毕秤五两为正。蜀[⑭]椒一升者[⑮]，三两为正。吴茱萸一升者，五两为正。菟丝子一升，九两为正。庵𫇭子一升，四两为正。蛇床子一升，三两半为正。地肤子一升，四两为正。此其不同也。云某子一升者，其子各有虚实、轻重，不可通以秤准，皆取平升为正。

凡方云用桂一尺者，削去皮毕，重半两为正。甘草一尺者，重二两为正。云[⑯]某草一束者，以重三[⑰]两为正。云一把者，重二两为正。云蜜一斤者，有七合。猪

---

① 心：敦煌《集注》无。

② 削去：敦煌《集注》倒置。

③ 处：敦煌《集注》无。

④ 除：其下，敦煌《集注》有“去”字。

⑤ 野：敦煌《集注》作“冶”。

⑥ 皆：敦煌《集注》无。

⑦ 熬之：敦煌《集注》无。

⑧ 良：敦煌《集注》无。

⑨ 须：其上，敦煌《集注》有“唯”字。

⑩ 若：敦煌《集注》作“如”。下同。

⑪ 乃秤之：敦煌《集注》作“称之”。

⑫ 毕：敦煌《集注》作“竟”。下同。

⑬ 三：其上，敦煌《集注》有“以”字。

⑭ 蜀：敦煌《集注》无。

⑮ 者：敦煌《集注》无。下同。

⑯ 云：其上，敦煌《集注》有“丸方”2字。

⑰ 三：柯《大观》作“二”。

膏一斤者，有一升二合也。

右合药分剂料理法则[①]

臣禹锡等谨按徐之才《药对》、孙思邈《千金方》、陈藏器《本草拾遗》序例如后。

夫众病积聚，皆起于虚也。虚生百病。积者，五脏之所积；聚者，六腑之所聚。如斯等疾，多从旧方，不假增损。虚而劳者，其弊万端，宜应随病增减。古之善为医者，皆自采药，审其体性所主，取其时节早晚；早则药势未成，晚则盛势已歇[②]。今之为医，不自采药，且不委节气早晚，又不知冷热消息，分两多少；徒有疗病之名，永无必愈之效，此实浮惑，聊复审其冷热，记增损之主尔。虚劳而头痛复热，加枸杞、萎蕤。虚而欲吐，加人参。虚而不安，亦加人参。虚而多梦纷纭，加龙骨。虚而多热，加地黄、牡蛎、地肤子、甘草。虚而冷，加当归、芎䓖、干姜。虚而损，加钟乳、棘刺、苁蓉、巴戟天。虚而大热，加黄芩、天门冬。虚而多忘，加茯神、远志。虚而惊悸不安，加龙齿、沙参、紫石英、小草，若冷，则用紫石英、小草，若客热，即用沙参、龙齿，不冷不热皆用[③]之。虚而口干，加麦门冬、知母。虚而吸吸，加胡麻、覆盆子、柏子仁。虚而多气兼微咳，加五味子、大枣。虚而身强腰中不利，加磁石、杜仲。虚而多冷，加桂心、吴茱萸、附子、乌头。虚而劳，小便赤，加黄芩。虚而客热，加地骨皮、白水黄耆白水，地名。虚而冷，用陇西黄耆。虚而痰、复有气，用生姜、半夏、枳实。虚而小肠利，加桑螵蛸、龙骨、鸡肶胵。虚而小肠不利，加茯苓、泽泻。虚而损、溺白，加厚朴。诸药无有一一历而用之，但据体性冷热，的相主对，聊叙增损之一隅。夫[④]处方者宜准此。

凡诸药子仁，皆去皮尖及双仁者，仍切之。

凡乌梅皆去核，入丸散，熬之。大枣擘去核。

凡用麦蘖、曲、大豆黄卷、泽兰、芜荑、僵蚕、干漆、蜂房，皆微炒。

---

① 料理法则：敦煌《集注》作"料治法"。

② 歇：成化《政和》、商务《政和》作"欺"。

③ 用：《千金方·序例》"处方第五"作"无"。

④ 夫：《千金方·序例》"处方第五"作"入"。

凡汤中用麝香、犀角、鹿角、羚羊角、牛黄、蒲黄、丹砂，须熟末如粉，临服内汤中，搅令调和服之。

凡茯苓、芍药，补药须白者，泻药惟赤者。

凡石蟹，皆以槌极打令碎，乃入臼；不尔，捣，不可熟。牛膝、石斛等入汤酒，拍碎用之。

凡菟丝子，暖汤淘汰去沙土，干，漉，暖酒渍，经一宿漉出，暴，微白，皆[1]捣之[2]；不尽者，更以酒渍，经三五日乃出，更晒微干，捣之，须臾悉尽，极易碎。

凡斑猫等诸虫，皆去足翅微熬，用牡蛎熬令黄。

凡诸汤用酒者，皆临熟下之。

凡用银屑，以水银和成泥。

凡用钟乳等诸石，以玉槌水研三日三夜，漂炼，务令极细。

诸[3]药有宣、通、补、泄、轻、重、涩、滑、燥、湿，此十种者，是药之大体，而《本经》都不言之，后人亦所未述，遂令调合汤丸，有昧于此者。至如宣可去壅，即姜、橘之属是也。通可去滞，即通草、防己之属是也。补可去弱，即人参、羊肉之属是也。泄可去闭，即葶苈、大黄之属是也。轻可去实，即麻黄、葛根之属是也。重可去怯，即磁石、铁粉之属是也。涩可去脱，即牡蛎、龙骨之属是也。滑可去着，即冬葵、榆皮之属是也。燥可去湿，即桑白皮、赤小豆之属是也。湿可去枯，即紫石英、白石英之属是也。只如此体，皆有所属。凡用药者，审而详之，则靡所遗失矣。

凡五方之气，俱能损人，人生其中，即随气受疾。虽习成其性，亦各有所资，乃天生万物以与人，亦人穷急以致物。今岭南多毒，足解毒药之物，即金蛇、白药之属是也。江[4]湖多气，足破气之物，即姜、橘、吴茱萸之属是也。寒温不节，足疗温之药[5]，即柴胡、麻黄之属是也。凉气多风，足理风之物[6]，即防风、独活之

---

① 皆：原作“背”，据文理改。按，“背”，刘《大观》、柯《大观》无。

② 之：其下，成化《政和》、商务《政和》有“不尽者，更以酒渍，经一宿，漉出，暴，微白，捣之”17字。

③ 诸：刘《大观》、柯《大观》无。

④ 江：原无，据底本校勘表补。

⑤ 药：柯《大观》作“物”。

⑥ 物：成化《政和》、商务《政和》作“药”。

属是也。湿气多痹，足主痹之物，即鱼、鳖、螺、蚬之属是也。阴气多血，足主血之物，即地锦、石血之属是也。岭气多瘴，足主瘴之物，即常山、盐麸、涪醋之属是也。石气多毒，足主毒之物，即犀角、麝香、羚羊角之属是也。水气多痢，足主痢之物，即黄连、黄檗之属是也。野气多蛊，足主蛊之物，即①蘘荷、茜根之属是也。沙气多狐，足主短狐之物，即鸀䴉、鸂鶒之属是也。大略如此，各随所生。中央气交，兼有诸病，故医人之疗，亦随方之能，若易地而居，即致乖舛矣。故古方或多补养，或多导泄，或众味，或单行。补养即去风，导泄即去气，众味则贵要，单行乃贫下。岂前贤之偏有所好，或复用不遂其宜耳。

补注所引书传②

补注本草所引书传：内医书十六家，援据最多。今取撰人名氏，及略述义例，附于末卷，庶使览之者，知所从来。余非医家所切，不复存此，具列如左。

《开宝新详定本草》开宝六年，诏尚药奉御刘翰、道士马志、翰林医官翟煦、张素、王从蕴、吴复圭、王光祐、陈昭遇、安自良等九人，详校诸本，仍取③陈藏器拾遗诸④书相参，颇有刊正别名及增益品目⑤，马志为之注解，仍命左司员外郎知制诰扈蒙、翰林学士卢多逊等刊定，凡二十卷。御制序，镂板于国子监。

《开宝重定本草》开宝七年，诏以新定本草所释药类，或有未允。又命刘翰、马志等重详定，颇有增损，仍命翰林学士李昉、知制诰王祐、扈蒙等重看详，凡神农所⑥说，以白字别之，名医所传，即以墨字。并目录，共二十一卷。

《唐新修本草》唐司空英国公李勣等奉敕修。初，陶隐居因《神农本经》三卷，增修为七卷。显庆中，监门府⑦长史苏恭表请修定，因命太尉赵国公长孙无忌、尚药奉御许孝崇⑧与恭等二十

---

① 即：原脱，据刘《大观》、柯《大观》补。

② 补注所引书传：柯《大观》作“十六家名氏义例”，并连同下文16家书名题解列在卷30“嘉祐补注本草奏敕”之后。又按，本标题的小引中有“附于末卷”之语，可知本节文字是《政和》校者从末卷移置于卷1。

③ 取：柯《大观》作“收”。

④ 诸：柯《大观》作“之”。

⑤ 目：成化《政和》、商务《政和》误作“自”。

⑥ 所：刘《大观》、柯《大观》作“本”。

⑦ 府：成化《政和》、商务《政和》作“有”。

⑧ 崇：原作“宗”，据《新唐书·艺文志》改。

二人重广定为二十卷，今谓之《唐本草》。

《蜀重广英公本草》伪蜀翰林学士韩保昇等，与诸医工取《唐本草》并图经相参校①，更加删定，稍增注释，孟昶自为序。凡二十卷，今谓之《蜀本草》。

《吴氏本草》魏广陵人吴普撰。普，华佗弟子，修《神农本草》成四百四十一种。唐《经籍志》尚存六卷，今广内不复有。惟诸子书，多见引据。其说药性寒温、五味，最为详悉。

《药总诀》梁·陶隐居撰，论次药品五味、寒热之性，主疗疾病，及采畜时月之法，凡二卷。一本题云《药像敩②诀》不著撰人名氏，文字并相类。

《药性论》不著撰人名氏，集众药品类，分其性味、君臣、主病之效，凡四卷。一本题曰：陶隐居撰。然所记药性、功状，与本草有相戾者，疑非隐居所为。

《药对》北齐尚书令、西阳王徐之才撰。以众药名品、君臣、佐使③、性毒、相反，及所主疾病，分类而记之，凡二卷。旧本草多引以为据，其言治病、用药最详。

《食疗本草》唐同州刺史孟诜撰。张鼎又补其不足者八十九种，并旧为二百二十七条④，凡三卷。

《本草拾遗》唐开元中，京兆府三原县尉陈藏器撰。以《神农本经》虽有陶、苏补集之说，然遗逸尚多，故别为序例一卷，拾遗六卷，解纷三卷，总曰《本草拾遗》，共十卷。

《四声本草》唐兰陵处士，萧炳撰。取本草药名每上一字，以四声相从，以便讨阅，凡五卷。前进士王收撰序。

《删繁本草》唐润州医博士兼节度随军杨损之撰。以本草诸书所载药类颇繁⑤，难于看检，删去其不急，并有名未用之类，为五卷。不著年代，疑开元后人。

《本草性事类》京兆医工杜善方撰。不详何代人，以本草药名随类解释，删去重复，又附以诸药制使、畏恶、解毒、相反、相宜者为一类，共一卷。

《南海药谱》不著撰人名氏，杂记南方药所产郡县，及疗疾之验，颇无伦次。似唐末⑥人所作，凡二卷。

《食性本草》伪唐陪戎副尉剑州医学助教陈士良撰。以古有食医之官，因食⑦养以治百病，

---

① 校：其下，柯《大观》有“正”字。

② 敩：成化《政和》、商务《政和》作“口”。

③ 佐使：成化《政和》、商务《政和》作“作药”。

④ 条：其下，刘《大观》、柯《大观》有“皆说食药治病之效”。

⑤ 繁：柯《大观》作“烦”。

⑥ 末：成化《政和》、商务《政和》误作“本”。

⑦ 食：刘《大观》、柯《大观》作“所”。

故取《神农本经》洎陶隐居、苏恭、孟诜、陈藏器诸药，关于饮食者类之，附以己说；又①载食医诸方，及五时调养脏腑之术。集贤殿学士徐锴为之序。

《日华子诸家本草》国初开宝中四②明人撰。不著姓氏，但云日华子大明。序集诸家本草，近世所用药，各以寒温、性味、华实、虫兽为类，其言近用，功状甚③悉，凡二十卷。

林枢密重广本草图经序④

良医之不能以无药愈疾，犹良将不能以无兵胜敌也。兵之形易见，善用者，能以其所以杀者生人；药之性难穷，不善用者，返以其所以生者杀人。吁！可畏哉！寒、热、温、凉，辛、甘、缓、急，品类万殊，非一日而七十毒者，孰能辨之。彼《玉函》《金匮》《肘后》《囊中》《千金》之所传，《外台》之所秘，其为方，不知其几何。由是言之，则非独察脉、用方之为难，而辨药最其难者。金石之珍，草木之怪，飞潜动植之广且众也。风气不同，南北不通，或非中国之所有，或人力之所不可到，乃欲真伪无逃于指掌之间，则本草、图经二者，何可须臾离也⑤。世所传，曰《神农氏本草》三卷，梁·陶隐居离以为七，唐苏恭、李勣之徒，又附益为二十卷，别图药形以为经，其书略备矣。开宝中，太祖皇帝命卢多逊等，考验得失，增药尤多，号为《开宝本草》。仁宗皇帝嘉祐初，又使掌⑥禹锡、林亿、苏颂、张洞为之补注，因唐图经别为绘画，复增药至千有余种。于是收拾遗逸，订正讹缪，刊在有司，布之天下，其为寿养生人之术，无一不具。然世之医者，习故守陋，妄意穿凿，操数汤剂，幸而数中，自谓足以应无穷之病；诘其论说，则漠然不知。顾本草与图经，殆虚文耳。况偏州下邑，虽有愿见者，何所售之。阆中陈氏子承，少好学，尤喜于医，该通诸家之说，尝患二书传者不博，而学者不兼有也，乃合为一，又附以古今论说，与己⑦所见闻，列为二十三卷，名曰《重广补注神农本

---

① 说；又：成化《政和》、商务《政和》无。

② 四：成化《政和》、商务《政和》无。

③ 甚：成化《政和》、商务《政和》误作“其”。

④ 林枢密重广本草图经序：刘《大观》、柯《大观》作“重广补注神农本草并图经序”。

⑤ 也：柯《大观》作“哉”。

⑥ 掌：成化《政和》、商务《政和》误作“刘”。盖修成化《政和》者，误掌禹锡为刘禹锡，因刘禹锡名声大，掌禹锡鲜为世人所知。

⑦ 己：原作“巳”，据柯《大观》改。

草并图经》。书著其说，图见其形，一启帙①而两得之。不待至乎殊方绝域，山巅水涯，而品类万殊者，森在目前；譬夫谈与地者，观于职方，阅战具者之入武库也。承之先世为将相，欧阳子所谓四世六公者，承其曾孙。少孤，奉其母江淮间，闭门蔬食以为养，君子称其孝。间有奇疾，众医愕眙，不知所出，承徐察其脉，曰：当投某剂，某刻良愈。无不然者。然则承之学，虽出于图书，而精识超绝兹二者，又安能域之哉？鬼臾区、岐伯远矣，吾不得而知也；其视秦越人、淳于仓公、华佗辈为何如？识者当能知之。元祐七年四月朔。左朝请大夫充天章阁待制知杭州军州事兼管内劝农事②充两浙西路兵马钤辖兼提举本路兵马巡检公事上轻车都尉赐紫金鱼袋长乐林希序。

雷公炮炙论序

若夫世人使药，岂知自有君臣；既辨君臣，宁分相制。只如栿毛今盐草也。沾溺，立销班肿之毒；象胆挥黏，乃知药有情异。鲑鱼插树，立便干枯；用狗涂之，以犬胆灌之，插鱼处，立如故也。却当荣盛。无名无名异，形似玉柳石③，又如石灰④味别。止楚，截指而似去甲毛；圣石开盲，明目而如云离日。当归止血、破血，头尾效各不同；头止血，尾破血。蕤子熟生，足睡不眠立据。弊箄淡卤，常使者甑中箄，能淡盐味。如酒沾交。今蜜枳缴枝，又云交加枝。铁遇神砂，如泥似粉；石经鹤粪，化作尘飞。栿见橘花似髓。断弦折剑，遇鸾血而如初；以鸾血炼作胶，粘折处，铁物永不断。海竭江枯，投游波燕子是也。而立泛。令铅拒火，须仗修天；今呼为补天石。如要形坚，岂忘紫背。有紫背天葵，如常食葵菜，只是背紫面青，能坚铅形。留砒住鼎，全赖宗心。别有宗心草，今呼石竹，不是食者棕⑤，恐误。其草出欻⑥州，生处多虫兽。雌得芹花，其草名为立起，其形如芍药，花色青，可长三尺已⑦来，叶上黄斑色，味苦涩，堪用，煮雌黄立住火。立便成庚⑧；

---

① 帙：原作“秩”，据柯《大观》改。

② 事：刘《大观》、柯《大观》作“使”。

③ 柳石：成化《政和》、商务《政和》作“柳面”，《纲目》作“仰面”。

④ 灰：校点本《纲目》误改为“炭”。

⑤ 棕：刘《大观》、柯《大观》作“必”。

⑥ 欻：柯《大观》作“歙”。

⑦ 已：原作“己”，据文义改。刘《大观》、柯《大观》作“巳”，疑为笔误。

⑧ 庚：成化《政和》、商务《政和》、《纲目》作“庚”。

硇遇赤须，其草名赤须，今呼为虎须草是，用煮硇砂，即生火验。水①留金鼎。水中生火，非猾②髓而莫能；海中有兽名曰猾②，以髓入在油中，其油沾水，水中火生，不可救之，用酒喷之即娗，勿于屋下收。长齿生牙赖雄鼠之骨末。其齿若折，年多不生者，取雄鼠脊骨作末，揩折处，齿立生如故。发眉堕落，涂半夏而立生；眉发堕落者，以生半夏茎炼之，取涎涂发落处，立生。目辟眼䁕，有五花而自正。五加皮是也。其叶有雄雌，三叶为雄，五叶为雌，须使五叶者，作末酒浸饮③之，其目䁕者正。脚生肉枕，裩系菪根；脚有肉枕者，取莨菪根，于裩带上系之④，感应永不痛⑤。囊皱旋多，夜煎竹木。多小便者，夜煎萆薢一件服之，永不夜起也。体寒腹大，全赖鸬鹚；若患腹大如鼓。米饮调鸬鹚末服，立枯如故也。血泛经过，饮调瓜子。甜瓜子内仁捣作⑥末，去油，饮调服之，立绝。咳逆数数，酒服熟雄；天雄炮过，以酒调一钱匕服，立定也。遍体疹风，冷调生侧。附子傍生者曰侧子，作末，冷酒服，立差也。肠虚泻⑦痢，须假草零；捣五倍子作末，以⑧熟水下之，立止也。久渴心烦，宜投竹沥。除癥去块，全仗硝硇；硝、硇即硇砂、硝石二味。于乳钵中研作粉，同锻了，酒服，神效也。益食加觞，须煎芦朴。不食者，并饮酒少者，煎逆水芦根并厚朴二味，汤服。强筋健骨，须是苁鳝；苁蓉并鳝鱼二味，作末，以黄精汁丸服之，可力倍常十也。出《乾宁记》宰。驻色延年，精蒸神锦。出颜色，服黄精自然汁拌细研神锦，于柳木甑中蒸七日了，以木蜜丸服，颜貌可如幼女之容色也。知疮所在，口点阴胶；阴胶即是甑中气垢，少许于口中，即知脏腑所起，直彻至住处知痛，足可医也。产后肌浮，甘皮酒服。产后肌浮，酒服甘皮，立愈⑨。口疮舌坼⑩，立愈黄苏⑪。口疮舌坼⑩，以根黄涂苏⑪炙作末，含⑫之立差。脑痛欲亡，鼻投硝末；头

---

① 水：《纲目》卷15“灯心草”条引文改作“永”，与上句“立”字为对文，义长。

② 猾：成化《政和》、商务《政和》、《纲目》作“猾”。

③ 饮：刘《大观》作“以”。柯《大观本草札记》云：“原作‘以’，柯改为‘饮’。”

④ 之：其下，刘《大观》、柯《大观》有“表”字。

⑤ 不痛：刘《大观》、柯《大观》作“痊”。

⑥ 作：成化《政和》、商务《政和》作“杵”。

⑦ 泻：刘《大观》、柯《大观》作“泄”。

⑧ 以：刘《大观》作“为”。柯《大观本草札记》云：“原作‘以’，柯改作‘为’。”

⑨ 愈：刘《大观》、柯《大观》作“枯”。

⑩ 坼：成化《政和》、商务《政和》作“拆”。

⑪ 苏：疑当为“酥”。

⑫ 含：刘《大观》、柯《大观》作“涂”。

痛者，以硝石作末内鼻中，立止。心痛欲死，速觅延胡以延胡索作散，酒服之，立愈也。如斯百种，是药之功。某忝遇明时，谬看医理；虽寻圣法，难可穷微。略陈药饵之功能，岂溺仙人之要术，其制药炮、熬、煮、炙，不能记年月哉？欲审元由，须看海集。某不量短见，直录炮、熬、煮、炙，列药制方，分为上、中、下三卷，有三百件名，具陈于后。

凡方云丸如细麻子许者，取重四两鲤鱼目比之。

云如大麻子许者，取重六两鲤鱼目比之。

云如小豆许者，取重八两鲤鱼目比之。

云如大豆许者，取重十两鲤鱼目比之。

云如兔蕈俗云兔屎许者，取重十二两鲤鱼目比之。

云如梧桐子许者，取重十四两鲤鱼目比之。

云如弹子许者，取重十六两鲤鱼目比之。

一十五个白珠为准，是一弹丸也。

凡云水一溢①、二溢至十溢者，每溢秤之，重十二两为度。

凡云②一两、一分、一铢者，正用今丝绵秤也。勿得将四铢为一分；有误，必所损兼伤药力。

凡云②散，只作散；丸，只作丸。或酒煮，或用③醋，或乳煎，一如法则④。

凡方炼蜜，每一斤只炼得十二两半，或一分。是数若火少，若火过，并用不得也。

凡膏煎中用脂，先须⑤炼去革膜了，方可用也。

凡修事诸药物等，一一并须专心，勿令交杂⑥，或先熬后煮，或先煮后熬，不得改移，一佐法则⑦。

---

① 凡云水一溢：刘《大观》、柯《大观》、成化《政和》、商务《政和》作“凡方中云以水一溢至”。又“溢”，成化《政和》、商务《政和》作“镒”。下同。

② 云：柯《大观》作“方”。

③ 用：原脱，据刘《大观》、柯《大观》、成化《政和》、商务《政和》补。

④ 一如法则：刘《大观》、柯《大观》作“不得遗法”。

⑤ 须：其下，刘《大观》、柯《大观》有“令”字。

⑥ 杂：其下，刘《大观》、柯《大观》有“使用”2字。

⑦ 则：其下，刘《大观》、柯《大观》有“也”字。

凡修合丸药。用蜜，只用蜜；用饧，只用饧；用糖，只用糖。勿交杂用①，必宣②泻人也。

重修政和经史证类备用本草卷第一

新添本草衍义序

通直郎添差充收买药材所辨验药材　寇宗奭编撰

序例上

衍义总序

天地以生成为德，有生所甚重者身也。身以安乐为本，安乐所可致者，以保养为本。世之人必本其本，则本必固；本既固，疾病何由而生？夭横何由而至？此摄生之道无逮于此。夫草木无知，犹假灌溉，矧人为万物之灵，岂不资以保养？然保养之义，其理万计，约而言之，其术有三：一养神，二惜气，三堤疾。忘情去智，恬憺③虚无，离事全真，内外无寄；如是则神不内耗，境不外惑，真一不杂，则神自宁矣。此养神也。抱一元之本根，固归精之真气，三焦定位，六贼忘形，识界既空，大同斯契，则气自定矣。此惜气也。饮食适时，温凉合度，出处无犯于八邪，寤寐不可以勉强，则身自安矣。此堤疾也。三者甚易行，然人自以谓难行而不肯行；如此虽有长生之法，人罕专④尚遂至永谢。是以疾病交攻，天和顿失，圣人悯之，故假以保救之术，辅以蠲痾之药，俾有识无识，咸臻寿域。所以国家编撰《圣惠》，校正《素问》，重定《本草》别为《图经》。至于张仲景《伤寒论》及《千金》《金匮》《外台》之类，粲然列于书府。今复考拾天下医生，补以名职，分隶曹属，普救世人之疾苦。兹盖全圣至德之君，合天地之至仁，接物厚生，大赉天

---

① 杂用：其下，柯《大观》重出此2字。

② 宣：成化《政和》、商务《政和》作“宜”。

③ 憺：成化《政和》、商务《政和》作“澹”。

④ 专：庆元《衍义》作“敦”。

下；故野无遗逸之药，世无不识之病。然《本草》二部，其间撰著之人，或执用己[①]私，失于商较，致使学者捡据之间，不得无惑。今则并考诸家之说，参之实事，有未尽厥理者衍之，以臻其理；如东壁土、倒流水、冬灰之类。隐避不断者伸之，以见其情；如水自菊下过而水香，鼹鼠溺精坠地而生子。文简误脱者证之，以[②]明其义；如玉泉、石蜜之类，讳避而易名者原之，以存其名。如山药避本朝讳，及唐避代宗讳。使是非归一，治疗有源，捡用之际，晓然无惑。是以搜求访缉者十有余年，采拾众善，胗[③]疗疾苦，和合收蓄之功，率皆周尽。矧疾为圣人所谨，无常不可以为医，岂容易言哉！宗奭常谓：疾病所可凭者医也，医可据者方也，方可恃者药也。苟知病之虚实，方之可否，若不能达药性之良毒，辨方宜之早晚，真伪相乱，新陈相错，则曷由去道人陈宿之蛊。唐·甄立言仕为太常丞，善医术。有道人心腹懑烦，弥二岁。诊曰：腹有蛊，误食发而然。令饵雄黄一剂，少选，吐一蛇如拇指无目，烧之有发气，乃愈。生张果骈洁之齿？唐·张果召见，元宗[④]谓高力士曰：吾闻饮堇无苦者，奇士也。时天寒，取以饮，果三进，颓然曰：非佳酒，乃寝。顷，视齿燋缩，顾左右取铁如意，击堕之，藏带中，更出药傅[⑤]其龈。良久，齿已生，粲然骈洁，帝益神之。此书之意，于是乎作。今则编次成书，谨依二《经》类例，分门条析，仍衍序例为三卷。内有名未用及意义已尽者，更不编入。其《神农本经》《名医别录》、唐本先附、今附、新补、新定之目，缘《本经》已[⑥]著目录内，更不声说，依旧作二十卷，及[⑦]目录一卷，目之曰《本草衍义》。若博爱卫生之士，志意或同，则更为诠修以称圣朝好生之德。时政和六年丙申岁记。

本草之名，自黄帝、岐伯始。其《补注·总叙》言，旧说《本草经》者，神农之所作，而不经见[⑧]。《平[⑨]帝纪》元始五年，举天下通知方术本草者，所在轺传，遣诣京师，此但见本草之名，终不能断自何代而作。又《楼护传》称，护少诵医经、本草、方术，数十万言，本草之名，盖见于此。是尤不然也。《世本》

---

① 己：原作“已”，据文理改。

② 情；如水……证之，以：以上27字，商务《政和》脱。

③ 胗：成化《政和》、商务《政和》、四库《证类》作“腘”。《字汇》云：“胗即胗之俗字。”《释名·释疾病》云：“胗，诊也，有结聚可得诊见也。”

④ 元宗：即唐玄宗。宋代刻书，因避宋始祖赵玄朗讳，改“玄”为“元”。

⑤ 傅：原误“传”，据医理改。

⑥ 已：原作“巳”，据文理改。

⑦ 及：原作“乃”，据庆元《衍义》改。

⑧ 见：原脱，据底本校勘表补。

⑨ 平：原误“乎”，据底本校勘表改。

曰：神农尝百草，以和药济人，然亦不著本草之名，皆未臻厥理。尝读《帝王世纪》曰：黄帝使岐伯尝味草木，定《本草经》，造医方，以疗众疾。则知本草之名，自黄帝、岐伯始。其《淮南子》之言，神农尝百草之滋味，一日七十毒，亦无本草之说。是知此书，乃上古圣贤具生知之智，故能辨天下品物之性味，合世人疾病之所宜。后之贤智之士，从而和之者，又增广其品，至一千八十二名，《补注本草》，称一千八十二种，然一种有分两用者，有三用者，其种字为名字，于义方允。可谓大备。然其间注说不尽，或舍理别趣者，往往多矣。是以衍摭余义，期于必当，非足以发明圣贤之意，冀有补于阙疑。

夫天地既判，生万物者，惟五气尔。五气定位，则五味生；五味生，则千变万化，至于不可穷已。故曰生物者气也，成之者味也。以奇生，则成而耦；以耦生，则成而奇。寒气坚，故其味可用以耎[①]；热气耎，故其味可用以坚；风气散，故其味可用以收；燥气收，故其味可用以散。土者，冲气之所生，冲气则无所不和，故其味可用以缓。气坚则壮，故苦可以养气。脉耎则和，故咸可以养脉。骨收则强，故酸可以养骨。筋散则不挛，故辛可以养筋。肉缓则不壅，故甘可以养肉。坚之而后可以耎，收之而后可以散，欲缓则用甘，不欲则弗用，用之不可太过，太过亦病矣。古之养生治疾者，必先通乎此；不通乎此，而能已[②]人之疾者，盖寡矣。

夫安药之道，在能保养者得之。况招来和气之药少，攻决之药多，不可不察也。是知人之生须假保养，无犯和气，以资生命。才失将护，便致病生，苟或处治乖方，旋见颠越。防患须在闲日，故曰安不忘危，存不忘亡，此圣人之预戒也。

摄养之道，莫若守中，守中则无过与不及之害。《经》曰：春、秋、冬、夏，四时阴阳，生病起于过用。盖不适其性，而强云为逐，强处即病生。五脏受气，盖有常分，用之过耗，是以病生。善养生者，既无过耗之弊，又能保守真元，何患乎外邪所中也。故善服药，不若善保养，不善保养，不若善服药。世有不善保养，又不善服药，仓卒病生，而归咎于神天。噫！是亦未尝思也，可不慎欤！

夫未闻道者，放逸其心，逆于生乐。以精神徇智巧，以忧畏徇得失，以劳苦徇礼节，以身世徇财利；四徇不置，心为之疾矣。极力劳形，躁[③]暴气逆，当风纵酒，食嗜辛咸，肝为之病矣。饮食生冷，温凉失度，久坐久卧，大饱大饥，脾为之

① 耎：《正字通》云："耎，耎伪字。"耎，义同柔软。《汉书·司马迁传》云："以耎脆之体。"

② 已：原作"巳"，据医理改。

③ 躁：庆元《衍义》作"谍"。

病矣。呼叫过常，辨争陪答，冒犯寒暄，恣食咸苦，肺为之病矣。久坐湿地，强力入水，纵欲劳形，三田漏溢，肾为之病矣。五病既作，故未老而羸，未羸而病，病至则重，重则必毙。呜呼，是皆弗思而自取之也。卫生之士，须谨此五者，可致终身无苦。《经》曰不治已病，治未病，正为此矣。

夫善养生者养内，不善养生者养外，养外者实外，以充快悦泽，贪欲恣情为务，殊不知外实则内虚也。善养内者实内，使脏腑安和，三焦各守其位，饮食常适其宜。故庄周曰：人之可畏者，衽席饮食之间，而不知为之戒者，过也。若能常如是畏谨，疾病何缘而起？寿考焉得不长？贤者造形而悟，愚者临病不知，诚可畏也。

夫柔情难绾而不断，不可不以智慧决也。故帏箔不可不远。斯言至近易，其事至难行，盖人之智慧浅陋，不能胜其贪欲也。故佛书曰：诸苦所因，贪欲为本，若灭贪欲，何所依止。是知贪欲不灭，苦亦不灭；贪欲灭，苦亦灭。圣人言近而指远，不可不思，不可不惧。善摄生者，不劳神，不苦形；神形既安，祸患何由而致也。

夫人之生，以气血为本，人之病，未有不先伤其气血者。世有童男室女，积想在心，思虑过当，多致劳损。男则神色先散，女则月水先闭。何以致然？盖愁忧思虑则伤心，心伤则血逆竭，血逆竭，故神色先散，而月水先闭也。火①既受病，不能荣养其子②，故不嗜食。脾既虚，则金气③亏，故发嗽，嗽既作，水气绝，故四肢干。木气④不充，故多怒。鬓发焦，筋痿。俟五脏传遍，故卒不能死，然终死矣。此一种于诸劳中最为难治，盖病起于五脏之中，无有已期，药力不可及也。若或自能改易心志，用药扶接，如此则可得九死一生。举此为例，其余诸劳，可按脉与证而治之。

夫治病有八要。八要不审，病不能去；非病不去，无可去之术也。故须审辨八要，庶不违误。其一曰虚，五虚是也。脉细、皮寒、气少、泄利前后、饮食不入，此为五虚。二曰实，五实是也。脉盛、皮热、腹胀、前后不通、闷瞀，此五实也。三曰冷，脏腑受其积冷是也。四曰热，脏腑受其积热是也。五曰邪，非脏腑正病也。六曰正，非外

---

① 火：是五行“金、木、水、火、土”之一，中医学以火代表心。

② 子：按五行相生理论，火生土，土为火之子，联系上句，心火受病，难以荣养脾土，联系下句，脾土失养，故不嗜食。

③ 金气：金是五行之一。中医学以金代表肺，金气即肺气。

④ 木气：木是五行之一。中医学以木代表肝。木气即肝气。

邪所中也。七曰内，病不在外也。八曰外，病不在内也。既先审此八要，参之六脉，审度所起之源，继以望、闻、问、切加诸病者，岂[1]有不可治之疾也。夫不可治者有六失：失于不审，失于不信，失于过时，失于不择医，失于不识病，失于不知药。六失之中，有一于此，即为难治。非止医家之罪，亦病家之罪也。矧又医不慈仁，病者猜鄙，二理交驰，于病何益？由是言之，医者不可不慈仁，不慈仁则招祸；病者不可猜鄙，猜鄙则招祸。惟贤者洞达物情，各就安乐[2]，亦治病之一[3]说耳。

合药分剂料理法则中言，凡方云用桂一尺者，削去皮毕，重半两为正。既言广而不言狭，如何便以半两为正。且桂即皮也，若言削去皮毕，即是全无桂也。今定长一尺，阔一寸，削去皮上粗虚无味者，约为半两，然终不见当日用桂一尺之本意，亦前人之失也。

序例，药有酸、咸、甘、苦、辛五味，寒、热、温、凉四气。今详之：凡称气者，即是香臭之气；其寒、热、温、凉，则是药之性。且如鹅条中云：白鹅脂性冷，不可言其气冷也，况自有药性，论其四气，则是香、臭、臊、腥，故不可以寒、热、温、凉配之。如蒜、阿魏、鲍鱼、汗袜，则其气臭；鸡、鱼、鸭、蛇，则其气腥；肾、狐狸、白马茎、裩近隐处、人中白，则其气臊；沉、檀、龙、麝，则其气香。如此则方可以气言之。其序例中气字，恐后世误书，当改为性字，则于义方允。

今人用巴豆，皆去油讫生用。兹必为《本经》言生温、熟寒，故欲避寒而即温也。不知寒不足避，当避其大毒。矧《本经》全无去油之说。故陶隐居云：熬令黄黑，然亦太过矣。日华子云：炒不如去心膜，煮五度，换水，各煮一沸为佳。其杏仁、桃仁、葶苈、胡麻，亦不须熬至黑，但慢火炒令赤黄色，斯可矣。

凡服药多少，虽有所说一物一毒，服一丸如细麻之例，今更合别论。缘人气有虚实，年有老少，病有新久，药有多毒少毒，更在逐事斟量，不可举此为例。但古人凡设例者，皆是假令，岂可执以为定法。

《本草·第一》序例言犀角、羚羊角、鹿角，一概末如粉，临服内汤中。然今昔药法中，有生磨者，煎取汁者。且如丸药中用蜡，取其能固护药之气味，势力全

---

① 岂：庆元《衍义》作“于”。

② 乐：庆元《衍义》作“药”。

③ 一：成化《政和》、商务《政和》脱。

备，以过关鬲[①]而作效也。今若投之蜜相和，虽易为丸剂，然下咽亦易散化，如何得到脏中？若其间更有毒药，则便与人作病，岂徒无益而又害之，全非用蜡之本意。至如桂心，于[②]得更有上虚软甲错[③]，可削之也？凡此之类，亦更加详究。

今人用麻黄，皆合捣诸药中。张仲景方中，皆言去上沫。序例中言，先别煮三两沸，掠去其沫，更益水如本数，乃内馀药，不尔，令人发烦。甚得用麻黄之意，医家可持此说。然云：折去节，令通理，寸剉之。寸剉之[④]，不若碎剉如豆大为佳，药味易出，而无遗力也。

陶隐居云[⑤]：药有宣、通、补、泄、轻、重、涩、滑、燥、湿。此十种，今详之，惟寒热二种，何独见遗？如寒可去热，大黄、朴消之属是也。如热可去寒，附子、桂之属是也。今特补此二种，以尽厥旨。

序例中

人之生，实阴阳之气所聚耳，若不能调和阴阳之气，则害其生。故宝命全形篇论曰：人以天地之气生。又曰：天地合气，命之曰人，是以阳化气、阴成形也。夫游魂为变者，阳化气也。精气为物者，阴成形也。阴阳气合，神在其中矣。故阴阳应象大论曰：天地之动静，神明为之纲纪，即知神明不可以阴阳摄也。《易》所以言阴阳不测之谓神，盖为此矣。故曰：神不可大用，大用即竭；形不可大劳，大劳则毙。是知精、气、神，人之大本，不可不谨养。智者养其神，惜其气，以固其本。世有不谨卫生之经者，动皆触犯。既以犯养生之禁，须假以外术保救，不可坐以待毙，《本草》之经，于是兴焉。既知保救之理，不可不穷保救之事，《衍义》于是存焉。二者其名虽异，其理仅同。欲使有知无知尽臻寿域，率至安乐之乡，适是意者，求其意而可矣。养心之道，未可忽也。六欲七情千变万化，出没不定，其言至简，其义无穷，而以一心对无穷之事，不亦劳乎？心苟不明，不为物所病者，未之有也。故明达之士遂至忘心，心既忘矣，则六欲七情无能为也。六欲七情无能

---

① 鬲：通“膈”。

② 于：音物，义同“岂”。

③ 错：其下，庆元《衍义》有“处”字。

④ 寸剉之：庆元《衍义》无。

⑤ 陶隐居云：其下言“十剂”，按，“十剂”出陈藏器。《嘉祐本草》作者引陈藏器文列于“陶隐居序”中，寇氏《衍义》遂误“十剂”为陶隐居所云。

为，故内事不生。内事不生，故外患不能入。外患不能入，则本草之用，实世之刍狗耳。若未能达是意而至是地，则未有不缘六欲七情而起忧患者。忧患既作，则此书一日不可阙也。愚何人哉，必欲斯文绝人之忧患乎。

右隐居以谓凡筛丸散药毕，皆更合于臼中，以杵捣数百过，如此恐干末湔荡不可捣，不若令力士合研为佳。又曰：凡汤酒膏中用诸石，皆细捣之如粟，亦可以葛布筛令调匀，并以绵裹内中，其雄黄、朱砂辈，细末如粉。今详之：凡诸石虽是汤酒中，亦须稍细，药力方尽，出效亦速。但临服须澄滤后再上火；不尔，恐遗药力不见效。汤酒中尚庶几，若在服食膏中，岂得更如粟也。不合如此立例，当在临时应用详酌尔。又说：㕮咀两字，《唐本》注谓为商量斟酌，非也。《嘉祐》复符陶隐居说为细切，亦非也。儒家以谓有含味之意，如人以口齿咀啮，虽破而不尘，但使含味耳。张仲景方多言㕮咀，其义如此。

病人有既不洞晓医药，复自行臆度，如此则九死一生。或医人未识其病，或以财势所迫，占①夺强治，如此之辈，医家病家不可不察也。要在聪明贤达之士掌之，则病无不济，医无不功。世间如此之事甚多，故须一一该举，以堤或然。

夫人有贵贱少长，病当别论；病有新久虚实，理当别药。盖人心如面，各各不同，惟其心不同，脏腑亦异。脏腑既异，乃以一药治众人之病，其可得乎？故张仲景曰：又有土地高下不同，物性刚柔，餐居亦异。是故黄帝兴四方之问，岐伯举四治之能，临病之功，宜须两审。如是则依方合药，一概而用，亦以疏矣。且如贵豪之家，形乐志苦者也。衣食足则形乐，心虑多则志苦。岐伯曰：病生于脉。形乐则外实，志苦则内虚，故病生于脉。所养既与贫下异，忧乐思虑不同，当各逐其人而治之。后世医者，直委此一节，闭绝不行，所失甚矣，尝有一医官，暑月与贵人饮。贵人曰：我昨日饮食所伤，今日食减。医曰：可饵消化药，他人当服十丸，公当减其半。下咽未久，疏逐不已②，几致毙。以此较之，虚实相辽，不可不察，故曰病当别论。又一男子，暑月患血痢，医妄以凉药逆制，专用黄连、阿胶、木香药治之。此药始感便治则可，今病久肠虚，理不可服，逾旬不已，几致委顿，故曰理当别药。如是论之，诚在医之通变。又须经历，则万无一失。引此为例，馀可效此。

凡用药，必须择州土所宜者，则药力具，用之有据。如上党人参、川蜀当归、

① 占：庆元《衍义》作“佔”。

② 已：原作“巳”，据文理改。下同。

齐州半夏、华州细辛；又如东壁土、冬月灰、半天河水、热汤、浆水之类，其物至微，其用至广，盖亦有理。若不推究厥理，治病徒费其功，终亦不能活人。圣贤之意不易尽知，然舍理何求哉？

凡人少、长、老，其气血有盛、壮、衰三等。故岐伯曰：少火之气壮，壮火之气衰。盖少火生气，壮火散气，况复衰火，不可不知也。故治法亦当分三等。其少，日服饵之药，于壮老之时，皆须别处之，决不可忽也。世有不留心于此者，往往不信，遂致困危，哀哉！

今人使理中汤、丸，仓卒之间多不效者，何也？是不知仲景之意，为必效药，盖用药之人有差殊耳。如治胸痹，心中痞坚，气结胸满，胁下逆气抢心，治中汤主之。人参、术、干姜、甘草四物等，共一十二两，水八升，煮取三升，每服一升，日三服，以知为度。或作丸，须鸡子黄大，皆奇效。今人以一丸如杨梅许，服之病既不去，乃曰药不神；非药之罪，用药者之罪也。今引以为例，他可效此。然年高及素虚寒人，当逐宜减甘草。

夫高医以蓄药为能，仓卒之间，防不可售者所须也。若桑寄生、桑螵蛸、鹿角胶、天灵盖、虎胆、蟾酥、野驼、萤、蓬蘽、空青、婆娑石、石蟹、冬灰、腊雪水、松黄之类，如此者甚多，不能一一遍举。唐元澹，字行冲，尝谓狄仁杰曰：下之事上，譬富家储积以自资也。脯、腊、膎、胰，以供滋膳；参、术、芝、桂，以防疾疢①。门下充旨味者多矣，愿以小人备一药可乎？仁杰笑曰：公正吾药笼中物，不可一日无也。然梁公因事而言，独譬之以药，则有以见天下万物之中，尤不可阙者也。知斯道者，知斯意而已②。

凡为医者，须略通古今，粗守仁义，绝驰骛能所之心，专博施救拔之意。如此则心识自明，神物来相，又何必戚戚沽名，龊龊求利也。如或不然，则曷以致姜抚沽誉之惭，逋华佗之矜能受戮乎？

尝读《唐③·方技传》有云：医要在视脉，惟用一物攻之，气纯而愈速。一药偶得，他药相制，弗能专力，此难愈之验也。今详之：病有大小、新久、虚实，岂可止以一药攻之？若初受病，小则庶几；若病大多日，或虚或实，岂得不以他药佐使？如人用硫黄，皆知此物大热，然石性缓，仓卒之间，下咽不易便作效。故智者

---

① 疢：音疹，《说文》云："疢，热病也。"

② 已：原作"巳"，据文理改。

③ 唐：其下当有"书"字。

又以附子、干姜、桂之类相佐使以发之，将并力攻疾，庶几速效。若单用硫黄，其可得乎？故知许嗣宗[①]之言，未可全信，贤者当审度之。

夫用药如用刑，刑不可误，误即干人命；用药亦然，一误即便隔生死。然刑有鞫司，鞫成然后议定，议定然后书罪；盖人命一死，不可复生，故须如此详谨。今医人才到病家，便以所见用药。若高医识病知脉，药又相当，如此，即应手作效。或庸下之流，孟浪乱投汤剂，逡巡便致困危。如此杀人，何太容易！世间此事甚多，良由病家不择医，平日未尝留心于医术也，可不惧哉！

序例下

治妇人虽有别科，然亦有不能尽圣人之法者。今豪足之家，居奥室之中，处帷[②]幔之内，复以帛幪手臂，既不能行望色之神，又不能殚切脉之巧，四者有二阙焉。黄帝有言曰：凡治病，察其形气色泽，形气相得，谓之可治；色泽以浮，谓之易已[③]；形气相失，谓之难治；色夭不泽，谓之难已。又曰：诊病之道，观人勇怯，骨肉、皮肤，能知其情，以为诊法。若患人脉病不相应，既不得见其形，医人止据脉供药，其可得乎？如此言之，乌[④]能尽其术也。此医家之公患，世不能革。医者不免尽理质问。病家见所问繁，还为医业不精，往往得药不肯服，似此甚多。扁鹊见齐侯之色，尚不肯信，况其不得见者乎？呜呼！可谓难也已！

又妇人病温已十二日，诊之，其脉六七至而涩，寸稍大，尺稍小，发寒热，颊赤、口干，不了了，耳聋。问之，病后数日，经水乃行，此属少阳热入血室也。若治不对病，则必死。乃按其证，与小柴胡汤服之。二日，又与小柴胡汤加桂枝干姜汤，一日，寒热遂已。又云：我脐下急痛，又与抵当[⑤]丸，微利，脐下痛痊。身渐凉和，脉渐匀，尚不了了，乃复与小柴胡汤。次日云：我但胸中热燥，口鼻干。又少与调胃承气汤，不得利。次日又云：心下痛。又与大陷胸丸半服，利三行。而次日虚烦不宁，时妄有所见，时复狂言。虽知其尚有燥屎，以其极虚，不敢攻之。遂与竹叶汤，去其烦热。其夜大便自通，至晓两次，中有燥屎数枚。而狂言虚烦尽

---

① 许嗣宗：即唐代许胤宗。宋代刻书，因避赵匡胤讳，将“胤”改为“嗣”。

② 帷：庆元《衍义》作“帏”。

③ 已：原作“巳”，据文理改。下同。

④ 乌：庆元《衍义》作“于”。“乌”与“于”义同，均通岂。

⑤ 当：原作“党”，据成化《政和》、商务《政和》、商务《衍义》、《伤寒论》改。

解。但咳嗽唾沫，此肺虚也。若不治，恐乘虚而成肺痿，遂与小柴胡去人参、大枣、生姜，加干姜、五味子汤。一日咳减，二日而病悉愈。已上皆用张仲景方。

有妇人病吐逆，大小便不通，烦乱、四肢冷，渐无脉，凡[①]一日半，与大承气汤两剂，至夜半渐得大便通，脉渐生，翌[②]日乃安。此关格之病，极难治，医者当审谨也。《经》曰：关则吐逆，格则不得小便。如此亦有不得大便者。

有小儿病虚滑，食略化，大便日十余次，四肢柴瘦、腹大，食讫又饥。此疾正是大肠移热于胃，善食而瘦。又谓之食㑊者。时五、六月间，脉洪大，按之则绝。今六脉既单洪，则夏之气独然，按之绝，则无胃气也。《经》曰：夏脉洪，洪多胃气，少曰病，但洪无胃气曰死。夏以胃气为本，治疗失于过时，后不逾旬，果卒。

有人病久嗽，肺虚生寒热，以款冬花焚三两芽，俟烟出，以笔管吸其烟，满口则咽之，至倦则已。凡数日之间五七作，差。

有人病疟月余日，又以药吐下之，气遂弱，疾未愈。观其病与脉，乃夏伤暑，秋又伤风，乃与柴胡汤一剂。安后，又饮食不节，寒热复作。此盖前以伤暑，今以饮食不慎遂致吐逆不食，胁下牵急而痛，寒热无时，病名痰疟。以十枣汤一服，下痰水数升，明日又与理中散二钱，遂愈。

有人苦风痰、头痛、颤掉、吐逆，饮食减，医以为伤冷物，遂以药温之，不愈。又以丸药下之，遂厥。复与金液丹后，谵言。吐逆，颤掉，不省人，狂若见鬼，循衣摸床，手足冷，脉伏。此胃中有结热，故昏瞀[③]不省人；以阳气不能布于外，阴气不持于内，即颤掉而厥。遂与大承气汤，至一剂，乃愈。方见仲景。后服金箔[④]丸，方见《删繁》。

有男子，年六十一，脚肿生疮，忽食猪肉不安。医以药利之，稍愈时出外中风，汗出后，头面暴肿起，紫黑色，多睡，耳轮上有浮泡小疮，黄汁出。乃与小续命汤中加羌活一倍，服之遂愈。

有人年五十四，素羸，多中寒，近服菟丝有效。小年常服生硫黄数斤，脉左上二部、右下二部弦紧有力。五七年来，病右手足筋急拘挛，言语稍迟，遂与仲景小续命汤，加薏苡仁一两，以治筋急。减黄芩、人参、芍药各半，以避中寒，杏仁只

---

① 凡：柯《衍义》作“息”。

② 翌：原作“翼”，据庆元《衍义》改。

③ 瞀：神志昏乱。

④ 箔：原作“铂”，据庆元《衍义》改。

用一百五枚。后云尚觉大冷，因令尽去人参、芍药、黄芩三物，却加当归一两半，遂安。今人用小续命汤者，比比皆是，既不能逐证加减，遂至危殆，人亦不知。今小续命汤，世所须也。故举以为例，可不谨哉！

夫八节之正气，生活人者也；八节之虚邪，杀人者也。非正气则为邪，非真实则为虚。所谓正气者，春温、夏热、秋凉、冬寒，此天之气也。若春在经络，夏在肌肉，秋在皮肤，冬在骨髓，此人之气也。在处为实，不在处为虚。故曰，若以身之虚，逢时之虚邪不正之气，两虚相感，始以皮肤、经络，次传至脏腑；逮于骨髓，则药力难及矣。如此则医家治病，正宜用药抵截散补，防其深固而不可救也。又尝须保护胃气。举斯为例，余可效此。

新添本草衍义序例终

重修政和经史证类备用本草卷第二

己酉新增衍义

重修政和经史证类备用本草卷第二 己酉新增衍义

成　都　唐　慎　微　续　证　类

中卫大夫康州防御使句当龙德宫总辖修建明堂所医药

提举入内医官编类圣济经提举太医学臣曹孝忠奉敕校勘

序例下

谨[①]按诸药，一种虽主数病，而性理亦有偏著。立方之日，或致疑混，复恐单行经[②]用，赴急抄撮，不必皆得研究。今宜指抄病源所主药名[③]，便[④]可于此处疗[⑤]，若[⑥]欲的寻，亦兼易解[⑦]。其甘苦之味可略，有毒无毒易知，惟冷热须明。今依《本经》《别录》，注于本条之下[⑧]。其有不宜[⑨]入汤酒，宜入汤酒者，今亦条于后矣。［今详］**唐本以朱点为热，墨点为冷，无点为平，多有差互，今于逐药之下，依《本经》《别录》而注焉。**

---

① 谨：敦煌《集注》作“又”。

② 经：敦煌《集注》作“径”。

③ 名：敦煌《集注》误作“各”。

④ 便：敦煌《集注》作“仍”。

⑤ 疗：敦煌《集注》作“治”。下同。

⑥ 若：敦煌《集注》无。

⑦ 解：敦煌《集注》无。

⑧ 今依……之下：以上12字，敦煌《集注》作“今以朱点为热，墨点为冷，无点者是平，以省于烦注也”。

⑨ 宜：敦煌《集注》无。

凡墨盖[①]子下并唐慎[②]微续添

疗风通用[③]

防风 **温**

防己 **平**，温

秦艽 **平**，微温

独活 **平**，微温

芎䓖 **温**

羌活 **平**，微温

麻黄 **温**，微温

臣禹锡等谨按《蜀本》

鹿药　温

天麻　平

海桐皮　平

蜥蜴　平④

威灵仙　温

《药对》

枫香　平。治瘮痒毒。臣

薏苡仁　微寒。主风筋挛急，屈伸不得，君

萎蕤　平。治中风，暴热，不⑤能转⑥动者。君

巴戟天　微温。治风邪气。君

侧子　大热。治湿风，大风，拘急。使

鳖头血　治口僻。臣

山茱萸　平。治风气。臣

淡竹沥及叶　大寒。主风瘙疾，臣

牛膝　平。主风挛急。君

细辛　温。主风挛急。君

昌蒲　温。君　并桂心　大热。吹鼻中，主风喑。君

梁上尘　微寒。以小豆大吹鼻中，治中风，使

葛根　平，主暴中风。臣

白鲜皮　寒。治风，不得屈伸，风热。臣

白薇　大寒。治暴风身热，四肢急满，不知人。臣

◣⑦菊花　平⑧

◣天门冬　平，大寒

◣附子　温，大热

◣杜若　微温

◣麦门冬　平，微寒

◣羚羊角　温，微寒

◣犀角　寒，微寒

---

① 盖：柯《大观》作“筐”。

② 慎：刘《大观》作“谨”。

③ 疗风通用：此标题下所列举的《本经》药名、《本经》药性、臣禹锡等谨按《蜀本》《药对》等文，按《政和》体例，应刻成黑底白字。但成化《政和》、商务《政和》全刻成黑字。均不作白字标记。下同。

④ 蜴　平：刘《大观》、柯《大观》作“祈”。“平”，刘《大观》、柯《大观》无。

⑤ 不：刘《大观》作“平”。

⑥ 转：刘《大观》、柯《大观》作“轻”。

⑦ ◣：按《政和》体例，凡唐慎微所增的资料，均冠以墨盖子（◣），但成化《政和》、商务《政和》脱。下同。

⑧ 菊花　平：刘《大观》、柯《大观》将其列在“菓耳实叶”之下。

■ 藁本　温，微寒

■ 天雄　温，大温

■ 黄耆　微温

■ 蒺藜子　温，微寒

■ 葈私以反耳实　温　叶　微寒

■ 狗脊　平，微温

■ 莽草　温

■ 柏子仁　平

■ 蔓荆实[①]　微寒，微温

■ 当归　温，大温

■ 乌喙　微温

■ 萆薢　平

■ 羊[②]踯躅　温

■ 栾荆　温

■ 辛夷　温

■ 小天蓼　温

■ 干蝎　温

■ 乌蛇　温

■ 天南星　温

■ 乌头　温，大热

■ 白花蛇　温

■ 酸枣仁　平

■ 鼠黏子　平

■ 牛黄　平

■ 枳壳　微寒

■ 牡荆[③]　微寒，平

风眩

菊花　**平**

飞廉　**平**

羊[②]踯躅　温

虎掌　**温**，微寒

杜若　**微温**

茯神　平

茯苓　**平**

白芷　**温**

鸱头　平

臣禹锡等谨按《蜀本》

伏牛花　平

《药对》

芎䓖　温，臣

防风　微温。主头眩颠倒，大风湿痹。臣

人参　微温。主头眩转。君

兔头骨　平。臣

■ 蔓荆实　微寒

■ 署预　温，平

■ 术　温

■ 蘼芜　温

头面风

芎䓖　**温**

署预　**温**，平

天雄　**温**，大温

山茱萸　**平**，微温

莽草　**温**

辛夷　**温**

---

① 实：刘《大观》、柯《大观》作“子”。

② 羊：刘《大观》、柯《大观》无。

③ 荆：其下，刘《大观》、柯《大观》有“子”字。

牡荆实① 温

蔓荆实① 微寒，平，温

藁本 **温**、微温，微寒

蘼芜 **温**

葈耳 **温**

臣禹锡等谨按《蜀本》

何首乌 微温

《药对》

皂荚 温。主风眩。使

巴戟天 微温。主头面风。君

白芷 温。主头面风。臣

防风 温。治头面来去风气。臣

▲蜂子 微寒，微温

▲杜若 微温②

▲葈耳实 温 叶 微寒

中风脚弱

石斛 **平**

石③钟乳 **温**

殷孽 **温**

孔公孽 **温**

石硫黄 **温**，大热

附子 **温**，大热

豉 寒

丹参 **微寒**

五加皮④ **温**，微寒

竹⑤沥 大寒

大豆⑥ **平**

天雄 **温**，大温

侧子 大热

臣禹锡等谨按《药对》

木⑦防己 平。治挛急。臣

独活 微温。主脚弱。君

松节 温。治脚膝弱。君

牛膝 平。治痛痹。君

▲胡麻 平

久风湿痹

昌蒲 **温**，平

茵芋 **温**，微温

天雄 **温**，大温

附子 **温**，大热

乌头 **温**，大热

蜀椒 **温**，大热

牛膝 平

天门冬 **平**，大寒

术 **温**

丹参 **微寒**

石龙芮 **平**

茵陈蒿 **平**，微寒

细辛 **温⑧**

松节 温

侧子 大热

---

① 实：刘《大观》、柯《大观》作“子”。

② 微温：刘《大观》、柯《大观》无。

③ 石：敦煌《集注》无。

④ 皮：敦煌《集注》无。

⑤ 竹：其上，敦煌《集注》有“甘”字。

⑥ 豆：其下，敦煌《集注》有“卷”字。

⑦ 木：刘《大观》误作“术”。

⑧ 细辛 温：刘《大观》、柯《大观》将其列在“乌头温”之下。

松叶　温①

臣禹锡等谨按《药对》

薏苡仁　微寒。治中风，湿痹，筋挛，君

羊踯躅　温。治风。使

柏子仁　平。治风湿痹。君

独活　微温。治风，四肢无力，拘急。君

◣天门冬　平，大寒

◣枲耳实　温　叶　寒微

◣蔓荆实　微寒，微温

贼风挛痛

茵芋　温，微温

附子　温，大热

侧子　大热

麻黄　温，微温

芎䓖　温

杜仲　平，温

萆薢　平

狗脊　平，微温

白鲜皮　寒

白及　平，微寒

枲耳　温

猪椒　温

◣石斛　平

◣汉防已　平，温

暴风瘙②痒

蛇床子　平

蒴藋③　温

乌喙　微温

蒺藜子　温，微寒

景天　平

茺蔚子　微温，微寒

青葙子　微寒

枫香脂④　平

藜芦　寒，微寒

臣禹锡等谨按《蜀本》

乌蛇　平

《药对》

葶苈子　寒。主中暴风。使

枳实　微寒。主大风，在皮肤中痒。君

谷茎　主身瘾疹，煮水洗。臣

◣枳壳　微寒

伤寒

麻黄　温，微温

葛根　平

杏仁　温

前胡　微寒

柴胡　平，微寒

大青　大寒

龙胆　寒，大寒

芍药　平，微寒

薰草　平

---

① 松叶　温：刘《大观》、柯《大观》将其列在“松节”之上。

② 瘙：敦煌《集注》作“搔”。

③ 藋：敦煌《集注》作“灌”。

④ 脂：敦煌《集注》无。

升麻 平，微寒

牡丹 **寒**，微寒

虎掌 **温**，微寒

术 **温**

防己 **平**，温

石膏 **微寒**，大寒

牡蛎 **平**，微寒

贝母[①] **平**，微寒

鳖甲 **平**

犀角 **寒**，微寒

羚羊角 **寒**，微寒

葱白 平

生姜 微温

豉 寒

人[②]溺 寒

芒消 大寒

臣禹锡等谨按《药对》

栝楼 寒。主烦热渴，发黄。臣

葱根 寒。主头痛，发表。臣

大黄 大寒。使

雄黄 平。君

白鲜皮 寒。主时病，出汗。臣

射干 微温。治时气病，鼻塞，喉痹，阴毒。使

茵陈蒿 平，微寒。主发黄。臣

栀子 大寒。臣

青竹茹 微寒，主头痛。臣

寒水石 大寒。主五内大热。臣

水牛角 平。主温病。使

紫草 寒。主骨肉中痛。臣

莫耳 微寒。臣

虎骨 平。主伤寒

◣知母 寒

◣半夏 平，生微寒，熟温

大热

凝水石 **寒**，大寒

石膏 **微寒**，大寒

滑石 **寒**，大寒

黄芩 **平**，大寒

知[③]**母** **寒**

白鲜皮[④] **寒**

玄参 **微寒**

大黄 **寒**，大寒

沙参 **微寒**

苦参 **寒**

茵陈蒿[⑤] **平**，微寒

鼠李根[⑥]皮 微寒

竹[⑦]沥 大寒

栀子 **寒**，大寒

蛇莓 大寒。亡[⑧]改切

人粪汁 寒

白颈蚯[⑨]**蚓** **寒**，大寒

---

① 母：敦煌《集注》作“齿”。

② 人：敦煌《集注》无。

③ 知：敦煌《集注》作“蝭”。

④ 皮：敦煌《集注》无。

⑤ 蒿：敦煌《集注》无。

⑥ 根：敦煌《集注》无。

⑦ 竹：其上，敦煌《集注》有“甘”字。

⑧ 亡：《大观》作“芒”。

⑨ 蚯：敦煌《集注》无。

芒消　大寒

臣禹锡等谨按《药对》

梓白皮　寒。除热。使

地肤子　寒。主去皮肤中热气①。

小麦　微寒。主胃中热。使

木兰皮　寒。主身大热暴热面疱。臣

水中萍　寒。主暴热身痒②。

理石　寒。君

石胆　寒。主肝脏中热。臣

牛黄　平。主小儿热痫，口不开。君

羚羊角　微寒。主热在肌肤，臣

垣衣　大寒。主发疮③。

白薇　大寒。臣

景天　平。主身热，小儿发热惊气。君

升麻　微寒。主热毒。君

龙齿角　平。主小儿身热。臣

葶苈　寒。主身暴热，利小便。使

蓝叶实　寒。主五心烦闷。君

蜣螂　寒。主狂语，头发热。使

楝实　寒。作汤浴通身热主温病。使

荆沥　大寒。主胸中痰热。臣

劳复

鼠屎　微寒

豉　寒

竹沥　大寒

人④粪　汁寒

臣禹锡等谨按《蜀本》

大黄　大寒

葱白　平

犀角　寒

防己　平

虎掌　温

牡蛎　微寒

生姜　微温

芒消　大寒

▶鳖甲　平

柴胡　平，微寒

麦门冬　平，微寒

温疟

常⑤山　寒，微寒

蜀漆　平，微温

牡蛎　平，微寒

鳖甲　平

麝香　温

麻黄　温，微温

大青　大寒

防葵　寒

猪苓　平

防己⑥　平，温

茵芋　温，微温

巴豆　温，生温熟寒

白头翁⑦　温

女青　平

---

① 去皮肤中热气：刘《大观》、柯《大观》作“五内去来热，利小腹。君”。

② 痒：其下，刘《大观》、柯《大观》有“臣”字。

③ 疮：成化《政和》、商务《政和》作“瘠”。

④ 人：敦煌《集注》无。

⑤ 常：敦煌《集注》作“恒”。

⑥ 己：原作“巳”，据药名改。

⑦ 翁：敦煌《集注》作“公”。

芫花[1] **温**，微温

白薇 **平**，大寒

松萝 **平**

臣禹锡等谨按《蜀本》

天灵盖 平

荛花 寒

茵陈蒿 平

《药对》

龟甲 平。臣

小麦 微寒

羊踯躅 温。使

白敛 微寒。主温疟寒热。使

蒴藋根 温，使

当归 温。主疟寒热。君

竹叶 平。合常山煮，主孩子久疟极良。鸡子黄和常山为丸，用竹叶汤下，主久疟。

◣桃仁 平

◣乌梅 平

◣雄黄 平，大温

◣昌蒲 温

◣莽草 温

中恶

麝香 **温**

雄黄 **平**，**寒**，大温

丹砂 **微寒**

升麻 平，微寒

干姜 **温**，大热

巴豆 **温**，生温熟寒

当归 **温**，大温

芍药 **平**，微寒[2]

吴茱萸 **温**，大热

鬼箭 **寒**

桃枭 **微温**

桃皮 平

桃胶 微温

乌头 **温**，大温

乌雌鸡血[3] 平

臣禹锡等谨按《蜀本》

海桐皮 平

肉豆蔻 温

蓬莪茂 温

《药对》

牛黄 平。君

芎䓖 温。臣

苦参 寒。君

栀子 大寒。臣

葈耳叶 微寒。臣

桔梗 微温。臣

桃花 平。使

霍乱

人参 **微寒**，微温

术 **温**

附子 **温**，大热

桂心 大热

---

① 芫花：敦煌《集注》作“荛花”。

② 寒：刘《大观》、柯《大观》作“温”。

③ 乌雌鸡血：敦煌《集注》作“乌鸡、吴公”。

干姜 **温**，大热

橘皮 **温**

厚朴 **温**，大温

香薷 微温

麋舌 微温

高良姜 大温

木瓜 温

臣禹锡等谨按《蜀本》

小蒜 温

鸡屎白 微寒

藊豆叶

鸡舌香 微温

豆蔻 温

楠材 微温

蓬莪茂 温

肉豆蔻 温

海桐皮 平

《药对》

吴茱萸 大热。臣

◣丁香 温①

转筋

小蒜 温

木瓜 温

橘皮 **温**

鸡舌香 温

楠材 微温

豆蔻 温

香薷 微温

杉木 微温

藊豆 微温

生②姜 微温。［臣禹锡等谨按］《本经》朱字：干姜温。墨字：生姜微温。若从朱字，则是干姜，即不当言微温；若从微温，则是生姜，即当作墨字。然二姜俱不主转筋，难以改正。

呕啘

厚朴 **温**，大温

香薷 微温

麋舌 微温

附子 **温**，大热

小蒜 温

楠材 微温

高良姜 大温

木瓜 温

桂 大热

橘皮 **温**

鸡舌香③ 微温

臣禹锡等谨按《蜀本》

枇杷叶 平

麝香 温

肉豆蔻 温

《药对》

青竹茹 微寒。主啘呕。臣

芦根 寒。生主啘。

---

① 温：刘《大观》、柯《大观》无。

② 生：刘《大观》、柯《大观》无。

③ 鸡舌香：刘《大观》、柯《大观》将其列在“麋舌”之下。

通草　平。主啘。臣

生蘡薁藤汁　寒

◣人参　微寒，微温

◣丁香　温

◣术　温

大腹水肿

大戟　**寒**，大寒

甘遂　**寒**，大寒

泽漆　**微寒**

葶苈　**寒**，大寒

芫花　**温**，微温

巴豆　**温**，生温熟寒

猪苓　**平**

防己①　**平**，温

泽兰　**微温**

桑根白皮　**寒**

商②**陆**　**平**

泽泻　**寒**

郁李仁③　**平**

海藻　**寒**

昆布　寒

苦瓠　**寒**

小豆　**平**

瓜蒂　**寒**

蠡鱼　**寒**

鲤鱼　寒④

大豆　**平**

荛花　**寒**，微寒

黄牛溺　寒

臣禹锡等谨按《蜀本》

海松子　小温

《药对》

香薷　微温。主水肿。臣

谷米　微寒。主逐水肿，利小便。臣

通草　平。主利水肿及小便。臣⑤

麦门冬　微寒。臣

椒目　寒。主除风水满。使

柳花　寒。主腹肿。使

雄黄　平。君

白术　温。逐风水结肿。君

秦艽　微温。主下大水。臣

肠澼下痢

赤⑥石脂　大温⑦

龙骨　**平**，微寒

牡蛎　**平**，微寒

干姜　**温**，大热

黄连　**寒**，微寒

黄芩　**平**，大寒

当归　**温**，大温

附子　**温**，大热

---

① 己：原作"巳"，据药名改。

② 商：敦煌《集注》作"当"。

③ 郁李仁：敦煌《集注》作"郁核"。

④ 鲤鱼　寒：其下，敦煌《集注》有"术、赤茯苓"。

⑤ 及小便。臣：成化《政和》、商务《政和》无。

⑥ 赤：其下，敦煌《集注》有"白"字。

⑦ 大温：柯《大观》无。

禹馀粮　**寒**，平[①]
藜芦　**寒**，微寒
檗木[②]　**寒**
云实　**温**
矾石　**寒**
阿[③]**胶**　**平**，微温
熟[④]艾　微温
陟厘　大温
石硫黄　**温**，大热
蜡[⑤]　**微温**
乌梅　平
石榴皮　平
枳实　**寒**，微寒
臣禹锡等谨按《蜀本》
使君子　温
金樱子　平，温
《药对》
白石脂　平。主水痢。臣
牛角鰓　温。治痢。臣
滑石　寒。主澼下。君
地榆　微寒。止血痢。
桂心　大热。主下痢。君
吴茱萸　温[⑥]，大热。主冷下泄。臣
鲫鱼头　温。主下痢。
厚朴　温，大温[⑤]。主下泄腹痛。臣
白术　温。主胃虚冷痢。君
蜜　平。主赤白痢。君
龟甲　平。主下泄。臣
久蚬壳　寒。主下痢。使
薤白　温。主下赤白痢。臣
白头翁　温。主毒痢止痛。使
猬皮　平。主赤白痢。臣
蚺蛇胆　寒。主下痢䘌虫。使
柏叶　微温。主血痢。君
蒲黄　平。主下血。臣
小豆花　平。主下痢。使
曲　温。主腹胀冷[⑦]积下痢。臣
猪悬蹄　微寒。主下漏泄。使
鸡子　平，主下痢。
贝子　平。主下血。
白蘘荷　微温。主赤白痢。臣
葛谷　平。主十年赤白痢。臣
青羊脂　温。主下血。臣
苁蓉　微温。主赤白下痢。臣
赤白花鼠尾草　微寒。主赤白下痢。使
■ 赤地利　平
■ 桃花石　温

大便不通

大黄　**寒**，大寒
巴豆　**温**，生温熟寒
石蜜[⑧]　**平**，微温
麻子[⑨]　**平**

---

① 平：柯《大观》无。
② 檗木：敦煌《集注》作“黄檗”。
③ 阿：敦煌《集注》无。
④ 熟：敦煌《集注》无。
⑤ 蜡：敦煌《集注》作“腊”。
⑥ 温：刘《大观》、柯《大观》无。
⑦ 冷：成化《政和》、商务《政和》无。
⑧ 石蜜：敦煌《集注》作“蜜煎”。
⑨ 麻子：敦煌《集注》作“大麻子”。

牛胆 大寒

猪胆 微寒

◣朴消 寒，大寒

◣芒消 大寒

◣大戟 寒，大寒

◣槟榔 温

◣牵牛子 寒

◣郁李仁① 平

小便淋

滑石 寒，大寒

冬葵子及②**根** 寒

白茅根 寒

瞿麦 寒

榆皮 平

石韦 平

葶苈 寒，大寒

蒲黄③ 平

麻子 平

琥珀 平

石蚕 寒

蜥蜴 寒

胡燕屎 平

衣鱼④ 温

乱发 微温

臣禹锡等谨按《蜀本》

淋石 暖

《药对》

车前子 寒，主淋。

茯苓 平。主淋，利小便。君

黄芩 大寒。主利小便。臣

泽泻 寒。主淋，利三⑤焦停水。君

败鼓皮 平。主利小便。臣

冬瓜 微寒。主淋，小⑥便不通。君

桑螵蛸 平。主五淋⑦，利小便。臣

◣猪苓 平

◣石燕 寒

◣海蛤 平

◣木通 平

◣贝齿 平

小便利

牡蛎 平，微寒

龙骨 平，微寒

鹿茸 温，微温

桑螵蛸 平

漏芦 寒，大寒

土瓜根 寒

鸡肶胵 微寒

鸡肠草 微寒

臣禹锡等谨按《药对》

昌蒲 温。止小便利。君

葋酱 温。主尿不节。臣

◣山茱萸 平

---

① 郁李仁：敦煌《集注》作“郁核”。

② 及：敦煌《集注》无。

③ 蒲黄：敦煌《集注》作“雄黄”。

④ 衣鱼：敦煌《集注》作“衣中白鱼”。

⑤ 三：成化《政和》、商务《政和》脱。

⑥ 小：成化《政和》、商务《政和》脱。

⑦ 淋：成化《政和》、商务《政和》误作“法”。

溺血

戎盐 **寒**

蒲黄 **平**

龙骨 **平**，微寒

鹿茸 **温**，微温

干地黄 **寒**

臣禹锡等谨按《蜀本》

葱涕 平

◣牛膝 平

◣车前子 寒

◣柏子并叶 平，温

消渴

白石英 **微温**

石膏 **微寒**，大寒

茯神 平

麦门冬 **平**，大寒

黄连 **寒**，微寒

知[①]**母** **寒**

栝楼根[②] **寒**

茅根 **寒**

枸杞根[③] 大寒

小麦 微寒

篁[④]竹叶 大寒

土瓜根[⑤] **寒**

葛根[⑥] **平**

李根 大寒

芦根 寒

菰根 大寒

冬瓜 微寒

马乳 冷

牛乳 微寒

羊乳 温

桑根白皮 **寒**

臣禹锡等谨按《药对》

茯苓 平。主口干。君

理石 寒。主口干，消热[⑦]毒。君

菟丝子[⑧] 平。主口干，消渴。

牛胆 大寒。主渴利中焦热。君

苎[⑨]汁 寒。止渴。使

古屋瓦苔 寒。主消渴。

兔骨 平。治热中消渴。臣

猪苓 平。主渴痢。使

黄疸[⑩]

茵陈蒿[⑪] **平**，微寒

---

① 知：敦煌《集注》作"蜾"。

② 根：敦煌《集注》无。

③ 根：刘《大观》、柯《大观》作白字《本经》文。

④ 篁：敦煌《集注》作"芹"。

⑤ 土瓜根：刘《大观》、柯《大观》作黑字《别录》文。

⑥ 葛根：其上，敦煌《集注》有"生"字。

⑦ 热：成化《政和》、商务《政和》误作"熟"。

⑧ 子：成化《政和》、商务《政和》无。

⑨ 苎：成化《政和》、商务《政和》误作"苧"。

⑩ 疸：敦煌《集注》作"疽"。

⑪ 蒿：敦煌《集注》无。

栀子 **寒**，大寒

紫草 **寒**

白鲜皮[①] **寒**

生鼠 微温

大黄 **寒**，大寒

猪屎 寒

瓜蒂 **寒**

栝楼 **寒**

秦艽 **平**

臣禹锡等谨按《唐本》

黄芩 大寒

▶牡鼠 微寒

上气咳嗽

麻黄 **温**，微温

杏仁 **温**

白前[②] 微温

橘皮 **温**

紫菀 **温**

桂心 大热

款冬花 **温**

五味子[③] **温**

细辛 **温**

蜀椒 **温**，大热

半夏 **平**，生微寒熟温

生姜 微温

桃仁 **平**

紫[④]苏子 温

射干 **平**，微温

芫花[⑤] **温**，微温

百部根 微温

干姜 **温**，大热

贝母 **平**[⑥]，微寒

皂荚 **温**

臣禹锡等谨按《蜀本》

蛤蚧 平

缩沙蜜 温

《药对》

钟乳 温。主上气。臣

獭肝 平。主气嗽。使

乌头 大热。主嗽逆上气。使

藜芦 微寒。主嗽逆。使

鲤鱼 平。烧末主咳[⑦]嗽。臣

淡竹叶 大寒。主嗽逆气上。臣

海蛤 平。主上气。臣

石[⑧]硫黄 大热，主气嗽。臣

呕吐

厚朴 **温**，大温

橘皮 **温**

人参 **微寒**，微温

半夏 **平**，生微寒，熟温

---

① 皮：敦煌《集注》无。

② 白前：敦煌《集注》倒置。

③ 子：敦煌《集注》无。

④ 紫：敦煌《集注》无。

⑤ 芫花：敦煌《集注》作“芫花根”。

⑥ 平：刘《大观》、柯《大观》作黑小字《别录》文。

⑦ 咳：成化《政和》、商务《政和》作“气”。

⑧ 石：刘《大观》、柯《大观》无。

麦门冬 **平**，微寒

白芷 **温**

生姜 微温

铅丹 **微寒**

鸡子 微寒

薤白 **温**

甘竹叶 大寒

臣禹锡等谨按《蜀本》

旋覆花 温

白豆蔻 大温

《药对》

附子 大热。主呕逆。使

竹茹 微寒。主干呕。臣

痰[1]饮

大黄 **寒**，大寒

甘遂 **寒**，大寒

芒消 大寒

茯苓 **平**

柴胡 **平**，微寒

芫花[2] **温**，微温

前胡 微寒

术[3] **温**

细辛 **温**

旋覆花 **温**

厚朴 **温**，大温

人参 **微寒**，微温

枳实 **寒**，微寒

橘皮 **温**

半夏 **平**，生微寒，熟温

生姜 微温

甘竹叶 大寒

荛花 **寒**，微寒

臣禹锡等谨按《蜀本》

威灵仙 温

《药对》

射干 微温。主胸中结气。使

乌头 大热。主心中痰[4]冷，不下食。使

吴茱萸 大热。主痰冷，腹内诸冷。臣

朴消 大寒。主痰满停结。君

巴豆 温。主痰饮留结，利水谷，破肠中冷。

高良姜 大温

宿食

大黄 **寒**，大寒

巴豆 **温**，生温熟寒

朴消 **寒**，大寒

柴胡 **平**，微寒

术 **温**

桔梗 **微温**

厚朴 **温**，大温

皂荚 **温**

曲[5] 温

---

① 痰：敦煌《集注》作“淡”。

② 花：敦煌《集注》作“华”，下同。

③ 术：敦煌《集注》误作“木”。下同。

④ 痰：刘《大观》、柯《大观》作“寒”。

⑤ 曲和下页①蘖：本书分立为二条，敦煌《集注》合并为一条作“曲蘗”。

蘖① 温

槟榔 温

腹胀满

麝香 **温**

甘草 **平**

人参 **微寒**，微温

术② **温**

干姜 **温**，大热

百合 **平**

厚朴 **温**，大温

庵蕳子 **微寒**，**微温**

枳实 **寒**，微寒

桑根白皮 **寒**

皂荚 **温**

大豆黄③卷 **平**

臣禹锡等谨按《唐本》

卷柏 温

《蜀本》

荜澄茄 温

《药对》

忍冬 温。主腹满。君

射干 微温。主胁下满急。使

香薷 微温。主腹满水肿。臣

旋覆花 温。主胁下寒热，下水。臣

◣ 诃藜勒

◣ 草豆蔻

心腹冷痛

当归 **温**，大温

人参 **微寒**，微温

芍药 **平**，微寒

桔梗 **微温**

干姜 **温**，大热

桂心④ 大热

蜀⑤椒 **温**，大热

附子 **温**，大热

吴茱萸 **温**，大热

乌头 **温**，大热⑥

术 **温**

甘草 **平**

礜石 **大热**，生温熟热

臣禹锡等谨按《蜀本》

腽肭脐 大热

肉豆蔻 温

零陵香 平

胡椒 大温⑦

红豆蔻 温

《药对》

黄芩 大寒。臣

戎盐 寒。臣

厚朴 温。臣

---

① 蘖和上页⑤曲：本书分立为二条，敦煌《集注》合并为一条作"曲孽"。

② 术：敦煌《集注》作"木"。下同。

③ 黄：敦煌《集注》无。

④ 心：敦煌《集注》无。

⑤ 蜀：敦煌《集注》无。

⑥ 热：成化《政和》、商务《政和》作"温"。

⑦ 胡椒 大温：刘《大观》、柯《大观》将其置"红豆蔻温"之下。

萆薢　平。臣

芎䓖　温。臣①

▶高良姜　大温

▶蜂子　平，微寒

▶蓬莪茂　温

▶蒜　温

肠鸣

丹参　微寒

桔梗　微温

海藻　寒

昆布　寒

▶半夏　生微寒，熟温

心下满急

茯苓　平

枳实　寒，微寒

半夏　平，生微寒，熟温

术　温

生姜　微温

百合　平

橘皮　温

臣禹锡等谨按《药对》

庵䕡子　微寒。主心下坚。臣②

杏仁　温。主心下急满。臣

石膏　大寒。主心下急。臣

心烦

石膏　微寒，大寒

滑石　寒，大寒

杏仁　温

栀子　寒，大寒

茯苓　平

贝母　平，微寒

通草　平

李根　大寒

竹沥③　大寒

乌梅　平

鸡子　微寒

豉　寒

甘草　平

知④母　寒

尿　寒

臣禹锡等谨按《蜀本》

卢会　寒

天竺黄　寒

胡黄连　平

《药对》

王不留行　平。主心烦。君

石龙芮　平。主心烦。君

玉屑　平。主胃⑤中热，心烦。君

鸡肶胵　微寒。除热，主烦热。臣⑥

寒水石　大寒。主烦热。臣

蓝汁　寒。主烦热。君

---

① 芎䓖　温。臣：刘《大观》、柯《大观》将其置“黄芩大寒臣”之上。

② 臣：柯《大观》无。

③ 竹沥：敦煌《集注》作“甘竹汁”。

④ 知：敦煌《集注》作“蝭”。

⑤ 胃：柯《大观》作“胸”。

⑥ 臣：柯《大观》作“君”。

楝实　寒。主大热狂①。使

廪米　温。止烦热。臣

败酱　微寒。主烦热。臣

梅核仁　平。除烦热。臣

蒺藜子　微寒。主心烦。臣②

龙齿角　平。主小儿身热。臣

牛黄　平。主小儿痫热，口不开，心烦。君

酸枣　平。主心烦。

积聚癥瘕

空青　**寒**，大寒

朴消　**寒**，大寒

芒消　大寒

石③硫黄　**温**，大热

粉锡④　**寒**

大黄　**寒**，大寒

狼毒　**平**

巴豆　**温**，生温熟寒

附子　**温**，大热

乌头　**温**，大热

苦参　**寒**

柴胡　**平**，微寒

鳖甲　**平**

蜈蚣　**温**

赭魁⑤　平

白马溺　微寒

鮀⑥甲　**微温**

礜石　**大热**，生温熟热。一本作矾石。［臣禹锡等谨按］矾石条，并无主疗积聚癥瘕之文。一本作矾石者为非。

芫⑦花　**温**，微温。［臣禹锡等谨按唐蜀本作荛花］今据《本经》荛花破积聚癥瘕，而芫花非的主，当作荛花。

鳣鱼　**微温**。［臣禹锡等谨按唐本］《蜀本》云：鮀龟甲微温，无此鳣鱼一味，遍寻本草，并无鳣鱼。上已有鮀甲，此鳣鱼为文误，不当重出。

臣禹锡等谨按《蜀本》

续随子　温

京三棱　平

太阴玄精　温

威灵仙　温

《药对》

牡蒙　平

蜀漆　平。主癥结癖气。使

贯众　微寒。主肠中邪气积聚。使

甘遂　寒。主散癥结积聚。使

天雄　大热。主破癥结积聚。使

理石　寒。主除热结，破积聚。

消石　寒。主破积聚坚结。君

◣猪肚　微温

---

① 狂：柯《大观本草札记》云："'狂'，另本作'任'。"

② 臣：柯《大观》作"君"。

③ 石：敦煌《集注》无。

④ 粉锡：敦煌《集注》作"胡粉"。

⑤ 魁：敦煌《集注》作"槐"。

⑥ 鮀：敦煌《集注》作"鳝"。

⑦ 芫：敦煌《集注》作"荛"。

鬼疰尸疰

雄黄 平，寒，大温

丹[①]砂 微寒

金牙 平

野[②]葛 温

马目毒公 温，微温

女青 平

徐长卿 温

虎骨 平

狸骨 温

鹳骨 大寒[③]

獭肝 平

芫青 微温

白僵蚕 平

鬼臼 温，微温。[臣禹锡等谨按神农本草] 鬼臼一名马目毒公。今此疗鬼疰、尸疰药，双出二名，据本草说为重，当删去一条。然详陶隐居注：鬼臼条下，以鬼臼与马目毒公为二[④]物，及古方多有两用处，今且并存之。

白盐 寒。［臣禹锡等谨按］《本经》言：盐[⑤]有食盐、光明盐、绿盐、卤盐，大盐、戎盐六条，并无白盐之名。遍检诸盐，皆不主鬼疰、尸疰。惟食盐主杀鬼蛊邪疰。又陶隐居注：戎盐条下，述虏中盐有九种。云白盐、食盐常食者，则白盐乃食盐之类。而食盐主杀鬼蛊邪疰。疑此白盐，乃食盐耳。即当为[⑥]温，又不当为寒也。

臣禹锡等谨按《蜀本》

天灵盖 平

腽肭脐 大热

《药对》

麝香 温，君。

卷柏 温，臣。

败天公 平，臣[⑦]

▶蚱蝉 寒

▶白鲜皮 寒

▶牛黄 平

▶龙齿 平，微寒

▶雷丸 寒，微寒

▶安息香 平

▶代赭 寒[⑧]

惊邪

雄黄 平，寒，大温

丹砂 微寒

紫石英[⑨] 温

---

① 丹：敦煌《集注》作“朱”。

② 野：敦煌《集注》作“冶”。

③ 大寒：刘《大观》、柯《大观》无。

④ 二：成化《政和》、商务《政和》作“一”。

⑤ 本经言盐：刘《大观》、柯《大观》作白小字，《本经》文标记。

⑥ 为：刘《大观》、柯《大观》作“云”。

⑦ 臣：柯《大观》作“君”。

⑧ 寒：刘《大观》、柯《大观》无。

⑨ 紫石英：敦煌《集注》误作“紫菀”。按，敦煌《集注》重出“紫菀”而无“紫石英”。

茯神① 平

龙齿 **平**

龙胆 **寒**，大寒

防葵 **寒**

马目毒公 **温**，微温

升麻 平，微寒

麝香 **温**

人参 **微寒**，微温

沙参 **微寒**

桔梗 **微温**

白薇 **平**，大寒

远志 **温**

柏实② **平**

鬼箭 **寒**

鬼督邮 平

小草 **温**

卷柏 **温**，平，微寒

紫菀 温

羚羊角 **寒**，微寒

鲍③**甲** **微温**

丹雄鸡 **微温**，微寒

犀角 **寒**，微寒

羖羊角 **温**，微寒

茯苓 **平**

蚱蝉 **寒**

臣禹锡等谨按《蜀本》

缩砂蜜 温

【鬼臼

癫痫

龙齿角 平

牛黄 **平**

防葵 **寒**

牡丹 **寒**，微寒

白敛 **平**，微寒

莨菪子 **寒**

雷丸 **寒**，微寒

钓藤 微寒

白僵蚕 **平**

蛇床子④ **平**

蛇蜕 **平**

蜣螂 **寒**

白马目 **平**

铅丹 **微寒**

蚱蝉 **寒**

白狗血 温

豚卵 **温**⑤

猪牛犬等齿 平

熊胆 寒

臣禹锡等谨按《蜀本》

卢会 寒

玳瑁 寒

《药对》

白马悬蹄 平。臣

淡竹沥 大寒。臣

---

① 茯神：柯《大观》作白字《本经》文标记。

② 实：敦煌《集注》作“人”。

③ 鲍：敦煌《集注》作“鳝”。

④ 子：敦煌《集注》无。

⑤ 温：柯《大观》作黑小字《别录》文标记。

蛇衔　微寒，主寒热，臣
秦皮①　微寒，大寒
头发　温
鸡子　平。主发热
狗粪中骨　平。臣
露蜂房　平。使
白鲜皮　寒，臣
雀②瓮　平。使
甘遂　寒。使
升麻　微寒。君
大黄　大寒。使
▲银屑　平③

喉痹痛

升麻　平，微寒
射干④　平，微温
杏仁　温
蒺藜子　温，微寒
棘针⑤　寒。[臣禹锡等谨按]《本经》⑥白棘一名棘针，不主喉痹痛。棘刺花条末云：又有枣针，疗喉痹不通。此⑦棘针字，当作枣针。
络石　温，微寒
百合　平
篁⑧竹叶　大寒
莽草　温
苦竹叶⑨　大寒
臣禹锡等谨按《唐本》
细辛　温
《药对》
豉　寒。治喉闭不通。使
当归　温。切，醋熬，傅肿上；亦主喉闭不通。君

噎病⑩

羚羊角　寒，微寒
通草　平
青竹茹　微寒
头垢　微寒
芦根　寒
牛龆　平
舂杵头细⑪糠　平
臣禹锡等谨按《药对》
鸬鹚头　微寒。主噎不通。
鲠
狸头骨　温
獭骨　平

---

① 秦皮：刘《大观》、柯《大观》作“秦白皮”。
② 雀：成化《政和》、商务《政和》误作“省”。
③ 平：刘《大观》、柯《大观》无。
④ 射干：敦煌《集注》作“夜干”。
⑤ 棘针：敦煌《集注》作“枣针”。
⑥ 本经：刘《大观》、柯《大观》作白小字标记。
⑦ 此：柯《大观》作“则”。
⑧ 篁：敦煌《集注》作“芹”。
⑨ 苦竹叶：柯《大观》作《本经》药白小字标记。
⑩ 病：敦煌《集注》无。
⑪ 头细：敦煌《集注》无。

鸬鹚骨　微寒

齿痛

当归　**温**，大温

独活　**平**

细辛　**温**

蜀[①]**椒**　**温**，大热

芎䓖　**温**

附子　**温**，大热

莽草　**温**

矾石　**寒**

蛇床子　**平**

生地黄　大寒

莨菪子　**寒**

鸡舌香　微温

车下李根　寒。［臣禹锡等谨按《本经》］车下李根，郁李根也。

马悬蹄　**平**

雄雀屎　温

臣禹锡等谨按《蜀本》

枫香脂　平

《药对》

金钗　火烧针齿痛即止。

乌头　大热。使

白头翁　温。使

酒渍枳根　微寒

口疮

黄连　**寒**，微寒

檗木[②]　**寒**

龙胆　**寒**，大寒

升麻　**平**，微寒

大青　大寒

苦竹叶　大寒

石[③]蜜　平，微温

酪　寒

酥　微寒

豉　寒

臣禹锡等谨按《药对》

干地黄　平

吐唾血

羚[④]**羊角**　**寒**，微寒

白胶　平，温

戎盐　**寒**

柏叶　微温

艾叶　微温

水苏　**微温**

生地黄　大寒

大小[⑤]蓟　温

蛴螬　**微温**，微寒

饴糖　微温

伏龙肝　微温

黄土　平

臣禹锡等谨按《蜀本》

铛墨

---

① 蜀：敦煌《集注》无。

② 檗木：敦煌《集注》作“黄檗”。

③ 石：敦煌《集注》无。

④ 羚：敦煌《集注》无。

⑤ 小：敦煌《集注》无。

《药对》

马通　微温。使

小麦　微寒。使

麦句姜　寒。君。天名精也。

▶牛膝　平。治痛痹。君

▶桑根白皮　寒

鼻衄血

矾石　寒

蒲黄　平

虾蟆蓝　寒。［臣禹锡等谨按］《本经》① 天名精一名虾蟆②蓝。

鸡苏　微温。［臣禹锡等谨按］《本经》③ 水苏一名鸡苏。

大蓟　温

艾叶　微温

桑耳　平

竹茹　微寒

猬皮　平

溺垽　平

蓝　寒

狗胆④　平

烧乱发　微温

臣禹锡等谨按《药对》

热马通　微温。傅顶止衄。使

▶生地黄　大寒⑤

鼻齆

通草　平

细辛　温

桂心⑥　大热

蕤核　温，微寒

薰草　平

瓜蒂　寒

耳聋

磁石　寒

昌蒲　温，平⑦

葱涕　平

雀脑　平

白鹅膏　微寒⑧

鲤鱼脑　温

络石　温，微寒

白颈蚯蚓　寒，大寒

臣禹锡等谨按《药对》

生麻油⑨　微寒，君⑩

乌贼鱼骨　微温。臣

---

① 本经：刘《大观》、柯《大观》作白小字标记。

② 蝶：原作“蟖”，据刘《大观》、柯《大观》改。

③ 《本经》：刘《大观》、柯《大观》作白小字标记。

④ 桑耳、猬皮、蓝、狗胆：以上4味药，刘《大观》、柯《大观》作黑字《别录》药标记。又“猬皮”，敦煌《集注》作“烧猬皮”。

⑤ 大寒：成化《政和》、商务《政和》无。

⑥ 心：敦煌《集注》无。

⑦ 平：刘《大观》、柯《大观》白小字标记。

⑧ 微寒：刘《大观》、柯《大观》无。

⑨ 麻油：刘《大观》、柯《大观》倒置。

⑩ 君：成化《政和》、商务《政和》作“温”。

土瓜　寒

乌鸡膏　寒

◣龙脑　微　寒

鼻息肉

藜芦　**寒**，微寒

矾石　**寒**

地胆　**寒**

通草　**平**

白狗胆　平

臣禹锡等谨按《药对》

细辛　温。君

桂心　大热

瓜蒂　寒。臣

◣雄黄　平，大温

目赤[1]热痛

黄连　**寒**，微寒

蕤核　**温**，微寒

石胆　**寒**

空青　**寒**，大寒

曾青　**小寒**

决明子　**平**，微寒

檗木[2]　**寒**

栀子　**寒**，大寒

荠子　温

苦竹叶[3]　大寒

鸡子白　微寒

鲤鱼胆　**寒**

田中螺　大寒

车前子　**寒**

菥蓂子　**微温**

臣禹锡等谨按《药对》

细辛　温。明目。君

铜青　寒。主风烂泪出。

秦皮　微寒。主目赤热泪出。

石榴皮　温。主目赤痛，泪下。使

白薇　大寒。主目赤热。臣[4]

目肤翳

秦皮　**微寒**，大寒

细辛　**温**

真珠　寒

贝子[5]　**平**

石决明　平

麝香　**温**

马目[6]**毒公**　**温**，微温

伏翼　**平**

青羊胆　平

蛴螬汁[7]　**微温**，微寒

菟丝子　**平**

臣禹锡等谨按《蜀本》

石蟹　寒

---

① 赤：敦煌《集注》无。

② 檗木：敦煌《集注》作“黄檗”。

③ 叶：其下，敦煌《集注》有“目肤翳”3字。

④ 臣：刘《大观》、柯《大观》无。

⑤ 子：敦煌《集注》作“齿”。

⑥ 马目：敦煌《集注》无。

⑦ 汁：成化《政和》、商务《政和》无。

《药对》

丹砂　微寒

声音哑

昌蒲　温，平①

石②**钟乳　温**

孔公孽　温

皂角③**　温**

苦竹叶　大寒

麻油　微寒

臣禹锡等谨按《药对》

通草　平。利九窍，出声。臣

面皯疱

菟丝子　平

麝香　温

熊脂　微寒，微温

女萎④**　平**

藁本　温，微寒

木兰　寒

栀子　寒，大寒

紫草　寒

白瓜子　平，寒

臣禹锡等谨按《药对》

蜂子　微寒。君

白敛　平。主光泽。

白术　温。君

山茱萸　平。臣

◣冬瓜子　平，寒

◣白僵蚕　平

◣蜀葵花　平

◣白附子　平

发秃落

桑上寄生　平

秦椒　温，生温熟⑤寒

桑根白皮　寒

麻子⑥**　平**

桐叶　寒

猪膏⑦　微寒

雁肪　平

马鬐膏　平

松叶　温

枣根

鸡肪　［臣禹锡等谨按药对］云：鸡肪，寒。

荆子　微寒，温。［臣禹锡等谨按］《本经》有蔓荆、牡荆，此只言荆子。据朱字，合是蔓荆子。及据《唐本》云：味苦、辛，故定知非牡荆子矣。

---

① 平：刘《大观》、柯《大观》作白小字标记。

② 石：敦煌《集注》无。

③ 角：刘《大观》、柯《大观》、敦煌《集注》作“荚”。

④ 女萎：敦煌《集注》作“萎蕤”。

⑤ 熟：成化《政和》、商务《政和》误作“热”。

⑥ 子：其下，敦煌《集注》有“人”字。

⑦ 膏：其上，敦煌《集注》有“脂”字。

灭瘢

鹰屎白　平

白[1]僵蚕　平

衣鱼[2]　温

◣白附子　平

◣蜜陀僧　平

金疮

石胆　寒

蔷薇　温，微寒

地榆　微寒

艾叶　微温

王不留行　平

白头翁[3]　温

钓[4]樟根　温

石灰　温

狗头骨　平

臣禹锡等谨按《药对》

薤白　温。主金疮，止痛，疮中风，水肿。臣

车前子　寒，止血。

当归　温。君

芦竹箨　寒。主金疮生肉。使

桑灰汤　平。臣

蛇衔　微寒。臣

葛根　平。臣

◣水杨花　寒

◣突厥白　寒

踒折

生鼠　微温

生龟　平

生地黄　大寒

乌雄鸡血　平

乌鸡骨　平

李核仁　平

臣禹锡等谨按《蜀本》

自然铜　平

木鳖子　温

骨碎补　温

无名异　平

《药对》

续断　微温。臣

瘀血

蒲黄　平

琥珀　平

羚羊角　寒，微寒

牛膝　平

大黄　寒，大寒

干地黄　寒

朴消　寒，大寒

紫参　寒，微寒

桃仁　平

---

① 白：敦煌《集注》无。

② 衣鱼：敦煌《集注》作“衣中白鱼”。

③ 翁：敦煌《集注》作“公”。

④ 钓：敦煌《集注》作“钧”。

虎杖　微温
茅根　**寒**
䗪虫　**寒**
虻虫　**微寒**
水蛭　**平**，微寒
蜚蠊　**寒**
臣禹锡等谨按《蜀本》
天南星
《药对》
鲍鱼　温。主踒跌。
饴糖　微温。去血病。臣
神屋　平。主血。
庵蕳子　微寒。主藏血，身中有毒。臣
芍药　微寒。主逐贼血①。
鹿茸　温。主血流在腹。臣
车前子　寒。主瘀血痛。
牡丹　微寒。主除留血。使
射干　微温。主除留血、老血。使
藕汁　寒。主消血。
天名精地菘是也　寒

火灼

柏白②皮　微寒
生胡麻　**平**
盐　寒。［臣禹锡等谨按］食盐，温。光明盐，平。绿盐，平。大盐，寒。戎盐，寒。并无主火灼之文，不知此果何盐也。
豆酱　寒
井底泥　寒
醋　温

黄芩　**平**，大寒
牛膝　平
栀子　**寒**，大寒

痈疽

络石　**温**，微寒③
黄耆　**微温**
白敛　**平**，微寒
乌④喙　微温
通草　**平**
败酱　**平**，微寒
白及　**平**，微寒
大黄　**寒**，大寒
半夏　**平**，生微寒熟温
玄参　**微寒**
蔷蘼　微寒
鹿角　**温**，微温
虾蟆　**寒**
土蜂子⑤　**平**
伏龙肝　微温
甘蕉根　大寒
臣禹锡等谨按《药对》
砺石　火烧于苦酒中焠⑥，杵破，醋和贴之，即消。

---

① 血：成化《政和》、商务《政和》作“风”。
② 白：敦煌《集注》无。
③ 微寒：刘《大观》、柯《大观》无。
④ 乌：其上，敦煌《集注》有“乌头”。
⑤ 子：敦煌《集注》作“房”。
⑥ 焠：刘《大观》、柯《大观》作“淬”。

乌贼鱼骨　微温。臣

鹿茸　温。臣

升麻　微寒。贴诸毒。君

赤小豆　平。主贴肿易消。臣

侧子　大热。主痈肿。

恶疮

雄黄　平，寒，大温

雌黄　平，大寒

粉锡①　**寒**

石②**硫黄　温，**大热

矾石　寒

松③**脂　温**

蛇床子　平

地榆　微寒

水银　寒

蛇衔　微寒

白敛　平，微寒

漏芦　寒，大寒

檗木④　**寒**

占斯　温

雚菌　平，微温

莽草　温

青葙子⑤　**微寒**

白及　平，微寒⑥

楝实　寒

及已　平

狼跋　寒⑦

桐叶　寒

虎骨　平

猪肚　微温

蔄茹　寒，微寒

藜芦　寒，微寒

石灰　温

狸骨　温

铁浆　平

臣禹锡等谨按《蜀本》

野驼脂

《药对》

苦参　寒。主诸恶疮软疖。君

白石脂　平。主疽痔恶疮。臣

蘩蒌　平。主积年恶疮。臣

藁本　温。臣

昌蒲　温。主风瘙。君

艾叶　微温。苦酒煎，主除癣及下部疮。臣

槲皮　平。臣

葵根　寒。君

柳华　寒。主马疥恶疮，煮洗立差。使

五加皮　微寒。主疽疮。使

梓叶　微寒。使

苎根　寒。主小儿赤丹。使

谷叶　平。洗之令生肉。臣

---

① 粉锡：敦煌《集注》作“胡粉”。

② 石：敦煌《集注》无。

③ 松：其下，敦煌《集注》有“柏”字。

④ 檗木：敦煌《集注》作“黄檗”。

⑤ 子：敦煌《集注》无。

⑥ 寒：柯《大观》作“温”。

⑦ 寒：柯《大观》作“平”。

萹竹　平。主浸淫疥①恶疮。使
天②麻　平。臣
孔公孽　温。主男女阴蚀疮。臣
紫草　寒。主小儿面上疮。使
马鞭草　平。主下部疮。臣

漆疮

蟹　寒
茱萸皮　温，大热
苦芙乌老切　微寒
鸡子白　微寒
鼠查见杉材注
井中苔萍　大寒
秫米　微寒
杉③材　微温
臣禹锡等谨按《蜀本》
石蟹　寒
漆姑叶　微寒
《药对》
芒消　大寒。傅漆疮。君
◣黄栌木　寒④

瘿瘤

小麦　微寒
海藻　寒
昆布　寒
文蛤　平⑤
半夏　平，生微寒熟温
贝母　平，微寒
通草　平
松萝　平
连翘　平
白头翁⑥　温
海蛤　平
生姜　微温
臣禹锡等谨按《药对》
玄参　微寒。主散颈下肿核。臣
杜蘅　温。臣

瘘疮⑦

雄黄　平，寒⑧，大温
礜石　大热，生温熟热
常⑨山　寒，微寒
狼毒　平
侧子　大热
连翘　平
昆布　寒
狸骨　温
王不留⑩行　平

---

① 疥：成化《政和》、商务《政和》作"疮"。
② 天：刘《大观》作"大"。
③ 杉：敦煌《集注》作"衫"。
④ 寒：刘《大观》、柯《大观》无。
⑤ 平：刘《大观》、柯《大观》作白小字标记。
⑥ 翁：敦煌《集注》作"公"。
⑦ 疮：敦煌《集注》无。
⑧ 雄黄　平，寒：刘《大观》、柯《大观》作黑字标记。
⑨ 常：敦煌《集注》作"恒"。
⑩ 留：敦煌《集注》作"流"。

斑①猫　寒

地胆　寒

鳖甲　平

臣禹锡等谨按《药对》

蟾蜍　寒。臣

附子　大热。使

漏芦　寒。主诸瘘。

白矾　寒。主瘘恶疮瘰疬。使

雌黄　平。主瘘疽恶疮。臣

车前子　寒

蛇衔　微寒。主鼠瘘。臣

◣虾蟆　寒

五②痔

白桐叶　寒

萹③蓄　平

猬皮　平

猪悬蹄　平

黄耆　微温

臣禹锡等谨按《蜀本》

五灵脂　温

五倍子　平

《药对》

龟甲　平。主五痔。臣

赤石脂　大温。君

檗木　寒。主肠痔。

榧子　平。臣

槐子　寒。君

蛇蜕　平

腊月鸲鹆　平。作屑，主五痔。

鳖甲　平。主五痔。臣

腐木檽　寒。臣

竹茹　微寒。臣

葈耳　微寒。臣

槲脉　平。烧作散，主痔。

◣槐鹅　微温

◣柏叶　平

◣艾叶　微温

脱肛④

鳖头　平

卷柏　温，平，微寒

铁精　微温

东壁土　平⑤

蜗牛　寒

生铁　微寒

䘌

青葙子　微寒

苦参　寒

蚺音髯蛇胆　寒

蝮蛇胆　微寒

大⑥蒜　温

---

① 斑：敦煌《集注》作“班”。

② 五：敦煌《集注》无。

③ 萹：成化《政和》、商务《政和》作“篇”。

④ 肛：敦煌《集注》误作“工”。

⑤ 平：柯《大观》作黑小字标记。

⑥ 大：其上，敦煌《集注》有“大枣”一药。

戎盐 **寒**①

臣禹锡等谨按《药对》

艾叶煎 微温。臣

▶ 马鞭草 平

蚘虫

薏苡根 **微寒**

雚菌 **平**，微温

干漆 **温**

楝根 微寒

茱萸根 **温**，大热

艾叶 微温

臣禹锡等谨按《药对》

石榴根 平。使

槟榔 温。君

▶ 鹤虱 平

▶ 龙胆 寒，大寒

寸白

槟榔 温

芜荑 **平**

贯众 **微寒**

狼牙 **寒**

雷丸 **寒**，微寒

青葙子 **微寒**

橘皮 **温**

茱萸根 **温**，大热

石榴根 平

榧②子 平

臣禹锡等谨按《药对》

桑根白皮 寒。臣

虚劳

丹砂 **微寒**

空青 **寒**，大寒

石③钟乳 **温**

紫石英④ **温**

白石英 **微温**

磁石 **寒**

龙骨 **平**，微寒

茯苓 **平**

黄耆 **微温**

干地黄 **寒⑤**

茯神 平

天门冬 **平**，大寒

署预 **温**，平

石斛 **平**

沙参 **微寒**

人参 **微寒**，微温

玄参 **微寒**

五味子⑥ **温**

肉⑦苁蓉 **微温**

---

① 戎盐 寒：成化《政和》、商务《政和》脱。又“戎”，敦煌《集注》无。

② 榧：敦煌《集注》作“巴豆”。

③ 石：敦煌《集注》无。又“石”上，敦煌《集注》有“曾青”一药。

④ 英：敦煌《集注》无。

⑤ 寒：柯《大观》无。

⑥ 子：敦煌《集注》无。

⑦ 肉：敦煌《集注》无。

续断 **微温**

泽泻 **寒**

牡丹 **寒**，微寒

芍药 **平**，微寒

牡桂 **温**

远志 **温**

当归 **温**，大温

牡蛎 **平**，微寒

五加皮①　**温**，微寒

白棘 **寒**

覆盆子　平

巴戟天 **微温**

牛膝 **平**

杜仲 **平**，温

柏实②　**平**

桑螵蛸 **平**

石龙芮 **平**

石南③　**平**

桑根白皮 **寒**

地肤子 **寒**

车前子 **寒**

麦门冬 **平**，微寒

干漆 **温**

菟丝子 **平**

蛇床子 **平**

枸杞④**子** **微寒**

大枣 **平**

枸杞根 **大寒**

麻子 **平**

胡麻 **平**

臣禹锡等谨按《唐本》

葛根　平

《蜀本》

补骨脂　大温

《药对》

甘草　平，补益五脏，下气，长肌肉，制诸药。君

黄雌鸡　平。主续绝。臣

萎蕤　平。补不足，除虚劳客热，头痛。君

甘菊　平。补中。益五脏。君

紫菀　温。主劳气。臣

狗脊　平。补益丈夫。臣

藕实　平⑤，寒。补中养气。君

蜂子　微寒。补虚冷。君

芜菁芦菔　温。益五脏，轻身。君

赤石脂　大温。主养心气。君

蔷薇　微寒。主五脏寒热。君

云母　平。主气益精。君

枳实　微寒。主虚羸少气。君

防葵　寒。君

阴痿

白石英 **微温**

阳起石 **微温**

巴戟天 **微温**

---

① 皮：敦煌《集注》无。

② 实：敦煌《集注》作“子”。

③ 南：其下，敦煌《集注》有“草”字。

④ 枸杞：敦煌《集注》作“苟起”。下同。

⑤ 平：刘《大观》、柯《大观》无。

肉苁蓉 **微温**

五味子①　**温**

蛇床子　**平**

地肤子　**寒**

铁精　**微温**

白马茎　**平**

菟丝子　**平**

原蚕蛾　热

狗阴茎　**平**

雀卵　温

臣禹锡等谨按《药对》

樗鸡　平。使

五加皮　微寒。主阴痿下湿。使

覆盆子　平。能长阴。臣

牛膝　平。主阴湿②。君

石南　平，使

白及　微寒。主阴痿，使

小豆花　平。主阴痿不起。使

◣山茱萸　平，微温

◣天雄　温，大温

阴㿉③

海藻　**寒**

铁精　**微温**

狸阴茎　温

狐阴茎④　微寒

蜘蛛　微寒

蒺藜　**温**，微寒

鼠阴　平

臣禹锡等谨按《药对》

虾蟆衣　寒。主阴肿。

地肤子　寒

槐皮　煮汁，主阴肿。

囊湿

五加皮⑤　**温**，微寒

槐枝　作槐皮

檗木⑥　**寒**

虎掌　**温**，微寒⑦

庵䕡子　**微寒**，微温

蛇床子　**平**

牡蛎　**平**，微寒

泄精

韭子　温

白龙骨　**平**，微寒

鹿茸　**温**，微温

牡蛎　**平**，微寒

桑螵蛸　**平**

车前子叶　**寒**

泽泻　**寒**

石榴皮　平

獐骨　微温⑧

臣禹锡等谨按《药对》

---

① 子：敦煌《集注》无。

② 湿：刘《大观》作“消”。

③ 㿉：敦煌《集注》作“颓”。

④ 茎：敦煌《集注》无。

⑤ 皮：敦煌《集注》无。

⑥ 檗木：敦煌《集注》作“黄檗”。

⑦ 寒：刘《大观》、柯《大观》作“温”。

⑧ 温：刘《大观》、柯《大观》作“寒”。

五味子　温。主泄精。臣

棘刺　寒。使

菟丝子　平。主精自出。君

薰草　平。臣

石斛　平。君

钟乳　温。臣

麦门冬　微寒。臣

好眠

通草　平

孔公孽　温

马头骨　微寒

牡鼠目　平

荼茗　微寒

◣沙参　微寒

不得眠

酸枣仁①　平

榆叶　平

细辛　温

臣禹锡等谨按《药对》

沙参　微寒。臣

◣乳香　温

腰痛

杜仲　平，温

萆薢　平

狗脊　平，微温

梅实　平

鳖甲　平

五加皮②　温　微寒

菝葜　平，温

爵床　寒

臣禹锡等谨按《蜀本》

木鳖子　温

《药对》

牡丹　**寒③，**微寒。使

石斛　平。君

附子　**温④，**大热。使

◣鹿角胶　平，温⑤

◣牛膝　平

◣鹿茸　**温⑥，**微温

◣乌喙　微温

◣续断　微温

妇人崩中

石胆　寒

禹馀粮　寒，平

赤石脂　大温

牡蛎　平，微寒⑦

龙骨　平，微寒

蒲黄　平

---

① 仁：敦煌《集注》无。

② 皮：敦煌《集注》无。

③ 寒：刘《大观》、柯《大观》无。

④ 温：刘《大观》、柯《大观》无。

⑤ 平，温：刘《大观》、柯《大观》无。

⑥ 温：刘《大观》、柯《大观》作黑小字标记。

⑦ 寒：成化《政和》、商务《政和》作"温"。

白①僵蚕 平

牛角鳃 **温**

乌贼鱼骨 **微温**

紫葳 **微寒**

桑耳 **平**

生地黄 大寒

檗木② **寒**

白茅根 **寒**

艾叶 **微温**

鮀③甲 **微温**

鳖甲 **平**

马蹄④ 平

白胶 **平**，温

丹雄鸡 **微温**，微寒

阿胶 **平**，微温

鬼箭 **寒**

鹿茸 **温**，微温

大小蓟根 温

马通 微温

伏龙肝 微温⑤

干地黄 **寒**

代赭 **寒⑥**

臣禹锡等谨按《药对》

柏叶 微温。酒渍，主吐血及崩中赤白。君

续断 温。臣

淡竹茹 微寒。臣⑦

白芷 温。主漏下赤白。臣

猬皮 平。臣

饴糖 微温。臣

地榆 微寒。主漏⑧下赤血。

月闭

鼠妇 **微温**，微寒

䗪虫 **寒**

虻虫 **微寒**

水蛭 **平**，微寒

蛴螬 **微温**，微寒

桃⑨仁 **平**

狸阴茎 温

土瓜根 **寒**

牡丹 **寒**，微寒

牛膝 **平**

占斯 温

虎杖 微温

阳起石 **微温**

桃毛 **平**

白垩 **温⑩**

铜镜鼻 **平**

臣禹锡等谨按《药对》

---

① 白：敦煌《集注》无。

② 檗木：敦煌《集注》作“黄檗”。

③ 鮀：敦煌《集注》作“鳝”。

④ 蹄：其下，敦煌《集注》有“甲”字。

⑤ 微温：柯《大观》无。

⑥ 代赭 寒：刘《大观》、柯《大观》将其列在“牡蛎”之上。

⑦ 臣：刘《大观》、柯《大观》无。

⑧ 漏：成化《政和》、商务《政和》作“温”。

⑨ 桃：其下，敦煌《集注》有“核”字。

⑩ 白垩 温：敦煌《集注》作“白恶朱点为热”。

白茅根　寒。主血闭。臣

大黄　大①寒，寒②。治月候不通。使

射干　微温。使

卷柏　温。臣

生地黄　大寒。君

干漆　温。治血闭。臣

鬼箭　寒。破陈血。使

庵蔄子　微寒。臣

朴消　寒②，大寒。君

无子

紫石英[③]　**温**

石[④]**钟乳**　**温**

阳起石　**微温**

紫葳　**微寒**

桑螵蛸　**平**

艾叶[⑤]　微温

秦皮　**微寒**，大寒

卷柏　**温**，平，微寒

臣禹锡等谨按《蜀本》

列当　温

《药对》

覆盆子　平。臣

白胶　温。君

白薇　大寒。臣

安胎

紫葳　**微寒**

白胶　**平**，温

桑上寄生　**平**

鲤鱼　寒

乌雌鸡　**温**

葱白　平

阿胶　**平**，微温

臣禹锡等谨按《唐本》

生地黄　大寒

《蜀本》

猪苓　平

《药对》

艾叶　微温

堕胎

雄黄　**平**，**寒**⑥，大温

雌黄　**平**，大寒

水银　**寒**

粉锡[⑦]　**寒**

朴消　**寒**，大寒

飞生虫[⑧]　平

溲疏　**寒**，微寒

大戟　**寒**，大寒

巴豆　**温**　生温熟寒

野[⑨]**葛**　**温**

---

① 大：刘《大观》误作“木”。

② 寒：刘《大观》、柯《大观》无。

③ 英：敦煌《集注》无。

④ 石：敦煌《集注》无。

⑤ 叶：敦煌《集注》无。

⑥ 寒：成化《政和》、商务《政和》无。

⑦ 粉锡：敦煌《集注》作“胡粉”。

⑧ 飞生虫：即鼺鼠。

⑨ 野：敦煌《集注》作“冶”。

牛黄 平
藜芦 寒，微寒
牡丹 寒，微寒
牛膝 平
桂心① 大热
皂荚 温
蕳茹 寒，微寒
踯躅 温
鬼箭 寒
槐子 寒
薏苡② 微寒
瞿麦 寒
附子 温，大热
天雄 温，大温
乌头 温，大热
乌喙 微温
侧子③ 大热
蜈蚣 温
地胆 寒
斑猫 寒
芫青 微温
亭长 微温
水蛭 平，微寒
虻虫 微寒
䗪虫 寒
蝼蛄 寒
蛴螬 微温，微寒
猬皮 平
蜥蜴 寒
蛇蜕 平
蟹爪 寒
芒消 大寒
臣禹锡等谨按《药对》
榄根 大热。使
茼草 温。使
牵牛子 寒。使
◣半夏 平④，生微寒，熟温
◣虎掌 温，微寒
◣鬼臼
◣代赭 寒⑤
◣蚱蝉 寒⑤
◣麝香 温
◣桃仁 平
◣荛花 寒，微寒
◣狼牙 寒
◣生鼠 微温

难产

槐子 寒
桂心① 大热
滑石 寒，大寒
贝母 平，微寒
蒺藜 温，微寒
皂荚 温
酸浆 平，寒
蚱蝉 寒

① 心：敦煌《集注》无。
② 苡：其下，敦煌《集注》有“根”字。
③ 侧子：刘《大观》、柯《大观》作白大字标记，视其为本经药。
④ 平：刘《大观》、柯《大观》无。
⑤ 寒：刘《大观》、柯《大观》无。

蝼蛄　寒

鼺力水力佳二切**鼠　微温**

生鼠肝　平

乌雄鸡冠①血　温

弓弩②弦　平

马衔　平

败酱　平，**微寒**

榆皮　平

蛇蜕　平

臣禹锡等谨按《药对》

麻油　微寒。治产难，胞不出。君

泽泻　寒。治胞不出。

牛膝　平

陈姜　大热

猪脂酒　各随多少服，主产难，衣③不出。

■飞生虫　平

■兔头　平

■海马　寒

■伏龙肝　温④

■冬葵子　寒⑤

产后病

干地黄　寒

秦椒　温，生温热寒

败酱　平，**微寒**

泽兰　微温

地榆　微寒

大豆　平

臣禹锡等谨按《药对》

大豆紫汤　温。治产后中风，恶血不尽痛。

羖羊角　微寒。烧灰酒服，主产后烦闷。臣

羚羊角　微寒。主产后血闷。臣

鹿角散　温。主堕娠，血不尽。臣

小豆散　平。主产后血不尽，烦闷。臣

三岁陈枣核　平。烧灰治产后腹痛。使

■⑥芍药　平，微寒⑦

■⑥当归　**温**，大温⑧

■⑥红蓝花　温⑨

■⑥豉　寒

下乳汁

石⑩钟乳　温

漏芦　寒，大寒

蛴螬　微温，微寒

栝楼⑪　寒

---

① 冠：敦煌《集注》作“肝”。

② 弩：敦煌《集注》无。

③ 衣：按上文“麻油”“泽泻”2条注文，当是“胞”字。

④ 温：柯《大观》无。

⑤ 寒：刘《大观》、柯《大观》无。

⑥ ■：刘《大观》无。

⑦ 平，微寒：刘《大观》、柯《大观》无。

⑧ 温，大温：刘《大观》、柯《大观》无。

⑨ 温：刘《大观》、柯《大观》无。

⑩ 石：敦煌《集注》无。

⑪ 楼：其下，敦煌《集注》有“子”字。

土瓜根[①] **寒**
狗四足 平
猪四足 小寒
臣禹锡等谨按《药对》
葵子 寒
猪胰 平。臣
▲木通 平

中蛊
桔梗 **微温**
鬼臼 **温，**微温
马目毒公[②] **温，**微温
犀角 **寒，**微寒
斑猫 **寒**
芫青 微温
葛[③]上亭长 微温
射罔 大热
鬼督邮 平
白蘘荷 微温
败鼓皮 平
蓝宝 **寒**
臣禹锡等谨按《药对》
赭魁 平。使
徐长卿 温。使
羖羊角 微寒。臣
野葛 温。使
羖羊皮 平。使
獭肝 平。使
露蜂房 平。使
雄黄 平。君
槲树皮 平

臣禹锡等谨按序例所载外《药对》主疗如后

出汗
麻黄 温。臣
杏仁 温。臣
枣叶 平。君
葱白 平。臣
石膏 大寒。臣
贝母 微寒。臣
山茱萸 平。臣
葛根 平，臣
▲[④]干姜 温，大热
▲[④]桂心 大热
▲[④]附子 温，大热
▲[④]生姜 微温
▲[④]薄荷 温
▲[④]蜀椒 温，大热
▲[④]豉 寒

---

① 根：敦煌《集注》作“蒂”。

② 马目毒公：以上4字是一味药物的名称，敦煌《集注》将其分为“马目”“毒公”2条。

③ 葛：敦煌《集注》无。

④ ▲：柯《大观》、成化《政和》、商务《政和》无。

止汗

干姜　温①，大热。臣

柏实　平。君

麻黄根并故竹扇末　臣

白术　温。君

粢粉杂豆豉熬末

半夏　平②，生微寒，熟温。使

牡蛎　微寒③杂杜仲　平④水服

■⑤枳实　寒，微寒

■⑤松萝　平

惊悸心气

络石　温①，微寒。主大惊入腹。君

人参　微寒⑥，微温。君

茯苓　平。君

柏实　平。君

沙参　微寒。臣

龙胆　大寒。主惊伤五内。君

羖羊角　微寒。臣

桔梗　微温。臣

小草　温。君

远志　温。君

银屑　平⑦。君⑧

紫石英　温。君

白石英　微温。君

薏苡仁　微寒，主肺⑨

麦门冬　微寒⑩。治肺痿。臣

肺痿

人参　微寒⑥，微温。治肺痿。君

天门冬　大寒。治肺气。君

蒺藜子　微寒。治肺痿。臣

茯苓　平。君

下气

麻黄　温，微温⑪。臣

杏仁　温。冷利⑫。臣

厚朴　温，大温⑬。臣

橘皮　温。臣

半夏　平②，生微寒，熟温。使

白前　微温。臣

---

① 温：刘《大观》、柯《大观》无。

② 平：刘《大观》、柯《大观》无。

③ 微寒：柯《大观》无。

④ 平：柯《大观》无。

⑤ ■：柯《大观》、成化《政和》、商务《政和》无。

⑥ 微寒：刘《大观》、柯《大观》无。

⑦ 平：刘《大观》、柯《大观》作“温”。

⑧ 君：成化《政和》、商务《政和》作“臣”。

⑨ 主肺：柯《大观》作“臣”。

⑩ 寒：成化《政和》、商务《政和》作“温”。

⑪ 微温：刘《大观》、柯《大观》无。

⑫ 冷利：刘《大观》、柯《大观》无。

⑬ 大温：刘《大观》、柯《大观》无。

生姜 微温。臣

前胡 微寒。臣

李树根白皮 大寒。使

苏子 温。臣

石硫黄 温①，大热。臣

白茅根 寒。臣

蒺藜子 微寒。臣

蚀脓

蕳茹 寒

雄黄 平，寒，大温②

桔梗 微温

龙骨 微寒

麝香 温

白芷 温

大黄 大寒

芍药 平③，微寒

当归 温，大温④

藜芦 寒

巴豆 生温熟寒⑤

地榆 微寒

女人血闭腹痛

黄耆 微温

芍药 平③，微寒

紫参 寒

桃仁 平

细辛 温

紫石英 温

干姜 温①，大热

桂心 大热

茯苓 平

女人血气历腰痛

泽兰 微温

当归 温，大温④

甘草 平

细辛 温

柏实 平

牡丹 寒⑥，微寒

牡蛎 微寒

女人腹坚胀

芍药 平③，微寒

黄芩 大寒

茯苓 平

---

① 温：刘《大观》、柯《大观》无。

② 寒，大温：刘《大观》、柯《大观》无。

③ 平：刘《大观》、柯《大观》无。

④ 大温：刘《大观》、柯《大观》无。

⑤ 生温熟寒：刘《大观》、柯《大观》作“温”。

⑥ 寒：刘《大观》、柯《大观》无。

解百药及金石等毒例[1]

蛇虺百虫毒

雄[2]黄

巴豆

麝香

丹砂[3]

干姜[4]

蜈蚣毒

桑[5]汁及[6]煮桑根汁

蜘蛛毒

蓝青[7]

麝香

蜂毒

蜂[8]房

蓝青汁[9]

狗毒

杏[10]仁

矾石

韭根

人尿汁

恶气瘴毒[11]

犀[12]角

羚羊角

雄黄

麝香

喉痹肿邪气恶毒入腹

升[13]麻

犀角

射[14]干

风肿毒肿

沉香

木香

---

① 解百药及金石等毒例：敦煌《集注》作“解毒”。

② 雄：其上，敦煌《集注》有“用”字。

③ 丹砂：敦煌《集注》无。

④ 干姜：敦煌《集注》无。

⑤ 桑：其上，敦煌《集注》有“用”字。

⑥ 及：敦煌《集注》作“若”。

⑦ 蓝青：其上，敦煌《集注》有“用”字；其下，敦煌《集注》有“盐”字。

⑧ 蜂：其上，敦煌《集注》有“用”字。

⑨ 汁：敦煌《集注》无。

⑩ 杏：其上，敦煌《集注》有“用”字。

⑪ 毒：其下，敦煌《集注》有“百毒”2字。

⑫ 犀：其上，敦煌《集注》有“用”字。

⑬ 升：其上，敦煌《集注》有“用”字。

⑭ 射：敦煌《集注》作“夜”。

薰陆香

鸡舌香

麝香①

紫檀香

百②药毒

甘③草

荠苨

大小豆汁

蓝汁

蓝实④

射罔毒

蓝⑤汁

大小豆汁

竹沥

大麻子汁

六畜血

贝齿屑

蒀根屑

蚯蚓屎⑥

藕芰汁⑦

野葛毒

鸡子清⑧

葛根汁

甘草汁

鸭头热血

猪膏⑨　若已⑩死口噤者，以大竹筒盛冷水⑪，注两胁及⑫脐上，暖辄⑬易之。口须臾开，开则内药，药入口，便活矣。用荠苨汁解之⑭。

斑猫、芫青毒

猪⑮膏

大豆汁

戎盐

蓝汁

盐汤煮猪膏

巴豆⑯

---

① 沉香　木香　薰陆香　鸡舌香　麝香：以上5味药，敦煌《集注》简称“五香”。

② 百：其下，敦煌《集注》有“病”字。

③ 甘：其上，敦煌《集注》有“用”字。

④ 蓝实：敦煌《集注》作“及蓝皆解之”。

⑤ 蓝：其上，敦煌《集注》有“用”字。

⑥ 屎：敦煌《集注》作“屑”。

⑦ 芰汁：敦煌《集注》作“菱汁并解之”。

⑧ 鸡子清：敦煌《集注》作“用鸡子粪汁”。

⑨ 猪膏：敦煌《集注》作“温猪膏并解之”。

⑩ 已：原作“巳”，据文理改。

⑪ 筒盛冷水：敦煌《集注》作“冷水内筒中”。

⑫ 及：敦煌《集注》作“若”（义同“或”）。

⑬ 辄：柯《大观》作“及”。

⑭ 用荠苨汁解之：敦煌《集注》无。

⑮ 猪：其上，敦煌《集注》有“用”字。

⑯ 盐汤煮猪膏　巴豆：刘《大观》、柯《大观》将2条合并为“盐汤煮猪膏巴豆”。又，敦煌《集注》作“及盐汤煮猪膏及巴豆并解之”。

狼毒毒

杏仁

蓝①汁

白敛

盐汁

木占斯②

踯躅毒

栀子汁③

巴豆毒

煮④黄连汁

大豆汁

生藿汁

昌蒲屑汁

煮寒水石汁⑤

藜芦毒

雄黄⑥

煮葱汁

温汤⑦

雄黄毒

防已⑧

甘遂毒

大豆汁⑨

蜀椒毒

葵⑩子汁

桂⑪汁

豉汁

人溺

冷⑫水

土浆⑬

食蒜

鸡毛烧吸烟及水调服⑭

半夏毒

生⑮姜汁

---

① 蓝：其上，敦煌《集注》有“用”字。

② 盐汁　木占斯：敦煌《集注》作“及盐汁及盐汤煮猪木占斯并解之”。

③ 栀子汁：敦煌《集注》作“用支子汁解之”。

④ 煮：其上，敦煌《集注》有“用”字。

⑤ 汁：其下，敦煌《集注》有“并解之”。

⑥ 雄黄：敦煌《集注》作“用雄黄屑”。

⑦ 汤：其下，敦煌《集注》有“并解之”。

⑧ 防已：敦煌《集注》作“用防己解之”。

⑨ 大豆汁：敦煌《集注》作“用大豆汁解之”。

⑩ 葵：其上，敦煌《集注》有“用”字。

⑪ 桂：其上，敦煌《集注》有“煮”字。

⑫ 冷：其上，敦煌《集注》有“及”字。

⑬ 土浆：敦煌《集注》作“及餐土”。

⑭ 吸烟及水调服：敦煌《集注》作“咽并解之”。

⑮ 生：其上，敦煌《集注》有“用”字。

煮干姜汁①

礜石毒

大②豆汁

白鹅膏③

芫花毒

防己

防④风

甘草

桂汁①

乌头、天雄、附子毒

大②豆汁

远志

防风

枣肌

饴糖⑤

莨菪毒

荠⑥苨

甘草汁⑦

犀角

蟹汁⑧

马刀毒

清水

大戟毒

昌蒲汁⑨

桔梗毒

白粥⑩

杏仁毒

蓝子汁⑪

诸菌毒

掘地作坑⑫，以水沃中，搅令浊，俄顷饮之名曰地浆⑬。

---

① 汁：其下，敦煌《集注》有“并解之”。

② 大：其上，敦煌《集注》有“用”字。

③ 白鹅膏：敦煌《集注》作“白膏并解之”。

④ 防：其上，敦煌《集注》有“用”字。

⑤ 糖：其下，敦煌《集注》有“并解之”。

⑥ 荠：其上，敦煌《集注》有“用”字。

⑦ 汁：成化《政和》、商务《政和》无。

⑧ 汁：敦煌《集注》作“并解之”。

⑨ 昌蒲汁：敦煌《集注》作“用昌蒲汁解之”。

⑩ 白粥：敦煌《集注》作“用粥解之”。

⑪ 蓝子汁：敦煌《集注》作“用蓝子汁解之”。

⑫ 坑：敦煌《集注》作“坎”。

⑬ 名曰地浆：成化《政和》、商务《政和》脱。

防葵毒

葵根汁① 按：防葵，《本经》无毒，试用亦②无毒。今用葵根汁，应是解狼毒浮者尔。［臣禹锡等谨按蜀本］云：防葵伤火者不可服，令人恍惚，故以解之。

野芋毒

土③浆

人粪汁④

鸡子毒

淳醋⑤

铁毒

磁石⑥

食诸肉马肝漏脯中毒

生韭汁

韭根烧末⑦

烧猪骨末⑧

头⑨垢

烧犬屎酒服，豉汁亦佳

食金银毒

服水银数两即出

鸭血⑩

鸡子汁

水淋鸡屎汁⑪

食诸鱼中毒

煮橘皮

生芦苇⑫根汁

大豆汁⑬

马鞭草汁⑭

烧末鲛鱼皮

大黄汁

煮朴消汁

食蟹中毒

生藕汁⑮

---

① 葵根汁：敦煌《集注》作“用葵根汁解之”。

② 亦：柯《大观》作“云”。

③ 土：其上，敦煌《集注》有“用”字。

④ 人粪汁：敦煌《集注》作“及粪汁并解之”。

⑤ 淳醋：敦煌《集注》作“用淳醋解之”。

⑥ 磁石：敦煌《集注》作“用磁石解之”。

⑦ 韭根烧末：敦煌《集注》无。

⑧ 猪骨末：敦煌《集注》作“末猪骨”。

⑨ 头：其上，敦煌《集注》有“又”字。

⑩ 鸭血：敦煌《集注》作“又鸭血及”。

⑪ 汁：其下，敦煌《集注》有“并解之”。

⑫ 生芦苇：敦煌《集注》作“及生芦笋”。

⑬ 大豆汁：敦煌《集注》无。

⑭ 马鞭草汁：敦煌《集注》无。

⑮ 生藕汁：敦煌《集注》无。

煮干蒜汁①

冬瓜汁　一云：生②紫苏汁，藕屑及煮③干苏汁。

食诸菜毒

甘④草

贝齿

胡粉⑤三种末水和服之

小儿溺、乳汁服二升佳⑥

饮食中毒心⑦烦满

煮苦参汁⑧饮之，令吐出即止⑨

服⑩石药中毒

白鸭屎汁⑪

人参汁⑫

服⑩药过剂闷乱者

吞鸡子黄

蓝汁

水和胡粉

地浆

蘘荷汁

粳米粉汁

豉汁

干姜

黄连屑

饴糖⑬

水和葛粉饮⑭

---

① 煮干蒜汁：敦煌《集注》无。

② 生：其上，敦煌《集注》有“捣”字。

③ 煮：原脱，据敦煌《集注》补。

④ 甘：其上，敦煌《集注》有“以”字。

⑤ 胡粉：“胡”，敦煌《集注》脱。“粉”字下，刘《大观》、柯《大观》有“右”字。

⑥ 佳：其上，敦煌《集注》有“亦”字。

⑦ 心：敦煌《集注》无。

⑧ 汁：敦煌《集注》无。

⑨ 即止：敦煌《集注》无。

⑩ 服：敦煌《集注》作“食”。

⑪ 汁：敦煌《集注》作“解之”。

⑫ 汁：敦煌《集注》作“亦佳”。

⑬ 蓝汁……饴糖：以上共9味药名，敦煌《集注》在每味药名前有“又”字。

⑭ 水和葛粉饮：敦煌《集注》作“又水和胡粉饮之，皆良”。

服药食忌例[①]

有术，勿食桃、李及雀肉、胡荽、大蒜[②]、青鱼鲊等物[③]。

有藜芦，勿食狸肉。

有[④]巴豆，勿食芦笋羹及野[⑤]猪肉。

有黄连、桔梗，勿食猪肉。

有地黄，勿食芜荑。

有半夏、昌蒲，勿食饴糖及羊肉。

有细辛，勿食生菜。

有甘草，勿食菘菜。[臣禹锡等谨按唐本并伤寒论、药对]又云：勿食海藻。

有牡丹，勿食生胡荽[⑥]。

有商[⑦]陆，勿食犬肉。

有常山，勿食生葱、生菜。

有空青、朱砂，勿食生血物。

有茯苓，勿食醋[⑧]物。

有鳖甲，勿食苋菜。

有天门冬，勿食鲤鱼。

服药，不可多食生胡荽[⑥]及蒜杂生菜。又[⑨]不可食诸滑物果实等[⑩]。又[⑨]不可多食肥猪、犬肉、油腻[⑪]、肥羹、鱼脍、腥臊等物[⑫]。

服药，通忌见死尸及产妇淹秽事。

---

① 食忌例：敦煌《集注》作“忌食”。

② 胡荽、大蒜：敦煌《集注》作“胡蒜”。

③ 等物：敦煌《集注》无。

④ 有：其上，敦煌《集注》有“服药”2字。

⑤ 野：敦煌《集注》无。

⑥ 荽：敦煌《集注》作“蒜”。

⑦ 商：敦煌《集注》作“当”。

⑧ 醋：敦煌《集注》作“诸酢”。

⑨ 又：其上，敦煌《集注》有“服药”2字。

⑩ 等：敦煌《集注》作“菜”。

⑪ 油腻：敦煌《集注》无。

⑫ 鱼脍、腥臊等物：敦煌《集注》作“鱼臊脍”。

凡[1]药不宜入汤酒者

朱砂　熟入汤[2]
雄黄[3]
云母
阳起石　入酒[4]
钟乳　入酒
银屑
孔公孽　入酒
礜石　入酒[4]
矾石　入酒[4]
石硫黄　入酒[5]
铜镜鼻
白垩
胡粉
铅丹
卤咸[6]　入酒
石灰　入酒[4]
藜灰
　右一十七种[7]石类
野葛
狼毒
毒公
鬼臼
莽草
巴豆
踯躅[8]
蒴藋　入酒
皂[9]荚　入酒
藋菌
藜芦
蔄茹
贯众　入酒
狼牙
芫荑
雷丸
鸢尾
蒺藜　入酒
女苑
葈耳
紫葳　入酒[4]
薇衔　入酒[4]
白及
牡蒙
飞廉

---

① 凡：敦煌《集注》无。
② 熟入汤：敦煌《集注》无。
③ 雄黄：刘《大观》、柯《大观》作“雌黄”。
④ 入酒：敦煌《集注》无。
⑤ 石硫黄　入酒：敦煌《集注》作“流黄”。
⑥ 咸：原作“盐”，据刘《大观》、柯《大观》、敦煌《集注》改。
⑦ 一十七种：敦煌《集注》无。
⑧ 躅：其下，刘《大观》、柯《大观》有“入酒”2字。
⑨ 皂：成化《政和》、商务《政和》作“白”，疑为“皂”字缺笔之误。

蛇衔
占斯
辛夷
石南　入酒①
虎掌
枳实②
虎杖　入酒单浸③
芦根④
羊桃　入酒①
麻勃
苦瓠
瓜蒂
陟厘
云实
狼跋⑤　入酒
槐子　入酒①
地肤子
青葙子
蛇床子　入酒①
茺蔚子⑥
菥蓂子
王不留行
菟丝子　入酒
　右四十八种⑦草木类
蜂子
蜜蜡
白马茎
狗阴茎⑧
雀卵
鸡子
雄鹊
伏翼
鼠妇
樗鸡
萤火
蠮⑨螉
僵蚕
蜈蚣
蜥蜴
斑猫
芫青
亭长
地胆
虻虫
蜚蠊
蝼蛄
马刀
赭魁
虾蟆
蜗牛
生鼠

---

① 入酒：敦煌《集注》无。

② 枳实：刘《大观》、柯《大观》作“棣实”。

③ 浸：敦煌《集注》作“渍”。

④ 芦根：刘《大观》、柯《大观》作“蔔根”。

⑤ 跋：其下，敦煌《集注》有“子”字。

⑥ 子：刘《大观》、柯《大观》无。

⑦ 四十八种：敦煌《集注》无。

⑧ 茎：刘《大观》、柯《大观》、敦煌《集注》无。

⑨ 蠮：敦煌《集注》作“蟻”。

生龟　入酒①

诸鸟兽　入酒①

虫鱼膏、骨②、髓、胆、血、屎、溺

右二十九种③虫兽类

寻万物之性，皆有离合，虎啸风生，龙吟云起，磁石引针，琥珀拾芥，漆得蟹而散，麻得漆而涌，桂得葱而软。树得桂而枯，戎盐累卵，獭胆分杯。其④气爽有相关感，多如此类，其理不可得而思之。至于诸药，尤能递为利害，先圣既明有所说⑤，何可不详而避之。时⑥人为方，皆多漏⑦略。若旧方已有，此病亦应改除。假如两种相⑧当，就其轻重，择⑨而除之。伤寒赤散，吾常⑩不用藜芦。断下黄连丸，亦去其干姜而施之，无⑪不效。何忽⑫强以相憎⑬，苟令共事乎，相反为害，深于相恶。相恶⑭者，谓彼虽恶我，我无忿心，犹如牛黄恶龙骨，而龙骨得牛黄更良，此有以⑮制伏故也。相反者，则彼我交仇，必不宜合。今画家用雌黄、胡粉相近，使自黯妒。粉得黄即⑯黑，黄得粉亦变，此盖相反之证⑰也。药理既昧，所以不效⑱，人多轻之。今按方处治，必恐卒难⑲寻究本草，更复抄出其事在此，览略看之，易可知验。而《本经》有直云茱萸、门冬者，无以辨山、吴，天、麦之异，咸宜各题其条。又⑳有乱误处，譬如海蛤之与鲍甲，畏恶正同。又有诸芝使署预，署预复使紫芝。计无应如此，不㉑知何者是非？亦且㉒并记，当更广验㉓正之。又《神农

---

① 入酒：敦煌《集注》无。

② 骨：敦煌《集注》无。

③ 二十九种：敦煌《集注》无。

④ 戎盐累卵，獭胆分杯。其：敦煌《集注》无。

⑤ 明有所说：敦煌《集注》作“明言其说”。

⑥ 时：敦煌《集注》作“世”。

⑦ 漏：成化《政和》、商务《政和》作“为”。

⑧ 假如两种相：敦煌《集注》作“假令而两种”。

⑨ 择：其下，敦煌《集注》有“可除”2字。

⑩ 常：敦煌《集注》作“恒”。

⑪ 无：其上，敦煌《集注》有“殆”字。

⑫ 忽：敦煌《集注》作“急”，成化《政和》、商务《政和》作“忽”。

⑬ 憎：敦煌《集注》作“增”。

⑭ 相恶：成化《政和》、商务《政和》无。

⑮ 以：其下，敦煌《集注》有“相”字。

⑯ 即：敦煌《集注》作“则”。

⑰ 证：敦煌《集注》作“征”。

⑱ 不效：敦煌《集注》无。

⑲ 必恐卒难：敦煌《集注》作“恐不必卒能”。

⑳ 又：原作“人”，据刘《大观》、柯《大观》、敦煌《集注》改。

㉑ 不：其上，敦煌《集注》有“而”字。

㉒ 且：敦煌《集注》作“宜”。

㉓ 当更广验：敦煌《集注》作“当便广检”。

本经》相使，正①各一种，兼以《药对》参②之，乃有两三，于事亦无嫌。其有云相得共疗某③病者，既非妨避之禁，不复疏出。

玉石上部④

玉泉　畏款冬花。

玉屑　恶鹿角。

丹砂　恶磁石，畏咸水。

空青　［臣禹锡等谨按药性论］云：畏菟丝子。

曾青　畏⑤菟丝子。

石胆　水英为使⑥，畏牡桂、菌桂、芫花、辛夷、白薇。［臣禹锡等谨按药性论］云：陆英为使。

钟乳　蛇床子为使，恶牡丹，玄石、牡蒙，畏紫石英、蘘草。［臣禹锡等谨按药性论］云：忌羊血。

云母　泽⑦泻为使，畏蛇甲及⑧流水。［臣禹锡等谨按药性论］云：恶徐长卿，忌羊血。

消石　火⑨为使，恶苦参、苦菜，畏女苑⑩。［臣禹锡等谨按蜀本］云：大黄为使。［药性论］云：恶曾青，畏粥。［日华子］云：畏杏仁、竹叶。

朴消　畏麦句姜⑪。

芒消　石韦为使，恶麦句姜。

生消　［臣禹锡等谨按详定本］云：恶麦句姜。

矾石　甘草为使，畏⑫牡蛎。［臣禹锡等谨按药性论］云：畏麻黄。

滑石　石韦为使⑥，恶曾青。

紫石英　长石为使，畏扁青、附子，不欲蛇⑬甲、黄连、麦句姜。

白石英　恶马目毒公⑭。

五色石脂　［臣禹锡等谨按日华子］云：畏黄芩、大黄。

赤石脂　恶大黄、畏芫花。［臣禹锡等谨按药性论］云：恶松脂。

黄石脂　曾青为使，恶细辛，畏蜚蠊⑮。

白石脂　燕粪⑯为使，恶松脂，畏黄芩。

---

① 正：敦煌《集注》作“止”。

② 参：其上，敦煌《集注》有“人”字。

③ 某：成化《政和》、商务《政和》作“其”。

④ 玉石上部：敦煌《集注》作“石上”。

⑤ 畏：《医心方》作“恶”。

⑥ 为使：敦煌《集注》作“为之使”。下同。

⑦ 泽：其上，敦煌《集注》有“恶徐长卿”。

⑧ 及：敦煌《集注》作“反”。

⑨ 火：敦煌《集注》作“萤火”。

⑩ 苑：其下，敦煌《集注》有“粥”字。

⑪ 朴消　畏麦句姜：敦煌《集注》、真本《千金》将其列在消石之前。又“畏”，《千金》、真本《千金》作“恶”。

⑫ 畏：敦煌《集注》、真本《千金》作“恶”。

⑬ 蛇：敦煌《集注》作“鳝”。

⑭ 马目毒公：真本《千金》作“鬼臼”。

⑮ 蠊：其下，《千金方》有“扁青、附子”。

⑯ 燕粪：“燕”，《医心方》作“鸡”。“粪”，敦煌《集注》作“矢”。

［臣禹锡等谨按蜀本］云：畏黄连、甘草、飞廉。［药性论］云：恶马目毒公。

太一①馀粮　杜仲为使，畏铁落、昌蒲、贝母。

禹馀粮　［臣禹锡等谨按萧炳］云：牡丹为使。

玉石中部②

金　［臣禹锡等谨按日华子］云：畏水银。

水银　畏磁石③

水银粉　［臣禹锡等谨按陈藏器］云：畏磁石、石黄④，忌一切血。

生银　［臣禹锡等谨按蜀本］云：畏黄连、甘草、飞廉。［药性论］云：恶马目毒公。［日华子］云：畏石亭脂，忌羊血。

殷孽　恶防已，畏术⑤。

孔公孽　木兰为使⑥，恶细辛。［臣禹锡等谨按药性论］云：忌羊血。

石硫黄　［臣禹锡等谨按日华子］云：石亭脂、曾青为使，畏细辛、蜚蠊、铁。

阳起石　桑螵蛸为使，恶泽泻、菌桂、雷丸、蛇蜕皮，畏菟⑦丝子。［臣禹锡等谨按药性论］云：恶石葵，忌羊血。

石膏　鸡子为使，恶莽草、毒公⑧。［臣禹锡等谨按药性论］云：恶巴豆，畏铁。

凝水石　畏地榆，解巴豆毒，

磁石　柴胡为使，畏黄石脂，恶牡丹、莽草⑨。

玄石　恶松脂、柏子仁、菌桂。

理石　滑石为使，畏麻黄。

铁　［臣禹锡等谨按日华子］云：畏磁石、灰炭。

玉石下部⑩

礜石　得火良，棘针为使，恶虎掌、毒公⑪、鹜屎⑫、细辛，畏水⑬。［臣禹锡等谨按药性论］云：铅丹为使，忌羊血。

青琅玕　得水银良，畏鸡骨⑭，杀锡毒。

---

① 一：其下，敦煌《集注》有“禹”字。

② 玉石中部：敦煌《集注》作“石中”。

③ 水银　畏磁石：敦煌《集注》将其列在“石上”。

④ 石黄：刘《大观》、柯《大观》作“石硫黄”。

⑤ 术：《医心方》误作“木”。

⑥ 为使：敦煌《集注》作“为之使”。下同。

⑦ 菟：其上，真本《千金》有“畏”字。

⑧ 毒公：真本《千金》作“鬼臼”。

⑨ 草：其下，敦煌《集注》、真本《千金》有“杀铁毒”。

⑩ 玉石下部：敦煌《集注》作“石下”。

⑪ 毒公：真本《千金》作“鬼臼”。

⑫ 鹜屎：《医心方》无。

⑬ 水：《医心方》作“水蛭”。

⑭ 鸡骨：敦煌《集注》作“乌鸡骨”，《医心方》作“乌头”。

特①生礜石 得火②良，畏水。

代赭 畏天雄。［臣禹锡等谨按药性论］云：雁门城土、干姜为使。［日华子］云：畏附③子。

方解石 恶巴豆。

大盐 漏芦为使④

硇砂 ［臣禹锡等谨按药性论］云：畏浆水，忌羊血。

草药上部

六芝 署预为使，得发良，恶常⑤山，畏扁青、茵陈蒿。

术 防风、地榆为使。

天门冬 垣衣、地黄为使，畏曾青⑥。［臣禹锡等谨按日华子］云⑦：贝母为使。

麦门冬 地黄、车前为使，恶款冬、苦瓠，畏苦参、青蘘⑧。［臣禹锡等谨按药性论］云：恶苦芙，畏木耳。

女萎 萎蕤⑨ 畏卤咸。

干地黄 得麦门冬、清⑩酒良，恶贝母，畏芜荑。

昌蒲 秦艽、秦皮为使，恶地胆、麻黄⑪。

泽泻 畏海蛤、文蛤。

远志 得茯苓、冬葵子、龙骨良，杀天雄，附子毒，畏真珠、蜚蠊、藜芦、齐蛤⑫。

署预 紫芝为使，恶甘遂。

石斛 陆英为使，恶凝水石、巴豆，畏白僵蚕、雷丸。

菊花 术⑬、枸杞根、桑根白皮为使。［臣禹锡等谨按蜀本］云⑭：青葙叶为使。

甘草 术、干漆、苦参为使，恶远志，反甘遂、大戟、芫花、海藻⑮。

人参 茯苓为使，恶溲⑯疏，反黎芦。［臣禹锡等谨按药性论］云：马蔺⑰为使，恶卤咸。

牛膝 恶荧火、龟甲、陆英，畏白前⑱。

---

① 特：成化《政和》、商务《政和》误作“时”。

② 得火：敦煌《集注》作“火炼之”。

③ 附：成化《政和》、商务《政和》作“然”。

④ 为使：敦煌《集注》作“为之使”。下同。

⑤ 常：敦煌《集注》作“恒”。

⑥ 青：其下，敦煌《集注》有“青耳”。

⑦ 云：原为小白字，据本书体例改。

⑧ 蘘：其下，敦煌《集注》有“青耳”。

⑨ 萎蕤：敦煌《集注》无。

⑩ 清：敦煌《集注》作“渍”。

⑪ 黄：其下，敦煌《集注》有“去节”2字。

⑫ 蛤：敦煌《集注》作“螬”。

⑬ 术：敦煌《集注》误作“木”。

⑭ 云：原为小白字，据本书体例改。

⑮ 海藻：敦煌《集注》倒置。

⑯ 溲：《医心方》作“搜”。

⑰ 蔺：成化《政和》、商务《政和》作“藺”。

⑱ 白前：《千金》作“车前”。

独活　蠡实为使①。

细辛　曾青、枣根为使②，恶狼毒、山茱萸、黄耆，畏滑石、消石，反藜芦。

柴胡　半夏为使，恶皂荚，畏女苑、藜芦。

庵蕳子③　荆子、薏苡仁为使。

车前子　［臣禹锡等谨按日华子］云：常山为使。

菥蓂子　得荆子④、细辛良，恶干姜、苦参。［臣禹锡等谨按药性论］云：苦参为使。

龙胆　贯众为使，恶防葵、地黄。［臣禹锡等谨按日华子］云：小豆为使。

菟丝子　得⑤酒良，署预、松脂为使，恶雚菌。

巴戟天　覆盆子为使，恶朝生、雷丸、丹参。

蒺藜子　乌头为使。

沙参　恶防已，反藜芦。

防风　恶⑥干姜、藜芦、白敛、芫花，杀附子毒。［臣禹锡等谨按唐本］云⑦：畏萆薢。

络石　杜仲、牡丹为使，恶铁落，畏⑧昌蒲、贝母。［臣禹锡等谨按药性论］云：恶铁精。

黄连　黄芩、龙骨、理石⑨为使，恶菊花、芫花、玄参、白鲜皮，畏款冬⑩，胜乌头，解巴豆毒。［臣禹锡等谨按蜀本］云：畏牛膝。

丹参　畏咸水，反藜芦。

天名精　垣⑪衣为使。［臣禹锡等谨按蜀本］云：地黄为使。

决明子　蓍⑫实为使，恶大麻子。

续断　地黄为使，恶雷丸。

芎䓖　白芷为使⑬。［臣禹锡等谨按唐本］云：恶黄连。［日华子］云：畏黄连。

黄耆　恶龟甲。［臣禹锡等谨按日华子］云：恶白鲜。

杜若　得辛夷、细辛良，恶柴胡、前胡。

蛇床子　恶牡丹、巴豆、贝母。

漏芦　［臣禹锡等谨按日华子］云：连翘为使。

茜根　畏鼠姑。

飞廉　得乌头良，恶麻黄。

薇衔　得秦皮良。

五味子　苁蓉为使，恶萎蕤，胜乌头。

---

① 独活　蠡实为使：刘《大观》、柯《大观》在下面“细辛”条之后。“实”，成化《政和》、商务《政和》误作“石”。“为使”，敦煌《集注》作“为之使”。

② 枣根为使：敦煌《集注》作“桑根白皮为之使”。

③ 子：敦煌《集注》无。

④ 子：敦煌《集注》作“实”。

⑤ 得：其上，敦煌《集注》有“宜丸不宜煮”。

⑥ 恶：《医心方》作“不欲”。

⑦ 云：原作小白字，据本书体例改。

⑧ 畏：敦煌《集注》无。

⑨ 理石：《医心方》无。

⑩ 冬：其下，《医心方》有“花”字。

⑪ 垣：《医心方》作“恒”。

⑫ 蓍：柯《大观》作“著”。

⑬ 为使：敦煌《集注》作“为之使，恶黄连”。

草药中部

当归　恶䕡茹，畏昌蒲、海藻、牡蒙。

秦艽[1]　昌蒲为使。［臣禹锡等谨按药性论］云：畏牛乳。

黄芩　山茱萸、龙骨为使，恶葱实，畏丹砂[2]、牡丹、藜芦。

芍药　须[3]丸为使，恶石斛、芒消，畏消石、鳖甲、小蓟，反藜芦[4]。

干姜　秦椒为使，恶黄连、黄芩、天鼠屎[5]，杀半夏、莨菪毒。［臣禹锡等谨按药性论］云：秦艽为使。

藁本　恶䕡茹。［臣禹锡等谨按药性论］云：畏青葙子。

麻黄　厚朴为使，恶辛夷、石韦。［臣禹锡等谨按蜀本］云：白薇为使。

葛根　杀野葛、巴豆、百药毒。

前胡　半夏为使，恶皂荚，畏藜芦。

贝母　厚朴、白薇为使，恶桃花，畏秦艽[6]、礜[7]石、莽草，反乌头。

栝楼　枸杞为使，恶干姜，畏牛膝、干漆，反乌头。

玄参　恶黄耆、干姜、大枣、山茱萸，反藜芦。

苦参　玄参为使，恶贝母、漏芦、菟丝子，反藜芦。

石龙芮　大戟为使，畏蛇蜕[8]、吴[9]茱萸。

萆薢　薏苡为使，畏葵根、大黄、柴胡、牡蛎、前胡。

石韦　滑石[10]、杏仁为使，得昌蒲良。［臣禹锡等谨按唐本］云：射干为使。

狗脊　萆薢为使[11]，恶败酱。［臣禹锡等谨按蜀本］云：恶莎草。

瞿麦　蘘草、牡丹为使，恶桑[12]螵蛸。

白芷　当归为使，恶旋覆花。

紫菀　款冬为使，恶天雄、瞿麦、雷丸、远志，畏茵陈。［臣禹锡等谨按唐本］云：恶藁本。

白鲜皮[13]　恶螵蛸、桔梗、茯苓、萆薢。

白薇　恶黄耆、大黄、大戟[14]、干姜、干漆、大枣、山茱萸。

紫参　畏辛夷。

淫羊藿[15]　署预为使。

款冬花[16]　杏仁为使，得紫菀良，恶皂荚、消石、玄参，畏贝母，

---

① 艽：敦煌《集注》作“胶”。

② 砂：敦煌《集注》作“参”，《医心方》作“沙”。

③ 须：《千金方》作“雷”。

④ 芦：其下，《医心方》有“恶葵菜”。

⑤ 屎：《千金》作“粪”。

⑥ 艽：敦煌《集注》作“椒”。

⑦ 礜：柯《大观》作“矾”。

⑧ 蜕：其下，《千金》有“皮”字。

⑨ 吴：敦煌《集注》无。

⑩ 滑石：敦煌《集注》无。

⑪ 为使：敦煌《集注》作“为之使”。下同。

⑫ 桑：原脱，据敦煌《集注》、《千金》补。

⑬ 皮：敦煌《集注》无。

⑭ 大黄、大戟：敦煌《集注》无。

⑮ 淫羊藿：真本《千金》、《千金》作“仙灵脾”。

⑯ 花：敦煌《集注》无。

辛夷、麻黄、黄芩、黄连、黄耆、青葙。

牡丹　畏菟丝子。[臣禹锡等谨按唐本]云：畏贝母、大黄。

防己　殷孽为使，恶细辛，畏萆薢，杀雄黄毒。

木防己　[臣禹锡等谨按药性论]云：畏女苑、卤咸。

女苑　畏卤咸。

泽兰　防己为使。

地榆　得发良，恶麦门冬。

海藻　反甘草。

莸香子　[臣禹锡等谨按日华子]云：得①酒良。

草药下部

大黄　黄芩为使②。

桔梗　节皮为使，畏白及、龙胆、龙眼。

甘遂　瓜蒂为使，恶远志，反甘草。

葶苈　榆皮为使，得酒良，恶③僵蚕、石龙芮。

芫花　决明④为使，反甘草。

泽漆　小豆为使，恶署预。

大戟　反甘草。[臣禹锡等谨按唐本]云：畏昌蒲、芦草、鼠屎。[药性论]云：反芫花、海藻。日华子云：小豆为使，恶署预。

钩吻　半夏为使，恶黄芩。

藜芦　黄连为使，反细辛、芍药、五参，恶大黄。

乌头、乌喙　莽草为使，反半夏⑤、栝楼、贝母、白敛、白及，恶藜芦。[臣禹锡等谨按药性论]云：远志为使，忌豉汁。

天雄　远志为使，恶腐婢。

附子　地胆为使，恶蜈蚣，畏防风、甘草、黄耆、人参、乌韭、大豆。

羊踯躅　[臣禹锡等谨按药性论]云：恶诸石及面。

贯众　雚菌为使。[臣禹锡等谨按药性论]云：赤小豆为使。

半夏　射干为使，恶皂荚，畏雄黄、生姜、干姜⑥、秦皮、龟甲，反乌头。[臣禹锡等谨按药性论]云：忌羊血、海藻，柴胡为使。

蜀漆　栝楼为使⑦，恶贯众。[臣禹锡等谨按药性论]云：畏橐吾。[萧炳]云：桔梗为使。

虎掌　蜀漆为使，畏⑧，莽草。

狼牙　芜荑为使，恶枣肌⑨、地榆。

---

① 得：成化《政和》、商务《政和》作“好”。

② 为使：敦煌《集注》作“为之使，无所畏”。

③ 恶：《医心方》引《范汪方》作“畏”。

④ 明：其下，《医心方》有“子”字。

⑤ 半夏：敦煌《集注》无。

⑥ 干姜：《医心方》无。

⑦ 为使：敦煌《集注》作“为之使”。下同。

⑧ 畏：敦煌《集注》、《医心方》作“恶”。

⑨ 枣肌：《千金》作“秦艽”。

常①山　畏玉扎②。［臣禹锡等谨按药性论］云：忌葱。［日华子］云：忌菘菜。

白及　紫石英为使，恶理石、李核仁、杏仁。［臣禹锡等谨按蜀本］云：反乌头。

白敛　代赭为使，反乌头。

雚菌　得酒良，畏鸡子。

白头翁　［臣禹锡等谨按药性论］云：豚实为使。［日华子］云：得酒良③。

蕳茹④　甘草为使，恶麦门冬。

荩草　畏鼠妇⑤。

夏枯草　土瓜为使。

乌韭　［臣禹锡等谨按日华子］云：垣衣为使。

牵牛子　［臣禹锡等谨按日华子］云：得青木香、干姜良。

狼毒　大豆为使，恶麦句姜⑥。

鬼臼　畏垣衣。

萹蓄　［臣禹锡等谨按药性论］云：恶丹石。

商陆　［臣禹锡等谨按日华子］云：得大蒜良。

女青　［臣禹锡等谨按药性论］云：蛇衔为使。

天南星　［臣禹锡等谨按日华子］云：畏附子、干姜、生姜。

木药上部

茯苓、茯神　马间⑦为使⑧，恶白敛，畏牡蒙、地榆、雄黄、秦艽、龟甲⑨。［臣禹锡等谨按蜀本］作：马蔺为使。

杜仲　恶蛇蜕⑩、玄参。

柏实⑪　牡蛎、桂心⑫、瓜子为使，畏⑬菊花、羊蹄、诸⑭石、面曲⑮。

干漆　半夏为使，畏鸡子。

蔓荆子⑯　恶乌头、石膏。

五加皮⑰　远志为使，畏蛇皮⑱、玄参。

檗木　恶干漆。

辛夷　芎䓖为使，恶五石脂，畏昌蒲、

---

① 常：敦煌《集注》、《千金》作“恒”。

② 扎：《千金》作“札”。

③ 药性论……得酒良：以上15字，柯《大观》作“日华子云得青木香、干姜良”。

④ 茹：《医心方》作“茄”。

⑤ 妇：《医心方》作“姑”，《纲目》作“负”。

⑥ 姜：其下，敦煌《集注》有“畏天名精”。

⑦ 间：《千金》作“蔺”。

⑧ 为使：敦煌《集注》作“为之使”。下同。

⑨ 甲：敦煌《集注》无。

⑩ 蜕：其下，敦煌《集注》有“皮”字。

⑪ 实：敦煌《集注》作“子”。

⑫ 心：敦煌《集注》无。

⑬ 畏：敦煌《集注》作“恶”。

⑭ 诸：《医心方》作“消”。

⑮ 面曲：《医心方》无。

⑯ 子：敦煌《集注》作“实”。

⑰ 五加皮：敦煌《集注》作“五加”，《医心方》作“五茄”。

⑱ 皮：《千金》作“蜕”。

蒲黄①、黄连、石膏、黄环。

酸枣仁 恶防已。

槐子 景②天为使。

牡荆实 防风③为使，恶石膏。

木药中部

厚朴 干姜为使，恶泽泻、寒水石、消石。

山茱萸 蓼实为使，恶桔梗、防风、防已。

吴茱萸 蓼实为使，恶丹参、消石、白垩，畏紫石英。

秦皮 大戟为使，恶吴④茱萸。［臣禹锡等谨按药性论］云：恶苦瓠、防葵。

占斯 解狼毒毒。

栀子 解踯躅毒。

秦椒 恶栝楼、防葵，畏雌黄。

桑根白皮 续断、桂心⑤、麻子为使。

紫葳 ［臣禹锡等谨按药性论］云：畏卤咸。

食茱萸 ［臣禹锡等谨按药性论］云：畏紫石英。

骐驎竭 ［臣禹锡等谨按日华子］云：得蜜陀僧良。

木药下部

黄环 鸢尾为使⑥，恶茯苓、防已⑦。

石南⑧ 五加皮⑨为使。［臣禹锡等谨按药性论］云：恶小蓟。

巴豆 芫花为使，恶蘘⑩草，畏大黄、黄连、藜芦，杀斑猫毒⑪。

栾华 决明为使。

蜀椒 杏仁为使，畏款冬⑫。［臣禹锡等谨按唐本］云：畏橐吾、附子、防风。［药性论］云：畏雄黄。

栾荆子 ［臣禹锡等谨按药性论］云：恶石膏，决明为使。

溲疏 漏芦为使。

皂荚 柏实⑬为使，恶麦门冬，畏空青、人参、苦参。

雷丸 荔实、厚朴为使，恶葛根。［臣禹锡等谨按药性论］云：蓄根、芫花为使。

兽上部

龙骨 得人参、牛黄良，畏石膏。

---

① 蒲黄：敦煌《集注》无。

② 景：其上，《千金》有“天雄”2字。

③ 风：成化《政和》、商务《政和》作“己”。

④ 吴：原脱，据《千金》补。

⑤ 心：《医心方》无。

⑥ 为使：敦煌《集注》作“为之使”。下同。

⑦ 防己：敦煌《集注》无。“己”，原作“已”，据药名改。

⑧ 南：其下，敦煌《集注》有“草”字。

⑨ 皮：敦煌《集注》无。

⑩ 蘘：《千金》作“蓑”。

⑪ 杀斑猫毒：敦煌《集注》无。

⑫ 款冬：敦煌《集注》作“橐吾”。

⑬ 柏实：敦煌《集注》作“青箱子”，《千金》《医心方》作“柏子”。

龙角　畏干漆、蜀椒、理石。

牛黄　人参为使，恶龙骨、地黄、龙胆、蜚①蠊，畏牛膝。[臣禹锡等谨按药性论]云：恶常山，畏干漆。

白胶　得火良，畏大黄。[臣禹锡等谨按蜀本]云：恶大黄。

阿胶　得火良，畏②大黄。[臣禹锡等谨按药性论]云：署预为使。

熊胆　[臣禹锡等谨按药性论]云：恶防己、地黄。

兽中部

犀角　松脂为使，恶雚菌、雷丸。

羖羊角　菟丝子为使。

鹿茸　麻勃为使。

鹿角　杜仲为使。

兽下部

麋脂　畏大黄。

伏翼　苋实、云实为使。

天鼠屎③　恶白敛、白薇。

虫鱼上部

蜜蜡④　恶芫花、齐⑤蛤。

蜂子　畏黄芩、芍药、牡蛎。[臣禹锡等谨按蜀本]云：畏白前。

牡蛎　贝母为使，得甘⑥草、牛膝、远志、蛇床⑦良，恶麻黄、吴⑧茱萸、辛夷。

桑螵蛸　畏旋覆花。

海蛤　蜀漆为使，畏狗胆、甘遂、芫花。

龟甲　恶沙参、蜚蠊。[臣禹锡等谨按药性论]云：畏狗胆。

鲤鱼胆　[臣禹锡等谨按药性论]云：蜀漆为使。

虫鱼中部

猬皮　得酒良，畏桔梗、麦门冬。

蜥蜴　恶硫黄、斑猫、芜荑。

露⑨蜂房　恶干姜、丹参、黄芩、芍药、牡蛎。

白僵蚕　[臣禹锡等谨按药性论]云：恶桑螵蛸、桔梗、茯苓，茯神、萆薢。

䗪虫　畏皂荚、昌蒲。

蜚虻　[臣禹锡等谨按药性论]云：恶麻黄。

蛴螬　蜚蠊⑩为使，恶附子。

水蛭　[臣禹锡等谨按日华子]云：畏石灰。

鳖甲　恶矾石。[臣禹锡等谨按药性论]

---

① 蜚：《医心方》作“飞”。

② 畏：《医心方》作“恶”。

③ 屎：《千金》作“粪”。

④ 蜜蜡：敦煌《集注》、《医心方》倒置。“蜡”，《医心方》作“腊”。

⑤ 齐：《医心方》作“文”。

⑥ 甘：《医心方》误作“其”。

⑦ 床：敦煌《集注》作“舌”。

⑧ 吴：敦煌《集注》无。

⑨ 露：敦煌《集注》无。

⑩ 蠊：敦煌《集注》作“蛇”，《千金》作“虫”。

云：恶理石。

蟹　杀莨菪毒、漆毒①。

鮀鱼甲②　蜀漆为使，畏狗胆、甘遂、芫花。

乌贼鱼骨　恶白敛、白及。［臣禹锡等谨按蜀本］云：恶附子。

虫鱼下部

蜣螂　畏羊角、石膏。

蛇蜕　畏磁石及酒③。［臣禹锡等谨按蜀本］云：酒熬之良。

斑猫　马刀为使，畏巴豆、丹参④、空青，恶肤青⑤。［臣禹锡等谨按日华子］云：恶豆花。

地⑥胆　恶甘草。

马刀　得水良。［臣禹锡等谨按唐本］云：得火良。

果上部

大枣　杀乌头毒。

莲花　［臣禹锡等谨按日华子］云：忌地黄、蒜。

果下部

杏仁　得火良，恶黄耆、黄芩、葛根，解锡、胡粉毒⑦，畏蘘⑧草⑨。

杨梅　［臣禹锡等谨按日华子］云：忌生葱。

菜上部

冬葵子　黄芩为使⑩。

菜中部

葱实　解藜芦毒。［臣禹锡等谨按药对］云：杀百草毒，能消桂花⑪为水。

米上部

麻蕡、麻子⑫　畏牡蛎、白薇，恶茯苓。

麻花　［臣禹锡等谨按药性论］云：䗪虫为使。

米中部

大豆及⑬黄卷　恶五参、龙胆，得前胡、乌喙、杏仁、牡蛎良，杀乌头毒。

大麦　蜜为使。

---

① 漆毒：敦煌《集注》无。

② 鮀鱼甲：敦煌《集注》作“鳝甲”。

③ 酒：其下，敦煌《集注》有“少熬之良”。

④ 丹参：《医心方》无。

⑤ 恶肤青：《医心方》无。又“青”下，敦煌《集注》有“豆花”。

⑥ 地：《医心方》作“蛇”。

⑦ 毒：《医心方》无。

⑧ 蘘：《千金》作“荠”。

⑨ 解锡、胡粉毒，畏蘘草：敦煌《集注》作“胡粉蘘草解锡毒”。

⑩ 为使：敦煌《集注》作“为之使”。又“使”下，敦煌《集注》有“葵根解蜀椒毒”。

⑪ 花：原作“化”，据刘《大观》、柯《大观》改。

⑫ 麻蕡、麻子：敦煌《集注》作“大麻”。

⑬ 及：敦煌《集注》无。

豉[1] [臣禹锡等谨按蜀本并药对]云：杀六畜胎子毒。

右二百三十一[2]种有相制使，其余皆无。三十四种续添

立冬之日，菊、卷柏先生时，为阳起石、桑螵蛸凡十物使，主二百草为之长。

立春之日，木兰、射[3]干先生，为柴胡、半夏使，主头痛四十五节。

立夏之日，蜚蠊先生，为人参、茯苓使，主腹中七节，保神守中。

夏[4]至之日，豕首、茱萸先生，为牡蛎、乌喙使，主四肢三十二节。

立秋之日，白芷、防风先生，为细辛、蜀漆使，主[5]胸背二十四节。

右此五条出《药对》中，义旨渊深，非俗[6]所究，虽莫可遵用，而是主统[7]之本，故亦载之[8]。

重修政和经史证类备用本草卷第二

---

① 豉：其下，敦煌《集注》有“杀六畜胎子毒”。又《千金》作“酱杀药毒、火毒”。

② 二百三十一：敦煌《集注》作“一百四十一”。

③ 射：敦煌《集注》作“夜”。

④ 夏：敦煌《集注》作“立”。

⑤ 主：敦煌《集注》无。

⑥ 非俗：敦煌《集注》作“所世”。

⑦ 统：其下，敦煌《集注》有“领”字。

⑧ 之：其下，敦煌《集注》有“也”字。

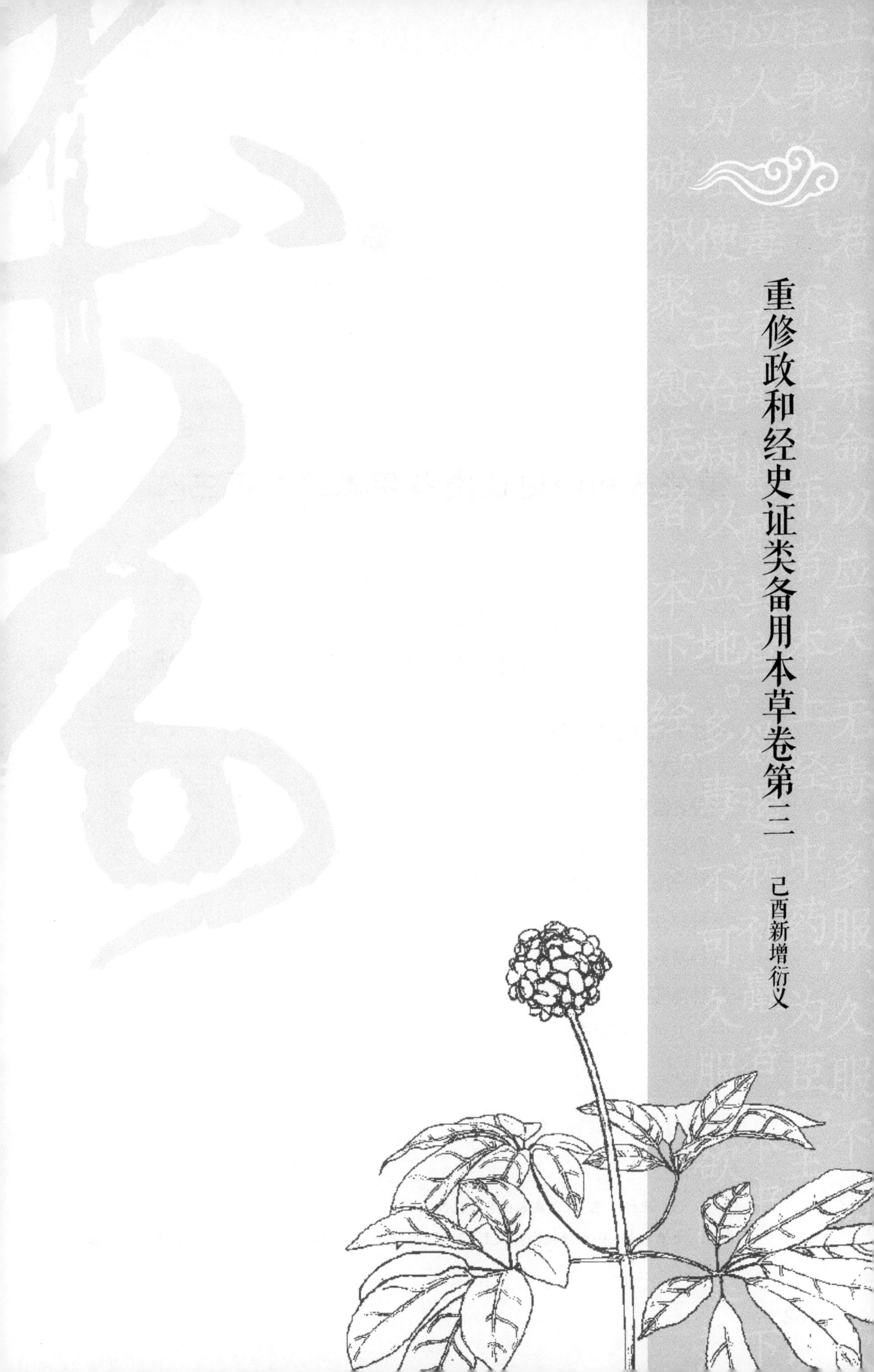

重修政和经史证类备用本草卷第三

己酉新增衍义

重修政和经史证类备用本草卷第三 己①酉新增衍义

成都唐慎微续证类

中卫大夫康州防御使句当龙德宫总辖修建明堂所医药提举入内医官编类圣济经提举太医学臣曹孝忠奉敕校勘②

玉石部上品总七十三种

一十八种神农本经 白字

三种名医别录 墨字

一种唐本先附 注云唐附

三种今附 皆医家尝用有效。注云今附

五种新补

五种新分条

三种海药余

三十五种陈藏器余

---

① 己：原作“巳”，据底本书首牌记改。

② 中卫大夫……奉敕校勘：以上47字，刘《大观》、柯《大观》、四库《证类》无。本书以下各卷同此。

凡墨盖子已①下并唐慎②微续证类③

丹砂	**云母**	玉屑	**玉泉**
石钟乳	**矾石**	**消石**	芒消
朴消 甜消附	玄明粉 新补	马牙消 新补	生消 今附
滑石	**石胆**	**空青**	**曾青**
禹馀粮	**太一馀粮**	**白石英**	**紫石英**
五色石脂	青石脂	赤石脂	黄石脂
白石脂	黑石脂 已上五种元附五色石脂，今新分条		
白青	绿青	石中黄子 唐附	无名异 今附
菩萨石 新补	婆娑石 今附	绿矾 新补	柳絮矾 新补
扁青			

三种海药余

车渠	金线矾	波斯矾

三十五种陈藏器余

金浆	古镜	劳铁	神丹
铁锈	布针	铜盆	钉棺下斧声
枷上铁钉	黄银	石黄	石脾
诸金	水中石子	石漆	烧石
石药	研朱石槌	晕石	流黄香
白师子	玄黄石	石栏干	玻璃
石髓	霹雳针	大石镇宅	金石
玉膏	温石	印纸	烟药
特蓬杀	阿婆赵荣二药	六月河中诸热砂	

---

① 已：原作“巳”，据文理改。

② 慎：刘《大观》作“谨”。此沿袭避南宋孝宗赵昚讳。

③ 凡墨盖……续证类：以上13字，柯《大观》无。本书以下各卷同此。

丹砂

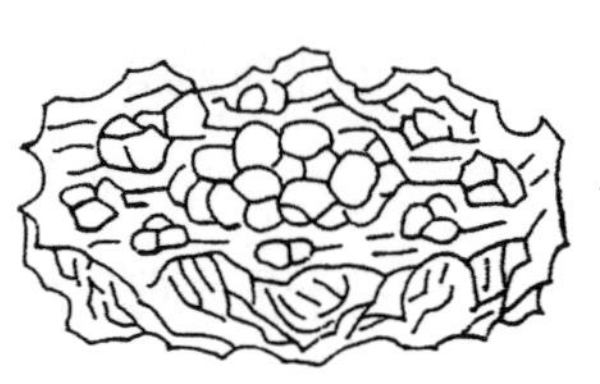

辰州丹砂

味甘，微寒，无毒。**主身体五脏百病，养精神，安魂魄，益气明目**，通血脉，止烦满，消渴，益精神，悦泽人面，**杀精魅邪恶鬼**，除中恶、腹痛、毒气、疥瘘、诸疮。**久服通神明不老**，轻身神仙，**能化为汞。**作末名真朱，光色如云母，可析者良。生符陵山谷。采无时。恶磁石，畏咸水。

宜州丹砂

［陶隐居］云：按，此化为汞及名真朱者，即是今朱砂也。俗医皆别取武都、仇池雄黄夹雌黄者，名为丹砂。方家亦往往俱用，此为谬矣。符陵是涪州，接巴郡南，今无复采者。乃出武陵、西川诸蛮夷中，皆通属巴地，故谓之巴砂。《仙经》亦用。越砂，即出广州、临漳者，此二处并好，惟须光明莹澈为佳。如云母片者，谓云母砂。如樗蒲①子，紫石英形者，谓马齿砂，亦好。如大小豆及大块圆滑者，谓豆砂。细末碎者，谓末砂。此二种粗，不入药用，但可画用尔。采砂，皆凿坎入数丈许。虽同出一郡县，亦有好恶。地有水井胜火井也。炼饵之法，备载《仙方》，最为长生之宝。

［唐本注］云：丹砂，大略二种，有土砂、石砂。其土砂，复有块砂、末砂，体并重而色黄黑，不任画用。疗疮疥亦好，但不入心腹之药尔，然可烧之，出水银

① 蒲：刘《大观》、柯《大观》作“蒱”。

乃多。其石砂便有十数种，最上者光明砂，云一颗别生一石龛内，大者如鸡卵，小者如枣栗，形似芙蓉，破之如云母，光明照澈，在龛中石台上生，得此者，带之辟恶为上；其次，或出石中或出水内，形块大者如拇指，小者如杏仁，光明无杂，名马牙砂，一名无重砂。入药及画俱善，俗间亦少有之。其有磨嵯、新井、别井、水井、火井、芙蓉、石末、石堆、豆末等砂，形类颇相似。入药及画，当择去其杂土石，便可用矣。南[①]有越砂，大者如拳，小者如鸡鹅卵，形虽大，其杂土石，不如细明净者。《经》言末之名真朱，谬矣，岂有一物而以全末为殊名者也。

［今注］今出辰州、锦州者，药用最良，余皆次焉。陶云出西川，非也。蛮夷中或当有之。

［臣禹锡等谨按药性论］云：丹砂，君，有大毒。镇心，主尸疰、抽风。

［日华子］云：凉，微毒。润心肺，治疮疥痂，息肉。服并涂用。

［图经曰］丹砂，生符陵山谷，今出辰州、宜州、阶州，而辰州者最胜，谓之辰砂。生深山石崖间，土人采之，穴地数十尺，始见其苗乃白石耳，谓之朱砂[②]床。砂生石上，其块大者如鸡子，小者如石榴子[③]，状若芙蓉头，箭镞。连床者紫黯若铁色，而光明莹澈，碎之崭岩作墙壁，又似云母片可析者，真辰砂也。无石者弥佳。过此，皆淘土石中得之，非生于石床者。陶隐居注：谓出武陵西川诸蛮中。今辰州乃武陵故地，虽号辰砂，而本州境所出殊少，往往在蛮界中溪溆、锦州得之，此地盖陶所谓武陵西川者是也。而后注谓出西川为非，是不晓武陵之西川耳。宜砂绝有大块者，碎之亦作墙壁，但罕有类物状，而色亦深赤，为不及辰砂，盖出土石间，非白石床所生也。然宜州近地春州、融州皆有砂，故其水尽赤，每烟雾郁蒸之气，亦赤黄色，土人谓之朱砂气，尤能作瘴疠，深为人患也。阶砂又次，都不堪入药，惟可画色耳。凡砂之绝好者，为光明砂，其次谓之颗块，其次谓之鹿蔌，其下，谓之末砂，而医方家惟用光明砂，余并不用。采无时。谨按：郑康成注《周礼》，以丹砂、石胆、雄黄、礜[④]石、磁石为五毒，古人惟以攻创疡。而《本经》以丹砂为无毒，故人多炼治服食，鲜有不为药患者。岂五毒之说胜乎？服饵者，当[⑤]以为戒。

---

① 南：成化《政和》、商务《政和》作“别”。

② 砂：刘《大观》误作“硃”。

③ 子：刘《大观》、柯《大观》作“颗”。

④ 礜：柯《大观》作“砦”。

⑤ 当：刘《大观》、柯《大观》作“常”。

[〖①雷公云] 凡使，宜须细认，取诸般尚②有百等，不可一一论之。有妙硫砂，如拳许大，或重一镒，有十四面，面如镜，若遇阴沉天雨，即镜面上有红浆汁出。有梅柏砂，如梅子许大，夜有光生，照见一室。有白庭砂，如帝珠子许大，面上有小星现。有神座砂，又有金座砂、玉座③砂，不经丹灶，服之而自延寿命。次有白金砂、澄水砂、阴成砂、辰锦砂、芙蓉砂、镜面砂、箭镞砂、曹末砂、土砂、金星砂、平面砂、神末砂，已上不可一一细述也。夫修事朱砂，先于一静室内，焚香斋沐，然后取砂，以香水浴过了，拭干，即碎捣之，后向钵中更研三伏时竟，取一瓷锅子着研了砂于内，用甘草、紫背天葵、五方草各剉之，著砂上下，以东流水煮亦三伏时，勿令水火阙失时候满，去三件草，又以东流水淘令净，干晒又研如粉，用小瓷瓶子盛，又入青芝草，山须草半两盖之，下十斤火煅，从巳至子时方歇。候冷再研似粉，如要服，则入熬蜜，丸如细麻子许大，空腹服一丸。如要入药中用，则依此法。凡煅，自然住火，五两朱砂，用甘草二两，紫背天葵一镒，五方草自然汁一镒，若东流水取足。

[外台秘要] 伤寒、时气、温疫、头痛、壮热脉盛，始得一二日者。取真砂一两，以水一斗，煮取一升，顿服，覆衣被取汗。

[又方] 辟瘟疫。取上等朱砂一两细研，以白蜜和丸如麻子大，常以太岁日平旦，一家大小勿食诸物，面向东立，各吞三七丸，永无疫疾④。

[又方] 疗心腹宿癥及卒得癥。取朱砂细研，搜饭令朱匀，以雄鸡一只，先饿二日，后以朱饭饲之，着鸡于板上，收取⑤粪，曝燥为末，温清酒服方寸匕至五钱⑥，日三服。若病困⑦者，昼夜可⑧六服。一⑨鸡少更饲，一鸡取足服之⑩，俟愈即止⑪。

---

① 〖：刘《大观》无。

② 尚：刘《大观》、柯《大观》作“上”。

③ 座：原作“坐”，据刘《大观》、柯《大观》改。

④ 永无疫疾：刘《大观》、柯《大观》无。

⑤ 取：柯《大观》无。

⑥ 方寸匕至五钱：刘《大观》、柯《大观》作“五分匕可至方寸匕”。

⑦ 困：其下，刘《大观》、柯《大观》有“急”字。

⑧ 可：其下，刘《大观》、柯《大观》有“五”字。

⑨ 一：刘《大观》、柯《大观》作“余”。

⑩ 服之：刘《大观》、柯《大观》无。

⑪ 俟愈即止：刘《大观》、柯《大观》作“鸡未食朱饭，先词令肥”。

[斗门方] 治小儿未满月惊着，似中风欲死者。用朱砂以新汲水浓磨汁，涂五心上，立差。最有神验。

[十全博救] 疗子死腹中不出。用朱砂一两，以水煮数沸，末之，然后取酒服之，立出。

[姚和众] 小儿初生六日，温肠胃，壮血气方：炼成朱砂如大豆许，细研，以蜜一枣大熟调，以绵揾取，令小儿吮之。一日令尽。

[太上八帝玄变经] 三皇真人炼丹方：丹砂一斤，色发明者，研末，重绢筛之，令靡靡，以醇酒不见水者沃丹，挠之令如荮泥状，盛以铜盘中，置高阁上，勿令妇人见，曝之，身自起居数挠燥，复沃之，当令如泥，若阴雨疾风，复藏之无人处，天晏，出曝之，尽酒三斗而成，能长曝之三百日，当紫色，握之不污手，如著手，未干可丸。欲服时，沐浴兰香，斋戒七日，勿令妇人近药过傍，丸如麻子大，常以平旦向日吞三①丸，服之一月，三虫出。服之五六月，腹内诸病皆差。服之一年，眉发更黑，岁加一丸。服之三年，神人至。

[张潞云] 乌髭鬓大效方：以小雌鸡一对，别处各养喂，不得令食虫并杂物，只与乌油麻一件，并与水吃，使鸡长大放卵时专觑取出，先放者卵收取，及别处，更放卵绝却收。先放者卵，细研好朱砂一两②，击破卵巅，些些作窍，入砂于卵内安置，用纸粘损处数重，候干用。后放者卵，一齐令鸡抱，候鸡子出为度。其药在卵内，自然结实，打破取出，烂研如粉，用蒸饼丸如绿豆大，不计时候，酒下五七丸，不惟变白，亦愈疾矣。

[青霞子] 丹砂，自然不死，若以气衰③，血散，体竭，骨枯，入石之功，稍能添益，若欲长生久视，保命安神，须饵丹砂，且八石见火，悉成灰烬，丹砂伏火，化为黄银，能重能轻，能神能灵，能黑能白，能暗能明，一斛人擎，力难升举，万斤遇火，轻速上腾，鬼神寻求，莫知所在。

[太清服炼灵砂法] 丹砂，外包八石，内含金精，先禀气于甲，受气于丙，出胎见壬，结魄成庚，增光归戊，阴阳升降，各本其原，且④如钾石五金，俱受五阴神之气结，亦分为五类之形，形质顽嚣，志性沉滞。

---

① 三：柯《大观》作“二”。

② 两：其下，刘《大观》、柯《大观》有“了”字。

③ 衰：原作“蓑”，据刘《大观》、柯《大观》、成化《政和》、商务《政和》改。

④ 且：刘《大观》、柯《大观》无。

[宝藏论] 朱砂若草伏住火，胎包在辅，成①汁可点银为金，次点铜为银。

[别说云] 石谨按：金②、商州亦见出一种，作土气色，微黄。陕西、河东、河北、京东、京西等路并入药，及画家亦用。长安、蜀中研以代水银朱作漆器。又信州近年出一种，极有大者光芒墙壁略类，宜州所产，然皆有砒气，破之多作生砒色，入药用，见火恐杀人。今浙中市肆所货往往多是，用者宜审谛之。

晟③近得武林，陈承编次《本草图经》本参对，陈于《图经》外，又以“别说”附著于后，其言皆可稽据，不妄，因增入之。

[衍义曰] 丹砂，今人谓之朱砂。辰州朱砂，多出蛮峒。锦州界狤獠峒老鸦井，其井深广数十丈，先聚薪于井，满则纵火焚之。其青石壁迸裂处，即有小龛，龛中自有白石床，其石如玉。床上乃生丹砂，小者如箭镞，大者如芙蓉，其光明可鉴，研之鲜红。砂洎床，大者重七八两至十两者。晃州亦有形如箭镞带石者，得自土④中，非此之比也。此物镇养心神，但宜生使。炼服，少有不作疾者，亦不减硫黄辈。又一医流服伏火者数粒，一旦大热，数夕而毙。李善胜尝炼朱砂为丹，经岁余，沐浴再入鼎，误遗下一块，其徒丸服之，遂发懵冒，一夕而毙。生⑤朱砂，初生儿便可服。因火力所变，遂能杀人，可不谨也。

云母

味甘，平，无毒。**主身皮死肌、中风寒热，如在车、船上，除邪气，安五脏，益子精，明目，**下气，坚肌，续绝，补中，疗五劳七伤，虚损少气，止痢。**久服轻身延年，**悦泽不老，耐寒暑，志高神仙。**一名云珠，**色多赤；**一名云华，**五色具；**一名云英，**色多青；**一中云液，**色多白；**一名云砂，**色青黄；**一名磷石，**色正白。生太山山谷、齐、庐山及琅邪北定山石间，二月采。泽泻为之使，畏鮀甲及流水。

兖州云母

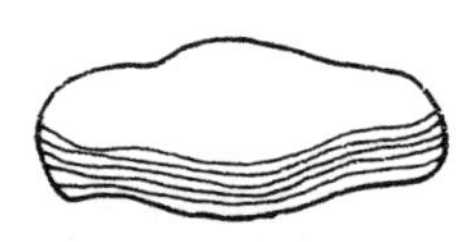

江州云母

[陶隐居] 云：按，《仙经》云母乃有八种：向日视之，色

① 成：刘《大观》误“城”。

② 金：据刘《大观》、柯《大观》作“今”。

③ 晟：原作“鼎”，据刘《大观》、柯《大观》、成化《政和》、商务《政和》改。

④ 土：原作“上”，据庆元《衍义》改。

⑤ 生：其上，庆元《衍义》有“其”字。

青白多黑者，名云母；色黄白多青，名云英；色青黄多赤，名云珠；如冰[①]露，乍黄、乍白，名云砂；黄白皛皛[②]形料切，名云液；皎然纯白明澈，名磷石。此六种并好服，而各有时月。其黯黯纯黑、有文斑斑如铁者，名云胆；色杂黑而强肥者，名地涿。此二种并不可服。炼之有法，惟宜精细；不尔，入腹大害人。今虚劳家丸散用之，并只捣筛，殊为未允。琅邪在彭城东北，青州亦有。今江东惟用庐山者为胜，以砂土养之，岁月生长。今炼之用矾石则柔烂，亦便是相畏之效。百草上露，乃胜东流水，亦用五月茅屋溜水。

[臣禹锡等谨按药性论] 云：云母粉，君，恶徐长卿，忌羊血。粉有六等，白色者上，有小毒，主下痢肠澼，补肾冷。

[杨损之] 云：青、赤、白、黄、紫者，并堪[③]服饵，惟黑者不任用[④]，害人。

[日华子] 云：凡有数种，通透轻薄者，为上也。

[图经曰] 云母，生泰山山谷、齐庐山及琅邪北定山石间，今兖州云梦山及江州、濠州、杭越间亦有之。生土石间，作片成层可折[⑤]，明滑光白者为上。江南生者多青黑色，不堪[⑥]入药。二月采其片，绝有大而莹洁者，今人或以饰灯笼，亦古屏扇之遗事也。谨按，方书用云母，皆以白泽者为贵，惟中山卫叔卿单服法，云母五色具者。盖《本经》所谓一名云华者，是一物中而种类有别耳。葛洪《抱朴子·内篇》云：云母有五种，而人不能别也，当举以向日看其色，详占视之，乃可知正尔，于阴地视之，不见其杂色也。五色并具而多青者，名云英，宜以春服之；五色并具而多赤者，名云珠，宜以夏服之；五色并具而多白者，名云液，宜以秋服之；五色并具而多黑者，名云母，宜以冬服之；但有青黄二色者，名云砂，宜以季夏服之；皛皛纯白者，名磷石，四时可服也。然则，医方所用正白者，乃磷石一种耳。古之服五云之法甚多，陶隐居所撰《太清诸石药变化方》言之备矣。今道书中有之，然修炼节度，恐非文字可详，诚不可轻饵也。又西南天竺等国出一种石，谓之火齐，亦云母之类也，色如紫金，离析之，如蝉翼，积之乃如纱縠重沓。又云

---

① 冰：刘《大观》误作“水”。

② 皛皛：洁白光明貌。

③ 堪：成化《政和》、商务《政和》、柯《大观》作“可”。

④ 用：刘《大观》、柯《大观》、成化《政和》、商务《政和》作“服”。

⑤ 折：刘《大观》、柯《大观》作“析”。

⑥ 堪：成化《政和》、商务《政和》、刘《大观》、柯《大观》作“可”。

琉璃类也，亦堪①入药。

［〖雷公云］凡使，色黄黑者，厚而顽，赤色者，经妇人手把者，并不中②用。须要光莹如冰色者为上。凡修事一斤，先用小地胆草、紫背天葵、生甘草、地黄汁各一镒，干者细剉，湿者取汁了，于瓷锅③中安云母并诸药了，下天池水三镒，着火煮七日夜，水火勿令失度，其云母自然成碧玉浆在锅底，却以天池水猛投其中，将物搅之，浮如蜗涎者即去之。如此三度淘净了，取沉香一两，捣作末，以天池水煎沉香汤三升已来，分为三度，再淘云母浆了，日中晒，任用之。

［圣惠方］治火疮败坏。用云母粉同生羊髓，和如泥，涂之。

［千金方］治风疹遍身，百计治不差者。煅云母粉以清水调服之，看人大小，以意酌量，与之多少服。

［千金翼］治热风汗出，心闷。水和云母服之，不过再服，立差。

［又方］治带下。温水和服三方寸匕，立见神效，差。

［又方］治赤白痢积年不差。饮调服方寸匕，两服立见神效。

［又方］治金疮并一切恶疮。用云母粉傅之，绝妙。

［又方］治淋疾，温水和服三钱匕。

［经效方］青城山丈人观主康道丰④传，治百病，煅制云母粉法：云母一斤，折开揉碎，入一大瓶内，筑实，上浇水银一两，封固，以十斤顶火煅通赤，取出，却拌香葱、紫引⑤翘草二件，合捣如泥，后以夹绢袋盛，于大水盆内摇取粉，余滓未尽，再添草药重捣如前法取粉。沉水干，以小木盘一面，于灰上印一浅坑，铺纸倾粉在内，直候干，移入火焙焙之，取出细研，以面糊丸如梧桐子大。遇有病者，服之无不效。知成都府辛谏议，曾患大风，众医不效⑥，遇此道士进得此方，服之有神验。

［食医心镜］治小儿赤白痢及水痢。云母粉半大两，研作粉，煮白粥调，空腹食⑦之。

---

① 堪：成化《政和》、商务《政和》、柯《大观》作“可”。

② 中：刘《大观》无。

③ 锅：原作“埚”，据刘《大观》、柯《大观》改。

④ 丰：原作“蕫”，据成化《政和》、商务《政和》改。

⑤ 引：柯《大观》作“连”。

⑥ 效：刘《大观》作“较”。

⑦ 食：刘《大观》、柯《大观》作“服”。

[抱朴子] 服五云之法：或以桂、葱、水玉化之以为水，或以露于铁器中，以元水熬之为水，或以消石合于筒中埋之为水，或以蜜搜[①]为酪，或以秋露渍之百日，第[②]囊挺以为粉，或以无巅草樗血合饵之。服之一年，百病除。三年久服[③]，反老[④]成童[⑤]。五年不阙服，可[⑥]役使鬼神，入火不烧，入水不濡，践棘而不伤肤，与仙人相见。他物埋地，物朽著火即焦，而五云内猛火中，经时终不焦，埋之永不腐，故能令人长生也。服经十年，云气常覆其上，夫服其母，以致其子，其理[⑦]之自然。

[明皇杂录] 开元中，有名医纪朋者，观人颜色、谈笑，知病深浅，不待诊脉。帝闻之，召于掖庭中看一宫人每日昃则笑歌啼号若狂疾，而足不能履地。朋视之，曰：此必因食饱而大促力，顿仆于地而然。乃饮以云母汤，令熟寐，觉而失所苦[⑧]。问之，乃言因太华公主载诞，宫中大陈歌吹，某乃主讴，惧其声不[⑨]能清且长，吃豚蹄羹饱而当筵歌大曲，曲罢，觉胸中甚热，戏于砌台上，高而坠下，久而方苏，病狂，足不能及地。

[丹房镜源] 云母粉制汞、伏丹砂，亦可食之。

[神仙传] 宫嵩服云母，数百岁有童子颜色。

[青霞子] 云母久服，寒暑难侵。

[衍义曰] 云母，古虽有服炼法，今人服者至少，谨之至也。市廛多折作[⑩]花朵以售之，今惟合云母膏，治一切痈毒疮等，惠民局别有法。

玉屑

味甘，平，无毒。主除胃中热、喘息、烦满，止渴。屑如麻豆服之，久服轻

---

① 搜：成化《政和》、商务《政和》、柯《大观》作“溲”。

② 第：刘《大观》、柯《大观》作“韦”，成化《政和》、商务《政和》作“苇”。

③ 久服：刘《大观》、柯《大观》作“老公”。

④ 老：刘《大观》作“成”。

⑤ 童：其下，刘《大观》有“子”字。

⑥ 不阙服，可：刘《大观》、柯《大观》作“则”。

⑦ 其理：刘《大观》作“理”，柯《大观》作“其”。

⑧ 苦：成化《政和》、商务《政和》作“若”。

⑨ 不：成化《政和》、商务《政和》作“下”。

⑩ 作：庆元《衍义》脱。

身，长年。生蓝田。采无时。恶鹿角。

玉

玉屑

［陶隐居］云：此云玉屑，亦是以玉为屑，非应别一种物也。《仙经》服瑴玉，有捣如米粒，乃以苦酒辈，消令如泥，亦有合为浆者。凡服玉，皆不得用已成器物，及冢中玉璞也。好玉出蓝田及南阳徐善亭部界中，日南、卢容水中，外国于阗、疏勒诸处皆善。《仙方》名玉为玄真，洁白如猪膏，叩之鸣者，是真也。其比类甚多相似，宜精别之。所以燕石入笥，卞氏长号也。

［唐本注］云：饵玉，当以消作水者为佳。屑如麻豆服之，取其精润脏腑，滓秽当完出也。又为粉服之者，使人淋壅。屑如麻豆，其义殊深。

［臣禹锡等谨按抱朴子］云：玉屑，服之与水饵之，俱令人不死。所以不及金者，令人数数发热，似寒食散状也。若服玉屑者，宜十日辄一服，雄黄、丹砂各一刀圭，散发洗沐寒水，迎风而行，则不发热也。

［日华子］云：玉，润心肺，明目，滋毛发，助声喉。

［图经曰］玉，按《本经》，玉泉生蓝田山谷，玉屑生蓝田。陶隐居注云：好玉出蓝田及南阳徐善亭部界中，日南、卢容水中，外国于阗、疏勒诸处皆善。今蓝田、南阳、日南不闻有玉，礼器及乘舆服御多是于阗国①玉，晋金州防御判官平居诲、天福中为鸿胪卿张邺本二名，上一字犯太祖庙讳上字使于阗，判官回作《行程记》，载其国采玉之地云：玉河，在于阗城外。其源出昆山，西流一千三百里，至于阗界牛头山，乃疏为三河。一曰白玉河，在城东三十里；二曰绿玉河，在城西二十里；三曰乌玉河，在绿玉河西七里。其源虽一，而其玉随地而变，故其色不同。每岁五、六月大水暴涨，则玉随流而至。玉之多寡，由水之大小。七、八月水退，乃可取，彼人谓之捞玉。其国之法，官未采玉，禁人辄至河滨者，故其国中器用服饰，往往用玉。今中国所有，多自彼来耳。陶隐居云：玉泉是玉之精华，白者质色明澈，可消之为水，故名玉泉。世人无复的识者，惟通呼为玉尔。玉屑是以玉为屑，非应别是一物。《仙经》服瑴玉，有捣如米粒，乃以苦酒辈消令如泥，亦有合为浆者。苏恭云：玉泉者，玉之泉液也，以仙室池中者为上。其以法化为玉浆者，功劣于自然泉液也。饵玉当以消作水者为佳。又屑如麻豆服之，取其精润脏腑，滓秽当

① 国：刘《大观》、柯《大观》无。

完出。若为粉服之，即使人淋壅。《周礼·玉府》：王齐，则供食玉。郑康成注云：玉是阳精之纯者，食之以御水气。王齐当食玉屑。《正义》云：玉屑研之乃可食。然则玉泉今固无有。玉屑，医方亦稀用。祥符[①]中先帝尝令工人碎玉如米豆粒，制作皆如陶、苏之说，然亦不闻以供膳饵。其云研之乃食，如此恐非益人，诚不可轻服也。方书中面膏，有用玉屑者，此恐是研粉之乃可用，既非服饵用之，亦不害也。书传[②]载玉之色曰：赤如鸡冠，黄如蒸栗，白如截肪，黑如纯漆，谓之玉符，而青玉独无说焉。又其质温润而泽，其声清越以长，所以为贵也。今五色玉，清白者常有，黑者时有，黄、赤者绝无，虽礼之六器，亦不能得其真。今仪州出一种石，如蒸栗色，彼人谓之栗玉，或云亦黄玉之类，但少润泽，又声不清越，为不及耳。然服玉、食玉，惟贵纯白，它色亦不取焉。

[**◣海药**]云：按，《异物志》云：出昆仑。又《淮南子》云：出钟山。又云：蓝田出美玉，燕口出壁玉，味咸，寒，无毒。主消渴，滋养五脏，止烦躁。宜共金、银、麦门冬等，同煎服之，甚有所益。《仙经》云：服玉如玉化水法，在淮南三十六水法中载。又《别宝经》云：凡石韫玉，但夜将石映灯看之，内有红[③]光，明如初出日，便知有玉。《楚记》：卞和三献玉不鉴，所以遭刖足。后有辨者，映灯验之，方知玉在石内，乃为[④]玉玺，价可重连城也。

[**李预**[⑤]]每羡古人餐[⑥]玉之法，乃采访蓝田，躬往掘得若环壁杂器形者，大小百余枚，稍粗黑，皆光润可玩。预乃捶七十枚成屑，日食之，经年云有效验。而世事寝息，并不禁节，又加之以好酒损志，及疾笃，谓妻子曰：服玉当屏居山林，排弃嗜欲，或当有大神力，而吾酒色不绝，自致于死，非药之[⑦]过也。尸体必当有异于人，勿使速殡，令后人知餐服之验。时七月中旬，长安毒热，预停尸四宿，而体色不变，其妻常氏，以玉珠二枚，含之，口闭因嘘[⑧]其口，都无秽气。

[**宝藏论**]玉玄真者饵之，其命无极，令人举身轻飞，不但地仙而已。然其道

---

① 祥符：是北宋真宗赵恒第三个年号（1008—1016）。

② 书传：《纲目》作“王逸《玉论》”。

③ 红：刘《大观》误作“经”。

④ 为：原作“有”，据刘《大观》、柯《大观》、成化《政和》、商务《政和》改。

⑤ 李预：见《魏书》卷33，列传21。

⑥ 餐：刘《大观》作“食”。

⑦ 之：刘《大观》无。

⑧ 嘘：原作“嘱”，据《魏书》卷33，列传21改。

迟成，服一二百斤乃可知也。玉，可以乌米酒及地榆酒化之为水，亦可以葱浆水消之为粘，亦可饵以为丸，可烧为粉服，一年已上，入水中不濡。

［**王莽**[①]］遗孔休玉，休不受。莽曰：君面有疵，美玉可以灭瘢。休犹不受。莽曰：君嫌其价。遂捶碎进休，休方受之。

［**青霞子**］玉屑一升，地榆草一升，稻米一升。三物，取白露二升，置铜器中煮米熟，绞取汁。玉屑化为水，名曰玉液。以药内杯中美醴[②]，所谓神仙玉浆也。

［**天宝遗事**］唐贵妃含玉咽津，以解肺渴。

［**叶天师枕**[③]**中记**］玉屑，味甘，和，无毒。屑如麻豆，久服轻身长寿。恶鹿角。

［**马鸣先生金丹诀**］玉屑常服，令人精神不乱。

［**丹房镜源**］玉末养丹砂。

玉泉

味甘，平，无毒。**主五脏百病，柔筋强骨，安魂魄，长肌肉，益气，**利血脉，疗妇人带下十二病，除气癃音隆，明耳目。**久服耐寒暑，不饥渴，不老神仙**[④]，轻身长年。**人临死服五斤，死三年色不变。一名玉札。**生蓝田山谷。采无时[⑤]。畏款冬花。

玉泉

［陶隐居］云：蓝田在长安东南，旧出美玉，此当是玉之精华，白者质色明澈，可消之为水，故名玉泉。今人无复的识者，惟通呼为玉尔。张华又云：服玉用蓝田榖音角玉白色者；此物平常服之，则应神仙。有人临死服五斤，死经三年，其色不变。古来发冢见尸如生者，其身腹内外，无不大有金玉。汉制，王公葬，皆用珠襦玉匣，是使不朽故也。炼服之法，亦应依《仙经》服玉法，水屑随宜。虽曰性平，而

① 王莽：见《汉书·王莽传》。

② 醴：刘《大观》作“体”。

③ 枕：刘《大观》作“杖”。

④ 久服耐寒暑……不老神仙：以上12字，柯《大观》作黑字书写，视为《别录》文。

⑤ 生蓝田山谷。采无时：柯《大观》无。

服玉者亦多乃①发热，如寒食散状。金玉既天地重宝，不比余石，若未深解节度，勿轻用之。

［今按］别本注云：玉泉者，玉之泉液也。以仙室玉池中者为上。今《仙经》三十六水法中，化玉为玉浆，称为玉泉。服之长年不老，然功劣于自然泉液也。一名玉液，一名琼浆。

［臣禹锡等谨按日华子］云：玉泉治血块。

［**图经**］文具玉屑条下。

［**▌别说云**］谨按，《图经》说仪州栗玉，乃黄石之光莹者，凡玉之所以异于石者，以其坚而有理，火刃不可伤为别尔。今仪州黄石，虽彼人强名栗玉，乃轻小刀刃便可雕刻，与阶州白石同体而异色，恐不足继诸玉类。

［**衍义曰**］玉泉，《经》云：生蓝田山谷，采无时。今蓝田山谷无玉泉。泉水，古今不言采。又曰：服五斤。古今方，水不言斤。又曰：一名玉札。如此则不知定是何物。诸家所解，更不言泉，但为玉立文。陶隐居虽曰可消之为水，故名玉泉，诚如是则当言玉水，亦不当言玉泉也。盖泉具流布之义，别之则无所不通。《易》又曰：山下出泉蒙。如此则诚非止水，终未臻厥理。今详泉字，乃是浆字，于义方允。浆中既有玉，故曰服五斤。去古既远，亦文字脱误也。采玉为浆，断无疑焉。且如书篇尚多亡逸，况《本草》又在唐尧之上，理亦无怪。谓如蛇含，《本草》误为蛇全。《唐本》注云：全字乃是合字，陶见误本改为含，尚如此不定。后有铁浆，其义同此。又《道藏经》有金饭②玉浆之文，唐·李商隐有琼浆未饮结成冰之诗，是知玉诚可以为浆。又荆门军界有玉泉寺，中有泉，与寻常泉水无异，亦不能治病。寺中日用此水。又西洛有万安山，山腹间有寺曰玉泉。尝两登是山，质玉泉之疑，寺僧皆懵不能答。寺前有泉一派，供寺中用。泉窦皆青石，与诸井水无异。若按别本注玉泉，玉之泉液也，以仙室玉池中者为上。如此则举世不能得，亦漫立此名，故知别本所注为不可取。又有燕玉出燕北，体柔脆，如油和粉色，不入药，当附于此。

石钟乳

味甘，温，无毒。**主咳逆上气，明目，益精，安五脏，通百节，利九窍，下乳**

---

① 乃：刘《大观》、柯《大观》无。

② 饭：庆元《衍义》作“飰”。《玉篇》云：“飰，俗饭字。”按，《说文句读》云：“六朝讳言反，改饭为飰。”

汁，益气，补虚损，疗脚弱疼冷，下焦伤竭，强阴。久服延年益寿，好颜色，不老，令人有子。不炼服之，令人淋。一名公乳，一名芦石，一名夏石。生少室山谷及太山。采无时。蛇床为之使，恶牡丹、玄石、牡蒙，畏紫石英、蘘草。

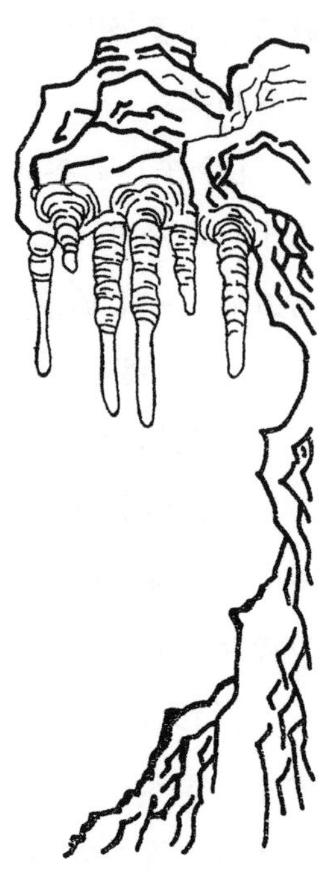
道州石钟乳

［陶隐居］云：第一出始兴，而江陵及东境名山石洞亦皆有。惟通中轻薄如鹅翎管，碎之如爪甲，中无雁齿，光明者为善。长挺乃有一二尺者。色黄，以苦酒洗刷则白。《仙经》用之少，而俗方所重，亦甚贵①。

［唐本注］云：钟乳第一始兴，其次广、连、澧、朗、郴等州者，虽厚而光润可爱，饵之并佳。今峡②州、青溪、房州三洞出者，亚于始兴。自余非其土地，不可轻服，多发淋渴。止可捣筛，白练裹之，合诸药草浸酒服之。陶云钟乳一二尺者，谬说。

［今按］别本注云：凡乳生于深洞幽穴，皆龙蛇潜伏，或龙蛇毒气，或洞口阴阳不匀，或通风气。雁齿涩，或黄或赤，乳无润泽，或其煎炼火色不调，一煎已后不易水，则③生火毒，即令服人发淋。又乳有三种：有石乳、竹乳、茅山之乳。石乳者，以其山洞纯石，以石津相滋，阴阳交备，蝉翼文成，谓为石乳。竹乳者，以其山洞遍生小竹，以竹津相滋，乳如竹状，谓为竹乳。茅山之乳者，山有土石相杂，遍生茅草，以茅津相滋为乳，乳色稍黑而滑润。石乳性温，竹乳性平，茅山之乳微寒。一种之中，有上、中、下色，余处亦有，不可轻信。凡乳光泽为好也。

［臣禹锡等谨按吴氏］云：钟乳，一名虚中。神农：辛。桐君、黄帝、医和：甘。扁鹊：甘，无毒。生山谷阴处岸下。溜汁成如乳汁，黄白色，空中相通。二月、三月采，阴干。

［药性论］云：钟乳亦名黄石砂，有大毒。主泄精，寒嗽，壮元气，建益阳事，能通声。忌羊血。

---

① 贵：原作“贡”，据刘《大观》、柯《大观》、成化《政和》、商务《政和》、线装本《政和》改。

② 峡：刘《大观》作“硖”。

③ 则：刘《大观》、柯《大观》作“别”。

[萧炳]云：如蝉翅①者上，爪甲者次，鹅管者下。明白薄者可服。

[日华子]云：补五劳七伤，通亮者为上。更有蝉翼乳，功亦同前。凡将合镇驻药，须是一气研七周时，点末臂上，便入肉不见为度。虑人歇，即将铃系于棰柄上，研常鸣为验。

[图经曰] 石钟乳，生少室山谷及泰山，今道州江华县及连、英、韶、阶、峡州山中皆有之。生岩穴阴处，溜山液而成，空中相通，长者六七寸，如鹅翎管状，碎之如爪甲，中无雁齿，光明者善，色白微红。采无时。旧说乳有三种：有石钟乳者，其山纯石，以石津相滋，状如蝉翼为石乳；石乳性温。有竹乳者，其山多生篁竹，以竹津相滋，乳如竹状，谓之竹乳；竹乳性平。有茅山之乳者，其山土石相杂，遍生茅草，以茅津相滋，乳色稍黑而滑润，谓之茅山之乳；茅山之乳性微寒。凡此三种，尤难识别。而唐·李补阙炼钟乳法云：取韶州钟乳，无问厚薄，但令颜色明净光泽者，即堪入炼。惟黄、赤二色不任用。柳宗元与崔连州论钟乳书②云：取其色之美而已，不必惟土之信。是此药所重，惟明白者，不必尽如上所说数种也。今医家但以鹅管中空者为最。又《本经》中品载殷孽云：钟乳根也，生赵国山谷，又生梁山及南海。又云：孔公孽，殷孽根也，生梁山山谷。又云：石花、石床，并与殷孽同。陶隐居云：凡钟乳之类，有三种，同一体。从石室上汁溜积久盘结者，为钟乳床，即此孔公孽也；其以次小巃嵷者，为殷孽，今人呼为孔公孽。殷孽复溜轻好者为钟乳，虽同一类，而疗体为异。苏恭云：二孽在上，床花在下。陶谓孔公孽为乳床，非也。又有石脑，云亦钟乳之类。凡此五种，今医家稀复用之，但用钟乳耳。又观二孽所出州郡不同，陶云三种同根，而所出各处，当是随其土地为胜，既云是钟乳同生，则有孽处，皆当有乳，今并不闻有之，岂用之既寡，则采者亦稀乎？抑时人不知孽中有乳，故不尽采乎？不能尽究也。下品又有土阴孽，《经》云：生高山崖上之阴，色白如脂。陶隐居以为钟乳、孔公孽之类。苏恭云：即土乳也，出渭州，生平地土窟中。土人云：服之亦同钟乳，而不发热。又云：是土之脂液，状如殷孽，故名之。今亦不见用者。

[◣雷公云] 凡使，勿用头粗厚并尾大者，为孔公石，不用。色黑及经大火惊过并久在地上收者，曾经药物制者，并不得用。须要鲜明，薄而有光③润者，似鹅

---

① 翅：柯《大观》作“翼”。

② 书：其下，刘《大观》、柯《大观》有“亦”字。

③ 光：柯《大观》作“滋”。

翎筒子为上，有长五六寸者。凡修事法，以五香水煮过一伏时，然后漉出，又别用甘草、紫背①天葵汁渍，再煮一伏时，凡八两钟乳，用沉香、零陵、藿香、甘松、白茅等各一两，以水先煮过一度了，第二度方用甘草等二味各二两再煮了，漉出拭干，缓火焙之，然后入臼杵②如粉筛过，却入钵中。令有力少壮者三两人不住研，三日夜勿歇。然后用水飞澄了，以绢笼之，于日中晒令干，又入钵中，研二③万遍后：以瓷合子收贮用之。

［伤寒类要］ 治舌痺，渴而数饮，用钟乳石主之。

［柳宗元］ 与崔连州书：论石钟乳，直产于石，石之精粗疏密，寻尺特异，而穴之上下，土之薄厚不可知④，则⑤其依而产者，固不一性。然由其精密而出者，则油然而清，炯⑥然而辉，其窍滑以夷，其肌廉以微；食之使人荣华温柔，其气⑦宣流，生胃通肠，寿考康宁。其粗疏而下者，则奔突结涩，乍大乍小，色如枯骨，或类死灰，淹悴不发，丛齿积颣⑧，重浊顽璞；食之使偃塞⑨壅郁，泄火生风，戟喉痒肺，幽关不聪，心烦喜怒，肝举⑩气刚，不能平和⑪。故君子慎⑫焉⑬取其色之美，而不必惟土之信，以求其至精，凡为此也⑭。

［太清石壁记］ 炼钟乳法，《太清经》云：取好细末，置金银瓯器中，瓦⑮一片密盖瓯上，勿令泄气，蒸⑯之自然化作水。

---

① 背：原作“贝”，据刘《大观》、柯《大观》改。

② 杵：刘《大观》、柯《大观》作“捣”。

③ 二：柯《大观》作“一”。

④ 知：柯《大观》作“一”。

⑤ 则：柯《大观》作“概”。

⑥ 炯：成化《政和》、商务《政和》误作“洞”。

⑦ 气：成化《政和》、商务《政和》误作“风”。

⑧ 颣：柯《大观》作“久”，成化《政和》、商务《政和》作“类”。

⑨ 塞：刘《大观》、柯《大观》作“蹇”。

⑩ 举：柯《大观》作“盛”。

⑪ 平和：刘《大观》、柯《大观》倒置。

⑫ 慎：柯《大观》作“谨”。按，柯《大观》所据底本疑是南宋刻本，避眘音讳。南宋孝宗（1127—1194）名赵眘。

⑬ 焉：原脱，据《柳宗元集》卷32“与崔连州论石钟乳书”、柯《大观》补。

⑭ 凡为此也：刘《大观》、柯《大观》无。

⑮ 瓦：柯《大观》作“纸”。

⑯ 蒸：成化《政和》、商务《政和》作“密”。

［丹房镜源］乳石可为外①匮。

［青霞子］补髓添精。

［衍义曰］石钟乳，萧炳云：如蝉翼爪甲者为上，如鹅管者下。《经》既言乳，今复不取乳，此何义也？盖乳取②性下，不用如雁齿者，谓如乌头、附子不用尖角之义同。但明白光润轻松，色如炼消石者佳。服炼别有法。

矾石

味酸，寒，无毒。**主寒热，泄痢，白沃，阴蚀，恶疮，目痛，肾骨齿，**除固热在骨髓，去鼻中息肉。**炼饵服之，轻身、不老、增年。**岐伯云：久服伤人骨。能使铁为铜。**一名羽涅**泥结切，一名羽泽。生河西山谷及陇西武都、石门。采无时。甘草为之使，恶牡蛎。

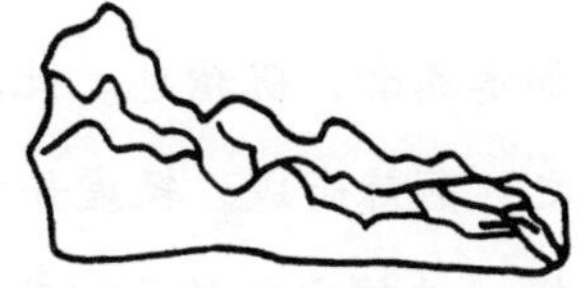

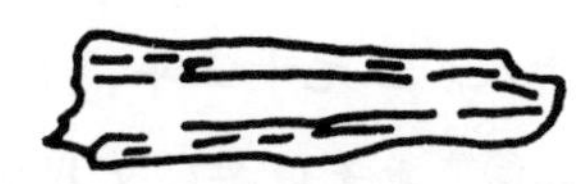

晋州矾石

［陶隐居］云：今出益州北部西川，从河西来。色青白，生者名马齿矾。已炼成绝白，蜀人又③以当消石名白矾。其黄黑者名鸡屎矾，不入药，惟堪镀作以合熟铜，投苦酒中，涂铁皆作铜色。外虽铜色，内质不变。《仙经》单饵之，丹方亦用。俗中合药，皆先火熬，令沸燥。以疗齿痛，多即坏齿，是伤骨之证，而云坚骨齿，诚为疑也。

［唐本注］云：矾石有五种：青矾、白矾、黄矾、黑矾、绛矾。然白矾多入药用；青、黑二矾，疗疳及诸疮；黄矾亦疗疮生肉，兼染皮用之；其绛矾本来绿色，新出窟未见风者，正如琉璃，陶及今人谓之石胆，烧之赤色，故名绛矾矣。出瓜洲。

［今注］陶云蜀人用白矾当消石，误也。

［臣禹锡等谨按药性论］云：矾石，使。一名理石。畏麻黄，有小毒。能治鼠漏、瘰疬，疗鼻衄，治齆鼻，生含咽津，治急喉痹。

［日华子］云：白矾，性凉。除风去劳，消痰止渴，暖水脏，治中风失音，疥

---

① 外：成化《政和》、商务《政和》作“冰”。

② 取：此下，庆元《衍义》有“其”字。

③ 又：刘《大观》、柯《大观》无。

癣。和桃仁、葱汤浴，可出汗也。

［图经曰］矾石，生河西山谷及陇西武都、石门，今白矾则晋州、慈州、无为军，绿矾则隰州温泉县、池州铜陵县，并煎矾处出焉。初生皆石也，采得碎之，煎炼乃成矾。凡有五种，其色各异，谓白矾、绿矾、黄矾、黑矾、绛矾也。白矾则入药，及染人所用者。绿矾亦①入咽喉、口齿药及染色。黄矾丹灶家所须，时亦入药。黑矾惟出西戎②，亦谓之皂矾，染须鬓药或用之。绛矾本来绿色，亦谓之石胆，烧之赤色，故有绛名，今亦稀见。又有矾精、矾蝴蝶，皆炼白矾时，候其极沸，盘心有溅溢者，如物飞出，以铁匕接之，作虫形③者，矾蝴蝶也。但成块光莹如水晶者，矾精也。此二种入药，力紧于常矾也。又有一种柳絮矾，亦出矾处有之，煎炼而成，轻虚如绵絮，故以名之。今医家用治痰壅及心肺烦热，甚佳。刘禹锡《传信方》治气痢巴石丸，取白矾一大斤，以炭火净地烧令汁尽，则其色如雪，谓之巴石。取一大两细研，治以熟猪肝作丸，空腹饮下，丸数随气力加减，水牛肝更佳。如素食人，蒸饼丸之亦通。或云白矾中青黑者，名巴石。又治蛇咬④蝎螫，烧刀子头令赤，以白矾置刀上，看成汁，便热滴咬处，立差。此极神验，得力者数十人。正元十三年，有两僧流向南到邓州，俱为蛇啮，令用此法救之，傅药了便瘥⑤，更无他苦。又崔氏方：治甲疽，或因割甲伤肌，或因甲长侵肉，遂成疮肿痛，复缘窄靴研损四边肿焮，黄水出，浸淫相染，五指俱烂，渐渐引上脚趺泡浆四边起，如火烧疮，日夜倍增，医方所不能疗者。绿矾石五两，形色似朴消而绿色。取此一物置于铁板上，聚炭封之，囊袋吹令火炽，其矾即沸，流出色赤如融金汁者，是真也。看沸定汁尽，去火待冷，取出挼为末，色似黄丹，收之。先以盐汤洗疮，拭乾，用散傅疮上，惟多为佳，著药讫，以软帛缓裹，当日即汁断疮干。若患痛急，即涂少酥，令润。每日一遍，盐汤洗濯有脓处，常洗使净，其痂干处不须近。每洗讫，傅药如初。但急痛即涂酥，五日即觉上痂，渐剥起，亦依前洗傅药，十日即疮渐渐剥尽痂落，软处或更生白脓胞，即捺破傅药，自然总差。刑部张侍郎亲婴此病，卧经六十日，困顿不复可言，京众医并经造问，皆随意处方，无效验。惟此法得效如神，故录之，以贻好事者。又有皂荚矾，亦入药。或云即绿矾也。

---

① 亦：原作“方”，据刘《大观》、柯《大观》、成化《政和》、商务《政和》改。

② 戎：成化《政和》、商务《政和》误作“戍”。

③ 形：刘《大观》作“飞”。

④ 咬：成化《政和》、商务《政和》误作“交”。

⑤ 瘥：刘《大观》误作“发”。

《传信方》治喉痹用之，取皂荚矾入好米醋，或常用酽醋亦通，二物同研，咽之立差。如苦喉中偏一傍痛，即侧卧，就痛处含之勿咽，云此法出于李谟，甚奇。黄矾入药，见崔元亮《海上方》灭瘢膏，以黄矾石烧令汁出，胡粉炒令黄，各八分，惟须细研，以腊月猪脂和，更研如泥，先取生布揩令痛，即用药涂五度。又取鹰粪、白燕窠中草，烧作灰等分，和人乳涂之，其瘢自灭，肉平如故。

［▶雷公云］凡使，须以瓷瓶盛，于火中煅令内外通赤，用钳揭起盖，旋安石蜂窠于赤瓶子中，烧蜂窠尽为度，将钳夹出放冷，敲碎入钵中研如粉后，于屋下掘一坑，可深五寸，却以纸裹留坑中一宿，取出再研。每修事十两，用石蜂窠六两，尽为度。又云：凡使，要光明如水精，酸、咸、涩味全者，研如粉。于瓷瓶中盛，其瓶盛得三升已来，以六一泥，泥于火畔，炙之令干，置研了，白矾于瓶内，用五方[①]草、紫背天葵二味自然汁各一镒[②]，旋旋添白矾于中，下火逼令药汁干，用盖子并瓶口，更以泥泥上下，用火一百斤煅，从巳至未，去火，取白矾瓶出，放冷敲破，取白矾，若经大火一煅，色如银，自然伏火，铢累不失，捣细研如轻粉，方用之。

［圣惠方］治小儿脐中汁出不止并赤肿，用矾烧灰，细研傅之。

［外台秘要］疗胸中多痰瘀癖[③]。矾石一两，以水二升，煮取一升，内蜜半合，顿服，须臾未吐，当饮少热汤。

［又方］主目翳及胬肉。用矾石最白者，内一黍米大于翳上及胬[④]肉上，即令泪出，绵拭之，令恶汁尽[⑤]，其疾日日减，翳自消薄便差。矾石须真白好者方可使用。

［千金方］治小儿舌上[⑥]疮，饮乳不得。以白矾和[⑦]鸡子[⑧]置醋中，涂儿足底，二七即愈。

［又方］治鼻中息肉。以矾石末，面[⑨]脂和，绵裹塞鼻中，数日息肉自随其

---

① 方：柯《大观》作“角”。

② 镒：刘《大观》、柯《大观》作“溢”。

③ 瘀癖：刘《大观》作“头痛不欲食”，柯《大观》无。

④ 胬：原作“努”，据医理改。

⑤ 尽：其下，刘《大观》有“且”字。

⑥ 舌上：刘《大观》、柯《大观》作“口”。

⑦ 和：刘《大观》、柯《大观》作“如”。

⑧ 子：其下，刘《大观》、柯《大观》有“大”字。

⑨ 面：成化《政和》、商务《政和》、柯《大观》作“猪”。

药出[①]。

［又方］治齿龈间津液血出不止。以矾石一两，烧水三升，煮取一升，先拭齿，乃含之。

［千金翼］治阴痒脱方：烧矾石一味，研为末，每日空心酒调方寸匕服，日三。

［又方］治脚气冲心。白矾二[②]两，以水一斗五升，煎三五沸，浸洗脚良。

［肘后方］救卒死而壮热者。矾石半斤，水一斗半煮消，以浸脚及[③]踝，即得[④]苏也。

［又方］目中风肿，赤眼方：矾石二钱熬，和枣[⑤]丸如弹丸，以摩上下食顷止，日三度。

［又方］足大指角忽为甲所入肉，便刺作疮不可着履靴，用矾石一物烧汁尽，取末著疮中，食恶肉，生好肉。细细割去甲角，旬日即差。此方神效。

［又方］疗猘犬咬人。掺矾石末内疮中，裹之止痛，其疮[⑥]速愈。

［又方］疗耳卒肿，出脓水方：矾石烧末，以笔管吹耳内，日三四度，或以绵裹塞耳中，立差。

［又方］疗人阴生疮，脓出作臼。取高昌白矾一两[⑦]，研作末[⑧]，用[⑨]猪脂相和成膏，槐白皮作汤，洗疮，拭令干即涂膏，然后以楸叶贴其上，不过三度差。

［又方］患历齿，积久碎坏欲尽，常以绵裹矾石含嚼之，吐汁也。

［经验方］治大小便不通。用白矾细研末，令患人仰卧，置矾末于脐中满，以新汲水滴之，候患人觉冷透，腹内即自然通，如为[⑩]曾灸无脐孔，即于元灸盘上，用纸作环子笼灸盘，高一指半已来，着矾末在内，仍依前法用水滴之。

［孙真人食忌］主蝎螫。以矾石一两，醋半升煎之，投矾末于醋中，浸螫处。

---

① 自随其药出：刘《大观》、柯《大观》作“随药消落”。

② 二：成化《政和》、商务《政和》、柯《大观》作“三”。

③ 及：刘《大观》、柯《大观》作“令没”。

④ 得：刘《大观》、柯《大观》无。

⑤ 枣：其下，刘《大观》、柯《大观》有“膏”字。

⑥ 其疮：刘《大观》、柯《大观》无。

⑦ 一两：成化《政和》、商务《政和》作“麻仁等分”。

⑧ 作末：刘《大观》、柯《大观》无。

⑨ 用：刘《大观》、柯《大观》作“炼”。

⑩ 为：刘《大观》、柯《大观》作“是”。

[王氏博济] 治驴涎、马汗毒所伤，神效。白矾飞过，黄丹炒令紫色，各等分，相衮合，调①贴患处。

[灵苑] 治折伤，先用止痛汤法。捣白矾为末，每用一匙匕，沸汤一碗冲了，以手帕蘸，乘热熨伤处，少时痛止，然后排整筋骨，贴药②。

[孙用和] 治悬痈垂长，咽中妨闷。白矾一两，烧灰，盐花一两，右二味，细研为散，以箸头点药在上，差。

[子母秘录] 治小儿风疹不止，白矾十二分，暖热酒投化，用马尾揾酒涂之。

[姚和众] 治小儿目睛上白膜。白矾一分，以水四合，熟铜器中煎取半合，下少白蜜调之，以绵滤过，每日三度，点一芥子大。

[又方] 初生小儿产下，有皮膜如榴，中膜裹舌③，或④遍舌根。可以指甲刺破令血出，烧矾灰细研傅之半绿豆许。若不摘去，儿必哑。

[御药院] 治脚膝风湿，虚⑤汗，少力，多疼痛及阴汗。烧矾作灰细研末，一匙头，沸汤投之，淋洗痛处。

[丹房镜源] 紫矾石可制汞。

[异苑] 魏武北征蹋⑥顿升岭，眺瞩见山岗不生百草。王粲曰：是古冢，此人在世服矾石，而石生热蒸出外，故卉木焦灭。即令发看，果得大墓，内有矾石满茔。

[太平广记] 壁镜毒人必死，用白矾治之。

[简要济众] 治牙齿肿痛。白矾一两烧灰，大露蜂房一两微炙，为散。每用二钱，水一中盏，煎十余沸，热炸牙令吐之⑦。

[衍义曰] 矾石，今坊州矾，务以其⑧火烧过石，取以煎矾，色惟白，不逮晋州者。皆不可多服。损心肺，却水故也。水化书纸上，才干，水不能濡，故知其性却水。治涎药多须者，用此意尔。火枯为粉，贴嵌甲。牙缝中血出如衄者，贴之亦愈。

---

① 调：刘《大观》、柯《大观》作“以”。

② 灵苑……贴药：此48字，刘《大观》、柯《大观》无。又刘《大观》、柯《大观》将下文“简要济众”下的内容移置于此。

③ 舌：柯《大观》作“定”。

④ 或：柯《大观》作“交”。

⑤ 虚：刘《大观》误作“产”。

⑥ 蹋：原作“逾”，据《三国志》改。

⑦ 简要济众……令吐之：此43字，刘《大观》、柯《大观》将其移在上文“孙用和”之前。

⑧ 其：庆元《衍义》作“野”。

消石

味苦、辛，**寒**、大寒，无毒。**主五脏积热，胃胀闭，涤去蓄结饮食，推陈致新，除邪气，**疗五脏十二经脉中百二十疾，暴伤寒、腹中大热，止烦满、消渴，利小便及瘘蚀疮。**炼之如膏。久服轻身**①。天地至神之物，能化成十二②种石。一名芒消③。生益州山谷及武都、陇西、西羌。采无时。火为之使，恶苦参、苦菜，畏女菀④。

消石

［陶隐居］云：疗病亦与朴消相似，《仙经》多用此消化诸石，今无正识别此者。顷来寻访，犹云与朴消同山，所以朴消名消石朴也，如此则非一种物。先时有人得一种物，其色理与朴消大同小异，朏朏如握盐雪不冰，强烧之，紫青烟起，仍成灰，不停沸如朴消，云是真消石也。此又云一名芒消，今芒消乃是炼朴消作之。与后皇甫说同，并未得核研其验，须试效，当更证记尔。化消石法，在三十六水方中。陇西蜀⑤秦州，在长安西羌中。今宕昌以北⑥诸山有咸土处皆有之。

［唐本注］云：此即芒消是也。朴消一名消石朴，今炼粗恶朴消，淋取汁煎，炼作芒消，即是消石。《本经》一名芒消，后人更出芒消条，谬矣。

［今注］此即地霜也。所在山泽，冬月地上有霜，扫取以水淋汁后，乃煎炼而成，盖以能消化诸石，故名消石。非与朴消、芒消同类，而有消名也。一名芒消者，以其初⑦煎炼时有细芒，而状若消，故有芒消之号，与后条芒消全别。旧经陶注引证多端，盖不的识之故也。今不取焉。

［臣禹锡等谨按蜀本］云大黄为使。按，今消石是炼朴消，或地霜为之，状如钗脚，好者长五分已来，能化七十二种石为水，故名消石。

---

① 主五脏积热……久服轻身：对于此29字的《本经》文，《本经逢原》云："向错简在硝石条内，今正之。"张璐认为此29字与"朴消"条"主百病……神仙"32字相互错简。

② 十二：《千金翼》作"七十二"。按下条"朴消"有"能化七十二种石"。

③ 一名芒消：刘《大观》、柯《大观》作白字《本经》文。

④ 菀：刘《大观》、柯《大观》作"菀"。

⑤ 蜀：刘《大观》、柯《大观》作"属"。

⑥ 北：原作"此"，据柯《大观》改。

⑦ 初：成化《政和》、商务《政和》作"切"。

［吴氏］云：消石，神农：苦。扁鹊：甘。

［药性论］云：消石，君，恶曾青，畏粥。味咸，有小毒。主项下瘰疬，泻，得根出破血。一名芒消。烧之即成消[①]石矣。主破积，散坚结。一作苦消。甚治腹胀。其消石、芒消，多川原人制作，问之，详其理。

［日华子］云：消石畏杏仁、竹叶。含之治喉闭，真者火上伏法，用柳枝汤煎三周时，如汤减少即入热者，伏火即止也。

［图经］文具朴消条下。

［▊雷公云］凡使，先研如粉，以瓷瓶子于五斤火中，煅令通赤，用鸡肠菜、柏子仁和作一处，分丸如小帝珠子许，待瓶子赤时投硝石于瓶子内，其硝石自然伏火，每四两消石，用鸡肠菜、柏子仁共十五个帝珠子，尽为度。

［圣惠方］治眼赤痛。用消石研令极细，每夜临卧，以铜箸[②]取如黍米大，点目眦头，至明旦，以盐浆水洗之。

［外台秘要］疗恶寒啬啬，似欲发背，或已生疮肿，瘾疹起方。消石三两，以暖水一升和令消，待冷，取故青布揲[③]三重，可似赤处方圆，湿布拓[④]之，热即换，频易，立差。

［灵苑方］治五种淋疾，劳淋、血淋、热淋、气淋、石淋及小便不通至甚者。透格散：用消石一两，不夹垼土雪白者，生研为细末。每服二钱，诸淋各依汤使如后。劳淋，劳倦虚损，小便不出，小腹急痛，葵子末煎汤下，通后，便须服补虚丸散。血淋，小便不出，时[⑤]下血、疼痛、满急。热淋，小便热[⑥]，赤色，淋沥不快，脐下急痛，并用冷水调下。气淋，小腹满急，尿后常有余沥，木通煎汤下[⑦]。石淋，茎内痛，尿不能出，内引小腹膨胀急痛，尿下砂石，令人闷绝，将药末先入铫子内，隔纸炒至纸焦为度，再研令细，用温水调下。小便不通，小麦汤下。卒患诸淋，并只以冷水调下。并空心，先调使药消散如水，即服之，更以汤使送下，服诸药未效者，服此立愈。

---

① 消：刘《大观》、柯《大观》作“硝”。

② 箸：刘《大观》误作“筋”。

③ 揲：柯《大观》据《外台秘要》改作“叠”。

④ 拓：刘《大观》作“榻”，柯《大观》作“榻”。

⑤ 时：刘《大观》、柯《大观》作“时时”。

⑥ 热：刘《大观》、柯《大观》无。

⑦ 下：刘《大观》、柯《大观》作“温调”。

[陈藏器拾遗序] 头疼欲死，鼻内吹消末愈。

[兵部手集] 服丹石人有热疮，疼不可忍方：用纸环围肿处，中心填消石令满，匙抄水淋之。觉甚不热疼，即止。

[宝藏论] 消石，若草伏而斤两不折，软切金、银、铜、铁硬物，立软。

[史记淳于意] 菑川王美人怀子而不乳，来召意，意往。饮以莨菪药一撮，以酒饮之，旋乳。意复诊其脉而脉躁，躁者有余病，即饮以消石一剂①，出血②如豆，比五六枚。

[衍义曰] 消石，是再煎炼时已取讫芒消，凝结在下如石者。精英既去，但余滓而已。故功力亦缓，惟能发烟火。《唐本》注盖以能消化诸石，故曰③消石。煎柳枝汤煮三周时即伏火，汤耗，即又添柳枝汤。

芒消

味辛、苦，大寒。主五脏积聚，久热、胃闭，除邪气，破留血，腹中痰实结搏④，通经脉，利大小便及月水，破五淋，推陈致新。生于朴消。石韦为之使，恶麦句姜。

芒消

[陶隐居] 云：按，《神农本经》无芒消，只有消石，名芒消尔。后名医别载此说，其疗与消石正同，疑此即是消石。旧出宁州，黄白粒大，味极辛、苦，顷来宁州道断都绝。今医家多用煮炼作者，色全白，粒细，而味不甚烈。此云生于朴消，则作者亦好。又皇甫士安解散消石大凡说云：无朴消可用消石，生山之阴，盐之胆也。取石脾为消石，以水煮之，一斛得三斗，正白如雪，以水投中即消，故名消石。其味苦，无毒。主消渴热中，止烦满。三月采于赤山。朴消者，亦生山之阴，有盐咸苦之水，则朴消生于其阳。其味苦无毒，其色黄白，主疗热，腹中饱胀，养胃消谷，去邪气，亦得水而消，其疗与消石小异。按如此说，是取芒消合煮，更成为真消石，但不知石脾复是何物？本草乃有石脾、石肺，人无识者，皇甫既是安定人，又明医药，或当详。炼⑤之以朴消作芒消者，但以暖汤淋

---

① 剂：刘《大观》作“齐”。

② 血：其下，刘《大观》、柯《大观》衍“血”字。

③ 曰：庆元《衍义》作“名”。

④ 搏：刘《大观》作“博”。

⑤ 炼：刘《大观》作“练”。

朴消，取汁清澄煮之减半，出著木盆中，经宿即成，状如白石英，皆六道也。作之忌杂人临视。今益州人复炼矾石作消石，绝柔白而味犹是矾石尔。孔氏解散方又云：熬炼消石令沸定汁尽。如此，消石犹是有汁也。今仙家须之，能化他石，乃用于理第一。

［唐本注］云：晋宋古方，多用消石，少用芒消，近代诸医但用芒消，鲜言消石，岂古人昧于芒消也。《本经》云：生于朴消，朴消一名消石朴，消石一名芒消，理既明白，不合重出之。

［今注］此即出于朴消，以暖水淋朴消，取汁炼之，令减半，投于盆中，经宿乃有细芒生，故谓之芒消也。又有英消者，其状若白石英，作四五棱，白色，莹澈可爱。主疗与芒消颇同，亦出于朴消，其煎炼自别有法，亦呼为马牙消。唐注以此为消石同类，深为谬矣。

［臣禹锡等谨按蜀本］又一说：人若常炼石而服者，至殁冢中生[①]悬石，名芒消。冷如雪，能杀火毒，与此不同。旧注说朴消、消石、芒消等，互[②]有得失，乃云不合重有芒消条也。夫朴消，一名消石朴，即炼朴消成消石，明矣，故有消石条焉。又消石，一名芒消，即明芒消亦是炼朴消而成也。凡药虽为一体，盖同出而异名，修炼之法既殊，主治之功遂别矣。

［药性论］云：芒消，使。味咸，有小毒。能通女子月闭，癥瘕，下瘰疬，黄疸病，主堕胎，患漆疮，汁傅之。主时疾壅热，能散恶血。

［陈藏器］云：石脾、芒消、消石并出于西戎卤地，咸水结成，所主亦以类相次。

［图经云］文具朴消条下。

［◣雷公云］凡使，先以水飞过，用五重纸滴过去脚，于铛中干之，方入乳钵研如粉任用。芒消是朴消中炼出形似麦芒者，号曰芒消。

［圣惠方］治伐指，用芒消煎汤淋渍之。

［千金方］疗漆疮方：用汤渍芒消令浓，涂[③]之，干即易之[④]。

［梅师方］治火丹毒，水调芒消涂之。

---

① 生：刘《大观》作“坐”。

② 互：线装本《政和》误作“玄”。

③ 涂：刘《大观》、柯《大观》作“洗”。

④ 干即易之：刘《大观》、柯《大观》作“矾石亦可”，成化《政和》、商务《政和》作“令干即易之”。

[又方] 治一切疹，以水煮芒消涂之。

[又方] 治伤寒发豌豆疮。未成脓，研芒消，用猪胆相和，涂疮上，立效。

[子母秘录] 小儿赤游，行于体上，下至心即死。以芒消内汤中，取浓汁以拭丹上。

[百一方] 疗关隔大小便不通，胀满欲死，两三日则杀人。芒消三两，纸裹三四重，炭火烧之，令内一升汤中尽服，当先饮汤一升已吐出，乃服之。

[孙真人食忌] 主眼有翳，取芒消一大两，置铜器中，急火上炼之，放冷后，以生绢细罗，点眼角中。每夜欲卧时一度点，妙。

[丹房镜源] 芒消伏雌黄。

[衍义曰] 芒消，《经》云：生于朴消。乃是朴消以水淋汁，澄清，再经熬炼减半，倾木[①]盆中，经宿，遂结芒有廉棱者。故其性和缓，古今多用以治伤寒。

朴消

味苦、辛，**寒**、大寒，无毒。**主百病，除寒热邪气，逐六腑积聚，结固留癖**，胃中食饮热结，破留血、闭绝，停痰痞满，推陈致新，**能化七十二种石。炼饵服之，轻身、神仙**[②]。炼之白如银，能寒能热，能滑能涩，能辛能苦，能咸能酸，入地千岁不变，色青白者佳，黄者伤人，赤者杀人。一名消石朴。生益州山谷有咸水之阳。采无时。畏麦句姜。

峡州朴消

[陶隐居] 云：今出益州北部故汶山郡，西川、蚕陵二县界。生山崖上，色多青白，亦杂黑斑。俗人择取白软者，以当消石用之，当烧令汁沸出，状如矾石也。《仙经》惟云：消石能化他石。今此亦云能化石，疑必相似，可试之。

[唐本注] 云：此物有二种，有纵理、缦理，用之无别。白软者，朴消苗也，虚软少力，炼为消石，所得不多，以当消石，功力大劣也。

[今注] 今出益州，彼人采之，以水淋取汁，煎炼而成朴消也。一名消石朴

---

① 木：庆元《衍义》作“水”。

② 主百病……神仙：对于此部分的32字《本经》文，《本经逢原》云：“诸家本草皆错简在朴消条内。详化七十二种石，岂朴消能之。”张璐认为此32字《本经》文与“消石”条《本经》文“主五脏积热……除邪气”“炼之如膏，久服轻身”29字相互错简。

者。消即是本体之名；石者，乃坚白之号；朴者，即未化之义也。以其芒消、英消皆从此出，故为消石朴也。其英消，即今俗间谓之马牙消者，是也。

［臣禹锡等谨按药性论］云：朴消，君，味苦，咸，有小毒。能治腹胀，大小便不通，女子月候不通。

［日华子］云：主通泄五脏百病及癥结，治天行热疾，消肿毒及头痛，排脓，润毛发。凡入饮药，先安于盏内，搅①热药浇服。

［图经曰］朴消，生益州山谷有咸水之阳。消石，生益州山谷及武都、陇西、西羌。芒消，生于朴消，今南北皆有之，而以西川者为佳。旧说三物同种，初采得其苗，以水淋取汁，煎炼而成，乃朴消也，一名消石朴，以消石出于其中。又炼朴消或地霜而成，坚白如石者，乃消石也，一名芒消。又取朴消，以暖水淋汁，炼之减半，投于盆中，经宿而有细芒生，乃芒消也。虽一体异名，而修炼之法既殊，则主治之功别矣。然《本经》各载所出，疑是二种。而今医方家所用，亦不复能究其所来，但以未②炼成块，微青色者，为朴消；炼成盆中上有芒者，为芒消，亦谓之盆消；其芒消底澄凝③者，为消石。朴消力紧，芒消次之，消石更缓，未知孰为真者。又按，苏恭谓晋宋古方，多用消石，少用芒消。近代诸医但用芒消，鲜言消石，是不然也。张仲景伤寒方，承气汤、陷胸丸之类，皆用芒消。葛洪《肘后方》伤寒、时气、温病亦多用芒消，惟治食脍胸膈中不化，方用朴消。云无朴消者，以芒消代，皆可用也。是晋宋以前，通用朴消、芒消矣。又《胡洽方》十枣汤用芒消，大五饮丸用消石。亦云无消石用芒消。是梁、隋间通用芒消、消石矣。以此言之，朴消、消石为精，芒消为粗。故陶隐居引皇甫士安炼消石法云：乃是取芒消与石脾合煮，成为真消石，然石脾无复识者。又注矾石云：生者名马齿矾，青白色，已炼成绝白，蜀人以当消石，是消石当时已为难得其真矣。故方书罕用，通以相代，若然今所用者，虽非真识，而其功效既相近，亦可通用无疑矣。其《本经》所以各载所出州土者，乃方俗治炼之法有精粗，故须分别耳。至如芎䓖之与蘼芜，大戟之与泽漆，俱是一物，《本经》亦各著州土者，盖根与苗，土地各有所宜，非别是一物。则朴消、消石，别著所出，亦其义也。他同此比。又有英消者，亦出于朴消，其状若白石英，作四五棱，白色莹澈可爱，功用与芒消颇同，但不能下利，

---

① 搅：原作“撹”，据刘《大观》、柯《大观》改。

② 未：刘《大观》作“末”。

③ 凝：刘《大观》作“疑”。

力差小耳，亦谓之马牙消，盖以类得名，近世用之最多。又金石凌法，用马牙消、芒消、朴消、消石四种相参次第下之。详此法出于唐世，不知当时如何分别也。又下有生消条云：生茂州西山岩石间，其形块大小不常，色青白，鲜见用者。而今医家又用一种甜消，弥更精好，或疑是此，乃云出于英消。炼治之法未闻。又南方医人论消或小异。有著①说云：本草有朴消、消石、芒消，而无马牙消，诸家所注本草三种，竟无坚决，或言芒消、消石本是一物，不合重出。又言煎炼朴消，投于盆中经宿乃有细芒，既如是，自当为马牙消。又云马牙消亦名英消，自是一物，既以芒消为朴消，所出不应更有英消。今诸消之体各异，理亦易明，而至若此之惑也。朴消味苦而微咸，《本经》言苦，《名医别录》以为辛，盖误谓②消石也。出蜀部③者，莹白如冰雪，内地者小黑，皆苏脆易碎，风吹之则结霜，泯泯如粉，熬之烊沸，亦可熔铸。以水合甘草，猪胆煮之减半，投大盆中，又下凝水石屑同渍一宿，则凝结如白石英者，芒消也。扫地霜煎炼而成如解盐，而味辛、苦，烧之成焰都尽，则消石也。能化金石，又性畏火而能制诸石使拒火，亦天地之神物也。牙消则芒消是也。又有生消不因煮炼而成，亦出蜀道，类朴消而小坚也。其论虽辩，然与古人所说殊别，亦未可全信也。张仲景《伤寒论》疗膀胱急，小腹满，身尽黄，额上黑及足下热，因作黑瘅，大便必黑，腹胪胀满如水状，大便溏者，女劳得之，非水也。腹满者难疗，消石矾石散主之。消石熬黄，矾石烧令汁尽，二物等之，合夹绢筛，大麦粥汁和服方寸匕，日三，重衣覆取微汗，病随大小便去，小便正黄，大便正黑也。大麦用无皮者。《千金方》消石用二分，矾石用一分。刘禹锡《传信方》，著石旻山人甘露饮④：疗热壅、凉膈上，驱⑤积滞。蜀朴消成末，每一大斤用蜜，冬用十三两，春、夏、秋用十二两，先捣筛朴消成末后，以白蜜和令匀，便入新青竹筒，随小大者一节，著药得半筒已上即止，不得令满。却入炊甑中，令有药处在饭内，其虚处出其上，不妨甑箄即得，候饭熟取出，承热绵滤入一瓷钵中，竹篦搅勿停手，令至凝即药成，收入合中。如热月即于冷水中浸钵，然后搅，每食后或欲卧时，含一匙、半匙，渐渐咽之。如要通转亦得。

［圣惠方］治时气头痛不止。用朴消二两，捣罗为散，用生油调，涂于

① 著：其下，刘《大观》、柯《大观》有“其”字。

② 谓：成化《政和》、商务《政和》作“为”。

③ 部：朝鲜本《政和》作“郡”。

④ 饮：原作“饭”，据柯《大观》改。

⑤ 驱：原作“欧”，据《纲目》卷11朴消附方改。

顶上。

［又方］治乳石发动烦闷及诸风热。用朴消炼成者半两，细研如粉，每服以蜜水调下一钱匕。日三四服。

［外台秘要］疗喉痹神验。朴消一两，细细含咽汁，顷刻立差。

［孙真人食忌］主口疮，取朴消含之。

［简要济众］治小便不通，膀胱热。白花散：朴消不以多少，研为末，每服二钱匕，温茴香酒调下，无时服。

［衍义曰］朴消，是初采扫得，一煎而成者，未经再炼治，故曰朴消。其味酷涩，所以力坚急而不和，可以熟生牛、马皮，及治金银有伪。葛洪治食脍不化，取此以荡逐之。腊月中以新瓦罐，满注热水，用朴消二升，投汤中，搅散，挂北檐下，俟消渗出罐外，羽收之。以人乳汁调半钱，扫一切风热毒气攻注目睑①外，及发于头面、四肢肿痛，应手神验。

玄明粉

味辛、甘，性②冷，无毒。治心热烦躁，并五脏宿滞、癥结。明目，退膈上虚热，消肿毒。此即朴消炼成者。新补见《药性论》并日华子。

［▇仙经］以朴消制伏为玄明粉。朴消是太阴之精华，水之子也。阴中有阳之药。

［太阴号曰］玄明粉，内搜众疾，功莫大焉。治一切热毒风，搜冷，痃癖气胀满，五劳七伤，骨蒸传尸，头痛烦热，搜除恶疾，五脏秘涩，大小肠不通，三焦热淋，疰忤疾，咳嗽呕逆，口苦干涩，咽喉闭塞，心、肝、脾、肺脏、胃积热，惊悸，健忘，荣卫不调，中酒中脍，饮食过度，腰膝冷痛，手脚酸，久冷久热，四肢壅塞，背膊拘急，眼昏目眩，久视无力，肠风痔病，血癖不调，妇人产后，小儿疳气，阴毒伤寒，表里疫疠等疾，并悉治之。此药久服令人身轻耳③明，驻颜延寿。急解毒药，补益，妙。

［唐明皇帝］闻说终南山有道士刘玄真，服食此药，遂诏而问曰：朕闻卿寿约三百岁，服食何药，得住世间，充悦如此。玄真答曰：臣按《仙经》修炼朴消，

---

① 睑：庆元《衍义》作“脸”。

② 性：刘《大观》、柯《大观》无。

③ 耳：柯《大观》作“目”。

号玄明粉，止服此药，遂无病长生。其药无滓，性温，能除众疾。生饵尚能救急难性命，何况修炼长服。益精壮气，助阳证阴。不拘丈夫妇人，幼稚襁褓，不问四时冷热，即食后冷热俱治。一两分为十二服，但临时酌量加减。似觉壅热，伤寒，头痛鼻塞，四肢不举，饮食不下，烦闷气胀，不论昼夜急疾，要宣泻求安，即看年纪高下，用药一分或至半两，酌量加减，用桃花汤下为使，最上，次用葱汤下，如未通宣，更以汤一碗或两碗，投之即验。自然调补如常。要微畅不秘涩，但长服之，稍稍得力，朝服、暮服，应不搜刮人五脏，怡怡自泰。其药初服之时，每日空腹，酒饮茶汤任下三钱匕，食后良久更下三钱匕。七日内常微泻利黄黑水涎沫等，此是搜淘诸疾根本出去，勿用畏之。七日后渐觉腹脏暖，消食下气，唯忌食苦参或食诸鱼、藕菜。饮食诸毒药解法，用葱白煎汤一茶碗，调玄明粉两钱顿服之，其诸毒药立泻下。若女人身怀六甲，长服安胎，诞孩子生日，无疮肿疾病。长服除故养新，气血日安。如有偶中毒物，取地胆一分，荠苨、犀角各半两，服之立解。如长服，用大麻汤下为使。此药偏暖水脏，女人服，补血脉，及治骨蒸五劳，惊悸健忘，热毒风等，服之立愈。令人悦泽，开关健脾，轻身延寿，驻精神，明目。诸余功效不可具载，有传在太阴经中。朴消二斤，须是白净者，以瓷炉一个叠实，却以瓦一片盖炉，用十斤炭火一煅，炉口不盖，著炭一条，候沸定了，方盖之，复以十五斤炭煅①之。放冷一伏时，提炉出药，以纸摊在地上，盆盖之一伏时，日晒取干。入甘草二两，生熟用，细捣罗为末。

马牙消

味甘，大寒，无毒。能除五脏积热伏气。末筛点眼及点眼药中用，甚去赤肿障翳涩泪痛。新补见《药性论》并日华子。

［**图经**］文已具朴消条中。

［**▌经验方**］治食②物过饱不消遂成痞鬲。马牙消一两，碎之，吴茱萸半升陈者，煎取茱萸浓汁投消，乘热服，良久未转，更进一服，立愈。窦群在常州，此方得效。

［**又方**］退翳明目白龙散：马牙消光净者，用厚纸裹令按实，安在怀内著肉

① 煅：原作“瑕”，据刘《大观》、柯《大观》、底本校勘表改。

② 食：原作“良”，据刘《大观》。

处，养一百二十日取出研如粉，入少龙脑同研细。不计年岁深远，眼内生翳膜①，渐渐昏暗，远视不明，但瞳仁不破散并医得，每点用药末两米许，点目中。

［**简要济众**］治小儿鹅口。细研马牙消，于舌上掺之②，日三五度。

［**姚和众**］治小儿重舌。马牙消涂舌下，日三度。

［**太清伏炼灵砂法**］马牙消，阴极之精，能制伏阳精，消化火石之气。

［**丹房镜源**］养丹砂，制硇砂。

生消

味苦，大寒，无毒。主风热癫痫，小儿惊邪瘈疭，风眩头痛，肺壅，耳聋，口疮，喉痹咽塞，牙颔肿痛，目赤热痛，多眵泪。生茂州西山岩石间。其形块大小不定，色青白。采无时。恶麦句姜。今附

［**图经**］文附朴消条下。

滑石

味甘，寒、大寒，无毒。**主身热、泄澼，女子乳难，癃**音隆**闭，利小便，荡胃中积聚寒热，益精气**，通九窍六腑津液，去留结，止渴，令人利中。**久服轻身，耐饥，长年。**一名液石，一名共石，一名脱石，一名番石。生赭阳山谷及太山之阴，或掖北白山，或卷羌权切山。采无时。石韦为之使，恶曾③青。

［陶隐居］云：滑石，色正白，《仙经》用之以为泥。又有冷石，小青黄，性并冷利，亦能熨油污衣物。今出湘州、始安郡诸处。初取软如泥，久渐坚强，人多以作冢中明器物，并散热人用之，不正入方药。赭阳县先属南阳，汉哀帝置，明《本经》所注郡县，必是后汉时也。掖县，属青州东莱；卷县，属司州荣④阳。

［唐本注］云：此石所在皆有。岭南始安出者，白如凝脂，极软滑。其出掖县者，理粗质青白黑点，惟可为器，不堪入药。齐州南山神通寺南谷亦大有，色青白不佳，至于滑腻，犹胜掖县者。

［臣禹锡等谨按药性论］云：滑石，臣。一名夕冷。能疗五淋，主难产。服其

---

① 膜：原作“瞙”，据刘《大观》、柯《大观》、底本校勘表改。

② 之：刘《大观》、柯《大观》作“大豆许”。

③ 曾：刘《大观》误作“会”。

④ 荣：柯《大观》作“荥”。

末，又末[①]与丹参、蜜、猪脂[②]为膏，入其月即空心酒下弹丸大。临产倍服，令滑胎易生。除烦热心躁，偏主石淋。

［陈藏器］云：按，始安及掖县所出二石，形质既异，所用又殊。陶云：不知今北方有之否。当陶之时北方阻绝，不知之者，曷足怪焉。苏恭引为一物，深可嗟讶。其始安者，软滑而白，是滑石。东莱者，硬涩而青，乃作器石也。

［南越志］云：骨[③]音僚城县出骨石，骨石即滑石也。土人以为烧器以烹鱼。

［日华子］云：滑石治乳痈，利津液。

［图经曰］滑石，生赭阳山谷及泰山之阴，或掖北白山，或卷山，今道、永、莱、濠州皆有之。此有二种，道、永州出者，白滑如凝脂。《南越志》云：骨城县出骨石，骨石即滑石也。土人以为烧器，用以烹鱼是也。莱、濠州出者，理粗质青，有白黑点，亦谓之斑石。二种皆可作器用，甚精好。初出软烂如泥，久渐坚强，彼人皆就穴中乘其软时制作，用力殊少，不然坚强费功。《本经》所载土地，皆是北方，而今医家所用，多是色白者，乃自南方来。又按，《雷敩炮炙方》滑石有五色，当用白色如方解石者。其绿色者，性寒有毒，不入药。又云：凡滑石似冰，白青色，画石上有白腻文者为真。如此说，则与今南中来者又皆相类，用之无疑矣。然雷敩虽名隋人，观其书乃有言唐以后药名者，或是后人增损之欤。或云：沂州出一种白滑石，甚佳，与《本经》所云泰山之阴相合。然彼土不取为药，故医人亦鲜知用之。今濠州医人所供青滑石，云性微寒，无毒。主心气涩滞。与《本经》大同小异。又吴录《地理志》及《太[④]康地记》云：郁[⑤]林州布山县多虺，其毒杀人，有冷石可以解之，石色赤黑，味苦，屑之著疮中，并以切齿立苏。一名切齿石。今人多用冷石作粉，治痱疮，或云即滑石也，但味之甘苦不同耳。按[⑥]，古方利小便，治淋

道州滑石

濠州滑石

① 末：原作“木”，据刘《大观》、柯《大观》改。

② 脂：刘《大观》、柯《大观》作“肪”。

③ 骨：其下原有“石”字，据刘《大观》、柯《大观》、底本校勘表删。

④ 太：原作“大”，据刘《大观》、柯《大观》改。

⑤ 郁：柯《大观》、成化《政和》、商务《政和》作“欝”。

⑥ 按：刘《大观》、柯《大观》作“谨按”。

涩，多单使滑石。又与石韦[1]同捣末，饮服刀圭更快。又主石淋[2]发烦闷，取滑石十二分，研粉，分两服，以水和搅令散，顿服之。烦热定，即停后服。未已，尽服必差。

［▊雷公云］凡使有多般，勿误使之。有白滑石、绿滑石、乌滑石、冷滑石、黄滑石。其白滑石如方解石，色白，于石上画有白腻文，方使得。滑石绿者，性寒，有毒，不入药中用。乌滑石似鷖色，画石上有青白腻文，入用妙也。黄滑石色似金，颗颗圆。画石上有青黑色者，勿用，杀人。冷滑石青苍色，画石上作白腻文，亦勿用。若滑石色似冰，白青色，画石上有白腻文者，真也。凡使，先以刀刮，研如粉，以牡丹皮同煮一伏时，出，去牡丹皮取滑石，却用东流水淘过，于日中晒干方用。

［圣惠方］ 治乳石发动，躁热烦渴不止。滑石半两，细研如粉，以水一中盏，绞如白饮，顿服之，未差再服。

［又方］ 治妇人过忍小便致胞转。滑石末，葱汤调下二钱匕。

［又方］ 治膈上烦热多渴，通利九窍。滑石二两捣碎，以水三大盏，煎取二盏，去滓，下粳米二合煮粥，温温食之效。

［外台秘要］ 疗妊娠不得小便，滑石末水和泥脐下二寸。

［广利方］ 治气壅，关格不通，小便淋结，脐下妨闷兼痛。以滑石八分研如面，以水五大合，和搅顿服。

［杨氏产乳］ 疗小便不通。滑石末一升，以车前汁和涂脐四畔，方四寸，热即易之，冬月水和亦得。

［丹房镜源］ 滑石能制雄、雌黄为外匮。

［周礼］ 以滑养窍。注云：滑石也。凡诸滑[3]物，通利往来，似窍。

［衍义曰］ 滑石，今谓之画石，以其软滑可写画，淋家多用。若暴得吐逆不下食，以生细末贰钱匕，温水服；仍急以热面半盏，押定。

石胆

味酸、辛，**寒**，有毒。**主明目、目痛，金疮，诸痫痉**巨郢切，**女子阴蚀痛，石淋**

---

① 韦：刘《大观》、柯《大观》作“苇”。

② 淋：刘《大观》无。

③ 滑：原脱，据《周礼·天官冢宰·疡医》注文补。

寒热，崩中下血，诸邪毒气，令人有子，散癥积，咳逆上气，及鼠瘘恶疮。**炼饵服之不老，久服增寿神仙**①。**能化铁为铜，成金银。一名毕石**，一名黑石，一名棋石，一名铜勒。生羌道山谷羌里句青山。二月庚子、辛丑日采。水英为之使，畏牡桂、菌桂、芫②花、辛夷、白薇。

［陶隐居］云：《仙经》有用此处，俗方甚少，此药殆绝。今人时有采者，其色青绿，状如琉璃而有白文，易破折。梁州、信都无复有，俗用乃以青色矾石当去声之，殊无仿佛。《仙经》一名立制石。

［唐本注］云：此物出铜处有，形似曾青，兼绿相间，味极酸、苦，磨铁作铜色，此是真者。陶云色似琉璃，此乃绛矾。比来亦用绛矾为石胆，又以醋揉青矾为之，并伪矣。真者出蒲州虞乡县东亭谷窟及薛集窟中，有块如鸡卵者为真。

［臣禹锡等谨按吴氏］云：石胆，神农：酸，小寒。季氏③：大寒。桐君：辛，有毒。扁鹊：苦，无毒。

［药性论］云：石胆，君，有大毒。破热毒，陆英为使。

［日华子］云：味酸、涩，无毒。治蚛牙，鼻内息肉。通透清亮，蒲州者为上也。

信州石胆

［图经曰］石胆，生羌道山谷、羌里句青山，今惟信州铅山县有之，生于铜坑中，采得煎炼而成，又有自然生者，尤为珍贵，并深碧色，入吐风痰药用最快。二月庚子、辛丑日采。苏恭云：真者，出蒲州虞乡县东亭谷窟及薛集窟中，有块如鸡卵者为真。今南方医人多使之。又著其说云：石胆最上出蒲州，大者如拳，小者如桃、栗，击之纵横解皆成叠文，色青，见风久则绿，击破④其中亦青也。其次出上饶曲江铜坑间者，粒细有廉棱，如钗股米粒。本草注言，伪者以醋揉青矾为之。今不然，但取粗恶石胆合消石销溜而成。今块大色浅，浑浑无脉理，击之则碎无廉棱者是也。亦有挟石者，乃削取石胆床，溜造时投消汁中，及凝则相著也。

［**◣唐本余**］下血赤白，面黄，女子脏寒。

---

① 久服增寿神仙：刘《大观》、柯《大观》作黑字《别录》文。

② 芫：成化《政和》、商务《政和》误作“羌”。

③ 季氏：《纲目》作“李当之”。

④ 破：柯《大观》作“碎”。

[外台秘要] 疗齿痛及落尽。细研石胆，以人乳汁和如膏，擦①所痛齿上或孔中，日三四度。止痛，复生齿，百日后复故齿。每日②以新汲水漱令净。

[梅师方] 治甲疽。以石胆一两，于火上烧令烟尽，碎研末，傅疮上。不过四五度立差。

[胜金方] 治一切毒。以胆子矾为末，用糯米糊丸如鸡头实大，以朱砂衣，常以朱砂养之，冷水化一丸，立差。

[又方] 治口疮众疗不效。胆矾半两，入银埚子内，火煅通赤，置于地上，出火毒一夜，细研。每③取少许傅疮上，吐浆④水清涎，甚者，一两上便差。

[谭氏小儿方] 治初中风瘫缓。一日内，细研胆矾如面，每使一字许，用温醋汤下，立吐出涎，渐轻。

[太清伏炼灵砂法] 石胆所出嵩岳蒲州，禀灵石异气，形如瑟瑟。

[沈存中笔谈] 信州铅山有苦泉，流以为涧，挹其水熬之，则成胆矾，烹胆矾即成铜，熬胆矾铁釜久之亦化为铜。

空青

味甘、酸，**寒**、大寒，无毒。**主青盲，耳聋，明目，利九窍，通血脉，养精神**，益肝气，疗目赤痛，去肤翳止泪出，利水道，下乳汁，通关节，破坚积。**久服轻身，延年不老**，令人不忘，志高、神仙。**能化铜、铁、铅、锡作金。**生益州山谷及越巂山有铜处。铜精熏则生空青，其腹中空。三月中旬采，亦无时。

[陶隐居] 云：越巂属益州。今出铜官者，色最鲜深，出始兴者弗如，益州诸郡无复有，恐久不采之故也。凉州西平郡有空青山，亦甚多。今空青但⑤圆实如铁珠，无空腹者，皆凿土石中取之。又以合丹成，则化铅为金矣。诸石药中，惟此最贵。医方乃稀用之，而多充画色，殊为可惜。

空青

① 擦：刘《大观》、柯《大观》作“傅”。

② 日：刘《大观》、柯《大观》无。

③ 每：刘《大观》作“各”。

④ 浆：原作“酸”，据刘《大观》、柯《大观》、底本校勘表改。

⑤ 但：刘《大观》、柯《大观》作“俱”。

［唐本注］云：此①物出铜处有，乃兼诸青，但空青为难得。今出蔚州、兰州、宣州、梓州，宣州者最好，块段细，时有腹中空者。蔚州、兰州者，片块大，色极深，无空腹者。

［今注］今出饶、信等州者亦好。

［臣禹锡等谨按范子计然］云：空青出巴郡。白青、曾青出新淦。青色者善。

［药性论］云：空青，君，畏菟丝子。能治头风，镇肝。瞳仁破者，再得见物。

［萧炳］云：腹中空，如杨梅者胜。

［日华子］云：空青大者如鸡子，小者如相思子。其青厚如荔枝②壳，内有浆酸甜，能点多年青盲内障翳膜，养精气。其壳又可摩翳也。

［图经曰］空青，生益州山谷及越嶲山有铜处，铜精熏则生空青，今信州亦时有之。状若杨梅，故别名杨梅青。其腹中空，破之有浆者绝难得。亦有大者如鸡子，小者如豆子。三月中旬采，亦无时。古方虽稀用，而今治眼翳障，为最要之物。又曾青所出与此同山，疗体颇相似，而色理亦无异，但其形累累如连珠相缀，今极难得。又有白青，出豫章山谷，亦似空青，圆如铁珠，色白而腹不空，亦谓之碧青，以其研之色碧也，亦谓之鱼目青，以其形似鱼目也。无空青时，亦可用，今不复见之。

［◣千金方］治眼䀮䀮不明。以空青少许，渍露一宿，以水点之。

［又方］治口㖞不正。取空青一豆许，含之即效。

［肘后方］治卒③中风，手臂不仁，口㖞僻。取空青末一豆许，著口中渐入咽即愈。

［衍义曰］空青，功长于治眼。仁庙朝，尝诏御药院，须中空有水者，将赐近戚，久而方得。其杨梅青，治翳极有功。中亦或有水者，其用与空青同，弟有优劣耳。今信州穴山而取，世谓之杨梅青，极难得。

曾青

味酸，小寒，无毒。**主目痛，止泪出，风痹，利关节，通九窍，破癥坚积聚，**养肝胆，除寒热，杀白虫，疗头风、脑中寒，止烦渴，补不足，盛阴气，**久服轻身**

① 此：成化《政和》、商务《政和》作“凡”。

② 枝：刘《大观》、柯《大观》作“支”。

③ 卒：刘《大观》、柯《大观》无。

不老。能化金、铜①**。**生蜀中山谷及越嶲。采无时。畏菟丝子。

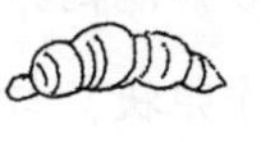
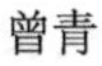

曾青

［陶隐居］云：此说与空青同山，疗体亦相似。今铜官更无曾青，惟出始兴。形累累如黄连相缀，色理小类空青，甚难得而贵。《仙经》少用之。化金之法，事同空青。

［唐本注］云：曾青出蔚州、鄂州。蔚州者好，其次鄂州，余州并不任用。

［图经］文附空青条下。

［■雷公云］凡使，勿用夹石及铜青。若修事一两，要紫背天葵、甘草、青芝草三件，干、湿各一镒，并细剉，放于一瓷埚内，将曾青于中，以东流水二镒并诸药等，缓缓煮之，五昼夜，勿令水火失时，足取出，以东流水浴过，却入乳钵中②，研如粉用。

［丹房镜源］曾青结汞、制丹砂，金气之所生。

［宝藏论］曾青若住火成膏者，可立制汞成银，转得八石。

［清霞子］爽神气。

禹馀粮

味甘，寒、平，无毒。**主咳逆，寒热，烦满，下赤白，血闭，癥瘕，大热，**疗小腹痛结烦疼。**炼饵服之，不饥、轻身、延年。**一名白馀粮。生东海池泽及山岛中，或池泽中。

禹馀粮

［陶隐居］云：今多出东阳，形如鹅鸭卵，外有壳重叠，中有黄细末如蒲黄，无砂者为佳。近年茅山凿地大③得之，极精好，乃有紫华靡靡。《仙经》服食用之。南人又呼平泽中有一种藤，叶如菝葜，根作块有节，似菝葜而色赤，根形似薯蓣，谓为禹馀粮。言昔禹行山乏食，采此以充粮，而弃其余，此云白馀粮也。生池泽复有仿佛。或疑今石者，即是太一也。张华云：地多蓼者，必有馀粮，今庐江间便是也。适有人于铜官采空青于石坎，大得黄赤色石，极似今之馀粮，而色过赤好，疑此是太一也。彼人呼为雌

① 曾青……能化金、铜：以上35字《本经》文，原作黑字《别录》文书写，据刘《大观》、柯《大观》、成化《政和》、商务《政和》改。

② 中：刘《大观》、柯《大观》、成化《政和》、商务《政和》作“内”。

③ 大：柯《大观》作“人”。

黄，试涂物，正如雄黄色尔。

［唐本注］云：陶云黄赤色石，疑是太一。既无壳裹，未是馀粮，疑谓太一，殊非的称。

［臣禹锡等谨按药性论］云：禹馀粮，君，味咸。主治崩中。

［萧炳］云：牡丹为使。

［日华子］云：治邪气及骨节疼、四肢不仁、痔瘘等疾。久服耐寒暑。又名太一馀粮。

［图经曰］禹馀粮，生东海池泽及山岛中，或池泽中，今惟泽、潞州有之。旧说形如鹅鸭卵，外有壳重叠，中有黄，细末如蒲黄。今图上者，全是山石之形，都不作卵状，与旧说小异。采无时。《本经》又有太一馀粮。谨按，陶隐居《登真隐诀》载长生四镇丸云：太一禹馀粮，定六腑，镇五脏。注云：按本草有太一馀粮、禹馀粮两种。治体犹同。而今世惟有禹馀粮，不复识太一。此方所用，遂合其二名，莫辨何者的是。而后小镇直云：禹馀粮，便当用之耳。馀粮多出东阳山岸间，茅山甚有，好者状如牛黄，重重甲错，其佳处乃紫色，泯泯如面，啮之无复碜。虽然用之，宜细研，以水洮取汁澄之，勿令有沙土也。而苏恭亦云：太一馀粮与禹馀粮本一物，而以精粗为别，故一名太一禹馀粮。其壳若瓷，初在壳中，未凝结者，犹是黄水，久凝乃有数色，或青，或白，或赤，或黄，年多渐变紫色，自赤及紫，俱名太一，其诸色通谓之馀粮也。今医家但用馀粮，亦不能如此细分别耳。张仲景治伤寒下痢不止，心下痞鞕，利在下焦者，赤石脂禹馀粮汤主之。赤石脂、禹馀粮各一斤，并碎之，以水六升，煮取二升，去滓，分再服。又按张华《博物志》曰：扶海洲上，有草焉，名曰筛草，其实食之，如大麦，从七月稔熟，民敛至冬乃讫，名自然谷，亦曰禹馀粮。今药中有禹馀粮者，世传昔禹治水，弃其所余食于江中，而为药也。然则，筛草与此异物而同名也。其云弃之江中而为药，乃与生海池泽者同种乎？

［▶ 经验方］治产后烦躁。禹馀粮一枚，状如酸𫄸[①]者，入地埋一半，四面紧筑，用炭一秤，发顶火一斤煅，去火三分耗二为度，用湿砂土罨一宿方取，打去外面一重，只使里内细研水淘澄五七度，将纸衬[②]干再研数千遍。患者用甘草煎汤调二钱匕，只一服立效。

---

① 𫄸：刘《大观》、柯《大观》作“馅”。

② 衬：原作“淋”，据刘《大观》、柯《大观》、成化《政和》、商务《政和》改。

[胜金方] 治妇人带下。白下：即禹馀粮一两，干姜等分。赤下：禹馀粮一两，干①姜半两，右件禹馀粮用醋淬，捣研细为末，空心温酒调下二钱匕。

[别说云] 谨按，越州会稽山中，见出一种甚良。彼人云：昔大禹会稽于此地余粮者。本为此尔。

太一馀粮

味甘，平，无毒。**主咳逆上气，癥瘕，血闭，漏下，除邪气，**肢节不利，大饱绝力身重。**久服耐寒暑，不饥，轻身，飞行千里，神仙。一名石脑。**生太山山谷。九月采。杜仲为之使，畏贝母、菖蒲、铁落。

[陶隐居] 云：今人惟总呼为太一禹馀粮，自专是禹馀粮尔，无复识太一者，然疗体亦相似，《仙经》多用之，四镇丸亦总名太一禹馀粮。

[唐本注] 云：太一馀粮及禹馀粮，一物而以精、粗为名尔。其壳若瓷，方圆不定，初在壳中未凝结者，犹是黄水，名石中黄子。久凝乃有数色，或青，或白，或赤，或黄。年多变赤，因赤渐紫。自赤及紫，俱名太一。其诸色通谓馀粮。今太山不见采得者，会稽、王屋、泽②、路州诸山皆有之。

[臣禹锡等谨按吴氏] 太一禹馀粮，一名禹哀。神农、岐伯、雷公：甘，平。季氏③：小寒。扁鹊：甘，无毒。生太山上，有甲，甲中有白，白中有黄，如鸡子黄色。九月采，或无时。

[图经] 文已具禹馀粮条下。

[◣陈藏器云] 苏云：禹馀粮及太一禹馀粮，皆以精粗为名。馀粮中黄子，年多变赤，从赤入紫，俱名太一馀粮。杂色者即禹馀粮。案，苏恭此谈，直以紫色为名，都无按据，且太一者，道之宗源，太者大也，一者道也，大道之师，即禹之理化。神君，禹之师也。师常服之，故有太一之名。兼服混然。张司空云：还魂石中黄子，鬼物禽兽守之，不可妄得，即其神物也。会稽有地名蓼，出余粮，土人掘之，以物请买，所请有数，依数必得，不可妄求，此犹有神，岂非太一也。

[雷公云] 凡使，勿误用石中黄并卵石黄，此二名石。真似禹馀粮也。其石中黄，向里赤、黑、黄，味淡微跙。卵石黄，味酸。个个如卵，内有子一块，不堪用

① 干：刘《大观》误作“石”。

② 泽：其下，刘《大观》、柯《大观》有“州”字。

③ 季氏：《纲目》作“李当之”。

也。若误饵之，令人肠干。太一禹馀粮，看即如石，轻敲便碎，可如粉也。兼重重如叶子雌黄，此能益脾，安脏气。凡修事四两，先用黑豆五合，黄精五合，水二斗，煮取五升，置于瓷埚中，下禹馀粮，着火煮，旋添，汁尽为度。其药气自然香如新米，捣了又研一万杵方用。

白石英

味甘、辛，**微温**，无毒。**主消渴，阴痿不足，咳逆，胸膈间久寒，益气，除风湿痹**，疗肺痿，下气，利小便，补五脏，通日月光。**久服轻身长年**，耐寒热。生华阴山谷及太山。大如指，长二三寸，六面如削，白澈有光。其黄端白棱名黄石英，赤端名赤石英，青端名青石英，黑端名黑石英。二月采，亦无时。恶马目毒公。

［陶隐居］云：今医家用新安所出，极细长白澈者。寿阳八公山多大者，不正用之。《仙经》大小并有用，惟须精白无瑕杂者。如此说，则大者为佳。其四色英，今不复用。

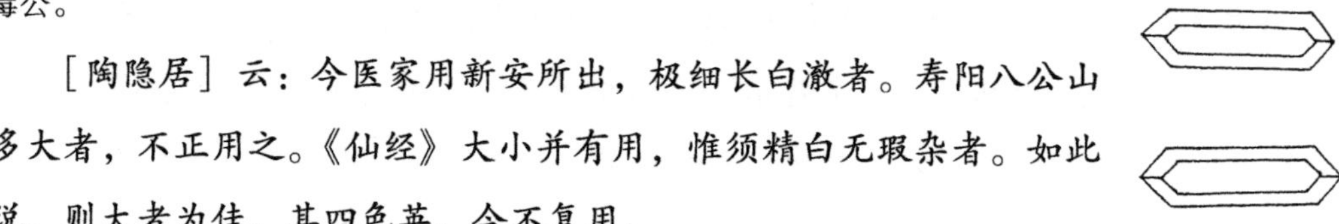

泽州白石英

［唐本注］云：白石英所在皆有，今泽州、虢州、洛州山中俱出。虢州者大，径三四寸，长五六寸。今通以泽州者为胜也。

［臣禹锡等谨按吴氏］云：白石英，神农：甘。岐伯、黄帝、雷公、扁鹊：无毒。生太山，形如紫石英。白泽，长者二三寸。采无时。

［又云］青石英如白石英，青端赤后者是。赤石英，赤端白后者是，赤泽有光，味苦，补心气。黄石英，黄色如金在端者是。黑石英，黑泽有光。

［药性论］云：白石英，君。能治肺痈①吐脓，治嗽逆上气，疸黄。

［日华子］云：五色石英，平。治心腹邪气，女人心腹痛，镇心，疗胃②冷气，益毛发，悦颜色，治惊悸，安魂定魄，壮阳道，下乳，通亮者为上。其补益随脏色而治，青者治肝，赤者治心，黄者治皮肤③，白者治肺，黑者治肾。

［图经曰］白石英，生华阴山谷及泰山。陶隐居以新安出者佳。苏恭以泽州者为胜。今亦泽州出焉。大抵长而白泽，明澈有光，六面如削者可用。长五六寸者弥

---

① 痈：刘《大观》作“臃”，柯《大观》作“壅”，成化《政和》、商务《政和》作“雍”。

② 胃：其下，刘《大观》、柯《大观》有“中”字。

③ 治皮肤：疑当作“治脾”。按五色归五脏理论，据上下文推测，本句应为“黄者治脾”。

佳。其黄色如金在端者，名黄石英。赤端白后者，名赤石英。青端赤后者，名青石英。黑泽而有光者，名黑石英。二月采，亦云无时。古人服食，惟白石英为重，紫石英但入五石散。其黄、赤、青、黑四种，《本经》虽有名，而方家都不见用者。故《乳石论》以钟乳为乳，以白石英为石，是六英之贵者，惟白石也。又曰：乳者，阳中之阴；石者，阴中之阳。故阳生十一月后甲子服乳，阴生五月后甲子服石。然而相反、畏恶，动则为害不浅。故乳石之发，方治虽多，而罕有能济者，诚不可轻饵也。

［■①**圣惠方**］治腹坚胀满②号石水方：用白石英十两，捶如大豆大，以瓷瓶盛，用好酒二斗浸，以泥重封瓶口，将马粪及糠火烧之，长令酒小沸，从卯至午即住火，候次日暖一中盏饮，日可三度。如吃酒少，随性饮之。其白石英，可更一度烧之③。

［**简要济众方**］治心脏不安，惊悸善忘，上鬲风热化痰。白石英一两，朱砂一两，同研为散。每服半钱，食后、夜卧，金银汤调下。

［**衍义曰**］白石英，状如紫石英，但差大而六棱，白色如水精。紫、白二石英，当攻疾，可暂煮汁用，未闻久服之益。张仲景之意，只令㕮咀，不为细末者，岂无意焉。其久服，更宜详审。

紫石英

味甘、辛，**温**，无毒。**主心腹咳逆邪气，补不足，女子风寒在子宫，绝孕十年无子**，疗上气心腹痛，寒热邪气结气，补心气不足，定惊悸，安魂魄，填下焦，止消渴，除胃中久寒，散痈肿，令人悦泽。**久服温中，轻身延年。**生太山山谷。采无时。长石为之使，得茯苓、人参、芍药共疗心中结气，得天雄、菖蒲共疗霍乱，畏扁青、附子，不欲鮀甲、黄连、麦句姜。

［陶隐居］云：今第一用太山石，色重澈，下有根。次出雹零山，亦好。又有南城石，无根。又有青绵石，色亦重黑，不明澈。又有林邑石，腹里必有一物如眼。吴兴石四面才有紫色，无光泽。会稽诸暨石，形色如石榴子。先时并杂用。今丸散家采择，惟太山最胜，余处者，可作丸酒饵。《仙经》不正用，而为俗方

---

① ■：原脱，据本书体例补。

② 满：其下，刘《大观》、柯《大观》有“世”字。

③ 之：刘《大观》、柯《大观》作“用”。

所重也。

［臣禹锡等谨按吴氏］云：紫石英，神农、扁鹊：味甘，平。季氏：大寒。雷公：大温。岐伯：甘，无毒。生太山或会稽，采无时。欲令如削，紫色达头如樗[①]蒲者。

［药性论］云：紫石英，君。女人服之有子，主[②]养肺气，治惊痫，蚀脓，虚而惊悸不安，加而用之。

［岭南录异］云：陇[③]州山中多紫石英，其色淡紫，其实莹澈，随其大小皆五棱，两头如箭镞，煮水饮之，暖而无毒。比北中白石英，其力倍矣。

［日华子］云：紫石英，治痈肿毒等，醋淬捣为末，生姜、米醋煎，傅之。摩亦得。

［图经曰］紫石英，生泰山山谷，今岭南及会稽山中亦有之。谨按，《吴普本草》云：紫石英，生泰山及会稽，欲令如削，紫色达头如樗蒲者。陶隐居云：泰山石，色重澈下有根，最佳。会稽石，形色如石榴子，最下。先时并杂用，今惟用泰山石，余处者可作丸、酒饵。又按《岭表录异》云：今[④]陇[③]州山中多紫石英，其色淡紫。其实莹澈，随其大小皆五棱，两头如箭镞。煮水饮之，暖而无毒，比北中白石英，其力倍矣。然则泰山、会稽、岭南紫石英用之亦久。《乳石论》无单服紫石者，惟五石散则通用之，张文仲有镇心单服紫石煮水法，胡洽及《千金方》则多杂诸药同用，今方家用者，惟治疗妇人及治心病药时有使者。

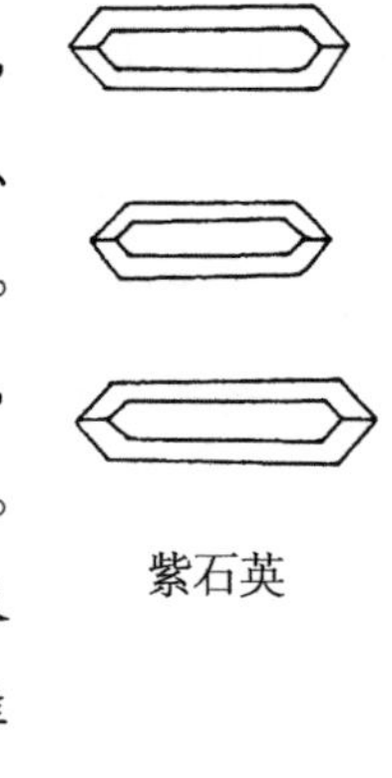

紫石英

［◣圣惠方］补虚劳，止惊悸，令人能食。紫石英五两，打碎如米豆大，水淘一遍，以水一斗，煮取二升，去滓澄清，细细服，或煮粥，羹食亦得，服尽更煎之。

［青霞子］紫石英，轻身充肌[⑤]。

［衍义曰］紫石英，明澈如水精，其色紫而不匀。张仲景治风热瘈疭及惊痫瘈

---

① 樗：原作“摴”，据柯《大观》改。

② 主：原作“生”，据刘《大观》、柯《大观》、底本校勘表改。

③ 陇：刘《大观》、柯《大观》作“泷”。

④ 今：刘《大观》、柯《大观》无。

⑤ 肌：刘《大观》、柯《大观》、商务《政和》作“饥”。

疯风引汤：紫石英、白石英、寒水石、石膏、干姜、大黄、龙齿、牡蛎①、甘草、滑石等分，混合㕮咀，以水一升，煎去三分，食后量多少温呷，不用滓，服之无不效者。

青石、赤石、黄石、白石、黑石脂等

味甘，平。主黄疸，泄痢，肠澼，脓血，阴蚀，下血，赤白，邪气，痈肿，疽痔，恶疮，头疡，疥瘙。久服补髓，益气，肥健，不饥，轻身，延年。五石脂各随五色补五脏。生南山之阳山谷中。

［臣禹锡等谨按蜀本］云：今义阳山甚有之，一本南阳山谷中也。

青石脂

味酸，平，无毒。主养肝胆气，明目，疗黄疸，泄痢肠澼，女子带下百病，及疽痔，恶疮。久服补髓，益气，不饥，延年。生齐区山及海崖。采无时。

［别说云］谨按，唐注云：出苏州余杭山。今不采。而苏州今乃见贡赤、白二种，然入药不甚佳。惟延州山中所出最良。揭两石中取之。延州每以蕃寇围城苦无水，乃撅地深广三五丈，以石脂密固贮水，得经时久不渗漏，宜以此为良。

赤石脂

味甘、酸、辛，大温，无毒。主养心气，明目益精，疗腹痛，泄澼，下痢赤白，小便利，及痈疽疮痔，女子崩中漏下，产难胞衣不出。久服补髓，好颜色，益智，不饥，轻身延年。生济南、射阳及太山之阴。采无时。恶大黄，畏芫花②。

潞州赤石脂

［唐本注］云：此石济南太山不闻出者，今虢州卢氏县、泽州陵川县及慈州吕乡县并有，色理鲜腻。宜州诸山亦有。此五石脂中，又有石骨，似骨，如玉坚润，服之力胜钟乳。

［臣禹锡等谨按药性论］云：赤石脂，君，恶松脂，补五脏虚乏③。

---

① 蛎：原作“砺”，据庆元《衍义》改。

② 花：刘《大观》作“元”。

③ 乏：原作“之”，据成化《政和》、商务《政和》改。

[图经曰] 赤石脂，生济南、射阳及泰山之阴。苏恭云：济南泰山不闻出者，惟虢州卢氏县、泽州陵川县、慈州吕乡县并有，及宜州诸山亦出，今出潞州。以色理鲜腻者为胜，采无时。古人亦有单服食者。《乳石论》载服赤石脂，发则心痛，饮热酒不解，治之用葱豉绵裹，水煮饮之。《千金翼》论曰：治痰饮吐水无时节者，其源以冷饮过度，遂令脾胃气羸，不能消于饮食，饮食入胃，则皆变成冷水，反吐不停，皆赤石脂散主之。赤石脂一斤，捣筛，服方寸匕，酒饮自任，稍稍加至三匕。服尽一斤，则终身不吐淡①水。又不下痢，补五脏，令人肥健。有人淡①饮，服诸药不效，用此方遂愈。其杂诸药用者，则张仲景治伤寒下痢不止，便脓血者，桃花汤主之。其方用赤石脂一斤，一半全用，一半末用，干姜一两，粳米半升，以水七升煮之，米熟为准，去滓，每饮七合，内赤石脂末②方寸匕服，日三愈。止后服，不尔尽之。又有乌头赤石脂丸，主心痛彻背者。乌头一分，附子二分，并炮，赤石脂、干姜、蜀椒各四分，五物同杵末，以蜜和丸，大如梧子，先食服一丸，不知，稍增之。

[■ 斗门经] 治小儿疳泻，用赤石脂杵罗为末如面，以粥饮调半钱服，立差。或以京芎等分同服，更妙。

[衍义曰] 赤石脂，今四方皆有，以舌试之，粘着者为佳。有人病大肠寒滑，小便精出，诸热药服及一斗二升，未甚效。后有人教服赤石脂、干姜各一两，胡椒半两，同为末，醋糊丸如梧桐子大，空心及饭前米饮下五七十丸，终四剂，遂愈。

黄石脂

味苦，平，无毒。主养脾气，安五脏，调中，大人、小儿泄痢肠澼，下脓血，去白虫，除黄疸，痈疽虫。久服轻身延年。生嵩高山。色如莺雏。采无时。曾青为之使，恶细辛，畏蜚蠊。

[■ 唐本余] 畏黄连、甘草、蜚蠊。

[雷公云] 凡使，须研如粉，用新汲水投于器中，搅不住手，了，倾作一盆。如此飞过三度。澄者去之，取飞过者，任入药中使用，服之不问多少，不得食卵味。

---

① 淡：通“痰”。

② 末：其下，刘《大观》、柯《大观》有“一”字。

白石脂

味甘、酸，平，无毒。主养肺气，厚肠，补骨髓，疗五脏惊悸不足，心下烦，止腹痛下水，小肠澼热溏，便脓血，女子崩中，漏下，赤白沃，排痈疽疮痔。久服安心，不饥，轻身，长年。生泰山之阴。采无时。得厚朴并米汁饮，止便脓。燕屎为之使，恶松脂，畏黄芩。

［唐本注］云：白石脂，今出慈州诸山，胜于余处者。太山左侧不闻有之。

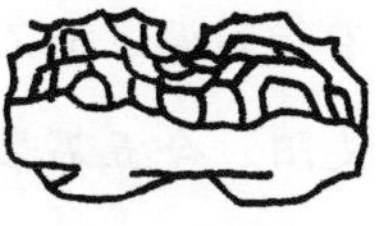
潞州白石脂

［臣禹锡等谨按蜀本及萧炳］云：畏黄连、甘草、飞廉。

［药性论］云：白石脂，一名白符。恶马目毒公。味甘、辛。涩大肠。

［图经曰］白石脂，生太山之阴。苏恭云：出慈州诸山，泰山左侧不闻有之。今惟潞州有焉，潞与慈相近，此亦应可用。古断下方多用。而今医家亦稀使，采无时。五色石脂旧经同一条，并生南山之阳山谷中，主治并同，后人各分之，所出既殊，功用亦别，用之当依后条。然今惟用赤、白二种，余不复识者。唐·韦宙《独行方》治小儿脐中汁出不止兼赤肿，以白石脂细末，熬温，扑脐中，日三良。又《斗门方》治泻痢。用白石脂、干姜二物停捣①，以百沸汤和面为稀糊，搜匀，并手丸如梧子，暴干，饮下三十丸。久痢不定，更加三十丸。霍乱煎浆水为使。

［▌子母秘录］治小儿水痢，形羸不胜大汤药。白石脂半大两研如粉，和白粥空肚与食。

［别说云］谨按，唐注云：出苏州、余杭山，今不采。而苏州今乃见贡赤、白二种，然入药不甚佳。惟延州山中所出最良，揭两石中取之。延州每以蕃寇围城苦②无水，乃撅地③深广三五丈，以石脂密固贮水，得经时久不渗漏，宜以此为良。

［衍义曰］白石脂，有初生未满月小儿，多啼叫，致脐中血出，以白石脂细末贴之，即愈。未愈，微微炒过，放冷再贴，仍不得剥揭。

① 捣：其下，刘《大观》、柯《大观》有“治”字。

② 苦：原作“若”，据柯《大观》改。

③ 地：刘《大观》、柯《大观》作“池”。

黑石脂

味咸，平，无毒。主养肾气，强阴，主阴蚀疮，止肠澼泄痢，疗口疮咽痛。久服益气，不饥，延年。一名石涅，一名石墨。出颍①川阳城。采无时。

［陶隐居］云：此五石脂如《本经》，疗体亦相似，《别录》各条，所以具载，今俗用赤石、白石二脂尔，《仙经》亦用白石脂，以涂丹釜。好者出吴郡，犹与赤石脂同源。赤石脂多赤而色好，惟可断下，不入五石散用。好者亦出武陵、建平、义阳。今五石散皆用义阳者，出酆县界东八十里，状如豚脑，色鲜红可爱，随采②复而生③，不能断痢，而④不用之。余三色脂有，而无正用，黑石脂乃可画用尔。

［唐本注］云：义阳即申州也，所出者，名桃花石，非五色脂，色如桃花，久服肥人。土人亦以疗下痢，旧出苏州、余杭山，大有，今不收采尔。

［臣禹锡等谨按吴氏］云：五色石脂，一名青、赤、黄、白、黑符。青符，神农：甘。雷公：酸，无毒。桐君：辛，无毒。季氏⑤：小寒。生南山或海崖⑥。采无时。赤符，神农、雷公：甘。黄帝、扁鹊：无毒。季氏：小寒。或生少室，或生太山。色绛，滑如脂。黄符，季氏：小寒。雷公：苦。或生嵩山。色如豚脑、雁雏，采无时。白符，一名随。岐伯、雷公：酸，无毒。季氏：小寒。桐君：甘，无毒。扁鹊：辛。或生少室、天娄山，或太山。黑符，一名石泥。桐君：甘，无毒。生洛西山空地。

［日华子］云：五色石脂，并温，无毒。畏黄芩、大黄⑦。治泻痢，血崩带下，吐血、衄血，并涩精，淋沥，安心，镇五脏，除烦，疗惊悸，排脓，治疮疖痔瘘，养脾气，壮筋骨，补虚损。久服悦色，文理腻，缀唇者为上也。

白青

味甘、酸、咸，平，无毒。**主明目，利九窍，耳聋，心下邪气，令人吐，杀诸**

---

① 颍：刘《大观》、柯《大观》作“颖”，成化《政和》、商务《政和》作“类”。

② 采：其下，刘《大观》、柯《大观》有“随”字。

③ 而生：柯《大观》倒置。

④ 而：柯《大观》作“故”。

⑤ 季氏：《纲目》作“李当之”，下同。

⑥ 崖：原作“涯”，据柯《大观》改。

⑦ 大黄：柯《大观本草札记》云：“别本作官桂。”

毒三虫。久服通神明，轻身，延年不老。可消为铜剑，辟五兵。生豫章山谷。采无时。

［陶隐居］云：此医方不复用，市人亦无卖者，惟《仙经》三十六水方中时有须处。铜剑之法，具在《九元子术》中。

［唐本注］云：陶所云，今空青，圆如铁珠，色白而腹不空者是也。研之色白①如碧，亦谓之碧青，不入画用。无空青时，亦用之，名鱼目青，以形似鱼目故也。今出简州、梓州者好。

绿青

味酸，寒，无毒。主益气，疗鼽音求鼻，止泄痢。生山之阴穴中，色青白。

［陶隐居］云：此即用画绿色者，亦出空青中，相带挟。今画工呼为碧青，而呼空青作绿青，正反矣。

［唐本注］云：绿青即扁青也，画工呼为石绿。其碧青即白青也，不入画用。

［图经曰］绿青，今谓之石绿。旧不著所出州土，但云生山之阴穴中。《本经》次②空青条上云：生益州山谷及越巂山有铜处，此物当是生其山之阴耳。今出韶州、信州。其色青白，即画工用画绿色者，极有大块，其中青白花文③可爱。信州人用琢为腰带环及妇人服饰。其入药者，当用颗块如乳香不挟石者佳。今医家多用吐风痰。其法，拣取上色精好者，先捣下筛，更用水飞过至细，乃再研治之。如风痰眩闷，取二三钱匕，同生龙脑三四豆许研匀，以生薄荷汁合酒温调服。使偃卧须臾，涎自口角流出，乃愈。不呕吐，其功速于它药，今人用之，比比皆效，故以其法附之云。又下条云：扁青生朱崖山谷及武都朱提。苏恭云：即绿青是也，海南来者，形块大如拳，其色又青，腹中亦时有空者，今未见此色。武昌、简州、梓州亦有，今亦不用。

信州绿青

---

① 白：刘《大观》误作“自”。

② 次：柯《大观》作“文”。

③ 文：柯《大观》作“大”。

［衍义曰］绿青，即石碌是也。其石黑绿色者佳，大者刻为物形，或作器用。又同硇砂，作吐风涎药，验则验矣，亦损心肺。

石中黄子

味甘，平，无毒。久服轻身，延年，不老。此禹馀粮壳中未成馀粮黄浊水也。出馀粮处有之。陶云：芝品中有石中黄子，非也。唐本先附

［臣禹锡等谨按日华子］云：功同上。去壳研用即是，壳内未干凝者。

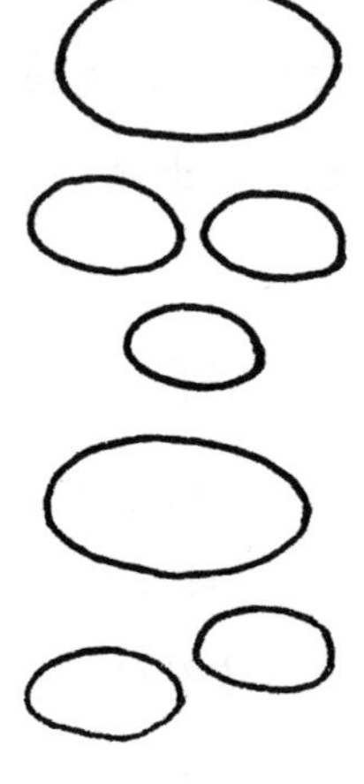
河中府石中黄子

［图经曰］石中黄子，《本经》不载所生州土，云出禹馀粮处有之，今惟出河中府中条山谷内。旧说是馀粮壳中未成馀粮黄浊水。今云其石形如面剂，紫黑色，石皮内黄色者，谓之中黄。两说小异。谨按，葛洪《抱朴子》云：石中黄子①所在有之，近②水之山尤多，在大石中，其石常润湿不燥，打石，石有数十重，见之赤黄，溶溶如鸡子之在壳，得者即当饮之，不尔，便坚凝成石，不中服也。破一石中，多者有一升，少者数合，法当正及未坚时饮之，即坚凝，亦可末服也。若然旧说，是初破取者。今所用，是久而坚凝者耳。采无时。

［衍义曰］石中黄子，此又字误也。子当作水，况当条自言未成馀粮黄浊水，焉得却名之子也？若言未干者，亦不得谓之子也。子字乃水字无疑。又曰：太一馀粮者，则是兼石言之者也。今医家用石中黄，只石中干者及细末者，即便是。若用禹馀粮石，即用其壳。故本条言一名石脑，须火烧醋淬。如此即是石中黄水为一等，石中黄为一等，太一馀粮为一等，断无疑焉。

无名异

味甘，平。主金疮折伤内损，止痛，生肌肉。出大食国。生于石上。状如黑石炭，蕃人以油炼如鬻石，嚼之如饧。今附

［臣禹锡等谨按日华子］云：无名异，无毒。

---

① 石中黄子：原作“石子中黄”，据《抱朴子·内篇》、《纲目》、底本校勘表改。

② 近：《抱朴子·内篇》《纲目》作“沁”。

[**图经曰**] 无名异，出大食国，生于石上。今广州山石中，及宜州南八[1]里龙济山中亦有之。黑褐色，大者如弹丸，小者如墨石子。采无时。《本经》云：味甘，平，主金疮折伤内损，生肌肉。今云味咸，寒，消肿毒痈疣，与《本经》所说不同，疑别是一种。又岭南人云：有石无名异，绝难得。有草无名异，彼人不甚贵重。岂《本经》说者为石，而今所有者为草乎？用时以醋磨涂傅所苦处。又有婆娑石，生南海，解一切毒。其石绿色，无斑点，有金星，磨之成乳汁者为上。胡人尤珍贵之，以金装饰作指疆带之。每欲食及食罢，辄含吮数四，以防毒，今人有得指面许块，则价值百金。人莫能辨，但水磨涓滴，点鸡冠热血，当化成水，乃真也。俗谓之摩娑石。

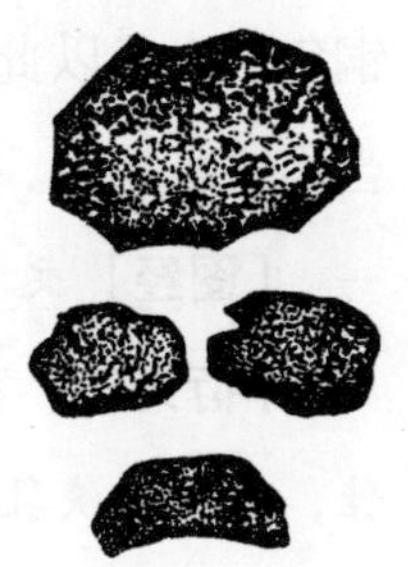

广州无名异

宜州无名异

[**衍义曰**] 无名异，今《图经》曰：《本经》云，味甘，平，治金疮折伤，生肌肉。今云味咸，寒，消肿毒痈肿，与《本经》所说不同，疑别是一种。今详上文三十六字，未审今云字下，即不知是何处云也。

菩萨石

平，无毒。解药毒、蛊毒，及金石药发动作痈疽渴疾，消扑损瘀血，止热狂惊痫，通月经，解风肿，除淋，并水磨服。蛇虫、蜂蝎、狼犬、毒箭等所伤，并末傅之，良。新补见日华子。

[**▼ 杨文公谈苑**] 嘉州峨眉山有菩萨石，人多采得之。色莹白，若太山狼牙石，上饶州水晶之类，日光射之，有五色如佛顶圆光。

[**衍义曰**] 菩萨石，出峨嵋山中，如水精明澈，日中照出五色光，如峨嵋普贤菩萨圆光，因以名之。今医家鲜用。

婆娑石

主解一切药毒、瘴疫、热闷、头痛。生南海。胡人采得之，无斑点，有金星，磨成乳汁者为上。又有豆斑石，虽亦解毒，功力不及，复有鄂绿，有文理，磨铁成

---

① 八：成化《政和》、商务《政和》误作“入”。

铜色。人多以此为之，非真也。凡欲验真者，以水磨点鸡冠①热血，当化成水是也。此即俗谓之摩娑石也。今附

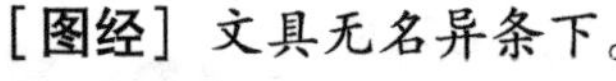

［图经］文具无名异条下。

［衍义曰］婆娑石，今则转为磨②娑石，如淡色石绿间微有金星者佳，磨之如淡乳汁，其味淡。又有豆斑③石，亦如此石，但于石上有黑斑点，无金星。

婆娑石

绿矾

凉，无毒。治喉痹，蚛牙，口疮及恶疮疥癣。酿鲫鱼烧灰和服，疗肠风泻血。新补见日华子。

［图经］文具矾石条下。

［◣集验方］治小儿疳气不可疗，神效丹。绿矾用火煅通赤，取出，用酽醋淬过复煅，如此三度。细研，用枣肉和丸如绿豆大，温水下，日进两三服。

柳絮矾

冷，无毒。消痰，治渴，润心肺。新补见日华子。

［图经］文具矾石条下。

扁音褊**青**

味甘，平，无毒。**主目痛、明目，折跌**音迭**，痈肿，金疮不瘳**音抽**，破积聚，解毒气，利精神，**去寒热风痹，及丈夫茎中百病，益精。**久服轻身，不老。**生朱崖山谷、武都、朱音殊提音时。采无时。

［陶隐居］云：《仙经》俗方都无用者。朱崖郡先属交州，在南海中，晋代省之。朱提郡今属宁州。

［唐本注］云：此即前条陶谓绿青是也。朱崖、巴南及林邑、扶南舶上来者，形块大如拳，其色又青，腹中亦时有空者。武昌者，片块小而色更佳。简州、梓州

① 冠：刘《大观》无。

② 磨：庆元《衍义》作“摩”。

③ 斑：庆元《衍义》作“班”。

者，形扁作片，而色浅也。

［臣禹锡等谨按吴氏］云：扁青，神农、雷公：小寒，无毒。生蜀郡。治丈夫内绝，令人有子。

［图经］ 文具绿青条下。

三种海药余

车渠

《韵集》[①] 云：生西国。是玉石之类，形似蚌蛤，有文理。大寒，无毒。主安神镇宅，解诸毒药及虫螫[②]。以玳瑁一片，车渠等同，以人乳磨服，极验也。又《西域记》云：重堂殿梁檐皆以七宝饰之，此其一也。

金线矾

《广州志》云：生波斯国。味咸、酸、涩，有毒。主野鸡瘘痔，恶疮疥癣等疾。打破内有金线文者为上。多入烧家用。

波斯白矾

《广州记》云：出大秦国。其色白而莹净，内有棘针纹。味酸、涩，温，无毒。主赤白漏下，阴蚀泄痢，疮疥，解一切虫蛇等毒。去目赤暴肿，齿痛。火炼之良。恶牡蛎。多入丹灶家，功力逾于河西石门者，近日文州诸番往往亦有，可用也。

三十五[③]种陈藏器余

金浆

味辛，平，无毒。主长生神仙。久服肠中尽为金色。

---

① 韵集：原为“集韵”之误。据底本卷5“青琅玕”条臣禹锡等谨按陈藏器文改。

② 螫：刘《大观》作“野”。

③ 五：刘《大观》作“六”。

古镜

味辛，无毒。主惊痫邪气，小儿诸恶。煮取汁和诸药煮服之。文字弥古者佳尔。

劳铁

主贼风。烧赤投酒中，热服之。劳铁经用辛苦者，铁是也。

神丹

味辛，温，有小毒。主万病。有寒温飞金石及诸药随寒温共成之，长生神仙。

铁锈①

主恶疮疥癣，和油涂之。蜘蛛虫等咬，和蒜磨傅之。此铁上衣也。锈生铁上者堪用。

布针

主妇人横产。烧令赤，内酒中，七遍，服之，可取二七布针，一时火烧。粗者用缝布大针是也。

铜盆

主熨霍乱。可盛灰厚二寸许，以炭火安其上，令微热，下以衣藉患者腹，渐渐熨之。腹中通热差。

钉棺下斧声

之时，主人身弩肉。可候有时，专听其声，声发之时②，便下手速捺③二七遍，

① 锈：原作“绣”，据文理改。

② 声发之时：刘《大观》、柯《大观》无。

③ 捺：成化《政和》、商务《政和》作“擦”。

已后自得消平也。产妇勿用。

枷上铁钉

有犯罪者，忽遇恩得免枷了，取叶钉等，后遇有人官累，带之除得灾。

黄银

银注中苏云：作器辟恶，瑞物也。按瑞物黄银载于《图经》。银瓮丹甑，非人所为，既堪为器，明非瑞物。今乌银辟恶，煮之，工人以为器物，养生者为器，以煮药。兼于庭中，高一丈，夜承得醴，投别器中，饮长年。今人作乌银以琉黄薰之，再宿，写之出，即其银黑矣。此是假，非真也。

石黄

雄黄注中苏云[①]：通名黄石。按，石黄，今人敲取精明者为雄黄，外黑者为薰黄。主恶疮，杀虫，薰疮疥虮虱，和诸药薰嗽。其武都雄黄，烧不臭。薰黄中者，烧则臭。以此分别之，苏云通名，未之[②]是也。

石脾

芒硝注中陶云：取石脾为硝石。以水煮之一斛，得三斗，正白如雪，以石投中则消，故名消石。按石脾、芒消、消石，并生西戎卤地。咸水结成，所生次类相似。

诸金

有毒。生金有大毒。药人至死。生岭南夷獠洞穴山中。如赤黑碎石，金铁屎之类。南人云：毒蛇齿脱在石中。又云：蛇著石上。又鸩屎著石上皆碎，取毒处为生金，以此为雌黄，有毒。雄黄亦有毒。生金皆同此类。人中金药毒者，用蛇解之。其候法在金蛇条中。《本经》云：黄金有毒，误甚也。生金与彼黄金全别也。

---

① 苏云：刘《大观》、柯《大观》作“陶云”。

② 之：刘《大观》、柯《大观》作“知”。

水中石子

无毒。主食鱼脍腹中胀满成瘕痛闷，饮食不下，日渐瘦。取水中石子数十枚，火烧赤投五升水中，各七遍，即热饮之。如此三五度，当利出瘕也。

石漆

堪燃烛膏半缸如漆，不可食，此物水石之精，固应有所主疗，检诸方，见有说《博物志》酒泉南山石出水，其如肥肉汁，取著器中如凝脂，正黑，与膏无异，彼方人为之石漆。今检不见其方，深所恨也。

烧石

令赤投水中，内①盐数合。主风瘙瘾疹，及洗之。又取石如鹅卵大，猛火烧令赤，内醋中十余度。至石碎尽取屑暴干，和醋涂肿上。出北齐书，医人马嗣明，发背及诸恶肿皆愈。此并是寻常石也。

石药②

味苦，寒，无毒。主折伤内损，瘀血，止烦闷欲死者，酒消服之，南方俚人，以傅毒箭镞，及深山大蝮中人，速取病者当顶上十字剺之。令皮断出血，以药末疮上，并傅所伤处，其毒必攻上，下泄之，当出黄汁数升，则闷解。俚人重之，带于腰，以防毒箭。亦主恶疮，热毒痈肿，赤白游，瘘蚀等疮。北人呼肿名之曰游，并水和傅之。出贺州石上山内，似碎石、硇砂之类，土人以竹筒盛之。

研朱石槌

主妒③乳。煮令热，熨乳上，取二槌，更互用之，以巾覆乳上，令热彻内，数十遍，取差为度也。

---

① 内：通“纳”，下同。

② 石药：《纲目》误作“特蓬杀”。《纲目》在“石药”药名下所录的条文，实乃“特蓬杀”的条文。

③ 妒：原作“妬”，据柯《大观》改。

晕石

无毒。主石淋。磨服之，亦烧令涂，投酒中服。生大海底。如姜石，紫褐色，极紧似石，是咸水结成之。自然有晕也。

流黄香

味辛，温，无毒。去恶气，除冷，杀虫。似流黄而香，吴时外国传云：流黄香出都昆国，在扶南南三千里。《南洲异物志》云：流黄香出南海边诸国，今中国用者从西戎来①。

白师子

主白虎病。向②东人呼为历节③风，置白师子于病者前自愈，此压伏之义也。白虎鬼，古人言如猫，在粪堆中，亦云是粪神。今时人扫粪莫置门下，令人病。此疗之法，以鸡子揩病人痛，咒愿送著粪堆，头勿反顾。

玄黄石

味甘，平，温，无毒。主惊恐身热邪气，镇心。久服令人眼明，令人悦泽。出淄川北海山谷土石中。如赤土，代赭之类。又有一名零陵，极细，研服之如代赭，土人用以当朱，呼为赤石，恐是代赭之类也。人未用之。

石栏干

味辛，平，无毒。主石淋，破血，产后恶血。磨服，亦煮汁服，亦火烧投酒中服。生大海底，高尺余，如树，有眼、茎。茎上有孔，如物点之，渔人以网罾得之，初从水出，微红，后渐青。

---

① 《南洲异物志》……从西戎来：成化《政和》、商务《政和》将以上24字从“流黄香”条中析出，误立为一条。

② 向：柯《大观》作“江”。

③ 节：刘《大观》、柯《大观》作“骨”。

玻璃①

味辛，寒，无毒。主惊悸心热，能安心明目，去赤眼，熨热肿。此西国之②宝也。是水王③，或云④千岁冰化为之，应玉石之类，生土石中。未必是冰。今水精珠精者极光明，置水中不见珠也。熨目除热泪，或云火燧珠，向日取得火。

石髓

味甘，温，无毒。主寒、热中，羸瘦无颜色，积聚，心腹胀满，食饮不消，皮肤枯槁，小便数疾，癖块，腹内肠鸣，下利，腰脚疼冷，男子绝阳，女子绝产，血气不调，令人肥健能食，合金疮，性拥，宜寒瘦人，生临海盖山石窟。土人采取，澄陶如泥，作丸如弹子，有白有黄，弥佳矣。

霹雳针

无毒。主大惊失心，恍惚不识人，并下淋，磨服，亦煮服。此物伺候震处，掘地三尺得之。其形非一，或言是人所造，纳与天曹，不知事实。今得之，亦有似斧刃者，亦有如剉刃者，亦有安二孔者。一用人间石作也。注出雷州，并河东山泽间。因雷震后时，多似斧，色青黑，斑文，至硬如玉。作枕，除魔梦，辟不祥。名霹雳屑也。

大石镇宅

主灾异不起。宅经取大石镇宅四隅。《荆楚岁时记》：十二月暮日，掘宅四角，各埋一大石为镇宅。又《鸿宝万毕术》云：埋丸⑤石于宅四隅，槌桃核七枚，则鬼无能殃也。

---

① 玻璃：刘《大观》、柯《大观》作“颇梨”。

② 之：刘《大观》、柯《大观》无。

③ 王：刘《大观》、柯《大观》作“玉”。

④ 云：其下，刘《大观》、柯《大观》有“是”字。

⑤ 丸：《御览》《岁时广记》作“圆”，《淮南万毕术》引《玉烛宝典·十二园季冬》作“员”。宋代避钦宗赵桓（桓、丸音近）讳，改作“圆”或“员”，日久成习，“丸”“员”“圆”通用。

金石

味甘，无毒。主久羸瘦，不能食，无颜色。补腰脚冷，令人健壮，益阳，有暴热脱发，飞炼服之。生五台山清凉寺。石中金屑，作赤褐色。

玉膏

味甘，平，无毒。玉石①，主延年神仙。术家取蟾蜍膏软玉如泥，以苦酒消之成水，此则为膏之法。今②玉石间水，饮之长生，令人体润，以玉投朱草汁中化成醴，朱草瑞物，已出金水卷中。《十洲仙记》瀛③洲有玉膏泉如酒，饮之数杯辄醉，令人长生。洲上多有仙家似吴儿，虽仙境之事，有可凭者，故以引为证也。

温石及烧砖

主之得热气彻腰腹，久患下部冷，久痢肠腹下白脓，烧砖并温石熨及坐之并差。但取坚石烧暖用之，非别有温石也。

印纸

无毒。主令妇人断产无子。剪有印处烧灰，水服之一钱匕，神效。

烟药

味辛，温，有毒。主瘰疬，五痔瘘，瘿瘤疮根恶肿。石黄、空青、桂心并四两，干姜一两为末，取铁片阔五寸，烧赤，以药置铁上，用瓷碗以猪脂涂碗底，药飞上，待冷即开，如此五度，随疮孔大小，以药如鼠屎内孔中，面封之，三度根出也。无孔者针破内之。

---

① 玉石：成化《政和》、商务《政和》作“五石”，柯《大观》刻作大字正文。

② 今：刘《大观》、柯《大观》作“未试”。

③ 瀛：原作“瀛”，据《纲目》卷8“白玉髓”条改。

特蓬杀[1]

味辛、苦，温，小毒。主飞金石用之，炼丹亦须用，生西国。似石脂、蛎粉之类，能透金石铁无碍下通出。

阿婆赵荣二药

有小毒。主丁肿恶疮，出根蚀息肉、肉刺。齐人以白姜石、犬屎、绯帛、棘针钩等合成如墨，硬土作丸。又有阿婆赵荣药，功状相同。云：石灰和诸虫及绯帛，棘针合成之，并出临、淄、齐州。

六月河中诸热砂

主风湿顽痹不仁，筋骨挛缩，脚疼冷风掣，瘫[2]缓，血脉断绝。取干沙日暴令极热，伏坐其中，冷则更易之，取热彻通汗。然后随病进药，及食忌风冷劳役。

重修政和经史证类备用本草卷第三

---

① 特蓬杀：《纲目》误作“石药”。《纲目》在“特蓬杀”药名下所录的条文，实乃“石药”的条文。

② 瘫：成化《政和》、商务《政和》误作“痈”。

重修政和经史证类备用本草卷第四

己酉新增衍义

重修政和经史证类备用本草卷第四 己[①]酉新增衍义

成　都　唐　慎　微　续　证　类
中卫大夫康州防御使句当龙德宫总辖修建明堂所医药
提举入内医官编类圣济经提举太医学臣曹孝忠奉敕校勘

玉石部中品总八十七[②]种　金、银、铁、盐、土等附

一十六种神农本经　白字

七种名医别录　墨字

七种唐本先附　注云唐附

八种今附　皆医家尝用有效。注云今附

三种新补

一种新分条

三种图经余[③]

一种唐慎[④]微续添　墨盖[⑤]子下是

---

① 己：原作“巳”，据底本书首牌记改。

② 七：柯《大观》作“四”。

③ 三种图经余：柯《大观》无。

④ 慎：刘《大观》作“谨”。

⑤ 盖：柯《大观》作“框”。

一种唐本余

四十种陈藏器余

凡墨盖子已[①]下并唐慎[②]微续证类

雄黄　**石硫黄**　**雌黄**　食盐[③]　自米部今移

水银　**石膏**玉火石附[④]　金屑　银屑

生银　今附　朱砂[⑤]银　续注　▛[⑥]　灵砂　水银粉　新补

磁石　磁石毛　续注　玄石　绿盐　唐附

凝水石　**阳起石**　**孔公孽**　**殷孽**

蜜陀僧　唐附

铁精　铁蘸、淬铁水、针砂、煅锻[⑦]下铁屑、刀刃、犁镵尖　续注

铁浆　元附铁精下　新分条　秤锤　今附　铁杵、故锯、钥匙　续注

铁华粉　今附　生铁　铁粉　今附　**铁落**

钢铁　**铁**　石脑　**理石**

珊瑚　唐附　石蟹　今附　浮石　续注　**长石**

马衔　今附　砺石　新补　石花　唐附　桃花石　唐附

光明盐　唐附　石床　唐附　**肤青**　马脑　新补

太阴玄精　盐精附[⑧]　今附　车辖　今附　石蛇　图经余

黑羊石　图经余　白羊石　图经余[⑨]

一种唐本余

银膏

四十种陈藏器余

天子耤田三推犁下土　社坛四角土　土地

---

① 已：原作"巳"，据文理改。

② 镇：刘《大观》作"谨"。

③ 食盐：柯《大观》排在"雄黄"条之下。

④ 玉火石附：柯《大观》无。

⑤ 砂：刘《大观》无。

⑥ ▛：刘《大观》、柯《大观》作方框"□"。

⑦ 煅锻：刘《大观》作"投镤"。

⑧ 盐精附：柯《大观》无。

⑨ 石蛇图经余、黑羊石图经余、白羊石图经余：柯《大观》无。

市门土	自然灰	铸钟黄土	户垠下土
铸铧鉏孔中黄土	瓷坩中里白灰	弹丸土	执日取天星上土
大甑中蒸土	鼢鼠壤堆上土	冢上土及砖石	桑根下土
春牛角上土	土蜂窠上细土	载盐车牛角上土	驴溺泥土
故鞋底下土	鼠壤土	屋内墉下虫尘土	鬼屎
寡妇床头尘土	床四脚下土	瓦甑	甘土
二月上壬日取土	柱下土	胡燕窠内土	道中热尘土
正月十五日灯盏	仰[①]天皮	蚁穴中出土	古砖
富[②]家中庭土	百舌鸟窠中土	猪槽上垢及土	故茅屋上尘
诸土有毒			

---

① 仰：原作“仰”，据成化《政和》、商务《政和》改。

② 富：原作“冨”，据成化《政和》、商务《政和》改。

雄黄

阶州雄黄

阶州水窟雄黄

味苦、甘，**平**、**寒**、大温，有毒。**主寒热，鼠瘘，恶疮，疽痔，死肌**，疗疥虫，䘌疮，目①痛，鼻中息肉及绝筋破骨，百节中大风，积聚，癖气中恶，腹痛，鬼疰，**杀精物恶鬼，邪气，百虫毒，胜五兵**，杀诸蛇虺毒，解藜芦毒，悦泽人面。**炼食之，轻身神仙。**饵服之，皆飞入人脑中，胜鬼神，延年益寿，保中不饥。得铜可作金。**一名黄食石②。**生武都山谷、敦煌山之阳。采无时。

［陶隐居］云：炼服之法，皆在《仙经》中。以铜为金，亦出《黄白术》中。晋末已来，氐羌中纷扰，此物绝不复通，人间时有三五两，其价如金。合丸皆用石门、始兴石黄之好者尔。始以齐初凉州互市，微有所得，将至都下。余最先见于使人陈典签处，捡获见十余片，伊辈不识此是何等，见有夹雌③黄或谓是丹砂，示吾，吾乃示语④并又属觅，于是渐渐而来，好者作鸡冠色，不臭而坚实。若黯黑及虚软者，不好也。武都、氐羌是为仇池。宕昌亦有，与仇池正同而小劣。敦煌在凉州西数千里，所出者，未尝得来江东，不知当复云何。此药最要，无所不入。

① 目：成化《政和》、商务《政和》误作“自”。

② 黄食石：《纲目》作“黄金石”。

③ 雌：刘《大观》、柯《大观》误作“雄”。

④ 语：成化《政和》、商务《政和》作“诸”。

［唐本注］云：出石门名石黄者，亦是雄黄，而通名[①]黄食石。而石门者最为劣尔，宕昌、武都者为佳，块方数寸，明澈如鸡冠，或以为枕，服之辟恶。其青黑坚者，不入药用。若火飞之而疗疮亦无嫌。又云：恶者名熏音训黄，用熏疮疥，故名之，无别熏黄也。贞观年中，以宕州新出有得方数尺者，但重脆不可全致之尔。

［臣禹锡等谨按吴氏］云：雄黄，神农：苦。山阴有丹雄黄，生山之阳，故曰雄，是丹之雄，所以名雄黄也。

［水经］云：黄水出零阳县西北连巫山溪，出雄黄，颇有神异。采常以冬月，祭祀凿石深数丈方得，故溪水取名焉。

［抱朴子］云：雄黄当得武都山所出者，纯而无杂，其赤如鸡冠，光明晔晔者，乃可用耳，其但纯黄似雌黄色无光者，不任作仙药，可以合理病药耳。

［药性论］云：雄黄，金苗也。杀百毒。又名黄石。味辛，有大毒。能治尸疰，辟百邪鬼魅，杀蛊毒。人佩之，鬼神不能近；入山林，虎狼伏；涉川济，毒物不敢伤。

［萧炳］云：雄黄，君。

［陈藏器云］按，石黄，今人敲取中精明者为雄黄，外黑者为熏黄。主恶疮，杀虫，熏疮疥虮虱，及和诸药熏嗽。其武都雄黄烧不臭，熏黄中者烧则臭，以此分别之。苏云通名，未之是也。

［日华子云］雄黄，微毒。治疥癣，风邪，癫痫，岚瘴[②]，一切蛇虫犬兽伤咬。久服不饥。通赤亮者为上，验之，可以熁虫死者为真，臭气少，细嚼口中含汤不激辣者，通用。

［图经曰］雄黄，生武都山谷、敦煌山之阳，今阶州山中有之。形块如丹砂，明澈不夹[③]石，其色如鸡冠者为真。有青黑色而坚者名熏音训黄，有形色似真而气臭者名臭黄，并不入服食药，只可疗疮疥耳。其臭以醋洗之便可断气，足以乱真，用之尤宜细辨。又阶州接西戎界，出一种水窟雄黄，生于山岩中有水泉流处。其石名青烟石、白鲜石。雄黄出其中，其块大者如胡桃，小者如粟豆，上有孔窍，其色深红而微紫，体极轻虚，而功用胜于常雄黄，丹灶家尤所贵重。或云雄黄，金之苗也，故南方近金坑冶处时或有之，但不及西来者真好耳。谨案，雄黄治疮疡尚矣。

① 名：成化《政和》、商务《政和》误作“石”。

② 瘴：成化《政和》、商务《政和》、柯《大观》作“障”。

③ 夹：刘《大观》、柯《大观》、成化《政和》、商务《政和》作“挟”。

《周礼·疡医》凡疗疡，以五毒攻之。郑康成注云：今医方有五毒之药，作之合黄堥音武，置石胆、丹砂、雄黄、礜石、磁石其中，烧之三日三夜，其烟上著，以鸡羽扫取之，以注创，恶肉破骨则尽出。故翰林学士杨亿常笔记直史馆杨嵎年少时有疡生于颊，连齿辅车外肿若覆瓯，内溃出脓血不辍，吐之痛楚难忍，疗之百方，弥年不差，人语之，依郑法合烧药成，注之创中，少顷，朽骨连两牙溃出，遂愈，后便安宁。信古方攻病之速也。黄堥若今市中所货有盖瓦合也，近世合丹药犹用黄瓦甂，亦名黄堥，事出于古也。

［◣**雷公云**］凡使，勿用黑鸡黄、自死黄、夹腻黄。其臭黄真似雄黄，只是臭不堪用，时人以醋洗之三两度，便无臭气，勿误用也。次有夹腻黄，亦似雄黄，其内一重黄一重石，不堪用。次有黑鸡黄，亦似雄黄，如乌鸡头上冠也。凡使，要似鹧鸪鸟肝色为上。凡修事，先以甘草、紫背天葵、地胆、碧棱花四件并细剉，每件各五两，雄黄三两，下东流水入埚埚①中，煮三伏时，漉出，捣如粉，水飞，澄去黑者，晒干再研，方入药用。其内有劫铁石，是雄黄中有，又号赴矢黄，能劫于铁，并不入药用。

［**圣惠方**］治伤寒、狐惑毒，蚀下部肛外如䘌，痛痒不止。以雄黄半两，先用瓶子一个口大者，内入灰上，如装香火将雄黄烧之，候烟出当病处熏之。

［**外台秘要**］治骨蒸极热。以一两和小便一升，研如粉。乃取黄理石一枚，方圆可一尺，以炭火烧之三食顷，极热，灌②雄黄汁于石上。恐大热不可近，宜著一片薄毡置石上，令患人脱衣坐石上。冷停，以衣被围绕身，勿令药气泄出，经三五度差。

［**又方**］治箭毒。捣为末傅之，沸汁出愈。亦疗蛇咬毒。

［**千金方**］治妇人始觉有妊，养胎，转女为男。以一两囊盛带之。

［**又方**］治耳聋。以雄黄、硫黄等分为末，绵裹塞耳中。

［**又方**］卒中鬼击及刀兵所伤，血漏腹中不出，烦满欲绝。雄黄粉酒服一刀圭，日三服，化血为水。

［**又方**］治癥瘕积聚，去三尸，益气延年却老。以雄黄二两，细研为末，九度水飞过，却入新净竹筒内盛，以蒸饼一块塞筒口，蒸七度，用好粉脂一两为丸如绿豆大。日三服，酒下七丸、十丸。三年后道成，益力不饥，玉女来侍。

---

① 埚埚：《纲目》作“坩埚”。

② 灌：成化《政和》、商务《政和》作“浇”。

[肘后方] 若血内漏者，以雄黄末如大豆，内疮中。又服五钱匕，血皆化为水，卒以小便服之。

[经验方] 治马汗入肉。雄黄、白矾等分，更用乌梅三个，碓碎，巴豆一个，合研为细末。以半钱匕，油调敷患处。

[斗门方] 辟魔，以一块带头上，妙。

[博济方] 治偏头疼至灵散：雄黄、细辛等分研令细，每用一字已下，左边疼吹入右鼻，右边疼吹入左鼻，立效。

[续十全方] 治缠喉风。雄黄一块，新汲水磨，急灌，吐下，差。

[集验方] 治卒魇。雄黄捣为末细筛，以管吹入鼻孔中。

[伤寒类要] 治小腹痛满，不得小便及疗天行病。雄黄细研蜜丸如枣核，内溺孔中。

[又方] 杀齿虫，以末如枣塞牙间。

[抱朴子] 饵之法：或以蒸煮，或以酒服，或以消石化为水乃凝之，或以猪脂裹蒸之于赤土下，或以松脂和之，或以三物炼之，引之如布，白如冰。服之皆令人长生，百病除，三尸下，瘢痕灭，白发黑，堕齿生，千日玉女来侍，可使鬼神。又云：玉女常以黄玉为志，大如黍米，在鼻上，是真玉女；无此志者，鬼试人也。带雄黄入山林，即不畏蛇。若蛇中人，以少许末傅之，登时愈。蛇虽多品，惟蝮蛇、青[①]蝰金蛇中人为至急，不治，一日即死，人不晓治之。方术者，为二蛇中人，即以刀急割疮肉投地，其肉沸如火炙，须臾尽焦，而人得活也。此蛇七月、八月毒盛之时不得啮人，其毒不泄，乃以牙刺大竹木，即亦焦枯。

[太平广记] 刘无名，成都人也。志希延生，谓古方草木之药，但愈疾得效，见火辄为灰烬，自[②]不能固，岂有延生之力哉。乃入雾中山，尝遇人教服雄黄，凡三十余年。一旦，有二人赤巾朱服，径诣其室。刘问：何人？对曰：我泰山直事，追摄子耳，不知子以何术，我已三日冥期，迫促[③]而无计近子，将欲阴符谴责，以稽延获罪，故见形相问。刘曰：余无他术，但冥心至道不视声利，静处幽山，志希度世而已。二使曰：子之黄光照灼于顶，迫高数尺，得非雄黄之功乎？今子三尸已去，而积功未著，大限既尽，将及死期，岂可苟免。刘闻其语，心魂忧迫，不知所

---

① 青：《抱朴子·内篇·登涉》无。

② 自：成化《政和》、商务《政和》误作“目”。

③ 促：成化《政和》、商务《政和》作“从”。

为。二使谓之曰：岷峨①青城神仙之府，可以求真师，访寻要道，我闻铅汞朱髓，可致冲天，此非高真上仙，须得修炼之旨。复入青城北崖之下，见一洞，行数里忽觉平博，殆非人世，遇神仙居其间，云青城刘真人。刘祈叩再三，具述所值鬼使追摄之由，愿示要道，以拔沉沦，赐度生死之苦。真人指一岩室，使栖止其中，复令斋心七日乃示②其阳炉阴鼎，柔金炼化水玉之方，伏汞炼铅成朱髓之诀。狐刚子、阴长生皆得此道，亦名金液九丹之经。丹分三品，以铅为君，以汞为臣，八石为使，黄牙为苗③，君臣相得，运火功全，七日为轻汞④，二七日变紫锋，三七日五彩具，内赤上黄，状如窗尘。复运火二年，日周六百，再经四时，重履长至，初则十月离胞胎，已成初品，即能干汞成银丸而服之，可以袪疫。二年之外，服者延年益筭，白发反黑。三年之后服之刀圭，散居名山周游四海，为初品地仙，服之半剂，变化万端，坐在立亡，驾驭飞龙，白日升天。大都此药经十六节已为中品，便能使人长生。药成之日，五金、八石、黄牙诸物，与君臣二药，不相杂乱。千日功毕名上品还丹，谨而藏之，勿示非人，世有其人，视形气功行合道，依而传⑤之。刘受丹诀，还雾中山，筑室修炼，三年乃成。开成二年⑥犹驻于蜀，自述无名，传以示后人。入青城山去，不知所终矣。

［**太上八帝玄变经**］小丹法：用雄黄、柏子。拘魂制魄方：柏子细筛去滓，松脂十斤，以和柏子、雄黄各二斤，色如赤李，合药臼中复捣如蒸药一日。如饵，正坐北向，平旦顿服五丸，百日之后，与神人交见。

［**明皇杂录**］有黄门奉使交广回周顾谓曰：此人腹中有蛟龙。上惊问黄门曰：卿有疾否？曰：臣驰马大庾岭，时当大热，困且渴，遂饮水，觉腹中坚痞如石。周遂以消石及雄黄煮服之，立吐一物，长数寸，大如指，视之鳞甲具，投之水中，俄顷长数尺，复以苦酒沃之如故，以器覆之，明日已生一龙矣，上甚讶之。

［**唐书**］甄立言究习方书，仕唐为太常丞。有道人心腹满烦，弥二岁，立言诊曰：腹有蛊，误食发而然。令饵雄黄一剂，少选吐一蛇，如人小指，惟无目，烧之有发气，乃愈。

---

① 岷峨：成化《政和》、商务《政和》作“岷峨”。

② 示：原作“视”，据《太平广记》卷41改。

③ 苗：原作“田”，据《太平广记》卷41改。

④ 汞：原作“水”，据《太平广记》卷41改。

⑤ 传：原作“侍”，据柯《大观》、底本校勘表改。

⑥ 开成二年：即873年。“开成”，是唐文宗的年号。

[宝藏论] 雄黄，若以草药伏住者，熟炼成汁，胎色不移；若将制诸药成汁并添得者，上可服食，中可点铜成金，下可变银成金。

[丹房镜源] 雄黄千年化为黄金①。

[衍义曰] 雄黄非金苗。今有金窟处无雄黄。金条中言，金之所生，处处皆有雄黄，岂处处皆得也。别法，治蛇咬，焚之熏蛇远去。又武都者，镌磨成物形，终不免其臭。唐·甄立言仕为太常丞，有道人病心腹懑烦，弥二岁，诊曰：腹有蛊，误食发而然，令饵雄黄一剂，少选②吐一蛇如拇指，无目，烧之有发气，乃愈。此杀毒虫之验也。

石硫黄

味酸，温、大热，有毒。**主妇人阴蚀，疽痔，恶血，坚筋骨，除头秃，**疗心腹积聚，邪气冷癖在胁，咳逆上气，脚冷疼弱无力，及鼻衄，恶疮，下部䘌疮，止血，杀疥虫。**能化金、银、铜、铁奇物。**生东海牧羊山谷中，及太山、河西山，矾石液也。

广州石硫黄

[陶隐居] 云：东海郡属北徐州，而箕山亦有。今第一出扶南林邑。色如鹅子初出壳，名昆仑黄。次出外国，从蜀中来，色深而煌煌。然方用之疗脚弱及痼冷，甚良。《仙经》颇用之。所化奇物并是《黄白术》及合丹法。此云矾石液，今南方则无矾石，恐不必尔。

荣州土硫黄

[臣禹锡等谨案吴氏] 云：硫黄一名石留③黄。神农、黄帝、雷公：咸，有毒。医和、扁鹊：苦，无毒。或生易阳，或河西，或五色。黄是潘水石液也，烧令有紫焰者。八月、九月采。治妇人血结④。

[药性论] 云：石硫黄，君，有大毒。以黑锡煎汤解之，及食宿冷猪肉。味甘，太阳之精，鬼焰居焉，伏炼数

① 化为黄金：此下，刘《大观》是“食盐”条。

② 少选：须臾也。“选”，此处作“旋”之假借字。

③ 留：《太平御览》引《吴氏本草》作“流”。

④ 血结：《太平御览》引《吴氏本草》作“结阴”。

般皆传于作者。能下气，治脚弱，腰肾久冷，除冷风顽痹。又云：生用治疥癣，及疗寒热咳逆。炼服主虚损，泄精。

［萧①炳］云：硫黄，臣。

［日华子］云：石亭脂、曾青为使，畏细辛、飞廉、铁。壮阳道，治痃癖冷气，补筋骨劳损，风劳气，止嗽上气，及下部痔瘘，恶疮疥癣，杀腹脏虫，邪魅等。煎余甘子汁，以御其毒也。

［图经曰］石硫黄，生东海牧羊山谷中，及泰山、河西山，矾石液也。今惟出南海诸蕃。岭外州郡或有，而不甚佳。以色如鹅子初出壳者为真，谓之昆仑黄。其赤色者，名石亭脂，青色者号冬结石，半白半黑名神惊石，并不堪入药。又有一种土硫黄，出广南及荣②州，溪涧水中流出。其味辛，性热腥臭。主治疥疮，杀虫毒。又可煎炼成汁，以模镕作器，亦如鹅子黄色。谨按，古方书未有服饵硫黄者。《本经》所说功用，止于治疮蚀，攻积聚冷气，脚弱等。而近世遂火炼治为常服丸散，观其制炼服食之法，殊无本源，非若乳石之有论议节度，故服之，其效虽紧，而其患更速，可不戒之。

［▌海药］谨案，《广州记》云：生昆仑日脚下，颗块莹净，无夹石者良。主风冷虚惫，肾冷，上③气，腿膝虚羸，长肌肤，益气力，遗精，痔漏，老人风秘等。并宜烧炼服。仙方谓之黄硇砂，能坏五金，亦能造作金色，人能制伏归本色，服而能除万病。如有发动，宜以猪肉、鸭羹、余甘子汤并解之。蜀中雅州亦出，光腻甚好，功力不及舶上来者。

［雷公云］凡使，勿用青赤色及半白半青、半赤半黑者。自有黄色，内莹净似物命者，贵也。凡用四两，先以龙尾蒿自然汁一镒，东流水三镒，紫背天葵汁一镒，粟遂子茎汁一镒④，四件合之搅令匀，一垍埚用六一泥固济底下，将硫黄碎之入于埚中，以前件药汁旋旋添入，火煮之汁尽为度，了。再以百部末十两，柳蚛⑤末二斤，一簇草二斤，细剉之，以东流水并药等同煮硫黄二伏时，日满去诸药，取出用熟甘草汤洗了，入钵中研二万匝方用。

［圣惠方］治诸疮弩肉如蛇出数寸。用硫黄一两细研，于肉上薄涂之，即

---

① 萧：原作“箫”，据人名改。

② 荣：《纲目》作“资”。

③ 上：原作“止”，据刘《大观》、柯《大观》改。

④ 一镒：刘《大观》、柯《大观》无。

⑤ 蚛：成化《政和》、商务《政和》作“蚀”。

便缩。

[外台秘要]《千金》疗小儿聤耳。硫黄末以粉耳中，日一夜一，差，止。

[肘后方] 女子阴疮，末硫黄傅之。

[经验方] 大治元脏，气发久冷，腹痛虚泻，应急大效。玉[①]粉丹：生硫黄五两，青盐一两，已上衮细研，以蒸饼为丸如绿豆大。每服五丸，热酒空心服，以食压之。

[梅师方] 治阴生湿疱疮。取石硫黄研如粉，傅疮上，日三度。

[博济方] 治阴阳二毒伤寒。黑龙丹[②]：舶上硫黄一两，以柳木槌研三、两日，巴豆一两，和壳，记个数，用二升铛子一口，先安硫黄铺铛底，次安巴豆，又以硫黄盖之，酽醋半升已来浇之，盏子盖合令紧密，更以湿纸周回固济缝，勿令透气缝，纸干更以醋湿之。文武火熬，常着人守之，候里面巴豆作声，数已半为度，急将铛子离火，便入臼中急捣令细。再以米醋些子，并蒸饼些小，再捣，令冷，可丸如鸡头大。若是阴毒，用椒四十九粒，葱白二茎，水一盏，煎至六分，服一丸；阳毒，用豆豉四十九粒，葱白二茎，水一盏同煎，吞一丸，不得嚼破。

[孙尚药] 治气虚伤冷，暴作水泻，日夜三二十行，腹痛不止，夏月路行备急。朝真丹：硫黄二两，牛角研令极细，枯白矾半两，同细研匀水浸，蒸饼去水脉了，和丸如梧桐子大，朱砂为衣。每服十五丸至二十丸，米饮、盐汤下[③]。

[玉函方] 王方平通灵玉粉散：治腰膝，暖水脏，益颜色，其功不可具载。硫黄半斤，桑柴灰五斗，淋取汁，煮三伏时，以铁匙抄于火上，试之，伏火即止。候干，以大火煅之。如未伏更煮，以伏为度。煅了，研为散。穿地坑一尺二寸，投水于中，待水清，取水和硫黄水，不得多，于埚埚中，煎熬令如膏。及用铁钱一面，不著火上，以细砂隔纸，慢抄[④]出硫黄于纸上滴之，自然如玉色，光彩射人，此号为玉粉散，细研，要丸以饭丸如麻子大。空心每日盐汤下十丸，散服亦盐汤调两字，极有效验。余乡人王昭遂合服之，年九十，颜貌如童，夜视细字，力倍常人。

[太清服炼灵砂法] 石硫黄本出波斯国，南明之境，禀纯阳火石之精气而结成，质性通流，含其猛毒。药品之中，号为将军。功能破邪归正，返滞还清，挺立

---

① 玉：成化《政和》、商务《政和》作“王”。

② 黑龙丹：此丹，不见今辑本《博济方》中。

③ 孙尚药……盐汤下：以上83字，刘《大观》、柯《大观》排列在后文“青霞子，硫黄散癖”之下。

④ 抄：成化《政和》、商务《政和》作“炒”。

阳精，消阴化魄。

［丹房镜源］石硫黄，可干汞，诀曰：此硫黄见五金而黑，得水银而赤。又曰黄牙①。

［青霞子］硫黄散癖②。

［衍义曰］石硫黄，今人用治下元虚冷，元气将绝，久患寒泄，脾胃虚弱，垂命欲尽，服之无不效。中病当便已，不可尽剂。世人盖知用而为福，不知用久为祸。此物损益兼行，若俱弃而不用，当仓卒之间，又可阙乎？或更以法制，拒火而又常服者，是亦弗思也。在《本经》则不言如此服食，但专治妇人。不知者，往往更以酒服，其可得乎？或脏中久冷，服之先利。如病势危急，可加丸数服，少则不效，仍加附子、干姜、桂。

雌黄

味辛、甘，**平**、大寒，有毒。**主恶疮，头秃，痂疥，杀毒虫、虱，身痒，邪气，诸毒**，蚀鼻中息肉，下部䘌疮，身面白驳，散皮肤死肌，及恍惚邪气，杀蜂蛇毒。**炼之，久服轻身、增年、不老**，令人脑满③。生武都山谷，与雄黄同山生。其阴山有金，金精熏则生雌黄。采无时。

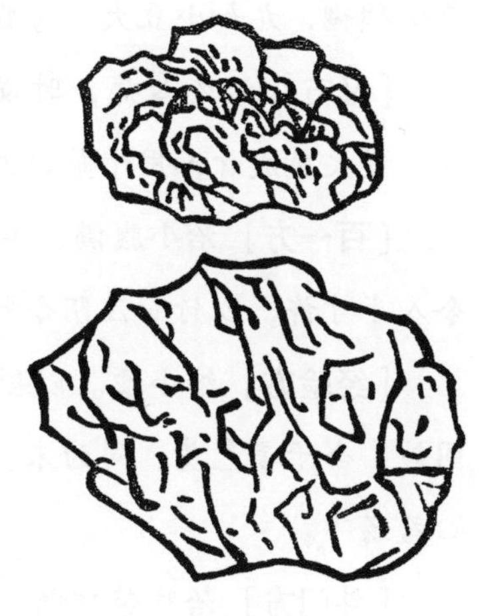
阶州雌黄

［陶隐居］云：今雌黄出武都仇池者，谓为武都仇池黄，色小赤。扶南林邑者，谓昆仑黄，色如金而似云母甲错，画④家所重。依此言，既有雌雄之名，又同山之阴阳，于合药便当以武都为胜，用之既稀，又贱于昆仑者。《仙经》无单服法，惟以合丹砂、雄黄共飞炼为丹尔。金精是雌黄，铜精是空青，而服空青反胜于雌黄，其义难了。

［臣禹锡等谨按药性论］云：雌黄，君，不入汤服。

---

① 牙：其下，刘《大观》有“硫黄水，秦始皇被神女唾之生疮惊怖谢之神女，出温泉立愈”。

② 癖：刘《大观》、柯《大观》将前文“孙尚药……盐汤下”83字放于其下。

③ 令人脑满：傅《新修》、罗《新修》作“金人聰满”。

④ 画：傅《新修》、罗《新修》误作“尽”。

［图经曰］ 雌黄，生武都山谷，与雄黄同山，其阴山①有金，金②精熏则生雌黄。今出阶州，以其色如金，又似云母甲错可析者为佳。其夹石及黑如铁色者不可用。或云：一块重四两者，析之可得千重，此尤奇好也。采无时。

［【雷公云］ 凡使，勿误用夹石黄、黑黄、珀熟等。雌黄一块，重四两。按《乾宁记》云：指开折得千重，软如烂金者上。凡修事，勿令妇人、鸡、犬、新犯淫人、有患人、不男人、非形人、曾是刑狱地臭秽，已上并忌。若犯触者，雌黄黑如铁，不堪用也，及损人寿。凡修事四两，用天碧枝、和阳草、粟遂子草各五两，三件干，湿加一倍，用瓷埚子中煮三伏时了，其色如金汁，一垛在埚底下，用东流水猛投于中，如此淘三度了，去水取出拭干，却于臼中捣筛过，研如尘，可用之。

［圣惠方］ 治乌癞疮，杀虫。用雌黄研如粉，以醋并鸡子黄打令匀，涂于疮上，干即更涂。

［又方］ 治妇人久冷，血气攻心，疼痛不止。以叶子黄二两，细研，醋一升，煎似稠糊，丸如小豆大。每服无时，醋汤下五丸。

［又方］ 治久心痛，时发不定，多吐清水，不下饮食。以雌黄二两，好醋二升，慢火煎成膏，用干蒸饼丸如梧桐子大。每服七丸，姜汤下。

［百一方］ 治小腹满，不得小便。细末雌黄，蜜丸如枣核大，内一丸溺孔中，令入半寸许，以竹管注阴令紧，嗍③气通之④。

［经验方］ 缩小便。以颗块雌黄一两半，研如粉，干姜半两切碎，入盐四大钱同炒，令干姜色黄，同为末，干蒸饼入水，为丸如绿豆大。每服十丸至二十丸，空心盐汤下。

［斗门方］ 治肺劳咳嗽。以雌黄一两，入瓦合内，不固济，坐合子于地上，用灰培⑤之，周匝令实，可厚二寸。以炭一斤簇定，顶以火煅之，三分去一，退火待冷，出，研如面，用蟾⑥酥为丸如粟大。每日空心杏仁汤下三丸，差。

［胜金方］ 治久嗽，暴嗽，劳嗽。金粟丸：叶子雌一两研细，用纸筋泥固济，小合子一个令干，勿令泥厚。将药入合子内，水调赤石脂封合子口，更以泥封之，

---

① 山：原作“止”，据刘《大观》、柯《大观》、成化《政和》、商务《政和》改。

② 金：原作“之”，据刘《大观》、柯《大观》、成化《政和》、商务《政和》改。

③ 嗍：成化《政和》、商务《政和》作“朔”。

④ 嗍气通之：刘《大观》作“嗍之通”。

⑤ 培：成化《政和》、商务《政和》作“焙”。

⑥ 蟾：柯氏云：“一作糖。”

候干，坐合子于地上，上面以未入窑瓦坯子弹子大，拥合子，令作一尖子，上用炭十斤簇定，顶上著火一熨斗笼起，令火从上渐炽，候火消三分去一，看瓦坯[①]通赤则去火，候冷开合子取药，当如镜面，光明红色。入乳钵内细研，汤浸蒸饼心为丸如粟米大。每服三丸、五丸，甘草水服。服后睡良久，妙。

［**宝藏论**］雌黄伏住火，胎色不移，鞴熔成汁者，点银成金，点铜成银。

［**丹房镜源**］黄，背[②]阴者雌也，纯柔者亦可干汞[③]，舶上嘿血者上，湖南者次。青者本性，叶子上者可转硫黄，伏粉霜，记之不可误使。

［**青霞子云**］雌黄，辟邪去恶。

［**衍义曰**］雌黄，入药最稀，服石者宜审谛。治外功多，方士点化术多用，亦未闻终始如何。画工或[④]用之。

食盐[⑤]

味咸，温，无毒。主杀鬼蛊邪疰毒气，下部䘌疮，伤寒寒热，吐胸中痰澼，止心腹卒痛，坚肌骨。多食伤肺，喜咳。

［陶隐居］云：五味之中，惟此不可阙。有东海、北海盐及河东盐池，梁、益盐井，交、广有南海盐，西羌有山盐，胡中有树盐，而色类不同，以河东者为胜。东海盐、官盐白，草粒细。北海盐黄，草粒粗。以作鱼鲊及咸菹，乃言北[⑥]胜。而藏茧必用盐官者，蜀中盐小淡，广州盐咸苦。不知其为疗体复有优劣否？西方、北方人，食不耐咸，而多寿少病，好颜色。东方、南方人，食绝欲咸，而少寿多病，便是损人，则伤肺之效矣。然以浸鱼肉，则能经久不败；以沾布帛则易致朽烂。所施处各有所宜也。

［今注］《唐本》原在米部，今移。

［臣禹锡等谨按蜀本］云：多食，令人失色肤黑，损筋力也。

［药性论］云：盐，有小毒。能杀一切毒气，鬼疰气。主心痛中恶，或连腰脐

---

① 坯：原作“柸”，据文理改。

② 背：刘《大观》、柯《大观》、成化《政和》、商务《政和》作“背”。

③ 汞：原作“录”，据成化《政和》、商务《政和》、《道藏》改。

④ 或：原脱，据庆元《衍义》补。

⑤ 食盐：此条全文，刘《大观》放置在“石硫黄”条之前。

⑥ 北：其下，傅《新修》、罗《新修》、尚辑本《新修》有“海”字。

者。盐如鸡子大，青布裹①烧赤，内酒中顿服，当吐恶物。主小儿卒不尿，安盐于脐中炙之。面上五色疮，盐汤绵浸搨疮上，日五六度易，差。又和槐白皮切蒸，治

① 裹：原作“裹”，据成化《政和》、商务《政和》改，下同。

脚气。又空心揩①齿，少时吐水中洗眼，夜见小字，良。治妇人隐处疼痛者，盐青布裹熨之。主鬼疰，尸疰，下部蚀疮，炒盐布裹坐熨之，兼主火灼疮。

［陈藏器］云：按，盐本功外，除风邪，吐下恶物，杀虫，明目，去皮肤风毒，调和腑脏，消宿物，令人壮健。人卒小便不通，炒盐内脐中即下。陶公以为损人，斯言不当。且五味之中，以盐为主，四海之内，何处无之。惟西南诸夷稍少，人皆烧竹及木盐当之。

［日华子］云：暖水②脏及霍乱，心痛，金疮，明目，止风泪，邪气，一切虫伤疮肿，消食，滋五味，长肉③，补皮肤，通大小便。小儿疝气并内肾气，以葛袋盛于户口悬之，父母用手拈抖尽，即疾当愈。

［图经曰］食盐，旧不著所出州郡。陶隐居云：有东海、北海盐，及河东盐池，梁、益有盐井，交、广有南海盐，西羌有山盐，胡中有木盐，而色类不同，以河东者为胜。河东盐，今解州、安邑两池所种盐最为精好，是也。又有并州两监末

① 揩：原“楷”，据刘《大观》、柯《大观》、成化《政和》、商务《政和》改。

② 水：成化《政和》、商务《政和》作“火”。

③ 肉：柯《大观》作“食”。

盐，乃刮碱音减煎炼，不甚佳，知咸盖下品所著卤碱，生河东盐池者，谓此也。下品又有大盐，生邯郸及河东池泽，苏恭云：大盐即河东印盐，人之常食者，形粗于末盐，乃似今解盐也。解人取盐，于池傍耕地，沃以池水，每临南风急，则宿昔成盐满畦，彼人谓之种盐。东海、北海、南海盐者，今沧、密、楚、秀、温、台、明、泉、福、广、琼、化诸州官场煮海水作之，以给民食者，又谓之泽盐，医方所谓海盐是也。其煮盐之器，汉谓之牢盆，今或鼓铁为之，或编竹为之，上下周以蜃灰，广丈深尺，平底，置于灶，皆谓之盐盘。《南越志》所谓织篾为鼎，和以牡蛎是也。然后于海滨掘地为坑，上布竹木，覆以蓬茅，又积沙于其上。每潮汐冲①沙，卤碱淋于坑中。水退则以火炬照之，卤气冲火皆灭，因取海卤注盘中煎之，顷刻而就。管子曰：齐有渠展之盐，伐菹薪煮海水征积之，十月始生，至于正月成三万是也。菹薪谓以茅菹然火也。梁、益盐井者，今归州及西②川诸郡皆有盐井，汲其水以煎作盐，如煮海之③法，但以食彼方之民耳。西羌山盐、胡中木盐者，即下条云光明盐，生盐州。下品有戎盐，生胡盐山及西羌北地。酒泉福禄城东南角，北海青，南海赤者是也。然羌胡之盐种类自多。陶注又云：虏中盐有九种，白盐、食盐、常食者，黑盐、柔盐、赤盐、驳盐、臭盐、马齿盐之类，今人不能遍识。医家治眼及补下药多用青盐，疑此即戎盐。而《本经》云：北海青，南海赤，今青盐从西羌来者，形块方棱，明莹而青黑色，最奇。北胡来者，作大块而不光莹，又多孔窍若蜂窠状，色亦浅于西盐，彼人谓之盐枕，入药差劣。北胡又有一种盐，作片屑如碎白石，彼人亦谓之青盐，缄封于匣中，与盐枕并作礼贽，不知是何色类。又阶州出一种石盐，生山石中，不由煎炼，自然成盐，色甚明莹，彼人甚贵之，云即光明盐也。医方所不用，故不能尽分别也。又通、泰、海州并有停户刮碱，煎盐输官，如并州末④盐之类，以供给江湖，极为饶衍，其味乃优于并州末盐也。滨州亦有人户煎炼草土盐，其色最粗黑，不堪入药，但可啖马耳。又下有绿盐条云：以光明盐、硇砂、赤⑤铜屑酿之为块，绿色，真者出焉耆国，水中石下取之，状若扁青、空青，今不闻识此者，医方亦不用。唐·柳柳州纂《救三死治霍乱盐汤方》云：元和十一年十月得干霍乱，上不可吐，下不可利，出冷汗三大斗许，气即绝。

---

① 冲：成化《政和》、商务《政和》、柯《大观》作“种”。

② 西：成化《政和》、商务《政和》、柯《大观》作“四”。

③ 之：成化《政和》、商务《政和》、柯《大观》无。

④ 末：成化《政和》、商务《政和》作“夫”。

⑤ 赤：成化《政和》、商务《政和》作“青”

河南房伟传此汤，入口即吐，绝气复通。其法：用盐一大匙，熬令黄，童子小便一升，二物温和服之，少顷吐下即愈。刘禹锡《传信方》著崔中丞炼盐黑丸方：盐一升捣末，内粗瓷瓶中实，筑泥头讫，初以塘火烧，渐渐加炭火，勿令瓶破，候赤彻，盐如水汁，即去火，其盐冷即凝，破瓶取之。豉一升熬焦，桃仁一大两和麸熬令熟，巴豆二大两，去心膜，纸中熬令油出，须生熟得所，即少力，生又损人，四物各用研捣成熟药，秤量蜜和丸如梧子，每服三丸，皆平旦时服。天行时气，豉汁及茶下并得。服后多吃茶汁行药力。心痛，酒下，入口便止。血痢，饮下，初变水痢，后便止。鬼疟，茶饮下。骨热，白蜜汤下。忌冷浆水。合药久则丸稍加令大。凡服药后吐痢，勿怪。服药一日，忌口两日，吐痢若①多，即煎黄连汁服止之。平旦服药，至小食时已来，不吐痢者，或遇杀药人，即更②服一两丸投之。其药冬中合，腊月尤佳，瓷合子中盛贮，以腊纸封之，勿令泄气。清河崔能云：合得一剂，可救百人。天行时气，卒急觅诸药不得，又恐过时，或在③道途或在村落，无诸药可求，但将此药一刀圭，即敌大黄、朴消数两，曾试有效。宜行于闾里间及所使辈。若小儿、女子不可服多，被搅作耳。唐方又有药盐法，出于张文仲。唐之士④大夫多作之。

［■⑤**食疗**］蠼螋尿疮，盐三升，水一斗，煮取六升，以绵浸汤，淹疮上。又，治一切气及脚气，取盐三升，蒸，候热分裹，近壁，脚踏⑥之，令脚心热。又，和槐白皮蒸用，亦治脚气。夜夜与之良。又，以皂荚两梃，盐半两，同烧令通赤，细研。夜夜用揩齿。一月后有动者齿及血䘌齿，并差，其齿牢固。

［**圣惠方**］治小儿脐风湿。以盐二两，豉二合，相和烂捣，捏作饼子如钱大，安新瓦上炙令热，以熨脐上差。亦用黄檗末傅之。

［**又方**］治肝风虚，转筋入腹。以盐半斤，水煮少时，热渍之佳。

［**外台秘要**］治胸心痰饮，伤寒热病，瘴疟须吐者。以盐末一大匙，以水或暖汤送下，须臾则吐。吐不快，明旦更服，甚良。

［**又方**］治天行后两胁胀满，小便涩。熬盐熨脐下。

［**又方**］主风，身体如虫行。盐一斗，水一石，煎减半，澄清温洗三五度，治

---

① 若：成化《政和》、商务《政和》作“苦”。

② 更：原作“便”，据刘《大观》、柯《大观》、成化《政和》、商务《政和》改。

③ 在：原脱，据刘《大观》、柯《大观》、成化《政和》、商务《政和》补。

④ 士：原脱，据刘《大观》、柯《大观》、成化《政和》、商务《政和》补。

⑤ ■：原脱，据本文体例补。

⑥ 踏：原作“踏”，据柯《大观》改。

一切风。

[千金方] 治齿龈宣露。每旦捻盐内口中，以热水含遍齿百遍，不过五日齿即牢密。

[又方] 主逆生。以盐涂儿足底，又可急搔爪之。

[千金翼] 治诸疮癣初生，或始痛时。以单方救不效[①]，嚼盐涂之妙。

[肘后方] 治中风，但腹中切痛。以盐半斤，熬令水尽，著口中，饮热汤二升，得吐愈。

[又方] 齿疼，龈间出血，极验。以盐末，每夜厚封齿龈上，有汁沥尽乃卧。其汁出时，仍叩齿勿住。不过十夜，疼、血止。更久尤佳。长慎猪肉、油菜等。

[又方] 卒得风，觉耳中恍恍者[②]。急取盐五[③]升，甑蒸使热，以耳枕之，冷复易。

[又方] 治耳卒疼痛，以盐蒸熨之。

[又方] 手足忽生疣目。以盐傅疣上，令牛[④]舐之，不过三度。

[又方] 治金疮中风。煎盐令热，以匙抄沥，取[⑤]水，热泻疮上。冷更著，一日许勿住，取差，大效。

[又方] 治赤白久下，谷道疼痛不可忍。宜服温汤，熬盐熨之。又，炙枳实熨之妙。

[经验方[⑥]] 治蚰蜒咬。浓作盐汤，浸身数遍差。浙西军将张韶为此虫所咬，其形如大风，眉须皆落。每夕蚰蜒鸣于体，有僧教以此方愈。

[梅师方] 治心腹胀坚，痛闷不安，虽未吐下欲死。以盐五合，水一升，煎令消，顿服。自吐下，食出即定，不吐更服。

[又方] 治金中经脉伤皮及诸大脉，血出多，心血冷则杀人。宜炒盐三撮，酒调服之。

[又方] 治蜈蚣咬[⑦]人痛不止。嚼盐沃上及以盐汤浸疮，极妙。其蜈蚣有赤足者螫人，黄足者痛甚。

---

① 以单方救不效：《千金翼》作“即以种种单方救之”。又“效”，原作“较”，据柯《大观》、底本校勘表改。

② 觉耳中恍恍者：《医心方》作“耳中吼吼者”；《纲目》作“风病耳鸣”。

③ 五：尚辑本《补辑肘后方》、《医心方》作“七”。

④ 令牛：成化《政和》、商务《政和》作“令舌”；《纲目》作“以舌”。

⑤ 取：成化《政和》、商务《政和》、《纲目》作“却”。

⑥ 经验方：刘《大观》作“传信方”。

⑦ 咬：原作“蛟”，据文理改。

[又方] 治热病，下部有䘌虫生疮。熬盐绵裹熨之，不过三度差。

[孙真人食忌] 主眯眼者。以少盐并豉，置水视之，立出。

[又方] 主卒喉中生肉。以绵裹箸头柱盐揩，日六七度易。

[又方] 主卒中尸遁，其状腹胀气急冲心或块起，或牵腰脊者是。服盐汤取吐。

[食医心镜] 盐，主杀鬼蛊气，下部䘌疮，伤寒寒热，吐胸中痰澼，止心腹卒痛，坚肌骨。黄帝云：食甜瓜竟[①]食盐成霍乱。又主大小肠不通。取盐和苦酒，傅脐中，干即易。

[广利方] 治气淋，脐下刀痛。以盐和醋调下。

[集验方] 主毒箭。以盐贴疮上，灸盐三十壮，差。

[范汪方] 主转筋。以盐一升，水一升半作汤，洗渍之。

[又方[②]] 主目中泪出不得开即刺痛方：以盐如大豆许，内目中，习习，去盐，以冷水数洗目差。

[产宝方] 治妊娠心腹痛，不可忍。以一斤盐，烧令赤，以三指取一撮酒服差。

[子母秘录] 小儿撮口，盐、豉脐上灸之。

[后魏李孝伯传] 盐九种，各有所宜。白盐主上所自食，黑盐治腹胀气满，末之，以酒服六铢。

[素问] 咸伤血，发渴之证。

[丹房镜源] 盐消作汁，拒火之力。

[衍义曰] 食盐，《素问》曰：咸走血。故东方食鱼盐之人多黑色，走血之验，故可知矣。病嗽及水者，宜全禁之。北狄用以淹尸，取其不坏也，至今如此。若中蚯蚓毒，当以盐洗沃，亦宜汤化饮汁。其烧剥金银，熔汁作药，仍须解州池盐为佳。齿缝中多出血[③]，常以盐汤嗽，即已。益齿走血之验也。

水银

味辛，寒，有毒。**主疥瘘[④]，痂**音加**疡**音羊**白秃，杀皮肤中[⑤]虱，堕胎，除热。**

---

① 竟：成化《政和》、商务《政和》作“更”。

② 又方：商务《葛洪肘后备急方》卷6作“范注方”，疑“注”为“汪”之误。

③ 出血：庆元《衍义》倒置。

④ 瘘：傅《新修》、罗《新修》、尚辑本《新修》作“瘙”。

⑤ 中：其下，傅《新修》、罗《新修》、尚辑本《新修》有“虫”字。

以傅男子阴，阴消无气。**杀金、银、铜、锡毒，熔化还复为丹。久服神仙不死。**一名汞。生符陵平土，出于丹砂。畏磁石。

取水银朱砂

煅水银炉

［陶隐居］云：今水银有生熟。此云生符陵平土者，是出朱砂腹中，亦别出沙地，皆青白色，最胜。出于丹砂者，是今烧粗末朱砂所得，色小白浊，不及生者。甚能消化金银，使成泥，人以镀物是也。还复为丹，事出《仙经》。酒和日暴，服之长生。烧时飞著釜上灰，名汞粉，俗呼为水银灰，最能去虱。

［唐本注］云：水银出于朱砂，皆因热气，未闻朱砂腹中自出之者。火烧飞取，人皆解法。南人蒸取之，得水银虽少，而朱砂不损，但色少变黑尔。

［今按］《陈藏器本草》云：水银，本功外，利水道，去热毒。入耳能食脑至尽，入肉令百节挛缩，倒①阴绝阳，人患疮疥，多以水银涂之，性滑重，直入肉，宜慎②之。昔北齐徐王疗挛躄病，以金物火炙熨之。水银得金当出蚀金，候金色白者是也，如此数度，并差也。

［臣禹锡等谨按广雅］云：水银谓之澒③红董切。

［药性论］云：水银，君，杀金、铜毒，姹④女也，有大毒。朱砂中液也，此还丹之元母，神仙不死之药。伏炼五金为泥，生能堕胎⑤。主疗瘑疥等，缘杀虫。

［日华子］云：水银，无毒。治天行热疾，催生，下死胎，治恶疮，除风，安神镇心。镀金烧粉人多患风，或大段使作须饮酒，并肥猪肉及服铁浆，可御其毒。

［图经曰］水银，生符陵平土，今出秦州、商⑥州、道州、邵武军，而秦州乃来自西羌界。《经》云：出于丹砂者，乃是山石中采粗次朱砂，作炉置砂于中，下承以水，上覆以盎，器外加火煅养，则烟飞于上，水银溜于下，其色小白浊。陶隐居云：符陵平土者，是出朱砂腹中，亦别出沙地，皆青白色。今不闻有此。至于西

---

① 倒：原作“到”，据柯《大观》、《纲目》改。

② 慎：刘《大观》、柯《大观》、成化《政和》、商务《政和》作“谨”。

③ 澒：通“汞”。《淮南子·坠形训》：“黄埃五百岁生黄澒，黄澒五百岁生黄金。”

④ 姹：成化《政和》、商务《政和》、柯《大观》作“奼”。

⑤ 胎：成化《政和》、商务《政和》误作“治”。

⑥ 商：刘《大观》误作“商”。

羌来者，彼人亦云如此烧煅。但其山中所生极多，至于一山自折[1]裂，人采得砂石，皆大块如升斗，碎之乃可烧煅，故西来水银极多于南方者。谨案，《广雅》水银谓之澒，丹灶家乃名汞，盖字亦通用耳。其炉盖上灰亦名澒粉是也。又飞炼水银为轻粉，医家下膈最为要药。服者忌血，以其本出于丹砂故也。

[【雷公云] 凡使，勿用草中取者，并旧朱漆中者，勿用经别药制过者，勿用在尸过者、半生半死者。其水银若在朱砂中产出者，其水银色微红，收得后用葫芦收之，免遗失。若先以紫背天葵并夜交藤自然汁二味，同煮一伏时，其毒自退。若修十两，用前二味汁各七镒，和合煮足为度。

[**圣惠方**] 误吞银环子、钗子。以半两服之，再服即出。

[**经验后方**] 治心风秘。水银一两，藕节八个，先研藕节令细，次入水银同研成沙子，丸如鸡头子[2]大。每服二丸，磨刀水下，一二服差。

[**梅师方**] 治胎死腹中不出，其母气绝。以水银二两吞之，立出。

[**又方**] 治难产。以水银二两，先煮之，后服立差。

[**又方**] 治痔，谷道中虫痒不止。以水银、枣膏各二两，同研相和，拈如枣形状，薄绵片裹，内下部，明日虫出。若痛者，加粉三大分作丸。

[**神仙传曰**[3]] 封君达，陇西人。初服黄连五十余年。入乌峰山，服水银百余年，还乡里如二十者，常乘青牛，故号青牛道士。

[**太清服炼灵砂法**] 汞禀五阳神之灵，精会符合为体，故能轻飞玄化，感遇万灵。

[**丹房镜源**] 可以勾金，可为涌泉匮，盖藉死水银之气也。

[**衍义曰**] 水银，入药虽各有法，极须审慎[4]，有毒故也。妇人多服绝娠。今人治小儿惊热涎潮，往往多用。《经》中无一字及此，亦宜详谛。得铅则凝，得硫黄则结，并枣肉研之则散。别法煅为腻粉，粉霜唾研毙虱。铜得之则明，灌尸中，则令尸后腐。以金、银、铜、铁置其上则浮，得紫河[5]车则伏。唐·韩愈云：太学博士李干，遇信安人方士柳贲，能烧水银为不死药。以铅满一鼎，按中为空，实以水银，盖封四际，烧为丹砂，服之下血。比四年病益急，乃死。余不知服食说自何世起，杀人不可计，而世慕尚之益至，此其惑也。在文书所记，及耳闻传者不说。

---

① 折：原作“折”，据成化《政和》、商务《政和》改。

② 子：原脱，据药理补。

③ 神仙传：原作“汉武帝内传”，其下文原出《道藏·神仙传》，据此改。

④ 慎：成化《政和》、商务《政和》作“谨”。

⑤ 河：原作“何”，据成化《政和》、商务《政和》、柯《大观》改。

今直取目见，亲与之游，而以药败者六七公，以为世诫。工部尚书归登，自说：既服水银得病，若有烧铁杖，自颠贯其下，摧而为火，射窍节以出，狂痛号呼，乞绝。其茵席得水银，发且止，唾血，十数年以毙。殿中御史李虚中，疽发其背死。刑部尚书李逊谓余曰：我为药误。遂死。刑部侍[①]郎李建，一旦无病死。工部尚书孟简邀我于万州，屏人曰：我得秘药，不可独，不死，今遗子一器，可用枣肉为丸服之。别一年而病。后有人至，讯之，曰：前所服药误，方且下之，下则平矣。病二岁卒。东川节度御史大夫卢坦，溺血、肉痛不可忍，乞死。金吾将军李道古，以柳贲得罪，食贲药，五十死海上。此可为诫者也。蕲不死，乃速得死，谓之智者[②]不可也。五谷三牲，盐醯果蔬，人所常御，人相厚勉，必曰强食。今惑者皆曰五谷令人夭，当务减节，临死乃悔。呜呼，哀也已！今有水银烧成丹砂，医人不晓，研为药衣，或入药中，岂不违误，可不慎[③]哉？

石膏

汾州石膏

味辛、甘，**微寒**、大寒，无毒。**主中风寒热，心下逆气惊喘，口干舌焦，不能息，腹中[④]坚痛，除邪鬼，产乳，金疮**，除时气，头痛身热，三焦大热，皮肤热[⑤]，肠胃中隔气[⑥]，解肌发汗，止消渴，烦逆，腹胀，暴气喘息，咽热，亦可作浴汤。一名细石，细理白泽者良，黄者令人淋。生齐山山谷及齐卢山、鲁蒙山。采无时。鸡子为之使，恶莽草、马目毒公。

［陶隐居］云：二郡之山，即青州、徐州也。今出钱塘县，皆在地中，雨后时时自出，取之皆[⑦]如棋子，白澈最佳。彭城者亦好。近道多有而大块，用之不及彼。《仙经》不须此。

［唐本注］云：石膏、方解石，大体相似，而以未破为异。今市人皆以方解石

---

① 侍：原作“待”，据成化《政和》、商务《政和》、柯《大观》改。

② 者：庆元《衍义》、商务《政和》作“可”。

③ 慎：成化《政和》、商务《政和》作“谨”。

④ 中：傅《新修》、罗《新修》无。

⑤ 皮肤热：傅《新修》、罗《新修》无。

⑥ 隔气：傅《新修》、罗《新修》作“隔热”，《纲目》作“结气”。

⑦ 皆：成化《政和》、商务《政和》、柯《大观》无。

代石膏，未见有真石膏也。石膏生于石傍，其方解石不因石而生，端然独处，大者如升，小者若拳，或在土中，或生溪水，其上①皮随土及水苔色，破之方解，大者方尺。今人以此为石膏，疗风去热虽同，而解肌发汗不如真者。

［臣禹锡等谨按药性论］云：石膏，使，恶巴豆，畏铁。能治伤寒头痛如裂，壮热皮如火燥，烦渴，解肌，出毒汗。主通胃中结，烦闷，心下急，烦躁②。治唇口干焦。和葱煎茶去头痛。

［萧炳］云：石膏，臣。

［陈藏器］云：陶云出钱塘县中。按，钱塘在平地，无石膏，陶为错注。苏又注五石脂云：五石脂中又有石膏，似骨如玉坚润，服之胜钟乳。与此石膏，乃是二物同名耳，不可混而用之。

［日华子］云：治天行热狂，下乳，头风旋，心烦躁②，揩齿益齿。通亮，理如云母者上，又名方解石。

［图经曰］石膏，生齐山山谷及齐卢山、鲁蒙山，今汾、孟、虢、耀州，兴元府亦有之。生于山石上，色至莹白，其黄者不堪。此石与方解石绝相类，今难得真者，用时惟取未破者以别之。其方解石不附石而生，端然独处，外皮有土及水苔色，破之皆作方棱。石膏自然明莹如玉石，此为异也。采无时。方解石旧出下品，《本经》云：生方山。陶隐居以为长石，一名方石，疗体相似，疑是一物。苏恭云：疗热不减石膏。若然，似可通用，但主头风不及石膏也。又今南方医家著一说云：按本草，石膏、方解石大体相似，但方解石不因石，端然独处。又云，今市人皆以方解石代石膏，未见有真石膏也。又陶隐居谓石膏皆在地中，雨后时时自出，取之皆如棋子，此又不附石生也。二说相反，未知孰是。今详石膏既与方解石肌理、形段、刚柔皆同，但以附石、不附石，岂得功力③相异也④。但意今之所用石膏、方解者，自是方解石，石膏乃别是一物尔。今石膏中，时时有莹澈⑤可爱，有纵理，而不方解者，好事者或以为石膏，然据本草，又似长石。又有议者以谓青石

---

① 上：原作“土”，据刘《大观》、柯《大观》、成化《政和》、商务《政和》改。

② 躁：刘《大观》、柯《大观》、成化《政和》、商务《政和》作“燥”。

③ 功力：其下，刘《大观》有“顿异，至于雌黄、雄黄之类，亦有端然独处者，亦有附石而生者，不闻别有名号，功力”32字。

④ 相异也：成化《政和》、商务《政和》、柯《大观》作“顿异”。

⑤ 澈：成化《政和》、商务《政和》、柯《大观》作“彻”。

间，往往有白脉贯澈[①]类肉之有膏肪者，为石膏，此又本草所谓理石也。然不知石膏定是何物。今且依市人用方解石，然博物者亦宜坚考其实也。今密州九仙山东南隅，地中出一种石，青白而脆，击之内有火，谓之玉火石，彼土医人常用之。云味甘、微辛，温。疗伤寒发汗，止头目昏眩痛，功与石膏等。彼土人或以当石膏，故以附之。

［■雷公云］凡使，勿用方解石。方解石虽白，不透明，其性燥，若石膏出剡州茗山县义情山，其色莹净如水精，性良善也。凡使之，先于石臼中捣成粉，以夹[②]物罗过，生甘草水飞过了，水尽[③]令干，重研用之。

［外台秘要］骨蒸亦曰内蒸，所以言内者，必外寒内热附骨也。其根在五脏六腑之中，或皮燥而无光，蒸盛之时，四肢渐细，足趺[④]肿者。石膏十分，研如乳法，和水服方寸匕，日再，以体凉为度。

［肘后方］葛氏疗小便卒大数非淋，令人瘦。以石膏半斤捣碎，水一斗，煮取五升，稍饮五合。

［梅师方］治热油、汤、火烧疮，痛不可忍。取石膏捣末细研，用粉，疮愈。

［子母秘录］治乳不下。以石膏三两，水二升，煮之三沸。三日饮令尽，妙。

［太上八帝玄变经］石膏发汗。

［丹房镜源］石膏桂州者，可结汞。

［别说云］谨按，陶说出钱塘山中，雨后时时自出。今钱塘人乃凿山以取之，甚多，捣为末，作齿药货用。浙人呼为寒水石，然入药最胜他处者。今既凿山石而取，乃是因石而生，即石膏也。陈藏器谓钱塘县在平地，无石膏，乃知陈不识钱塘明矣。

［衍义曰］石膏，二书纷辨不决，未悉厥理。详《本经》原无方解石之文[⑤]，止[⑥]缘《唐本》注：石膏、方解石大体相似。因此一说，后人遂惑。《经》曰：生齐山山谷，及齐卢山、鲁蒙山，采无时。即知他处者为非。今《图经》中又以汾州者编入，前后人都不详。《经》中所言细理白泽者良，故知不如是则非石膏也。

---

① 澈：成化《政和》、商务《政和》、柯《大观》作“彻”。

② 夹：刘《大观》、柯《大观》、成化《政和》、商务《政和》作“密”。

③ 尽：刘《大观》、柯《大观》、成化《政和》、商务《政和》作“澄”。

④ 趺：原作“肤”，据成化《政和》、商务《政和》、柯《大观》改。

⑤ 文：成化《政和》、商务《政和》作“说”。

⑥ 止：成化《政和》、商务《政和》作“正”。

下有理石，条中《经》云：如石膏顺理而细，又可明矣。今之所言石膏、方解石，二者何等有顺理细文又白泽者。有是，则石膏也；无是，则非石膏也。仍须是《经》中所言州土者，方可入药，余皆偏①见，可略不取。仲景白虎汤中，服之如神。新校正仲景《伤寒论》后言，四月已后，天气热时，用白虎者是也。然四方气候不齐，又岁中气运不一，方所既异，虽其说甚雅，当此之时，亦宜两审。若伤寒热病，或大汗后，脉洪大，口舌燥，头痛，大渴不已，或著暑热，身痛倦怠，白虎汤服之无不效②。

金屑

味辛，平，有毒。主镇精神，坚骨髓，通利五脏，除邪毒气，服之神仙。生益州。采无时。

益州金屑

[陶隐居]云：金之所生，处处皆有，梁、益、宁三州多有③，出水沙中，作屑，谓之生金。辟恶而有毒，不炼服之杀人。建平、晋安④亦有金砂，出石中，烧熔鼓铸为锅，虽被火亦未熟，犹须更炼。高丽、扶南及西域外国成器皆炼熟，可服。《仙经》以醯、蜜及猪肪、牡荆、酒辈，炼饵柔软，服之神仙。亦以合水银作丹砂外，医方都无用者，当是虑其有毒故也。《仙方》名金为太真⑤。

信州生金

[今注]医家所用皆炼熟，金薄及以水煎金器取汁用之，固无毒矣。按，陈藏器《拾遗》云：岭南人云生金是毒蛇屎。此有毒。常见人取金，掘地深丈余，至纷子石，石皆一头黑焦，石下有金，大者如指，小犹麻豆，色如桑黄，咬时极软，即是真金。夫匠窃而吞者，不见有毒。其麸金出水沙中，毡上淘⑥取，或鹅、鸭腹中得之，即便打成器物，亦不重炼。煎取金汁，便堪

① 偏：庆元《衍义》作“遍”。
② 效：原作“可”，据庆元《衍义》、成化《政和》、商务《政和》改。
③ 有：傅《新修》、罗《新修》无。
④ 建平、晋安：傅《新修》、罗《新修》作“建、晋”。
⑤ 太真：傅《新修》作“大正”；罗《新修》、武田《新修》作“大真之”。
⑥ 淘：原作“掏”，据下文“图经曰”改。

镇心。此乃藏器传闻之言全非。按，据皇朝收复岭表询其事于彼人，殊无蛇屎之事，入药当必用熟金，恐后人览藏器之言惑之，故此明辨。

［臣禹锡等谨按药性论］云：黄金屑，金薄亦同。主小儿惊，伤五脏，风痫，失志，镇心，安魂魄。

［杨损之］云：百炼者堪，生者杀人，水饮合膏，饮之即不炼。

［日华子］云：金，平，无毒。畏水银。镇心，益五脏，添精补髓，调利血脉。

［图经曰］金屑，生益州。银屑，生永昌。陶隐居注云：金之所生，处处皆有，梁、益、宁三州多有，出水沙中，作屑，谓之生金。而银所出处，亦与①金同，但皆生石中耳。苏恭以为银之与金，生不同处。金又出水中。陈藏器云：生金是毒蛇屎。常见人取金，掘地深丈余，至纷子石，石皆一头黑焦，石下有金，大者如指，小犹若麻豆，色如桑黄，咬时极软，即是真金。麸金出水沙中，毡上淘取，或鹅、鸭腹中得之。今②注以陈说为非是。然今饶、信、南、剑、登州出金处，采得金亦多端，或有若山石状者，或有若米豆粒者，若此类未经火，皆可为生金。其银在矿中，则与铜相杂，土人采得之，必以铅再三煎炼方成，故不得为生银也。故下别有生银条云：出饶州、乐平诸坑生银矿中，状如硬锡，文理粗错，自然者真。今坑中所得，乃在土石中，渗溜成条，若丝发状，土人谓之老翁须，似此者极难得。方书用生银，必得此乃真耳。金屑，古方不见用者。银屑，惟葛洪治痈肿五石汤用之。今人弥不用，惟作金银薄入药甚便。又金石凌、红雪、紫雪辈③，皆取金银取汁，此亦通用经炼者耳。

［◣海药云］按，《广州记》云：出大食国，彼方出金最多，凡是货易并使金。金④性多寒，生者有毒，熟者无毒。主癫痫，风热上气，咳嗽，伤寒，肺损吐血，骨蒸，劳极渴，主利五脏邪气，补心，并入薄于丸散服。《异志》云：金生丽水。《山海经》说：诸山出金极多，不能备录。蔡州出瓜子金，云南山出颗块金，在山石间采之。黔南、遂府、吉州水中并产麸金。又《岭表录异⑤》云：广州含洭⑥县有金池，彼中居人忽有养鹅、鸭，常于屎中见麸金片，遂多养收屎淘之，日得一两

① 与：刘《大观》作"以"。

② 今：原脱，据刘《大观》、柯《大观》、成化《政和》、商务《政和》补。

③ 辈：原作"辇"，据成化《政和》、商务《政和》、柯《大观》改。

④ 金：成化《政和》、商务《政和》、柯《大观》作"钱"。

⑤ 异：成化《政和》、商务《政和》作"此"。

⑥ 含洭：原作"洽涯"，据柯《大观》、底本校勘表改。

或半两，因而至富矣。

[淮南子] 阳燧见日，然而为火。高诱①注②云：阳燧金也。取金杯无缘去声者，熟磨令热，日中时日下以艾承之，则然得火也。

[太清服炼灵砂法] 金所禀于中宫阴己之魄，性本刚，服之伤损肌。

[宝藏论] 凡金有二十件：雄黄金、雌黄金、曾青金、硫黄金、土中金、生铁金、熟铁金、生铜金、鍮③石金、砂子金、土碌砂子金、金母砂子金、白锡金、黑铅金、朱砂金，已上十五件，惟只有还丹金、水中金、瓜子金、青麸金、草砂金等五件是真金，余外并皆是假。

[丹房镜源] 楚金出汉江五溪，或如瓜子形，杂众金，带青色。若天生牙，亦曰黄牙。若制水银，朱砂成器为利术，不堪食，内有金气毒也。

[青霞子]《金液还丹论》：金未增年。又黄金破冷除风。

[衍义曰] 金屑，不曰金，而更加屑字者，是已经磨屑可用之义，如玉浆之义同。二《经》不解屑为未尽，盖须烹炼，煅屑为薄，方可研屑入药。陶隐居云：凡用银屑，以水银和成泥，若非煅屑成薄，焉能以水银和成泥也？独不言金屑，亦其阙也。生金有毒，至于杀人，仍为难解。有中其毒者，惟鹧鸪肉可解，若不经煅屑，则不可用。颗块金即穴山，或至百十尺，见伴金石，其石褐色，一头如火烧黑之状，此定见金也。其金色深赤黄。麸金即在江沙水中，淘汰而得，其色浅黄。此等皆是生金也，得之皆当销炼。麸金耗折少，块金耗折多。入药当用块金，色既深，则金气足，余更防罨制成及点化者；如此，焉得更有造化之气也。若本朝张永德，字抱一，并州人，五代为潞帅，淳化二年④改并州。初寓睢阳，有书生邻居卧病，永德疗之获愈。生一日就永德求汞五两，即置鼎中，煮成中金。永德恳求药法，生曰：君当贵，吾不吝此，虑损君福。煅工毕升言：祥符年，尝在禁中为方士王捷煅金，以铁为金，凡百余两为一饼，辐解为八段，谓之鸦嘴金。初自冶中出，色尚黑。由是言之，如此之类，乃是水银及铁，用药制成，非造化所成，功治焉得不差殊？如惠民局合紫雪用金，盖假其自然金气尔。然恶锡。又东南方金色深，西南方金色淡，亦土地所宜也，入药故不如色深者。然得余甘子则体柔，

---

① 高诱：原作“许慎”，据《淮南子·天文》注改。

② 注：成化《政和》、商务《政和》作“记”。

③ 鍮：原作“硧”，据下文“银屑”条改。

④ 淳化二年：即991年。“淳化”是北宋太宗赵匡义的年号。

亦相感尔。

银屑

饶州银屑

味辛，平，有毒。主安五脏，定心神，止惊悸，除邪[①]气，久服轻身长年。生永昌。采无时。

［陶隐居］云：银之[②]所出处，亦与金同，但皆是生石中。炼饵法亦相似。今医方合镇心丸用之，不可正服尔。为屑，当以水银研令消也。永昌本属益州，今属宁州。《仙经》又有服炼法，此当无正主疗，故不为本草所载。古者[③]名金为黄金，银为白金，铜为赤金。今铜有生熟，炼熟者柔赤，而本草并无用。今铜青及大钱皆入方用，并是生铜，应在下品之例也。

［唐本注］云：银之与金，生不同处，金又兼出水中。方家用银屑，当取见成银薄，以水银消之为泥。合消石及盐研为粉，烧出水银，淘去盐石，为粉极细，用之乃佳。不得已磨取屑尔。且银所在皆有，而以虢州者为胜，此外多锡秽为劣。高丽作帖者云：非银矿所出，然色青不如虢州者。又有黄银，《本经》不载，俗云为器辟恶，乃为瑞物。

［臣禹锡等谨按药性论］云：银屑，君。银薄同。主定志，去惊痫，小儿癫疾狂走之病。

［图经］文具金屑条下。

［■ 海药云］谨按，《南越志》云：出波斯国，有天生药银，波斯国用为试药、指环。大寒，无毒。主坚筋骨，镇心，明目，风热，癫疾等。并入薄于丸散服之。又烧朱粉瓮下，多年沉积有银，号杯铅银，光软甚好，与波斯银功力相似，只是难得。今时烧炼家，每一斤生铅，只煎得一二铢。《山海经》云：东北乐平郡党[④]少山出银[⑤]甚多。黔中生银，体骨硬，不堪入药。又按，《唐贞[⑥]观政要》云：十年，

① 邪：傅《新修》、罗《新修》作“耶”。

② 之：傅《新修》、罗《新修》、尚辑本《新修》无。

③ 古者：傅《新修》、罗《新修》作“右旧”。

④ 党：《纲目》作“堂”。

⑤ 少山出银：《山海经》作“少山，其下有铜”。

⑥ 贞：刘《大观》、柯《大观》、成化《政和》、商务《政和》作“正”。

有理[①]书御史权万纪奏曰：宣、饶二州诸山，极有银坑，采之甚是利益。太宗曰：朕贵为天子，无所乏少，何假取乎？是知彼处出银也。

[**子母秘录**] 妊娠卒腰背痛如折。银一两，水三升，煎取二升，饮之。

[**太上八帝玄变经**] 银屑益寿。

[**青霞子**]《金液还丹论》：银破冷除风。

[**衍义曰**] 银屑，金条中已解屑义，银本出于矿，须煎炼而成，故名熟银，所以于后别立生银条也。其用与熟银大同。世有术士，能以朱砂而成者，有铅、汞而成者，有焦铜而成者，不[②]复更有造化之气，岂可更入药？既有此类，不可不区别。其生银，即是不自矿中出，而特然自生者，又谓之老翁须，亦取像而言之耳。然银屑《经》言有毒，生银《经》言无毒。释者漏略不言。盖生银已生发于外，无蕴郁之气，故无毒。矿银尚蕴蓄于石中，郁结之气，全未敷畅，故言有毒。亦恶锡。

生银

寒，无毒。主热狂惊悸，发痫恍惚，夜卧不安，谵音詹语，邪气鬼祟。服之明目，镇心，安神定志。小儿诸热丹毒，并以水磨服，功胜紫雪。出饶州、乐平诸坑生银矿中，状如硬锡，文理粗错，自然者真。今附

饶州生银

[臣禹锡等谨按陈藏器] 云：生银，味辛。

[日华子] 云：冷，微毒。畏石亭脂、磁石。治小儿中[③]恶，热毒烦闷。并水磨服，忌生血。

[又云] 朱砂银，冷，无毒。畏石亭脂、磁石、铁。延年益色，镇心安神，止惊悸，辟邪。治中恶蛊毒，心热煎烦，忧忘虚劳。忌一切血。

[**图经**] 文具金屑条下。

[**◣雷公云**] 金、银、铜、铁气[④]，凡使，在药中用时，即浑安置于药中，借

---

① 理：原作“埋”，据刘《大观》、柯《大观》、成化《政和》、商务《政和》改。

② 不：成化《政和》、商务《政和》作“何”。庆元《衍义》作“於”（於读勿音，义同何）。

③ 中：原作“冲”，据柯《大观》改。

④ 气：成化《政和》、商务《政和》作“器”。

气生药力而已，勿误入药中用，消人脂也。

[**千金翼**] 治身有赤疵，常以银揩令热，不久渐渐消。

[**抱朴子**] 银但不及金玉，可以地仙也。服之法：麦浆化之，亦可以朱草酒饵之，亦可以龙膏饵炼之。然日三服，服辄大如弹丸，然非清贫道士所能得也。

[**太清服炼灵砂法**] 银禀西方辛阴之神，结精而为质，性戾，服之伤肝。

[**宝藏论云**] 夫银有一十七件：真水银银、白锡银、曾青银、土碌银、丹阳银、生铁银、生铜银、硫黄银、砒霜银、雄黄银、雌黄银、鍮石银，惟有至药银、山泽银、草砂银、母砂银、黑铅银五件是真，外余则假。银坑内石缝间有生银迸出如布线，土人曰老翁须，是正生银也。

[**丹房镜源**] 银生洛平①卢氏县，褐色石打破，内即白。生于铅坑中，形如笋子。此有变化之道。亦曰自然牙，亦曰生铅，又曰自然铅，可为利术，不堪食，铅内银性有毒，可用结砂子。

[**衍义**] 文具银屑条下。

灵砂

味甘，性温，无毒。主五脏百病，养神安魂魄，益气，明目，通血脉，止烦满，益精神，杀精魅恶鬼气。久服通神明，不老轻身神仙，令人心灵。一名二气砂。水银一两，硫黄六铢细研，先炒作青砂头，后入水火既济炉，抽之如束针纹②者，成就也。恶磁石，畏咸水。

[**野人闲话③**] 杨④子度饵猢狲灵砂，辄会人语，然后可教⑤好事者知之，多以灵砂饲猢狲、鹦鹉、犬⑥、鼠等教之。

[**青霞子**] 灵砂若草伏得住火成汁不折⑦，可疗风冷。用作母砂子匮为银，若

---

① 洛平：柯氏改为“上洛”。柯氏注云：“下文卢氏县属上洛。”

② 纹：原作“绞”，据《纲目》改。

③ 野人闲话：原作“茅亭话”，其下文原出《野人闲话》“灵砂饵胡孙”条，据此改。又“茅亭话”，原紧接灵砂条文末，据柯氏所云“茅亭话当提行”而改。

④ 杨：柯《大观》作“扬”。

⑤ 然后可教之：原作“然可教”，据《野人闲话》改。

⑥ 犬：原作“大”，据成化《政和》、商务《政和》、柯《大观》、《纲目》改。

⑦ 折：柯《大观》作“析”。

把五金折①不成汁，不堪。

水银粉

味辛，冷，无毒。畏磁石、石黄。通大肠，转小儿疳，并瘰疬，杀疮疥癣虫，及鼻上酒齄，风疮瘙②痒。又名汞粉、轻粉、峭粉，忌一切血。新补见陈藏器及日华子。

［图经］文具水银条下。

［◣经验方］治小儿吃泥腹肚。腻粉一分，用沙糖搜和丸如麻子大。空心米饮下一丸，良久泻出泥差。

［孙用和］治虚风。不二散：腻粉一两，用汤煎五度如茶脚，慢火上焙干，麝香半两，细研如粉。每服一字，温水调。但是风，临时服半钱或一钱匕，看虚实加减。

［又方］治血痢。腻粉五钱，定粉三钱，同研匀，用水浸蒸饼心少许和为丸，如绿豆大。每服七丸或十丸。艾一枝，水一盏，煎汤下，艾汤多亦妙。

［衍义曰］水银粉，下涎药，并小儿涎潮、瘈疭多用。然不可常服及过多，多则其损兼行。若兼惊，则尤须审慎③。盖惊为心气不足，不可下，下之里虚，惊气入心不可治。若其人本虚，便须禁此一物，慎③之至也。

磁石

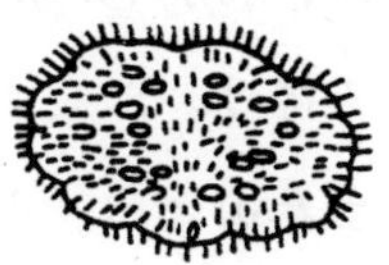
慈州磁石

味辛、咸，**寒**，无毒。**主周痹。**［臣禹锡等谨按蜀本注］云：凡痹，随血脉上下，不能左右去者，为周痹。**风湿，肢节中痛，不可持物，洗洗酸痟④，除大热，烦满及耳聋**，养肾脏，强骨气，益精，除烦，通关节，消痈肿，鼠瘘，颈核，喉痛，小儿惊痫。炼水饮之，亦令人有子。**一名玄石**，一名处石。生太山川谷及慈山山阴，有铁处则生其

① 折：柯《大观》作“析”。

② 瘙：刘《大观》、柯《大观》、成化《政和》、商务《政和》作“燥”。

③ 慎：成化《政和》、商务《政和》、庆元《衍义》作“谨”。

④ 痟：《周礼·天官·疾医》注云：“痟，酸削也。”

阳。采无时。柴胡为之使，杀铁毒，恶牡丹、莽草，畏①黄石脂。

［陶隐居］云：今南方亦有，好者能悬吸针，虚连三四为佳。杀铁毒，消金。仙经、丹方、黄白术中多用之。

［臣禹锡等谨按蜀本］注云：吸铁虚连十数针，乃至一二斤刀器，回转不落。

［南州异物志］云：涨②海崎头水浅而多磁石，外徼人乘舶皆以铁叶锢③之，至此关，以磁石不得过。

［吴氏］云：磁石一名磁君。

［药性论］云：磁石，臣，味咸，有小毒。能补男子肾虚，风虚，身强，腰中不利，加而用之。

［陈藏器］云：磁石毛，味咸，温，无毒。主补绝伤，益阳道，止小便白数，治腰脚，去疮瘘，长肌肤，令人有子，宜入酒。出相州北山。磁石毛，铁之母也。取铁如母之招子焉。《本经》有磁石，不言毛。毛、石功状殊也。又言磁石寒，此弥误也。

［日华子］云：磁石，味甘、涩，平。治眼昏，筋骨羸弱，补五劳七伤，除烦躁，消肿毒，小儿误吞针铁等。即细末，筋肉莫令断，与磁石同下之。

［图经曰］磁石，生泰山山谷及慈山山阴，有铁处则生其阳。今磁州、徐州及南海傍山中，皆有之。慈州者岁贡最佳，能吸铁虚连十数针，或一二斤刀器回转不落者尤真。采无时。其石中有孔，孔中黄赤色，其上有细毛，性温，功用更胜。谨按，《南州异物志》云：涨海崎头水浅而多磁石，徼外大舟以铁叶锢之者，至此多不得过。以此言之，海南所出尤多也。按，磁石一名玄石，而此下自有玄石条，云生泰山之阳，山阴有铜，铜者雌，铁者雄。主疗颇亦相近，而寒温铜铁畏恶乃别。苏恭以为铁液也。是磁石中无孔，光泽纯黑者，其功劣于磁石，又不能悬针。今北蕃以磁石作礼物，其块多光泽，又吸针无力，疑是此石，医方罕用。

［◣雷公云］凡使，勿误用玄中石并中麻石。此石之二真相似磁石，只是吸铁不得。中麻石心有赤，皮粗，是铁山石也。误服之，令人有恶疮不可疗。夫欲验者，一斤磁石，四面只吸铁一斤者，此名延年沙；四面只吸得铁八两者，号曰续

---

① 畏：成化《政和》、商务《政和》误作“是”。

② 涨：成化《政和》、商务《政和》作“张”。

③ 叶锢：原作“鍱鍱”，据下文改。又柯《大观》作“鍱锢”。

采[①]石；四面只吸得五两已来者，号曰磁石。若夫修事一斤，用五花皮一镒，地榆一镒，故绵十五两，三件并细剉，以搥于石上，碎作二三十块了[②]。将磁石於瓷瓶[③]子中，下草药，以东流水煮三日夜，然后漉出拭干，以布裹之，向大石上再搥，令细了，却入乳钵中研细如尘，以水沉飞过了，又研如粉用之。

[圣惠方] 治小儿误吞针。用磁石如枣核大，磨令光，钻作窍丝穿，令含，针自出。

[外台秘要] 疗丁肿。取磁石捣为粉，酽醋和，封之，根即立出，差。

[钱相公箧中方] 疗误吞钱。以磁石枣许大一块，含之立出。

[鬼遗方] 治金疮肠出欲入之。磁石、滑石各三两为末，以白米饮调方寸匕服，日再服。

[沈存中笔谈] 方家以磁石磨针锋，则能指南[④]。

[丹房镜源] 磁石四两，协铁者上[⑤]，伏丹砂，养汞，去铜晕，软硬汞坚顽之物。服食不可长久，多服必有大患。

[青霞子] 磁石毛，治肾之疾。

[衍义曰] 磁石，色轻紫，石上皲[⑥]涩，可吸连针铁，俗谓之熁铁石。养益肾气，补填精髓，肾虚耳聋目昏皆用之。入药，须烧赤醋淬。其玄[⑦]石，即磁石之黑色者也，多滑净。其治体大同小异，不可不分而为二也。磨针锋则能指南，然常偏东不全南也。其法取新纩中独缕，以半芥子许蜡，缀于针腰，无风处垂之，则针常指南。以针横贯灯心，浮水上，亦指南，然常偏丙位。盖丙为大火，庚辛金受金其制，故如是，物理相感尔。

玄石

味咸，温，无毒。主大人、小儿惊痫，女子绝孕，小腹冷痛，少精身重，服之

---

① 采：原作“未”，据《纲目》改，又成化《政和》、商务《政和》作“末”。

② 了：成化《政和》、商务《政和》作“子”。

③ 瓶：刘《大观》、柯《大观》、成化《政和》、商务《政和》作“孔”。

④ 方家……指南：原作“磁石指南”，据《梦溪笔谈》卷24改。

⑤ 磁石四面协铁者上：原作“磁石四两协物上者”据《道藏》改。

⑥ 皲：原作“皹”，据成化《政和》、商务《政和》、商务《衍义》改。

⑦ 玄：庆元《衍义》作“元犯圣祖讳”。

令人有子。一名玄水石，一名处石。生太山之阳。山阴有铜，铜者雌，黑[①]者雄。恶松脂、柏实、菌桂。

玄石

［陶隐居］云：《本经》磁石，一名玄石。《别录》各一种。

［今按］其一名处石既同，疗体又相似，而寒温铜铁及畏恶有异。俗方既不复用之，亦无识其形者，不知与磁石相类否？

［唐本注］云：此物铁液也，但不能拾针，疗体如《经》，劣于磁石。磁石中有细孔，孔中黄赤色，初破好者，能连十针，一斤铁刀亦被回转。其无孔，光泽纯黑者，玄石也，不能吸[②]针。

［图经］文具磁石条下。

绿盐

味咸、苦、辛，平，无毒。主目赤泪出，肤翳眵暗。

［唐本注］云：以光明盐、硇砂、赤铜屑，酿之为块，绿色。真者出焉耆国，水中石下取之，状若扁青、空青，为眼药之要。唐本先附

［图经］文具食盐条下。

［◣海药］谨按《古今录》云：波斯国在石上生。味咸、涩。主明目消翳，点眼及小儿无辜疳气。方家少见用也。按舶上将来，为之石绿，装色久而不变。中国以铜、醋[③]造者，不堪入药，色亦不久。

［后魏李孝伯］云：赤盐、臭盐、马齿盐、驳盐，并非食盐。胡盐治目痛。已上自《唐本》注比，并是绿盐说。

凝水石

味辛、甘，**寒**、大寒，无毒。**主身热，腹中积聚邪气，皮中如火烧，烦满，水饮之。**除时气热盛，五脏伏热，胃中热，烦满，止渴，水肿，小[④]腹痹。**久服不饥。一名白水石**，一名寒水石，一名凌水石。色如云母可析者良，盐之精也。生常山山谷，又中水县及邯郸。解巴豆毒，畏地榆。

---

① 黑：刘《大观》、柯《大观》、成化《政和》、商务《政和》作“玄”。

② 吸：刘《大观》、柯《大观》、成化《政和》、商务《政和》作“悬”。

③ 醋：原作“错”，据刘《大观》、柯《大观》、成化《政和》、商务《政和》、《纲目》改。

④ 小：傅《新修》、罗《新修》、尚辑本《新修》作“少”。

汾州凝水石

［陶隐居］云：常山属并州；中水县属河间郡；邯郸即赵郡，并属冀州域。此处地皆咸卤，故云盐精，而碎之亦似朴消。此石末置水中，夏月能为冰者佳。

［唐本注］此石有两种，有纵理、横理，色清明者为佳。或云纵理为寒水石，横理为凝水石。今出同州韩城，色青黄，理如云母为良；出澄城者，斜理文，色白，为劣也。

［臣禹锡等谨按吴氏］云：神农：辛。岐伯、医和、扁鹊：甘，无毒。季氏：大寒。或生邯郸，采无时，如云母色。

［药性论］云：寒水石，能压丹石毒风，去心烦渴闷，解伤寒劳复①。

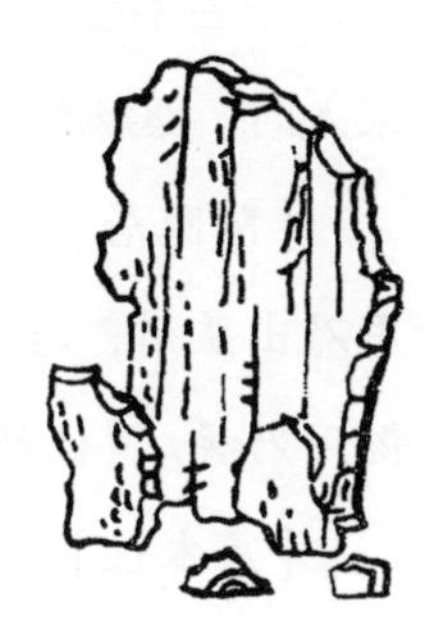
德顺军凝水石

［图经曰］凝水石，即寒水石也，生常山山谷，又出中水县及邯郸，今河东汾、隰州及德顺军亦有之。此有两种，有纵理者，有横②理者，色清明如云母可析③，投置水中，与水同色，其水凝动④者为佳。或曰纵理者为寒水石，横理者为凝水石。三月采。又有一种冷油石，全与此相类，但投沸油铛中，油即冷者是也。此石有毒，若误用之，令腰以下不能举。

［◣雷公云］凡使，先须用生姜自然汁，煮汁尽为度，细⑤研成粉用。每修十两，用姜汁一镒。

［经验方］治小儿丹毒，皮肤热赤。用寒水石半两，白土一分，捣罗为末，用米醋调傅之愈。

［集验方］治风热心躁，口干狂言，浑身壮热，及中诸毒。龙脑甘露丸：寒水石半斤，烧半日，净地坑内盆合，四面湿土拥起，候经宿取出，入甘草末、天竺黄各二两，龙脑二分，糯米膏丸弹子大，蜜水磨下。

［伤寒类要］治肉痹，其人小便白。以凝水石主之也。

［丹房镜源］凝水石可作油衣，可食，制丹砂为匮伏玄精。

［衍义曰］凝水石，又谓之寒水石，纹理通澈，人或磨刻为枕，以备暑月之

---

① 伤寒劳复：原作“伤寒复劳”，据《诸病源候论》《外台秘要》改。

② 横：刘《大观》作“擴”。

③ 析：原作“折”，据刘《大观》、柯《大观》、成化《政和》、商务《政和》改。

④ 动：柯《大观》作“冻”。

⑤ 细：原脱，据刘《大观》、柯《大观》、成化《政和》、商务《政和》补。

用。入药须烧过，或市人烧入腻粉中以乱真，不可不察也。陶隐居言：夏月能为冰者佳。如此，则举世不能得，似乎失言。

阳起石

齐州阳起石

阳起石

味咸，微温，无毒。**主崩中漏下，破子脏中血，癥瘕结气，寒热，腹痛，无子，阴阳**[①]**痿不起，补不足**，疗男子茎头寒，阴下湿痒，去臭汗，消水肿。久服不饥，令人有子。**一名白石**，一名石生，一名羊起石，云母根也。生齐山山谷及琅邪或云山、阳起山。采无时。桑螵蛸为之使，恶泽泻、菌桂、雷丸、蛇蜕皮，畏菟丝。

［陶隐居］云：此所出即与云母同，而甚似云母但厚实尔。今用乃出益州，与矾石同处，色小黄黑即矾石。云母根未知何者是。俗用乃稀。《仙经》亦服之。

［唐本注］云：此石以白色、肌理似殷孽，仍夹带云母绿[②]润者为良，故《本经》一名白石。今有用纯黑如炭者，误矣。云母条中既云黑者名云胆，又名地涿，服之损人，黑阳起石必为恶矣。《经》言生齐山，齐山在齐州历城西北五六里，采访无阳起石，阳起石乃齐山西北六七里卢山出之。《本经》云：或云山。云，卢字讹矣。今泰山、沂州惟有黑者，其白者独出齐州也。

［臣禹锡等谨按吴氏］云：阳起石，神农、扁鹊：酸，无毒。桐君、雷公、岐伯：咸，无毒。季氏：小寒。或生泰山。

［杨损之］云：不入汤。

［药性论］云：阳起石，恶石葵，忌羊血。味甘，平。主补肾气，精乏腰疼，膝冷湿痹，能暖女子子宫久冷，冷癥寒瘕，止月水不定。

［萧炳］云：阳起石，臣。

［南海药谱］云[③]：阳起石惟太山所出黄者绝佳，邢州鹊山出白者亦好。

［日华子］云：治带下，温疫，冷气，补五劳七伤。合药时烧后水淬[④]用，凝

---

① 阳：原脱，据傅《新修》、罗《新修》、尚辑本《新修》补。

② 绿：刘《大观》、柯《大观》、成化《政和》、商务《政和》、《纲目》作“滋”。

③ 云：成化《政和》、商务《政和》、柯《大观》无。

④ 淬：原作“煅”，据药理改。

白者为上。

[图经曰[1]] 阳起石，生齐山山谷及琅邪或云山、阳起山。今惟出齐州，他处不复有，或云邢州鹊山亦有之，然不甚好。今齐州城西惟一土山，石出其中，彼人谓之阳起山，其山常有温暖气，虽盛冬大雪遍境，独此山无积雪[2]，盖石气熏蒸使然也。山惟一穴，官中常禁闭。至初冬，则州发丁夫，遣人监视取之。岁月积久，其穴益深，镵凿他石得之甚艰。以色白、肌理莹明若狼牙者为上。亦有夹[3]他石作块者不堪。每岁采择上供之，余州中货之，不尔，市贾无由得也。货者虽多，而精好者亦难得。旧说是云母根，其中犹夹[4]带云母，今不复见此色。古服食方不见用者，今补下药多使之。采无时。

[■ 丹房镜源] 阳起石，可为外匮。

[青霞子] 阳起，治肾之疾。

[衍义曰] 阳起石，如狼牙者佳。其外色不白，如姜石。其大块者，亦内白。治男子、妇人下部虚冷，肾气乏绝，子脏久寒，须水飞研用。凡石药，冷、热皆有毒，正宜斟酌。

孔公孽

味辛，温，无毒。**主伤食不化，邪[5]结气恶，疮[6]疽瘘痔，利九窍，下乳汁，**男子阴疮，女子阴蚀，及伤[7]食病，常[8]欲眠睡。一名通石，殷孽根也。青黄色。生梁山山谷。木兰为之使，恶细辛。

[陶隐居] 云：梁山属冯翊郡，此即今钟乳床也，亦出始兴，皆大块打[9]破之。凡钟乳之类，三种同一体，从石室上汁溜积久盘结者，为钟乳床，即此孔公孽也。

---

① 曰：原脱，据刘《大观》、柯《大观》补。

② 雪：原作“白”，据柯《大观》改。

③ 夹：刘《大观》、柯《大观》、成化《政和》、商务《政和》作“挟”。

④ 夹：刘《大观》作“狭”；成化《政和》、商务《政和》、柯《大观》作“挟”。

⑤ 邪：傅《新修》、罗《新修》作“耶”。

⑥ 疮：孙辑本《本经》、黄辑本《本经》作“创”。

⑦ 伤：傅《新修》、罗《新修》无。

⑧ 常：傅《新修》、罗《新修》、尚辑本《新修》作“恒”。

⑨ 打：刘《大观》、柯《大观》、成化《政和》、商务《政和》、傅《新修》、罗《新修》、尚辑本《新修》作“折”。

其次以小笼炊者，为殷孽，今人呼为孔公孽。殷孽复溜轻好者为钟乳。虽同一类，而疗体为异，贵贱悬①殊。此二孽不堪丸散，人皆捣末酒渍饮之，甚疗脚弱。其前诸疗，恐宜水煮为汤也。按，今三种同根，而所生各处，当是随其土地为胜尔。

［唐本注］云：此孽次于钟乳，如牛、羊角者，中尚孔通，故名通石。《本经》误以为殷孽之根，陶依《本经》以为今人之误，其实是也。

［臣禹锡等谨按蜀本］云：凡钟乳之类有五种：一钟乳，二殷孽，三孔公孽，四石床，五石花。虽同②一体而主③疗有异。此二孽止可酒浸，不堪入④丸散药用，然甚疗脚弱、脚气。石花、石床⑤显在后条。

［吴氏］云：孔公孽，神农：辛。岐伯：咸。扁鹊：酸，无毒。色青黄。

［药性论］云：孔公孽，忌羊血，味甘，有小毒。主治腰冷，膝痹，毒风，男女阴蚀疮。治人常欲多睡，能使喉声圆亮⑥。

［日华子］云：孔公孽，味甘，暖。治癥结。此即殷孽床也。

［图经］文具石钟乳条下。

［◣青霞子］孽，轻身充肌。

殷孽

味辛，温，无毒。**主烂伤瘀血，泄痢，寒热，鼠瘘，癥瘕⑦结气**，脚冷疼弱。**一名姜石**，钟乳根也。生赵国山谷，又梁山及南海。采无时。恶防己，畏术。

［陶隐居云］赵国属冀州，此即今人所呼孔公孽，大如牛、羊角，长一二尺左右，亦出始兴。

［唐本注云］此即石堂下孔公孽根也，盘结如姜，故名姜石。俗人乃以⑧孔公

---

① 悬：原作“相”，据刘《大观》、柯《大观》、成化《政和》、商务《政和》、傅《新修》、罗《新修》、尚辑本《新修》改。

② 同：原脱，据刘《大观》、柯《大观》、成化《政和》、商务《政和》补。

③ 主：原作“注”，据刘《大观》、柯《大观》、成化《政和》、商务《政和》改。

④ 入：成化《政和》、商务《政和》误作“八”。

⑤ 床：原作“淋”，据刘《大观》、柯《大观》、成化《政和》、商务《政和》、底本校勘表改。

⑥ 亮：原作“朗”，据刘《大观》、柯《大观》、成化《政和》、商务《政和》改。

⑦ 瘕：傅《新修》、罗《新修》无。

⑧ 以：原作“为”，据刘《大观》、柯《大观》、成化《政和》、商务《政和》、傅《新修》、罗《新修》、尚辑本《新修》改。

蘖，为之误尔。

［臣禹锡等谨按日华子］云：殷蘖，治筋骨弱，并痔瘘等疾及下乳汁。

［图经］ 文具石钟乳条下。

蜜陀僧

味咸、辛，平，有小[①]毒。主久痢，五痔，金疮，面上瘢䵟，面膏药用之。

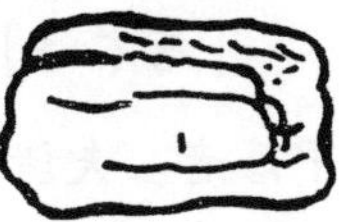

广州蜜陀僧

［唐本注］云：形似黄龙齿而坚重，亦有白色者，作理石文，出波斯国。一名没多僧。并胡言也。唐本先附

［臣禹锡等谨按蜀本］注云：五痔，谓牡痔、酒痔、肠痔、血痔、气痔。

［日华子］云：味甘，平，无毒。镇心，补五脏，治惊痫，嗽呕及吐痰等。

［图经曰］ 蜜陀僧，《本经》不载所出州土。注云：出波斯国。今岭南、闽中银铜冶处亦有之，是银铅脚。其初采矿时，银、铜相杂，先以铅同煎炼，银随铅出。又采山木叶烧灰，开地作炉，填灰其中，谓之灰池。置银、铅于灰上，更加火大煅，铅渗灰下，银住灰上，罢火候冷出银。其灰池感铅、银气，置之积久成此物。今之用者，往往是此，未必胡中来也。形似黄龙齿而坚重者佳。

［■雷公云］ 时呼蜜陀僧。凡使，捣令细，于瓷埚中安置了，用重纸袋盛柳蚛末，焙蜜陀僧埚中，次下东流水浸令满，著火煮一伏时足，去柳末、纸袋，取蜜陀僧用。

［圣惠方］ 治䵟䵳斑点方：用蜜陀僧二两，细研，以人乳调涂面，每夜用之。

［又方］ 赤白痢，所下不多，遍数不减。用蜜陀僧三两，烧令黄色，研如粉。每服醋、茶调下一钱匕，日三服。

［外台秘要］ 令面生光方：以蜜陀僧用乳煎，涂面佳，兼治皻鼻疱。

［谭氏小儿方］ 疗豆疮瘢，面黡。以蜜陀僧细研，水调，夜涂之，明旦洗去，平复矣。

［别说云］ 今考市中所货，乃是用小瓷瓶实铅丹煅成者，块大者，尚有小瓶形状。银冶所出最良，而罕有货者，外国者未尝见之。通治口疮最验。

［衍义曰］ 蜜陀僧坚重，椎[②]破如金色者佳。

---

① 小：傅《新修》、罗《新修》作“少”。

② 椎：原作“推”，据庆元《衍义》、底本校勘表改。

铁精

平①，微温。**主明目，化铜。**疗惊悸，定心气，小儿风痫，阴㿉②脱肛。

［陶隐居］云：铁落是染皂铁浆。生铁是不被鑐③音柔鎗音铮、釜之类。钢铁是杂炼生鍒作刀镰者。铁精出煅灶中，如尘，紫色轻者为佳，亦以摩莹铜器用之。

［唐本注］云：单言铁者，鍒④铁也。铁落是煅家烧铁赤沸⑤，砧⑥上煅之，皮甲落者。夫诸铁疗病，并不入丸散，皆煮取浆用之。若以浆为铁落，钢生之汁，复谓何等？落是铁皮滋液，黑于余铁。陶谓可以染皂，云是铁浆，误矣。又铁屑炒使极热，用投酒中饮酒，疗贼风痓。又裹以熨腋，疗胡臭有验。

［今按］《陈藏器本草》云：凡言铁疗病，不入丸散，皆煮浆用之。按，今针砂、铁精，俱堪染皂，铁并入丸散。

［臣禹锡等谨按陈藏器］云：铁浆，取诸铁于器中，以水浸之，经久色青沫出，即堪染帛成皂，兼解诸物毒入腹，服之亦镇心，明目。主癫痫发热，急黄狂走，六畜癫狂。人为蛇、犬、虎、狼、毒恶虫等啮，服之毒不入内也。

［又云］铁爇，主恶疮蚀䘌，金疮，毒物伤皮肉，止风水不入，入水不烂，手足皲坼⑦，疮根结筋，瘰疬，毒肿。染髭发令永黑。并及热末凝涂之，少当干硬，以竹木爇火于刀斧刃上，烧之津出，如漆者是也。一名刀烟，江东人多用之防水。项边疬子，以桃核烧熏⑧。

［又云］杀虫立效。

［又云］淬铁水，味辛，无毒。主小儿丹毒，饮一合。此打铁器时，坚铁槽中水。

［又云］针砂，性平，无毒。堪染白为皂，及和没食子染须至黑。飞为粉，功

---

① 平：傅《新修》、罗《新修》无。

② 㿉：傅《新修》、罗《新修》、尚辑本《新修》作“溃”。

③ 不被鑐：“被”，原作“破”，据傅《新修》、罗《新修》改。“鑐”，《集韵》云“金铁销而可流者”，即俗谓沾钢。“不被鑐”，指未被冶炼的。

④ 鍒：傅《新修》、罗《新修》、尚辑本《新修》作“镰”。

⑤ 沸：傅《新修》、罗《新修》作“佛”。

⑥ 砧：傅《新修》、罗《新修》作“砧”。

⑦ 皲坼：成化《政和》、商务《政和》作“皹折”。

⑧ 熏：其下，刘《大观》、柯《大观》、成化《政和》、商务《政和》有“之”字。

用如铁粉。炼铁粉中亦别须之。针是其真钢砂堪用，人多以杂和之，谬也。

［又云］煅镔下铁屑，味辛，平，无毒。主鬼打，鬼注，邪气。水渍搅令沫出，澄清去滓，及暖饮一二盏。

［又云］刀刃，味辛，平，无毒。主蛇咬毒入腹者，取两刀于水中相磨①，饮其汁。又两刀于耳门上相磨敲作声，主百虫入耳，闻刀声即自出也。

［日华子］云：铁屑，治惊邪癫痫，小儿客忤，消食及冷气，并煎汁服之也。

［又云］犁镵尖浸水，名为铁精，可制朱砂、石亭脂、水银毒。

［图经］文具铁条下。

［▌圣惠方］阴脱。铁精、羊脂二味，搅令稠，布裹炙热，熨，推内之差。

［又方］食中有蛊毒，令人腹内坚痛，面②目青黄，淋露骨立，病变无常。用铁精细研，捣鸡肝和为丸如梧桐子大。食前后酒下五③丸。

［百一方］产后阴下脱，铁精粉推纳之。

［又方］蛇骨刺人毒痛。以铁精粉如大豆，以管吹疮内。

［子母秘录］疗阴肿，铁精粉傅上。

［姚和众］治小儿因痢肛门脱，以铁精粉傅之。

［太清服炼灵砂法］云：铁，性坚，服之伤肺。

铁浆

铁注④中，陶为铁落是铁浆，苏云非也。按，铁浆，取诸铁于器中，以水浸之，经久色青沫出，即堪染皂，兼解诸毒入腹，服之亦镇心。主癫痫发热，急黄⑤狂走，六畜癫狂。人为蛇、犬、虎、狼、毒刺⑥、恶虫等啮，服之毒不入内。见陈藏器。

［图经］文具铁条下。

［▌外台秘要］疗漆疮。以铁浆洗之，随手差，频为之妙。

［梅师方］治时气病，骨中热，生疱疮、豌豆疮，饮铁浆差。

---

① 磨：成化《政和》、商务《政和》作“摩”。

② 面：原作“两”，据刘《大观》、柯《大观》、成化《政和》、商务《政和》、《纲目》、底本校勘表改。

③ 五：尚辑本《新修》作“三”。

④ 注：原作“法”，据柯《大观》改。

⑤ 黄：原脱，据柯《大观》、《纲目》、底本校勘表补。

⑥ 刺：《纲目》删。

秤锤

主贼风，止产后血瘕腹痛及喉痹热塞。并烧令赤，投酒中，及热饮之。时人呼血瘕为儿枕，产后即起，痛不可忍，无锤用斧。今附

［臣禹锡等谨按陈藏器］云：秤锤，味辛，温，无毒。

［日华子］云：铜秤锤，平。治难产①并横逆产。酒淬服。

［陈藏器］云：铁杵，无毒。主妇人横产。无杵用斧，并烧令赤，投酒中饮之，自然顺生。杵，捣药者是也。

［又云］故锯，无毒。主误吞竹木入喉咽，出入不得者。烧令赤渍酒中，及热饮并得。

［日华子］云：钥匙治妇人血噤失音冲恶。以生姜、醋、小便煎服。弱房人煎汤服亦得。

［图经］文具铁条下。

［圣惠方］治妇人血瘕痛。用古秤锤或大斧，或铁杵，以炭火烧赤，内酒中五②升已来，稍稍饮之。

［外台秘要］疗妊娠卒下血。烧秤③锤令赤内酒中，沸定④出，饮之。

［千金方］妊娠腹胀⑤及产后⑥下血。烧令赤，投酒中，服。

［产宝］治胎衣不出。烧铁杵、铁钱令赤，投酒，饮之。

铁华粉

味咸，平，无毒。主安心神，坚骨髓，强志力，除风邪，养血气，延年变白，去百病，随体⑦所冷热，合和诸药，用枣膏为丸。作铁华粉法：取钢煅作叶，如笏或团，平面磨错令光净，以盐水洒之，于醋瓮中，阴处埋之一百日，铁上衣生铁华

① 难产：刘《大观》、柯《大观》、成化《政和》、商务《政和》倒置。

② 五：刘《大观》、柯《大观》、成化《政和》、商务《政和》作“三”。

③ 秤：原脱，据刘《大观》、柯《大观》、成化《政和》、商务《政和》补。

④ 定：原脱，据刘《大观》、柯《大观》、成化《政和》、商务《政和》、底本校勘表补。

⑤ 腹胀：刘《大观》、柯《大观》、成化《政和》、商务《政和》作“胀满”。

⑥ 产后：刘《大观》、柯《大观》、成化《政和》、商务《政和》作“妊娠卒”。

⑦ 体：刘《大观》、柯《大观》、成化《政和》、商务《政和》、《纲目》无。

成矣。刮取，更细捣筛，入乳钵研如面，和合诸药为丸散。此铁之精华，功用强于铁粉也。今附

［臣禹锡等谨按日华子］云：铁胤粉，止惊悸，虚痫，镇五脏，去邪气，强志，壮筋骨，治健忘，冷气，心痛，痃癖[①]癥结，脱肛痔瘘，宿食等，及傅竹木刺。其所造之法，与华粉同，惟悬于酱瓿上，就润地及刮取霜时研，淘去粗汁咸味，烘干。

［**图经**］文具铁条下。

［▌**经验后方**］治心虚风邪，精神恍惚，健忘。以经使铧铁四斤，于炭火内烧令通赤，投于醋中，如此七遍，即堪打碎如棋子大，以水二斗浸经二七日，每于食后服一小盏。

生铁

微寒。主疗下部及脱肛。

生铁

［臣禹锡等谨按日华子］云：生铁锈[②]煅后，飞，淘去粗赤汁，烘干用。治痫疾，镇心，安五脏，能黑鬓发。治癣及恶疮疥、蜘蛛咬，蒜摩、生油傅并得。今注解在铁精条。

［**图经**］文具铁条下。

［▌**千金方**］治耳聋。烧铁令赤，投酒中饮之，仍以磁石塞耳。

［**肘后方**］治熊、虎所伤毒痛。煮生铁令有味，以洗之[③]。

［**又方**］若被打，瘀血在骨节及胁外不去。以铁一斤，酒三升，煮取一升，服之。

［**集验方**］治脱肛，历年不愈。以生铁三斤，水一斗，煮取五升，出铁，以汁洗，日再。

［**子母秘录**］治小儿卒得熛疮，一名烂疮。烧铁淬水中二七遍，以浴儿三二遍，起作熛疮浆。

---

① 癖：柯《大观》作“痹”。

② 锈：刘《大观》、柯《大观》、成化《政和》、商务《政和》无。

③ 之：尚辑本《补辑肘后方》作“疮”。

铁粉

味咸，平，无毒。主安心神，坚骨髓，除百病，变白，润肌肤，令人不老体健能食，久服令人身重肥黑，合①诸药各有所主。其造作粉，飞炼有法，文多不载。人多取杂铁作屑飞之，令体重，真钢则不尔。其针砂，市人错鍒铁为屑，和砂飞为粉卖之，飞炼家亦莫辨也。取钢铁为粉胜之。今附

[图经] 文具铁条下。

铁落

味辛、甘，**平，无毒**。**主风热，恶疮疡疽，疮痂疥，气在皮肤中**，除胸膈中热气，食不下，止烦，去黑子。一名铁液。可以染皂。生牧羊平泽及祊音伻城或析城。采无时。

[臣禹锡等谨按日华子] 云：铁液，治心惊邪，一切毒蛇虫及蚕、漆咬疮，肠风痔瘘，脱肛，时疾热狂，并染鬓发。

[今注②] 解在铁精条。

[图经] 文具铁条下。

钢铁

味甘，无毒。主金疮，烦满热中，胸膈气塞，食不化。一名跳音条铁。

[今注②] 解在铁精条。

[图经] 文具铁条③。

钢铁

铁

主坚肌耐④痛。

柔铁

① 合：其下，刘《大观》、柯《大观》、成化《政和》、商务《政和》有“和”字。

② 今注：原作小字书写，据末书体例改。

③ 条：其下，刘《大观》、柯《大观》有“下”字。

④ 耐：傅《新修》、罗《新修》作“能”。

［臣禹锡等谨按详定本草］云：作熟铁。

［日华子］云：铁，味辛，平，有毒。畏磁石、灰、炭等，能制石亭脂毒。

［今注］解在铁精条。

［图经曰］铁，《本经》云：铁落出牧羊平泽及祊音伻城或析城，诸铁不著所出州郡，亦当同处耳。今江南、西蜀有炉冶处皆有之。铁落者，煅家烧铁赤沸，砧上打落细皮屑，俗呼为铁花是也。初炼去矿，用以铸镕器物者，为生铁。再三销拍，可以作鍱者，为鑐铁，亦谓之熟铁。以生柔相杂和，用以作刀剑锋刃者，为钢铁。煅灶中飞出如尘，紫色而轻虚，可以莹磨铜器者，为铁精。作针家磨鑢细末，谓之针砂。取诸铁于器中，水浸之，经久色青沫出，可以染皂者为铁浆。以铁拍作片段，置醋糟[①]中，积久衣生刮取之，为铁华粉。入火飞炼者，为铁粉。作铁华粉自有法，文多不载。诸铁无正入丸散者，惟煮汁用之，华粉则研治极细，合和诸药。又马衔、秤锤、车辖及杵、锯等，皆烧以淬酒用之，刀斧刃磨水作药使，并俗用有效，故载之。

［▌别说云］谨按，铁浆即是以生铁渍水服饵者。日取饮，旋添[②]新水。日久铁上生黄膏，则力愈胜，令人肌体轻健。唐太妃所服者，乃此也。若以染皂者为浆，其酸苦臭涩安可近，况为服食也。

石脑

味甘，温，无毒。主风寒虚损，腰脚[③]疼痹，安五脏，益气。一名石饴饼。生名山土石中。采无时。

［陶隐居］云：此石亦钟乳之类，形如曾青而白色黑斑，软易破。今茅山东及西平山并有，凿土龛取之。俗方不见用，《仙经》有刘君导仙散用之。又《真诰》曰：李整采服，疗风痹虚损而得长生。

［唐本注］云：隋[④]时有化公者，所服亦名石脑，出徐州宋[⑤]里山，初在烂石中，入土一丈已下得之，大如鸡卵，或如枣许，触著即散如面，黄白色，土人号为

---

① 糟：成化《政和》、商务《政和》作“槽”。

② 添：刘《大观》、柯《大观》作“入”。

③ 腰脚：柯《大观》、《千金翼》倒置。

④ 隋：傅《新修》、罗《新修》误作“随”。

⑤ 宋：傅《新修》、罗《新修》作“宗”。

握雪礜石，云服之长生。与李整相会。今附下品条中。

［臣禹锡等谨按蜀本］云：今据下品握雪礜石，主疗与此不同。苏妄引握雪礜石注为之。

［图经］文具石钟乳条下。

理石

味辛、甘，**寒**、大寒，无毒。**主身热，利胃，解烦，益精，明目，破积聚，去三虫，**除荣卫中去来大热，结热，解烦毒，止消渴及中风痿痹。**一名立制石，**一名肌石，如石膏，顺理而细。生汉中山谷及卢山。采无时。滑石为之使，恶麻黄。

［陶隐居］云：汉中属梁州，卢山属青州，今出宁州。俗用亦稀，《仙经》时须，亦呼为长理石。石胆一名立制，今此又名立制，疑必相乱①类。

［唐本注］云：此石夹两石间如石脉，打用之。或在土中重叠而生。皮黄赤，肉白，作针②理文，全不似石膏。汉中人取酒渍服之，疗癖，令人肥悦。市人或刮削去皮，以代寒水石，并以当礜石，并是假伪。今卢山亦无此物，见出襄州西汎水侧也。

［图经］文具长石条下。

［◣丹房镜源］长理石可食。

［衍义曰］理石如长石，但理石如石膏，顺理而细，其非顺理而细者为长石，治疗亦不相辽。

珊瑚

味甘，平，无毒。主宿血，去目中翳，鼻衄。末吹鼻中。生南海。

［唐本注］云：似玉红润，中多有孔，亦有无孔者。又从波斯国及师子国来。唐本先附

［臣禹锡等谨按日华子］云：镇心止惊，明目。

［图经曰］珊瑚，生南海。注云：又从波斯国及师子国来。今

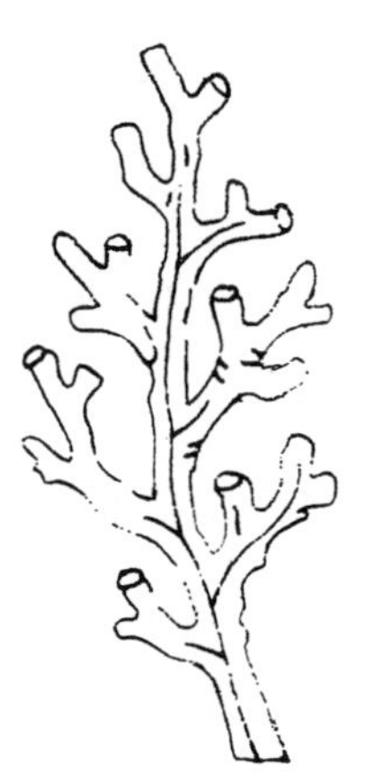

广州珊瑚

---

① 乱：原脱，据刘《大观》、柯《大观》、成化《政和》、商务《政和》、傅《新修》、罗《新修》、尚辑本《新修》补。

② 针：原作“斜”，据傅《新修》、罗《新修》、尚辑本《新修》、柯《大观》、成化《政和》、商务《政和》改。

广州亦有，云生海底，作枝柯状，明润如红玉，中多有孔，亦有无孔者，枝柯多者更难得。采无时。谨按，《海中经》曰：取珊瑚，先作铁网沉水底，珊瑚贯中而生，岁高三二尺，有枝无叶，因绞网出之，皆摧折在网中，故难得完好者。不知今之取者果尔否？汉积翠池中有珊瑚，高一丈二尺，一本三柯，上有四百六十三条，云是南越王赵佗所献，夜有光景①。晋石崇家有珊瑚，高六七尺，今并不闻有此高大者。

［陈藏器云］珊瑚，生石岩下，刺刻之汁流如血。以金投之为丸，名金浆；以玉投之，为玉髓。久服长生。

［海药］按，《晋列传》云：石崇金谷园，珊瑚树皮如花②生蕊，味甘，平，无毒。主消宿血，风痫等疾。按，其主治与金相似也。

［钱相公箧中方］治七八岁小儿眼有肤翳，未坚，不可妄傅药。宜点珊瑚散，细研如粉，每日少少点之，三日立愈。

［异物志云］出波斯国，为人间至贵之宝也。

［衍义曰］珊瑚，治翳目，今人用为点眼箸。有一等红油色，有细纵纹可爱；又一种如铅丹色，无纵纹为下。入药用红油色者。尝见一本高尺许，两枝直上，分十余歧，将至其颠，则交合连理，仍红润③有纵纹，亦一异也。波斯国海中，有珊瑚洲。海人乘大舶，堕铁网水底，珊瑚初生盘石上，白如菌，一岁而黄，三岁赤，枝干交错，高三四尺。铁发其根，系网舶上，绞而出之，失时不取即④腐。

石蟹

味咸，寒，无毒。主青盲目淫肤翳及丁翳，漆疮。生南海。又云是寻常蟹尔，年月深久，水沫相著，因化成石，每遇海潮即飘出。又一般入洞穴，年深者亦然。皆细研水飞过，入诸药相佐用之，点目良。今附

［臣禹锡等谨按日华子］云：石蟹，凉。解一切药毒并蛊毒，催生，落胎，疗

---

① 景：原作“影”，据刘《大观》、柯《大观》、成化《政和》、商务《政和》、《纲目》改。

② 皮如花：原作“交加苑”，据生物学知识改。按，本句全文为“珊瑚树皮如花生蕊”。又成化《政和》、商务《政和》作“皮加苑”。

③ 润：原作“闰”，据商务《衍义》改。

④ 即：成化《政和》、商务《政和》、庆元《衍义》作“则”。

血晕①，消痈，治天行热疾等②。并熟水磨服也。

［又云］浮石，平，无毒。止渴，治淋，杀野兽毒。

［图经曰］石蟹，出南海，今岭南近海州郡皆有之。体质石也，而都与蟹相似。或云是海蟹多年水沫相著，化而为石，每海潮③风飘出，为人所得。又一种入洞穴，年深者亦然。醋磨傅痈肿，亦解金石毒。采无时。

南恩州石蟹

［衍义曰］石蟹，直是今之生蟹，更无异处，但有泥与粗石相着。凡用，须去其泥并粗石，止用蟹，磨合他药，点目中，须水飞。又云：浮石水飞，治目中翳。今皮作家用之，磨皮上垢，无出此石。石蟹条中云：浮石，平，无毒。止渴，治淋，杀野兽毒，合于此条收入④。

长石

味辛、苦，**寒**，无毒。**主身热**，胃中结气，**四肢寒厥，利小便，通血脉，明目，去翳眇，下⑤三虫，杀蛊毒**，止消渴，下气，除胁肋肺间邪气。**久服不饥⑥。一名方石**，一名土石，一名直石，理如马齿，方而润泽，玉色。生长子山谷及太山、临淄。采无时。

潞州长石

［陶隐居］云：长子县属上党郡，临淄县属青州。俗方及《仙经》并无用此者。

［唐本注云］此石状同石膏而厚大，纵理而长，文似马齿，今均州辽坂山有之，土人以为理石者，是长石也。

［图经曰］长石，生长子山谷及泰山、临淄，今惟潞州有之。文如马齿，方而润泽，玉色。此石颇似石膏，但厚大，纵理而长，为别耳。采无时。谨按，《本

---

① 晕：原作“运”，据成化《政和》、商务《政和》、柯《大观》改。

② 等：成化《政和》、商务《政和》、柯《大观》无。

③ 潮：刘《大观》误作“湖”。

④ 又云浮石……此条收入：以上48字，庆元《衍义》、商务《衍义》别立为一条，未并在“石蟹”条下。

⑤ 下：傅《新修》、罗《新修》、尚辑本《新修》作“去”。

⑥ 饥：原作“肌”，据傅《新修》、罗《新修》、尚辑本《新修》、柯《大观》、成化《政和》、商务《政和》改。

经》理石、长石二物二条，其味与功效亦别。又云：理石如石膏，顺理而细。陶隐居云：理石亦呼为长理石。苏恭云：理石皮黄赤，肉白，作斜理，不似石膏，市人刮去皮，以代寒水石，并当礜石。今灵宝丹用长、理石为一物。医家相承用者，乃似石膏，与今潞州所出长石无异，而诸郡无复出理石，医方亦不见单用，往往呼长石为长理石。又市中所货寒水石，亦有带黄赤皮者，不知果是理石否？

马衔

无毒。主难产，小儿痫。产妇临产时手持之，亦煮汁服一盏，此马勒口铁也。《本经》马条注中，已略言之。今附

[臣禹锡等谨按本经难产通用药] 云：马衔，平。

[日华子] 云：古旧铤者好，或作医士针也。

[今据]《本经》马条注中都无说马衔之事，不知此《经》所言何谓，今姑存云。

[图经] 文具铁条下。

[▲圣惠方] 治马喉痹，喉中深肿连颊，壮热吐气数者。用马衔一具，水三大盏，煎取一盏半，分为三服。

砺石

无毒。主破宿血，下石淋，除癥结，伏鬼物恶气。一名磨石。烧赤热，投酒中，饮之。即今磨刀石，取涎，傅蠼螋溺疮，有效。又不欲人蹋之，令人患带下，未知所由。又有越砥石，极细，磨汁滴目，除障暗，烧赤，投酒中，破血瘕痛。功状极同，名又相近，应是砺矣。《禹贡》注云：砥细于砺，皆磨石也。新补见陈藏器。

石花

味甘，温，无毒。酒渍服。主腰脚风冷，与殷孽同。一名乳花。

[唐本注] 云：三月、九月采之。乳水滴水上，散如霜雪①者，出乳穴堂中。唐本先附

① 霜雪：成化《政和》、商务《政和》、柯《大观》倒置。

［臣禹锡等谨按日华子］云：石花，治腰膝及壮筋骨，助阳。此即洞中石乳滴下凝结者。

［图经］文具石钟乳条下。

［衍义曰］石花，白色，圆如覆大马杓，上有百十枝，每枝各槎牙，分歧如鹿角。上有细文起，以指撩之，铮铮然有声。此石花也，多生海中石上，世亦①难得，家中有②一本，后又于大相国宫中见一本，其体甚脆，不禁触击。本条所注皆非③。

桃花石

味甘，温，无毒。主大肠④中冷，脓血痢。久服令人肌热，能食⑤。

信阳军桃花石

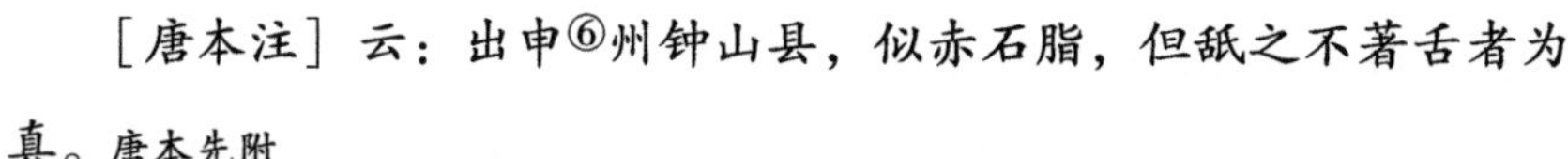

［唐本注］云：出申⑥州钟山县，似赤石脂，但舐之不著舌者为真。唐本先附

［臣禹锡等谨按蜀本］云：令人肥悦能食。

［南海药谱］云：其状亦似紫石英，若桃花，其润且⑦光而重，目之可爱是也。

［图经曰］桃花石，《本经》不载所出州土。注云：出申州钟山县。今信州亦有之。形块似赤石脂、紫石英辈。其色似桃花，光润而体重，以舐之不著舌者为佳。采无时。陶隐居解赤石脂云：用义阳者，状如豚脑，色鲜红可爱。苏恭以为非是，即桃花石也。久服肥人，土人亦以疗痢，然则功用亦不相远矣。

［衍义曰］桃花石，有赤、白两等。有赤地淡白点，如桃花片者，有淡白地、有淡赤点，如桃花片者人往往镌磨为器用，今人亦罕服食。

光明盐

味咸，甘，平，无毒。主头面诸风，目赤痛，多眵音蚩泪。生盐州五原盐池

---

① 亦：成化《政和》、商务《政和》、《纲目》作“方”。

② 有：其上，庆元《衍义》、商务《政和》有“自”字。

③ 非：其下，成化《政和》、商务《政和》、《纲目》有“是”字。

④ 肠：傅《新修》、罗《新修》作“腹”。

⑤ 食：傅《新修》、罗《新修》无。

⑥ 申：傅《新修》、罗《新修》作“甲”。

⑦ 且：成化《政和》、商务《政和》作“目”。

下，凿[1]取之，大者如升[2]，皆正方光彻。一名石盐。唐本先附

[臣禹锡等谨按蜀本注云] 亦呼为圣石。

[图经] 文具食盐条下。

石床[3]

味甘，温，无毒。酒渍服，与殷孽同[4]。一名乳床，一名逆石。

[唐本注] 云：陶谓孔公孽即乳床，非也。二孽在上，床、花在下，性体虽同，上下有别。钟乳水下凝积，生如笋状，渐长，久与上乳相接为柱也。出钟乳堂中，采无时。唐本先附

[臣禹锡等谨按日华子] 云：石笋[5]即是石乳下凝滴长者，与石花功同，一名石床。

[图经] 文具石钟乳条下。

肤青[6]

味辛、咸，平[7]，无毒。**主蛊毒及蛇、菜、肉诸毒，恶疮。**不可久服，令人瘦。**一名推青**[8]，一名推石。生益州川谷。

[陶隐居] 云：俗方及《仙经》并无用此者，亦相与不复识。

马脑

味辛，寒，无毒。主辟恶，熨目赤烂。红色似马脑，亦美石之类，重宝也。生西国玉石间，来中国者皆以为器，亦云马脑珠。是马口中吐出，多是胡人谬言，以贵之耳。新补见陈藏器。

---

① 凿：傅《新修》、罗《新修》无。

② 升：傅《新修》、罗《新修》误作“千”。

③ 床：傅《新修》、罗《新修》作“林”。

④ 同：其下，傅《新修》、罗《新修》、尚辑本《新修》有“一名同石”4字。

⑤ 笋：原作“荀”，据成化《政和》、商务《政和》改。

⑥ 肤青：《纲目》在“白青”条“附录”项下作“绿肤青”，并将“肤青”条中《本经》文，全注为《别录》文。

⑦ 平：刘《大观》、柯《大观》注为白字《本经》文。

⑧ 一名推青：刘《大观》、柯《大观》注为黑字《别录》文。

［◣陈藏器］马脑出日本国，用研木不①热为上，研木热非真也。

［衍义曰］码瑙，非石、非玉，自是一类。有红、白、黑色三种，亦有其纹如缠丝者，出西裔者佳。彼土人以小者碾为好玩之物，大者碾为器。今古方入药，绝可用。此物，西方甚重，故佛经多言之。其马口吐出，既知谬言，不合编入。

太阴玄精

味咸，温，无毒。主除风冷，邪气湿痹，益精气，妇人痼冷、漏下，心腹积聚冷气，止头疼，解肌。其色青白、龟背者良，出解县。今附

解州太阴玄精

［图经曰］太阴玄精，出解县，今解池及通、泰州积盐仓中亦有之。其色青白、龟背者佳，采无时。解池又有盐精，味更咸苦，青黑色，大者三二寸，形似铁铧嘴，三月、四月采。亦主除风冷，无毒。又名泥精，盖玄精之类也。古方不见用者，近世补药及治伤寒多用之。其著者，治伤寒三日，头痛，壮热，四肢不利。正阳丹：太阴玄精、消石、硫黄各二两，硇砂一两，四物都细研，入瓷瓶子中固济，以火半斤于瓶子周一寸熁②之约近半日，候药青紫色，住火。待冷取出，用腊月雪水拌令匀湿，入瓷罐③子中，屋后北阴下阴干。又入地④埋二七日，取出细研，以面糊和为丸，如鸡头实大。先用热水浴后，以艾汤研下一丸。以衣盖，汗出为差。

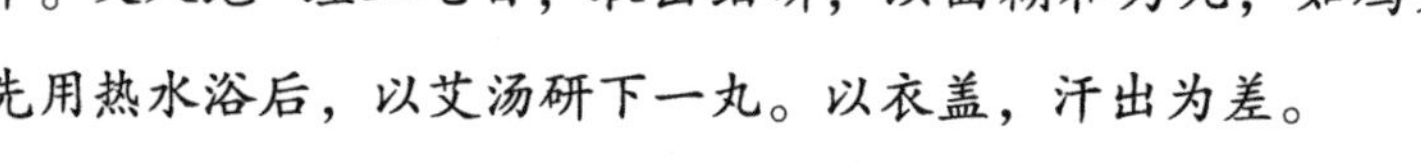

解州盐精

［◣唐本余］近地亦有，色赤、青白，片大不佳。

［沈存中云］大卤之地，即生阴精石。

［衍义曰］太阴玄⑤精石，合他药，涂大风疾，别有法。阴证伤寒，指甲、面色青黑，六脉沉细而疾，心下胀满、结硬、燥⑥渴，虚汗不止，或时狂言，四肢逆冷，咽喉不利，腹疼，亦须佐他药兼之。《图经本草》已有法，惟出解州者良。

---

① 不：刘《大观》作“石”。

② 熁：原作“熻”，据刘《大观》、柯《大观》、成化《政和》、商务《政和》改。

③ 罐：原作“礶”，据刘《大观》改。

④ 地：《梦溪笔谈》卷25作“下”。

⑤ 玄：庆元《衍义》作“元”，“元”字是沿袭避宋始祖赵玄朗讳而改的。

⑥ 燥：原作“躁”，据成化《政和》、商务《政和》改。《纲目》作“烦”。

车辖

无毒。主喉痹及喉中热塞。烧令赤，投酒中，及热饮之。今附

［图经］文具铁条下。

［▮圣惠方］治妊娠咳嗽。以车釭一枚，烧令赤，投酒中，候冷饮之。

［外台秘要］治小儿大便失血。车釭一枚，烧令赤，内水中，服之。

南恩州石蛇①

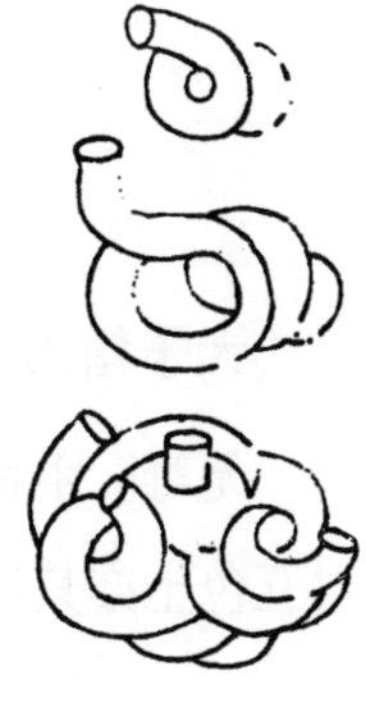
南恩州石蛇

［图经曰］石蛇，出南海水傍山石间，其形盘屈如蛇也，无首尾，内空，红紫色，又似车螺，不知何物所化，大抵与石蟹同类，功用亦相近。尤能解金石②毒，以左盘者良。采无时。味咸，性平，无毒。

［衍义曰］石蛇，《本经》不收，始自《开宝本草》添附。其色如古墙上土，盘结如楂梨大，中空，两头巨细一等，无盖，不与石蟹同类。蟹则真蟹也，蛇非真蛇也，今人用之③绝少。

兖州黑羊石④

兖州黑羊石

［图经曰］黑羊石，生兖州宫山之西。味淡，性热，解药毒。春中掘地采之，以黑色有墙壁光莹者为上。

兖州白羊石⑤

兖州白羊石

［图经曰］白羊石，生兖州白羊山。味淡，其性：熟用即大热，生用即凉。解众药毒。春中掘地采之，以白莹者为良。

① 南恩州石蛇：本条，刘《大观》、柯《大观》无。

② 石：成化《政和》、商务《政和》作“吾”。

③ 之：原脱，据庆元《衍义》、商务《衍义》、成化《政和》、商务《政和》补。

④ 兖州黑羊石：本条，刘《大观》、柯《大观》无。

⑤ 兖州白羊石：本条，刘《大观》、柯《大观》无。

一种唐本余

银膏

味辛，大寒[①]，主热风，心虚惊痫，恍惚，狂走，膈上热，头面热风冲心上下，安神定志，镇心明目，利水道，治人心风、健忘。其法以白锡和银薄及水银合成之。亦甚补牙齿缺落，又当凝硬如银，合炼有法。

四十种陈藏器余

天子耤田三推犁下土

无毒。主惊悸癫邪，安神定魄，强志。入官不惧，利见大官，宜婚市。王者所封五色土亦其次焉。已前主病正尔，水服，余皆藏宝。

社坛四角土

牧宰临官，自取以涂门户，主盗不入境。今郡县皆有社坛也。

土地

主敛万物毒。人患发背者，掘地为孔，一头傍通取风，以穴大小可肿处，仰卧穴上，令痈入穴孔中嗡之，作三五个，觉热即易，仍以物藉他处。又人卒患急黄，热盛欲死者，于沙土中掘坎，斜埋患人，令头出土上，灌之，久乃出，曾试有效，当是土能收摄热也。又人患丹石发肿，以肿处于湿地上卧熨之，地热易之。

市门土

无毒。主妇人易产，取土临月带之。又临月产时，取一钱匕末，酒服之。又捻为丸，小儿于苦瓠中作白龙乞儿。此法，崔知悌方，文多不录[②]。

---

① 寒：其下，《纲目》有“无毒”2字。

② 又捻为丸……文多不录：以上25字，《纲目》无。

自然灰

主白癜风、疬疡，重淋取汁，和醋。先以布揩白癜风破傅之，当为创勿怪。能软琉璃[①]玉石如泥，至易雕刻，及浣衣令白。洗恶疮疥癣验于诸灰。生海中，如黄土。《南中异物志》云：自然灰生南海畔，可浣衣，石得此灰即烂，可为器。今马脑等形质异者，先以此灰埋之令软，然后雕刻之也。

铸钟黄土

无毒。主卒心痛，疰忤恶气。置酒中，温服之，弥佳也。

户垠下土

无毒。主产后腹痛，末一钱匕，酒中热服之。户者，门之别名也。新注云：和雄雀粪，暖酒服方寸匕，治吹奶效。

铸铧锄孔中黄土

主丈夫阴囊湿痒，细末摸之，亦去阴汗最佳。

瓷瓯中里白灰

主游肿，醋磨傅之。瓷器物初烧时，相隔皆以灰为泥，然后烧之。瓯，瓷也，但看里有，即收之。

弹丸土

无毒。主难产。末一钱匕，热酒调服之，大有功效也。

执日取天星上土

和柏叶、薰草，以涂门户，方一尺，盗贼不来。《抱朴子》亦云有之。

---

① 璃：其下，《纲目》有“玛瑙”2字。

大甑中蒸土

一两，硕热坐卧其上，取病处热彻汗遍身，仍随疾服药。和鼠壤用亦得。

鼢鼠壤堆上土

苦酒和为泥，傅肿极效。又云：鬼疰气痛，取土以秫米甘汁搜作饼，烧令热，以物裹熨痛处。凡鼢鼠，是野田中尖觜鼠也。

冢上土及砖石

主温疫。五月一日取之，瓦器中盛，埋之著门外阶下，合家不患时气。又正月朝早将物去冢头，取古砖一口，将咒要断，一年无时疫，悬安大门也。

桑根下土

搜成泥饼，傅风肿上，仍灸三二十壮，取热通疮中。又人中恶风水，肉肿一个差，以土埦灸二百壮，当下黄水，即差也。

春牛角上土

收置户上，令人宜田。

土蜂窠上细土

主肿毒，醋和为泥傅之。亦主蜘蛛咬。土蜂者，在地土中作窠者是。

载盐车牛角上土

主恶疮，黄汁出不差，渐胤者。取土封之即止。牛角，谓是车边脂角也，好用。

驴溺泥土

主蜘蛛咬。先用醋泔汁洗疮，然后泥傅之。黑驴弥佳，浮汁洗之更好。

故鞋底下土

主人适佗方，不伏水土，刮取末和水服之。不伏水土与诸病有异，即其状也。

鼠壤土

主中风筋骨不随，冷痹骨节疼，手足拘急，风掣痛，偏枯死肌。多收取暴干用之。

屋内墉[①]下虫尘土

治恶疮久不差，干傅之，亦油[②]调涂之。

鬼屎

主人马反花疮，刮取和油涂之。生阴湿地，如屎，亦如地钱，黄白色。

寡妇床头尘土

主人耳上月割疮，和油涂之，效也。

床四脚下土

主猘犬咬人，和成泥傅疮上，灸之一七壮。疮中得大毛者愈。猘犬，狂犬也。

瓦甑

主魇寐不寤，覆人面疾打破之，觉。好魇及无梦，取火烧死者，灰著枕中、履中即止。

甘土

无毒。主去油垢。水和涂之，洗腻服，如灰。及主草叶诸菌毒，热汤末和之。

---

① 墉：成化《政和》、商务《政和》、《纲目》作“墙”。

② 油：成化《政和》、商务《政和》作“消”。

出安西及东京龙门，土底澄取之。

二月上壬日取土

泥屋四角，大宜蚕也。

柱下土

无毒。主腹痛暴卒者，末服方寸匕。

胡燕窠内土

无毒。主风瘙瘾疹，末，以水和傅之。又巢中草，主卒溺血，烧为灰，饮服。又主恶刺疮，及浸淫疮绕身至心者死，亦用之。

道中热尘土

主夏中热暍死，取土积死人心。其死非为遇热，亦可以蓼汁灌之。

正月十五日灯盏

令人有子，夫妇共于富家局会所盗之，勿令人知之，安卧床下，当月有娠。

仰天皮

无毒。主卒心痛、中恶，取人膏和作丸，服之一七丸。人膏者，人垢汗也，揩取。仰天皮者，是中庭内停污水后干地皮也，取卷起者。一名掬天皮，亦主人、马反花疮，和油涂之佳。

蚁穴中出土

取七枚如粒，和醋搽狐刺疮。

古砖

热烧之，主下部久患白痢脓泄下，以物裹上坐之。入秋小腹多冷者，亦用此古砖煮汁服之，主哕气。又令患处熨之三五度，差。又主妇人带下五色，俱治之。取黄砖石烧令微赤热，以面、五味和作煎饼七个，安砖上，以黄瓜蒌傅面上，又以布两重，患冷病人坐上，令药气入腹，如熏之有虫出如蚕子，不过三五度差。

富家中庭土

七月丑日，取之泥灶，令人富，勿令人知。

百舌鸟窠中土

末和酽醋，傅蚯蚓及诸恶虫咬疮。

猪槽上垢及土

主难产，取一合和面半升，乌豆二十颗，煮取汁服之。

故茅屋上尘

无毒。主老嗽。取多年烟火者，拂取上尘，和石黄、款冬花、妇人月经衣带为末，以水和涂于茅上，待干，内竹筒子中，烧一头，以口吸之入咽喉，数数咽之，无不差也。

诸土有毒[①]

怪日羵[②]羊掘土见之，不可触，已出上土部。土有气，触之令人面黄色，上气身肿。掘土处慎之，多断地脉，古人所忌。地有仰穴，令人移也。

重修政和经史证类备用本草卷第四

① 诸土有毒：本条，《纲目》并在“黄土”条“气味”项下，并加以化裁。

② 羵：原作“坟”，据成化《政和》、商务《政和》改。“羵”（fén），土中怪羊。《国语·鲁语》云：“土之怪曰羵羊。”

重修政和经史证类备用本草卷第五

己酉新增衍义

重修政和经史证类备用本草卷第五 己[①]酉新增衍义

成　都　唐　慎　微　续　证　类

中卫大夫康州防御使句当龙德宫总辖修建明堂所医药

提举入内医官编类圣济经提举太医学臣曹孝忠奉敕校勘

玉石部下品总九十三种

一十二种神农本经 白字

一十一种名医别录 墨字

一十种唐本先附 注云唐附

八种今附 皆医家尝用有效。注云今附

一十一种新补

五种新定

一种唐慎[②]微续补 墨盖子下是

三十五种陈藏器余

凡墨盖子已[③]下并唐慎微续证类

---

① 己：原作“巳”，据底本书首牌记改。

② 慎：刘《大观》作“谨”。下同。

③ 已：原作“巳”，据文理改。

伏龙肝	**石灰** 百草霜 续注		**礜石**
砒霜 今附 砒黄 续注			
铛墨 今附	硇砂 唐附	**铅丹**	铅 新补
粉锡	东壁土 好土、土消、土槟榔 续注		
赤铜屑 唐附 铜器 续注		**锡铜**[①]**镜鼻** 古鉴 续注	
铜青 新补	■[②] 井底沙	**代赭** 赤土附[③]	石燕 唐附
戎盐 盐药 续注	**大盐**	**卤咸**	浆水 新补 冰浆附
井华水 新补	菊花水 新补	地浆 自草部移	腊雪 新补
泉水 新补	半天河 自草部移	热汤 新补 缲丝汤、焊猪汤附	
白垩乌恪切 白土也[④]		**冬灰**	**青琅玕**[⑤] 琉璃、玻璃 续注
自然铜 今附 鉐石附[⑥]		金牙	铜矿石 唐附
铜弩牙	金星石 新定 银星石附		特生礜石[⑦]
握雪礜石 唐附	梁上尘 唐附	土阴孽[⑧]	车脂 今附
釭音工中膏 今附	煅灶灰 灶突墨、灶中热灰 续注		淋石 今附
方解石	礞石 新定	姜石 唐附 粗黄石、麦饭石[⑨]、水中圆石等附	
井泉石 新定	苍石	花乳石 新定	石蚕 今附
石脑油 新定	白瓷瓦屑 唐附	乌古瓦 唐附	不灰木 今附
蓬砂 新补	铅霜 新补	古文钱 新补	蛇黄 元在虫部，今移 唐附

三十五种陈藏器余

玉井水	碧海水	千里水	秋露水
甘露水	繁露水	六天气	梅雨水
醴泉	甘露蜜	冬霜	雹

---

① 铜：刘《大观》、柯《大观》注为黑字《别录》文。

② ■：刘《大观》脱，柯《大观》作方框“□”。

③ 赤土附：刘《大观》脱。

④ 白土也：刘《大观》脱。

⑤ 青琅玕：刘《大观》注为黑字《别录》文。

⑥ 鉐石附：刘《大观》脱。

⑦ 特生礜石：刘《大观》脱。

⑧ 土阴孽：刘《大观》脱。

⑨ 粗黄石、麦饭石：柯《大观》无。

温汤	夏冰	方诸[①]水	乳穴中水
水花	赤龙浴水	粮罂中水	甑气水
好井水	正月雨水	生熟汤	屋漏水
三家洗碗水	蟹膏投漆中化为水		猪槽中水
市门众人溺坑[②]中水		盐胆水	水气
冢井中水	阴地流泉	铜器盖食器上汗	炊汤
诸水有毒			

① 方诸：刘《大观》倒置。

② 坑：刘《大观》作“块”。

伏龙肝

味辛，微温。主妇人崩中，吐下[1]血，止咳逆，止血，消痈肿毒气。

［陶隐居］云：此灶中对釜月下黄土也，取捣筛，合葫涂痈，甚效。以灶有神，故号为伏龙肝，并以迂隐其名尔。今人又用广州盐城屑，以疗漏血、瘀血，亦是近月[2]之土，兼得火烧之义也。

［臣禹锡等谨按药性论］云：伏龙肝，单用亦可，味咸，无毒。末与醋调涂痈肿。

［萧炳］云：釜月中墨，一名釜脐下墨。

［陈藏器］云：灶中土及四交道土，合末以饮儿，辟夜啼。

［日华子］云：伏龙肝，热，微毒。治鼻洪，肠风，带下，血崩，泄精，尿血，催生下胞及小儿夜啼。

［图经］文具石灰条下。

［ 雷公云］凡使，勿误用灶下土。其伏龙肝，是十年已来灶额内火气积，自结如赤色石，中黄，其形貌八棱，取得后细研，以滑石水飞过两遍，令干，用熟绢裹却，取子时安于旧额内一伏时，重研了用。

［圣惠方］治小儿脐疮久不差，用伏龙肝傅之。

［外台秘要］救急治心痛，冷热。伏龙肝末，煮，水服方寸匕，若冷，以酒服。

---

① 下：原脱，据傅《新修》、罗《新修》、尚辑本《新修》补。

② 月：原作“耳”，据《纲目》、尚辑本《新修》改。

[又方] 治痈肿。伏龙肝以蒜①和作泥涂，用布上贴之，如干，则再易。

[千金方] 治风痱者，卒不能语，口噤，手足不随而强直方：伏龙肝五升，以水八升，和搅取汁饮之，能尽为善。

[又方] 治诸腋臭。伏龙肝烧作泥傅之，立差。

[又方] 治鬼魇不悟，取伏龙肝末吹鼻中。

[又方] 治中风，心烦恍惚，或腹中痛满，或时绝而复苏者。取釜②下土五升，捣末，以冷水八升和之，取汁尽服之。口已噤者，强开以筒灌之，使得下入，便愈，甚效。

[又方] 发背欲死方：伏龙肝末，以酒调，厚傅其上，疮口干即易，不日平复。

[又方] 小儿卒重舌。釜②下土，苦酒和涂舌下。

[又方] 灸疮痛肿，急痛。灶中黄土水煮，令热淋渫③之，即良。

[千金翼] 治狂癫不识人。以水服伏龙肝方寸匕，日进三。

[肘后方] 治诸痈疽发背及乳房。釜下土捣取末，鸡子中黄和涂之，佳。

[简要济众] 治小儿丹毒从脐中起方：伏龙肝是年深灶下黄土，研为末，以屋漏水和如糊，傅患处，干即再傅，以差为度，用新汲水调亦得。

[广利方] 治吐血，鼻衄不止。伏龙肝半升，以新汲水一大升淘取汁，和蜜顿服。

[伤寒类要] 妊娠热病方：以水调伏龙肝一鸡子许服之。

[又方] 妊娠遭时疫热病，令子不堕。灶下土，水和涂脐，干又涂之，以酒调亦妙。

[十全博救④方] 治子死腹中，其母气欲绝，不出方：伏龙肝三钱匕，以水调下，其土当儿头上戴出，甚妙。

[子母秘录] 小儿赤游，行于身上下，至心即死。伏龙肝末，和鸡子白涂，干即易。

[又方] 小儿尿灰疮⑤。伏龙肝和鸡子白涂之。

---

① 蒜：柯《大观》作"醋"。

② 釜：柯《大观》作"灶月"。

③ 淋渫：柯《大观》作"以渫"；成化《政和》、商务《政和》作"淋渍"。

④ 救：柯《大观》作"济"。

⑤ 疮：其下，柯《大观》有"方以"2字。

[产宝] 治胞衣不出。取灶下土一寸，研碎，用好醋调令相得，内于脐中。续取甘草汤三四合服之，出。

[贾相公] 进过牛经，牛粪、血者。取灶中黄土二两，酒一升，煎候冷灌之，立差。

[杨氏产乳] 疗患时行，令胎不损。伏龙肝末和水服，涂脐方寸，干即易。

[丹房镜源云] 伏龙肝或经十年者，灶下掘深一尺下，成[①]片紫瓷色者可用，伏砂缩贺妙。贺者，锡也。

[衍义曰] 伏龙肝，妇人血露，蚕沙一两炒，伏龙肝半两，阿胶一两，同为末，温酒调，空肚服二三钱，以知为度。本条中有东壁土，陈藏器云：取其东壁土，久干也。今详之，南壁土，亦向阳久干也，何不取？盖东壁常先得晓日烘炙。日者太阳真火，故治瘟疟。或曰：何不取午盛之时南壁土，而取日初出东壁土者，何也？火生之时，其气壮。故《素问》云：少火之气壮。及其当午之时，则壮火之气衰，故不取，实用此义。或曰：何以知日者太阳真火？以水精珠，或心凹铜鉴，向日射之，以艾承接其光聚处，火出，故知之。

石灰

味辛，温。主疽疡，疥瘙，热气，恶疮，癞[②]疾，死肌，堕眉，杀[③]痔虫，去黑子息肉，疗髓骨疽。**一名恶灰**，一名希灰。生中山川谷。

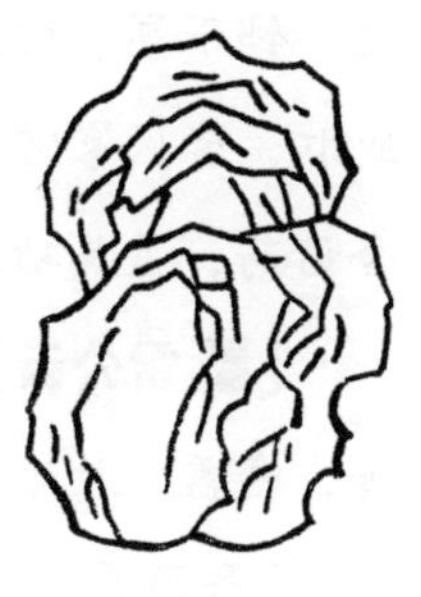
石灰

[陶隐居] 云：中山属代郡。今近山生石，青白色，作灶烧竟，以水沃之，即[④]热蒸而解末[⑤]矣。性至烈，人以度酒饮之，则腹痛下痢，疗金疮亦甚良。俗名石垩。古今多以构[⑥]冢，用捍水而辟虫。故古冢中水洗诸疮，皆即差。

[唐本注] 云：《别录》及今人用疗金疮，止血，大效。若五月五日采蘩蒌、葛叶、鹿活草、槲叶、芍药、地黄叶、苍耳叶、青蒿叶合石灰，捣为团如鸡卵，暴

---

① 成：原作"真"，据柯《大观》、底本校勘表改。刘《大观》作"直"。

② 癞：《经史证类大全本草》作"痈"。

③ 杀：傅《新修》、罗《新修》无。

④ 即：傅《新修》、罗《新修》、尚辑本《新修》作"则"。

⑤ 末：傅《新修》、罗《新修》作"未"。

⑥ 构：刘《大观》、柯《大观》作"结"。

干，末，以疗疮生肌，大神验。

［今按］别本注云：烧青石为灰也，有两种：风化、水化。风化为胜。

［臣禹锡等谨按蜀本］云：有毒，墮胎。

［药性论］云：石灰，治瘑疥，蚀恶肉，不入汤服。止金疮血，和鸡子白，败船茹，甚良。

［日华子］云：味甘，无毒。生肌长肉，止血，并主白癜，疬疡，瘢疵[①]等。疗冷气，妇人粉刺，痔瘘疽疮，瘿赘疣子。又治产后阴不能合，浓煎汁熏洗。解酒味酸，令不坏，治酒毒，暖水脏，倍胜炉灰。又名煅石。

［图经曰］石灰，生中山川谷，今所在近山处皆有之。此烧青石为灰也，又名石煅。有两种：风化、水化。风化者，取煅了石，置风中自解，此为有力；水化者以水沃之，则热蒸而解，力差劣。古方多用合百草团末，治金创[②]殊胜。今医家或以腊月黄牛胆，取汁搜[③]和，却内胆中，挂之当风百日，研之更胜草叶者。又败船茹灰刮取用亦同。又冬灰，生方谷川泽。浣衣黄灰，烧诸蒿藜积聚炼作之。今用灰多杂薪蒸，乃不善，惟桑薪灰，纯者入药绝奇。古方以诸灰杂石灰熬煎，以点疣、痣、黑子等，丹灶亦用之。又煅铁灶中灰，主坚积，古方二[④]车丸用之。灶中对釜月下黄土，名伏龙肝。灶额上墨，名百草霜，并主消化积滞，今[⑤]人下食药中多用之。铛下墨、梁上尘，并主金创[⑥]。屋尘煤，治齿龈肿出血。东壁土，主下部疮，脱肛，皆医家常用，故并见此。伤寒黑效丸，用釜底墨、灶突墨、梁上尘三物，同合诸药，盖其功用，亦相近矣。

［◣雷公云］凡使，用醋浸一宿，漉出待干，下火煅，令腥秽气出，用瓶盛著，密盖，放冷，拭上灰，令净，细研用。

［圣惠方］治蝼蛄咬人，用石灰醋和涂之。

［又方］治大肠久积虚冷，每因大便脱肛，挼不得入方：炒石灰令热，故帛裹，坐其上，冷即易之。

［外台秘要］元希声侍郎治卒发疹秘验方：石灰随多少，和醋、浆水调涂，随

---

① 瘢疵：刘《大观》、柯《大观》作“瘢疵”；成化《政和》、商务《政和》作“瘢疪”。

② 创：成化《政和》、商务《政和》、柯《大观》作“疮”。

③ 搜：刘《大观》、柯《大观》作“溲”。

④ 二：刘《大观》、柯《大观》作“贰”。

⑤ 今：柯《大观》作“令”。

⑥ 创：成化《政和》、商务《政和》作“疮”。

手即减。

［千金方］治眉发髭落①。石灰三升，右以水拌令匀，焰火炒令焦，以绢袋贮，使好酒一斗②渍之，密封，冬十四日③，春秋七日。取服一合，常令酒气相接，服之百日④，即新髭发生，不落。

［又方］治瘘疮。取古冢中石灰，傅厚调涂之。

［肘后方］治产后阴道开不闭。石灰一斗熬之，以水二斗投灰中，适寒温，入水中坐，须臾更作⑤。

［又方］治汤火灼疮。石灰细筛，水和涂之，干即易⑥。

［又方］治金刃所伤，急以石灰裹之，既止痛，又速愈。无石灰，灰亦可用，疮若深，未宜速合者，以滑石傅之⑦。

［经验方］治蚰蜒虫咬，其形如大风，眉须皆落。以石灰水浸身亦良。

［梅师方］治产后阴肿，下脱肠出，玉门不闭。取石灰一斗，熬令黄，以水三斗投灰中，放冷澄清，取一斗三升暖洗。

［又方］治金疮止血速差方：炒石灰和鸡子白，和丸如弹子大，炭火煅赤，捣末，以傅疮上，立差。

［孙用和］治误吞金银或钱，在腹内不下方：石灰一杏核大，硫黄一皂子大，同研为末，酒调下，不计时候服。

［孙真人食忌］治疥淋，石灰汁洗之。

［又方］去靥子。取石灰炭上熬令热，插糯米于灰上，候米化，即取米点之。

［斗门方］治刀斧伤。用石灰上包，定痛止血佳，差。

［又方］治中风，口面㖞斜。向右即于左边涂之，向左即于右边涂之，候才正如旧，即须以水洗下，大妙。

［崔氏］治血痢十年方：石灰三升熬令黄，以水一斗搅令清澄。一服一升，日

---

① 治眉发髭落：查今本《千金方》无此方。《千金翼》有此方，方名“治发落方”，其方组成和用法亦与此同。

② 使好酒一斗：《千金翼》作“以酒叁升”。

③ 冬十四日：《千金翼》作“冬二七日”。

④ 服之百日：《千金翼》作“七日落止，百日服之，终身不落”。

⑤ 治产后……更作：以上32字，商务《肘后方》无。

⑥ 治汤火灼疮……干即易：以上16字，商务《肘后方》无。

⑦ 治金刃所伤……傅之：以上37字，商务《肘后方》无。

三服。

［**抱朴子内篇**］古大墓中多石灰汁，夏月行人有疮者，见墓中清水，用自洗浴，疮自愈。于是诸病者闻之，悉往洗之，传有人饮之以中病。

［**新唐书**］《李百药传》百药劝杜伏威朝京师，既至历阳中，悔欲杀之，饮以石灰酒，因大利，顿欲死，既而宿病皆愈。

［**丹房镜源云**］石灰伏硫黄，去锡上晕，制雄黄，制硇砂可用之。

［**衍义曰**］石灰，水调一盏，如稠粥，拣好糯米粒全者，半置灰中，半灰外。经宿，灰中米色变如水精。若人手、面上有黑黡子及纹刺，先微微以针头拨动，置少许如水精者于其上，经半日许，黡汁自出，剔去药不用，且不得着水，三二日愈。又取新硬石灰一合，以醋炒，调如泥，于患偏①风牵口㖞邪②人口唇上，不患处一边涂之，立便牵正。

礜石

味辛、甘，**大热**、生温、熟热③，有毒。**主寒热，鼠瘘，蚀疮，死肌，风痹，腹中坚**，癖邪气，除热④，明目，下气，除膈中热，止消渴，益肝气，破积聚，痼冷腹痛，去鼻中息肉。久服令人筋挛。火炼百日，服一刀圭。不炼服，则杀人及百兽。**一名青分石，一名立制石，一名固羊石**，一名白礜石，一名太⑤白石，一名泽乳，一名食盐。生汉中山谷及少室。采无时。得火良，棘针为之使，恶马目毒公、鹜屎、虎掌、细辛，畏水。

阶州礜石

潞州礜石

［陶隐居］云：今蜀⑥汉亦有，而好者出南康南野溪及彭城界中、洛阳城南堑，常⑦取少室。生礜石，内水中令水不冰，如此则生亦大热。今以

① 偏：庆元《衍义》作“遍”。

② 邪：成化《政和》、商务《政和》作“斜”。按，“斜”“邪”义同。《礼记正义·乐记》：“邪字又作斜。”

③ 热：傅《新修》、罗《新修》、尚辑本《新修》作“寒”。

④ 邪气，除热：刘《大观》、柯《大观》作白字《本经》文。《纲目》注“邪气”2字为《本经》文。

⑤ 太：刘《大观》、柯《大观》作“大”。

⑥ 蜀：成化《政和》、商务《政和》、柯《大观》作“属”。

⑦ 常：柯《大观》作“尝”。

黄土泥苞，炭火烧之，一日一夕，则解碎可用，疗冷结为良。丹方及黄白术多用之，此又湘东新宁及零陵皆有。白礜石能柔金。

[唐本注]云：此石能拒火，久烧但解散，不可夺其坚。今市人乃取洁白细理石当之，烧即为灰，非也。此药攻击①积聚痼冷之病为良，若以余物代之，疗病无效，正为此也。今汉川武当西辽坂名礜石谷，此即是其真出处。少室亦有，粒细理，不如汉中者也。

[臣禹锡等谨按吴氏]云：白礜石一名鼠乡。神农、岐伯：辛，有毒。桐君：有毒。黄帝：甘，有毒。季氏云：或生魏兴，或生少室，十二月采。

[山海经]云：皋涂之山有白石焉，名曰礜，可以毒鼠。郭注云：今礜石杀②鼠，蚕食而肥也。

[说文解字]云：礜，毒石也。

[博物志]云：鹳伏卵时，取礜石周围绕卵，以助暖气。方术家取鹳巢中礜石，为真也。

[药性论]云：礜石，使，铅丹为之使，味甘，有小毒。主除胸膈间③积气，去冷湿风痹④，瘙痒皆积年者，忌羊血。

[萧炳]云：不入汤。

[图经曰] 礜石，生汉中山谷及少室，今潞州亦有焉。性大热，置水中令水不冰，又坚而拒火，烧之一日夕，但解散而不夺其坚。市人多取洁白石当之，烧即为灰也。此药攻击积聚痼冷之病为良，用之须，真者乃佳。又有特生礜石，生西域。张华《博物志》云：鹳伏卵⑤，取礜石周围绕卵，以助暖气。方术家用之，取鹳巢中者为真，即此特生礜石也。然此色难得，人多使汉中者，外形紫赤，内白如霜，中央有白⑥，形状如齿，其块小于白礜石，而肌粒大数倍，乃如小豆许。白礜石粒细，才若粟米耳。又有握雪礜石，出徐州西宋里山，入土丈余，生于烂土石间，色白细软如面也。又下条苍石，生西城⑦。苏恭云：特生礜石，一名苍礜石，而梁州

---

① 击：成化《政和》、商务《政和》作“系”。

② 杀：原作“若”，据《山海经》、刘《大观》、柯《大观》、底本校勘表改。

③ 间：原作“问”，据刘《大观》、柯《大观》、成化《政和》、商务《政和》改。

④ 冷湿风痹：刘《大观》、柯《大观》作“冷风湿痹”。

⑤ 卵：其下，刘《大观》、柯《大观》有“时”字。

⑥ 白：原作“曰”，据柯《大观》改。

⑦ 城：原作“域”，据傅《新修》、罗《新修》、尚辑本《新修》以及本书“苍石”条改。

特生，亦有青者。房陵、汉川与白礜石同处，亦有青色者，多与特生同，但不入方用。而今医家多只用礜石，即白礜石也，形类相近，如此尤宜详择之耳。古方治寒冷积聚，皆用礜石。胡洽大露宿丸，主寒冷百病方：礜石炼、干姜、桂心、皂荚、桔梗各三两，附子二两，六物捣筛，蜜丸。服如梧子五丸，日三，渐增，以知为度。又有匈奴露宿丸、硫黄丸，并主积聚及饮食不下，心腹坚实，皆用礜石。近世乃少用者。

[**◣丹房镜源云**] 红皮礜石能伏丹砂，养汞。

[**衍义曰**] 礜石并特生礜石，《博物志》及陶隐居皆言此二石，鹳取之以壅卵，如此则是一物也。隐居又言《仙经》不云特生，则止是前白礜石。今补注但随文解义，不见特生之意。盖二条止是一物，但以特生不特生为异耳。所谓特生者，不附著他石为特耳。今用者绝少，惟两字礜石入药。然极须慎①用，其毒至甚。及至论鹳巢中者，又却从谬说。鹳巢中皆无此石，乃曰：鹳常入水，冷，故取以壅卵。如此则鸬鹚、鹏鹜之类，皆食于水，亦自繁息生化，复不用此二石。其说往往取俗士之言，未尝究其实而穷其理也。尝官于顺安军，亲检鹳巢，率②无石。矧礜③石焉得处处有之？然治久积及久病胸腹冷有功，直须慎④用，盖其毒不可当⑤。

砒霜

味苦、酸，有毒。主诸疟，风痰在胸膈。可作吐药，不可久服，能伤人。飞炼砒黄而成，造作别有法。今附

[臣禹锡等谨按日华子] 云：砒霜，暖。治妇人血气冲心痛，落胎。又砒黄，暖，亦有毒。畏绿豆、冷水、醋。治疟疾，肾气带，辟蚤虱⑥。入药以醋煮杀毒，乃用。

[**图经曰**] 砒霜，旧不著所出郡县，今近铜山处亦有之，惟信州者佳。其块甚有大者，色如鹅子黄，明澈不杂。此类本处自是难得之物，每一两大块真者，人竞珍之，市之不啻金价。古服食方中亦或用之，必得此类，乃可入药。其市肆所蓄，

---

① 慎：庆元《衍义》、商务《衍义》作“谨”。

② 率：成化《政和》、商务《政和》作“中”。

③ 礜：原作“矾”，据庆元《衍义》、商务《衍义》改。

④ 慎：庆元《衍义》、商务《衍义》作“谨”。

⑤ 当：原作“尝”，据庆元《衍义》、商务《衍义》改。

⑥ 虱：刘《大观》、柯《大观》作“虫”。

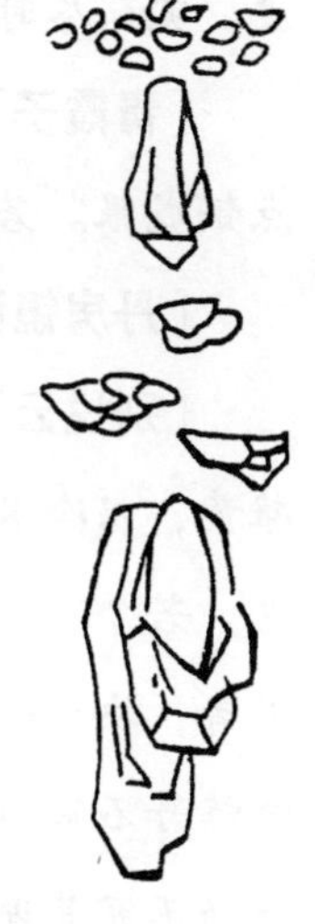
信州砒霜

片如细屑，亦夹①土石，入药服之，为害不浅。误中，解之用冷水研绿豆浆饮之乃无也②。

［■雷公云］凡使，用小瓷瓶子盛，后入紫背③天葵、石龙芮二味，三件便下火煅，从巳至申，便用甘草水浸，从申至子，出，拭干，却入瓶盛，于火中煅，别研三万下用之④。

［圣惠方］治卒中风，昏愦⑤若醉，痰涎壅盛，四肢不收。方用砒霜如绿豆大，研，以新汲水调下少许，用熟水投，大吐即愈。若未吐，再服。

［又方］治恶刺方：用砒霜细研，和胶清涂之。

［博济方］治小儿牙宣，常有鲜血不止，牙龈臭烂。砒黄⑥一钱，麝香⑦半钱，同研细，先用纸条子以生油涂之，后掺药末在上，少用末，剪作小片纸棋子大，看大小用，插在烂动处。

［孙尚药］治痁疾。信砒二两，别研如粉；寒水石三两，别捣为末。右用一生铁铫子，先铺石末一半，后堆砒末在上，又以石末盖头。然后取厚盏盖之，周回⑧醋糊纸条子密封约十重，以炭火一斤已来，安铫子在上。候纸条子黑取出，置冷地上候冷，取开盏子，净刮取砒石末一处，入乳钵内细研，以软粟米饭和丸如梧子，更别作小丸子一等，以备小儿服，以飞过辰砂为衣，候干入瓷合收。每人服时，于发日早，腊茶清下一丸，一日内不得食⑨热物。合时先扫洒一净室中合之，不得令妇人、猫、犬、鸡、鼠等见，收得时亦如然。若妇人患则男著在口中，男子患亦然。

［灵苑方］治瘰疬。用信州砒黄，细研，滴浓墨汁丸如梧桐子大，于铫子内炒令干，后用竹筒子盛。要用于所患处炙破或针，将药半丸敲碎贴之，以自然蚀落为

---

① 夹：刘《大观》、柯《大观》作“挟”。

② 也：刘《大观》、柯《大观》作“他”。

③ 背：原作“背”，据刘《大观》、柯《大观》、成化《政和》、商务《政和》改。

④ 之：刘《大观》、柯《大观》无。

⑤ 愦：柯《大观》作“隤”。

⑥ 黄：其下，柯《大观》有“抄”字。

⑦ 香：其下，柯《大观》有“抄”字。

⑧ 回：成化《政和》、商务《政和》作“围”。

⑨ 食：原脱，据《纲目》补。

度。觉药尽时，更贴少许①。

［青霞子］《宝藏论》云：砒霜，若草伏住火煅，色不变移，熔成汁，添得者，点铜成银。若只②质枯折者，不堪用。

［丹房镜源云］砒霜化铜干汞。

［别说云］谨按，今信州玉山有砒井，官中封禁甚严。生不夹石者，色赤甚如雄黄，以冷水磨，解热毒，治痰壅甚效。近火即杀人，《图经》所谓不啻金价者此也。若今市人通货者，即取山中夹砂石者，烧烟飞作白霜，乃碎屑而芒刺，其伤火多者，块大而微黄，则《图经》所谓如鹅子色明澈者此也。古方并不入药，唯见③烧炼丹石家用。近人多以治疟，然大意本以生者能解热毒。盖疟本伤暑故用。今俗医乃不究其理，即以所烧霜用，服之必吐下，因此幸有安者，遂为定法，尔后所损极多④，不可不慎也。初取飞烧霜时，人在上风十余丈外立，下风所近草木皆死；又多见以和饭毒鼠，若猫、犬食死鼠者亦死，其毒过于射罔⑤远矣。可不察之。又衡山所出一种，力差劣于信州者云。

［衍义曰］砒霜，疟家或用，才过剂，则吐泻兼作，须浓研绿豆汁，仍兼冷水饮，得石脑油即伏。今信州凿坑井，下取之。其坑常封锁，坑中有浊绿⑥水，先绞水尽，然后下凿取。生砒谓之砒黄，其色如牛肉，或有淡白路，谓石非石，谓土非土，磨研酒饮，治癖积气有功。才见火，更⑦有毒，不可造次服也。取砒之法：将生砒就置火上，以器覆之，令砒烟上飞，着覆器，遂凝结，累然下垂如乳。尖长者为胜，平短者次之。《图经》言大块者，其大块者已⑧是下等，片如细屑者极下也。入药当用如乳尖长者，直须详谨。

---

① 灵苑方……更贴少许：以上69字，刘《大观》、柯《大观》作"《简要济众方》治疟神圣丹：砒霜半钱研，黑豆面一钱，右件二味细研，滴水丸小豆大，雄黄为衣。未发时，空心面东新水下一丸"。

② 只：柯《大观》作"见"。

③ 见：柯《大观》作"是"。

④ 多：柯《大观》作"长"。

⑤ 罔：柯《大观》作"冈"。

⑥ 绿：原作"渌"，据庆元《衍义》、商务《衍义》改。

⑦ 更：庆元《衍义》、商务《衍义》、《纲目》作"便"。

⑧ 已：原作"以"，据庆元《衍义》、商务《衍义》改。

铛墨

主蛊毒中恶，血晕吐血。以酒或水细研温服之。亦涂金疮，生肌止血。疮在面，慎[①]勿涂之，黑入肉如印，此铛下墨是也。今附

［臣禹锡等谨按蜀本］云：铛墨无毒。

［图经］文具石灰条下。

［■千金方］臭气。鼻气壅塞不通方：水服釜墨末[②]。

［又方］治舌卒肿如猪胞状，满口，不治须臾死。以釜墨和酒[③]涂舌下[④]，立差[⑤]。

［又方］治心痛，取铛墨以热小便调下二钱匕。

［又方］治逆生。以手中指取釜下墨，交画儿足下，顺生。

［又方］治中恶，心痛欲绝。用釜下墨半两，盐一钱，和研，以熟水一盏调，顿服。

［肘后方］治转筋，入肠[⑥]中欲转者。釜底墨末，和酒服之差。

［经验方］治霍乱。取锅底墨煤少许，只半钱已下。又于灶额上取少许，以百沸汤一盏，投煤其中，急搅数十下，用碗盖之，汗出通口微呷一两口，吐泻立止。

硇砂

味咸、苦、辛，温，有毒。不宜多服。主积聚，破结血，烂胎，止痛下气，疗咳嗽宿冷，去恶肉，生好肌。柔金银，可为焊音旱药。出西戎，形如牙[⑦]消，光净者良。驴马药亦用。

［今按］《陈藏器本草》云：硇砂，主妇人、丈夫羸瘦积病，血气不调，肠鸣，食饮不消，腰脚疼冷，痃癖痰饮，喉中结气，反胃吐水。令人能食，肥健。一飞为酸砂，二飞为伏翼，三飞为定精，色如鹅儿黄，和诸补药为丸，服之有暴热。飞炼

---

① 慎：刘《大观》、柯《大观》作“切”。

② 臭气……釜墨末：以上14字，柯《大观》作“鼻中息肉，细筛釜底墨，水服三五日”。

③ 酒：柯《大观》作“醋”。

④ 下：柯《大观》作“上下”。

⑤ 立差：柯《大观》作“脱更傅”。

⑥ 肠：尚辑本《补辑肘后方》作“腹”。

⑦ 牙：傅《新修》、罗《新修》、尚辑本《新修》作“朴”。

有法，亦能变铁。

［又按］别本注云：胡人谓为浓沙，其性大热，今云温，恐有[①]误也。唐本先附

［臣禹锡等谨按药性论］云：硇砂，有大毒。畏浆水，忌羊血。味酸、咸。能销五金八石，腐坏人肠胃。生食之，化人心为血。中者，研生绿豆汁，饮一二升解之。道门中有伏炼法。能除冷病，大益阳事。

硇砂

［萧炳］云：硇砂，使。生不宜多服，光净者良，今生北庭为上。

［日华子］云：北庭砂，味辛、酸，暖，无毒。畏一切酸。补水脏，暖子宫，消冷癖瘀血，宿食不消，气块痃癖，及血崩带下，恶疮息肉。食肉饱胀，夜多小便，女人血气心疼，丈夫腰胯酸重，四肢不任。凡修制，用黄丹、石灰作柜，煅赤使用，并无毒。世人自疑烂肉，如人被刀刃所伤，以北庭罯傅定，当时生痂。亦名狄盐者。

［图经曰］硇砂，出西戎，今西凉夏国及河东、陕西近边州郡亦有之。然西戎来者，颗块光明，大者有如拳，重三五两，小者如指面，入药最紧。边界出者，杂碎如麻豆粒，又夹[②]砂石，用之须飞澄去土石讫，亦无力，彼人谓之气砂。此药近出唐世，而方书著古人单服一味，伏火作丸子，亦有兼硫黄、马牙消辈合饵者，不知方出何时，殊非古法。此本攻积聚之物，热而有毒，多食腐坏人肠胃，生用又能化人心为血，固非平居可饵者。而西土人用淹肉炙以当盐食之，无害，盖积习之久，若魏武啖野葛不毒之义也。又名北庭[③]砂，又名狄盐。本经[④]云：柔金银，可为焊药。今人作焊药，乃用鹏砂，鹏砂出于南海。性温，平。今医家治咽喉最为要切。其状甚光莹，亦有极大块者，诸方亦稀用。

［◣陈藏器］云：有暴热，损发。

［圣惠方］治悬痈卒肿。用硇砂半钱，绵裹含，咽津，即差。

［外台秘要］救急治鱼骨哽[⑤]在喉中。以少硇砂，口中咀嚼咽之，立下。

［经验方］硇砂丸方：硇砂不计多少，用罐子内著硇砂，上面更坐罐子一个，

---

① 有：刘《大观》、柯《大观》作“为”。

② 夹：刘《大观》、柯《大观》作“挟”。

③ 庭：柯《大观》作“停”。

④ 本经：此处指《新修》。

⑤ 哽：柯《大观》作“鲠”。

用纸筋、白土和上下俱泥了。窨①干后，从辰初时便用苍耳自在落下叶，将来捣罗为末，药上铺头盖底，上面罐子内用水坐著，水旋添，火烧从罐子外五寸已来围绕，欲尽更添火，移向前罐子周回，火尽更旋烧促向前，计一伏时为度，更不移火，却闲杂人及妇人不得见，一伏时住。取来捣罗为末，醋、面糊为丸如桐子大。每服逐日十丸至十五丸，温酒或米饮下，并无忌，若烧吃三二斤，进食无病。

[陈巽] 治元脏虚冷，气攻脐腹疼痛。硇砂一两，川乌头生去皮、脐，杵为末，取二两，硇砂生研，用纤霞草末二两，与硇砂同研匀，用一小砂罐子，不固济，慢火烧通赤热，将拌了者硇砂入罐子内，不盖口加顶火一秤，候火尽炉寒取出研，与乌头末同研匀，汤浸蒸饼丸如桐子大。每服三丸，热木香汤、醋汤任下。

[青霞子]《宝藏论》硇砂，若草②伏住火不碎，可转制得诸石药，并引诸药，可治妇人久冷。硇砂为五金③贼也，若石药并灰霜伏得者，不堪用也。

[太清服炼灵砂法] 云：北庭砂所禀阴石之气，性含阳毒之精，功能消败去秽益阳，其功甚著。

[丹房镜源] 云：硇砂性有大毒，或沉冷之疾可服则愈，久服有痈肿。出北庭白黄者，诀曰为五④金贼，能制合群药。药中之使，自制雄、雌黄。

[衍义曰] 硇砂，金银有伪，投熔锅⑤中，其伪物尽消散。矧人腹中有久积，故可溃腐也。合他药治目中瞖，用之须水飞过，入瓷器中，于重汤中煮其器，使自干，杀其毒及去其尘秽。

铅丹

味辛，微寒，主吐⑥逆胃反，惊痫瘨疾，除热下气，止小便利，除毒热脐挛，金疮溢血。**炼化还成九光，久服通神明。**一名铅华，生于铅。生蜀郡平泽。

[陶隐居] 云：即今熬铅所作黄丹也。画用者，俗方亦稀用，惟《仙经》涂丹釜所须，云化成九光者，当谓九光丹以为釜尔，无别变炼法。

[唐本注] 云：丹、白二粉，俱炒锡作，今《经》称铅丹，陶云熬铅，俱误矣。

---

① 窨：同“熏”。

② 草：其下，原有“服”字，据刘《大观》、柯《大观》、底本校勘表删。

③ 五金：柯《大观》作“之金”；成化《政和》、商务《政和》作“五今”。

④ 五：原为“之”，据柯《大观》及上文改。

⑤ 锅：原作“窝”，据底本校勘表、商务《衍义》改。

⑥ 吐：傅《新修》、罗《新修》、尚辑本《新修》作“咳”。

［今注］此即今黄丹也，与粉锡二物，俱是化铅为之。按，李含光《音义》云：黄丹，胡粉皆化铅，未闻用锡者，故《参同契》云：若胡粉投炭中，色坏①为铅。《抱朴子·内篇》云：愚人乃不信黄丹及胡粉是化铅所作，今唐注以三②物俱炒锡，大误矣。

［臣禹锡等谨按药性论］云：铅丹，君。主治惊悸狂走，呕逆，消渴。煎膏用，止痛生肌。

［萧炳］云：臣，不入汤。

［日华子］云：黄丹，凉，无毒。镇心安神，疗反胃，止吐血及嗽，傅金疮长肉及汤火疮，染须发③。可煎膏。

［图经］文具铅、锡条下。

［■外台秘要］《集验》疗逆产方：真丹刀圭，涂儿跖④下。

［肘后方］客忤、中恶之类，多于道间门外得之，令人心腹㽲⑤痛，胀满，气冲心胸，不即治亦害人。救之方：真丹方寸匕，蜜三合和服之，口噤者折齿灌之。

［又方］治伤寒及时气，温病头痛壮热，脉盛。真丹涂身令遍，向火坐令汗出。

［又方］蝎螫人，黄丹醋调涂之。

［经验方］碧霞丹：治吐逆立效。北来黄丹四两筛过，用好米醋半升，同药入铫内煎令干，却用炭火三秤，就铫内煅透红，冷，取研细为末，用粟米饭丸如桐子大。煎酵汤下七丸，不嚼，只一服。

［王氏博济］治风痫驱风散：铅丹二两，白矾二两，为末。用砖一口⑥，以纸铺砖上⑦，先以丹铺纸上，次以矾铺丹上，然后用纸捅，却将十斤柳木柴烧过为度，取出细研。每服一钱，温酒下。

［刘氏］治小儿疟方：黄丹两钱匕，以蜜水和与服，冷即以酒和，令服之良。

---

① 坏：其下，刘《大观》、柯《大观》有“还”字。

② 三：刘《大观》、柯《大观》作“二”。

③ 发：成化《政和》、商务《政和》、《纲目》无。

④ 跖：刘《大观》作“腋”。

⑤ 㽲：刘《大观》、柯《大观》作“绞”。

⑥ 用砖一口：成化《政和》、商务《政和》作“用三角砖相斗”。

⑦ 以纸铺砖上：成化《政和》、商务《政和》作“以七寸纸铺砖上”；《纲目》作“以七层纸铺砖上”。

［子母秘录］治小儿重舌方：黄丹如豆大，内管中，以安舌下。

［治疟］百草霜：黄丹等分细研。每服二钱匕，于发日空心米饮调服，不过两服愈。

［衍义曰］铅丹，本谓之黄丹，化铅而成。别有法，《唐本》注：炒①锡作。然《经》称铅丹，则炒锡之说误矣。亦不为难辨，盖锡则色黯暗，铅则明白，以此为异。治疟及久积皆用。

铅

铅

味甘②，无毒。镇心安神，治伤寒毒气，反胃呕哕，蛇蜴所咬，炙熨之。新补见日华子。

［图经曰］铅，生蜀郡平泽；锡，生桂阳山谷。今有银坑处皆有之。而临贺出锡尤盛，亦谓之白镴。铅丹，黄丹也。粉锡，胡粉也。二物并是化铅所作，故附于铅。镜虽铜而皆用锡杂之，乃能明白，故镜鼻附于锡。谨按，《字书》：为③锡，为③镴，铅为青金，虽相似而入用殊别也。又有铅霜，亦出于铅。其法以铅杂水银十五分之一，合炼作片，置醋瓮中密④封，经久成霜，亦谓之铅白霜。性极冷，入治风痰及婴孺惊滞药。今⑤医家用之尤多。凡铸铜之物，多和以锡。《考工记》：攻金之工。金有六齐是也。凡药用铜弩牙、古文钱之类，皆以有锡，故其用亦近之。又铅灰治瘰疬。刘禹锡著其法云：取铅三两，铁器中熬之，久当有脚如黑灰⑥和脂涂疬子上，仍以⑦旧帛贴之，数数去帛，拭恶汁又贴，如此半月许，亦不痛、不破、不作疮，但内消之为水，差。虽流过项亦差。

［▶陈藏器］云：锡、铅及琅玕、铜镜鼻铜，陶云琅玕杀锡毒。按，锡有黑有白，黑锡，寒，小毒。主瘿瘤，鬼气疰忤，错为末，和青⑧木香，傅风疮肿恶毒。

① 炒：原作“沙”，据庆元《衍义》、商务《衍义》改。

② 甘：《纲目》作“甘，寒”。

③ 为：柯《大观》作“谓”。

④ 密：柯《大观》作“蜜”。

⑤ 今：其下，刘《大观》、柯《大观》有“之”字。

⑥ 灰：其下，刘《大观》、柯《大观》有“取此灰”3字。

⑦ 以：柯《大观》作“将”。

⑧ 青：成化《政和》、商务《政和》作“清”。

《本经》虽有条，皆以成丹及粉，非专为铅、锡生文也。锡为粉，化铅为丹。《本经》云铅丹，锡粉是也。苏云铅为丹，锡为粉，深误。

［经验方］ 治发背及诸般痈毒疮。黑铅一斤，甘草三两，微炙剉，用酒一斗，著空瓶在傍，先以甘草置在酒瓶内，然后熔铅投在酒瓶中，却①出酒，在空瓶内取出铅，依前熔后投，如此者九度，并甘草去之，只留酒，令病者饮，醉寝即愈。

［胜金方］ 乌髭鬓，明目，牢齿牙。黑铅半斤，大锅内熔成汁，旋入桑条灰，柳木搅令成沙，右以熟绢罗为末。每日早晨如常揩齿牙后，用温水漱在盂②子内，取用其水洗眼，治诸般眼疾。髭黄白者，用之皆变黑也。

［又方］ 治金石药毒。用黑铅一斤，以甘③锅中熔成汁，投酒一升，如此十数回，候酒至半升，去铅，顿服之差。

［青霞子］《宝藏论》云：黑铅草伏得成宝④，可点铜为银，并铸作鼎，养朱砂住得火，养水银住火，断粉霜住火。

［太清服炼灵砂法］ 锡、铅俱禀北方壬癸阴极之精也，性濡滑，服之而多阴毒，伤人心胃。

［丹房镜源］ 云：铅，咸。铅者不出银，熟铅是也。嘉州陇阤利州出铅精之叶，深有变形之状，文曰紫背铅，铅能碎金钢钻。草节铅出嘉州，打着碎，如烧之有硫黄臭烟者。信州铅、卢氏铅，此粗恶，用时直须滤过。阴平铅出剑州，是铁之苗，铅黄花投汞⑤中，以文武火养，自浮面上，掠刮⑥取炒作黄丹色。钓脚铅出雅州山洞溪砂中，形如皂子，又如蝌蚪子，黑色。炒铅丹法：铅一斤，土硫黄一⑦两，消石一两。右先熔铅成汁，下醋点之，滚⑧沸时下土⑨硫黄一小块，并续更下消石少许，沸定再点醋，依前下少许消、黄，已消，沸尽黄亦尽，炒为末成丹。

---

① 却：其下，柯《大观》有“比”字。

② 盂：成化《政和》、商务《政和》误作“孟”。

③ 甘：成化《政和》、商务《政和》、柯《大观》作“干”。

④ 宝：柯《大观》作“实”。

⑤ 汞：原作“录”，据成化《政和》、商务《政和》改。

⑥ 刮：柯《大观》无。

⑦ 一：柯《大观》作“二”。

⑧ 滚：原作“衮”，据文理改。

⑨ 土：柯《大观》无。

粉锡

锡

味辛，寒，无毒。**主伏尸毒螫**音释，**杀三虫，**去鳖瘕①，疗恶疮，堕②胎，止小便利。**一名解锡。**

［陶隐居］云：即今化铅所作胡粉也。其有金色者，疗尸虫弥良，而谓之粉锡，事与经乖。

［唐本注］云：铅丹、胡粉，实用锡造。陶今言化铅作之，《经》云粉锡，亦为③误矣。

［今注］按，《本经》呼为粉锡，然其实铅粉也。故英公序云：铅、锡莫辨者，盖谓此也。

［臣禹锡等谨按药性论］云：胡粉，使，又名定粉。味甘，辛，无毒。能治积聚不消，焦炒，止小儿疳痢。

［陈藏器］云：胡粉，本功外主久痢成疳。和水及鸡子白服，以粪黑为度，为其杀虫而止痢也。

［日华子］云：光粉，凉，无毒。治痈肿瘘烂，呕逆④，疗⑤癥瘕，小儿疳气。

［图经］文具铅条下。

［▊外台秘要］误吞钱并金银物⑥。以⑦胡粉一两，捣调之，分再服。食水⑧银金如泥，吞金银物在腹中⑨，服之令消洋出之。

［千金方］治疮中水。胡粉、炭灰白等分，脂和涂孔上，水即止。

［又方］治诸腋臭。胡粉三合，以牛脂和，煎令可丸，涂之。

［肘后方］治笃病新起早劳，食饮多致复欲死方：水服胡粉少许。《伤寒类要》同。

---

① 瘕：傅《新修》、罗《新修》作“瘦”。

② 堕：傅《新修》、罗《新修》作“随”。

③ 为：其下，傅《新修》、罗《新修》、尚辑本《新修》有“深”字。

④ 逆：柯《大观》作“血”。

⑤ 疗：柯《大观》无。

⑥ 钱并金银物：柯《大观》作“银环及钗，水银一两分服之钗便下”。

⑦ 以：其上，柯《大观》有“亦可”2字。

⑧ 水：柯《大观》无。

⑨ 中：其下，柯《大观》有“皆”字。

［又方］治卒从高落下，瘀血抢心，面青短气欲死方：胡粉一钱匕①，和水服之，即差。

［孙真人食忌］治火烧疮。以胡粉、羊髓和涂上，封之。

［食医心镜］治小儿舌上疮。取胡粉末并猪䯒骨中髓傅之，日三度。

［张文仲］治干湿癣②等及③阴下常湿且臭，或作疮。但以胡粉一物④粉之，除⑤即差止，常用大验。《肘后方》同。

［又方］治寸白虫。熬胡粉令速燥，平旦作肉臛，以药方寸匕内臛中，服之有大效。

［又方］小儿瘑疮。胡粉熬八分，猪脂和涂之，差为度，油亦得。

［子母秘录］小儿夜啼。胡粉服水调三豆大，日三服⑥。

［又方］小儿腹胀。胡粉盐熬色变，以摩腹上，兼治腹皮青。若不理，须臾死。

［又方］治小儿无辜痢赤白兼成瘑。胡粉熟蒸，熬令色变，以饮服之⑦。

［又方］治小儿耳后月蚀疮。胡粉和土涂上。

［丹房镜源］云：胡粉可制硫黄，亦可作外柜。

［衍义曰］粉锡，胡粉也，又名定粉。止泄痢，积聚及⑧久痢。

东壁土

主下部疮⑨，脱肛。

［陶隐居］云：此屋之东壁上⑩土尔，当取东壁之东边，谓常先见日光，刮取用之。亦疗小儿风脐，又可除油污衣，胜石灰、滑石。

---

① 匕：成化《政和》、商务《政和》误作“上”。

② 治干湿癣：柯《大观》无。

③ 等及：成化《政和》、商务《政和》大作“疗胡臭若股内”；柯《大观》作“疗胡臭”。

④ 物：原作“分”，据成化《政和》、商务《政和》改。

⑤ 除：成化《政和》、商务《政和》无。

⑥ 服：柯《大观》无。

⑦ 之：柯《大观》无。

⑧ 及：原脱，据庆元《衍义》、商务《衍义》补。

⑨ 疮：其上，傅《新修》、罗《新修》、尚辑本《新修》有“䘌”字。

⑩ 上：傅《新修》、罗《新修》、尚辑本《新修》无。

[唐本注] 云：此土[①]摩干、湿二癣，极有效也。

[臣禹锡等谨按药性论] 云：东壁土，亦可单用。性平。刮末[②]细筛，点目中去翳。又东壁土一[③]蚬壳细末，傅豌豆疮及主温疟。

[日华子] 云：东壁土，温，无毒。

[陈藏器] 云：好土，味甘，平，无毒。主泄痢，冷热赤白，腹内热毒绞结痛，下血。取入地干土，以水煮三五沸，绞去滓，适稀稠，及暖服二升。又解诸药毒，中肉毒、合口椒毒、野菌毒并解之。取东壁土用之，功亦小同。止泄痢，霍乱烦闷为要。取其向阳壁久干也。张司空云：土三尺已上曰粪，三尺已下曰土。服之当去上恶物，勿令入客水。又食牛马肉及肝中毒者，先剉头发，令寸长，拌好土，作溏泥二升，合和饮之，须臾发皆贯所食肝出。牛马独肝者有大毒，不可食。汉武云：文成食马肝死。又人卒患心痛，画地作五字，以撮取中央土，水和一升绞，服之良也。

[又云] 土消，大寒，无毒。主伤寒时气，黄疸病，烦热，汤淋取汁顿服之。《庄子》云：蛣蜣转丸是也。藏在土中，掘地得之，正员如人捻作，弥久者佳。

[又云] 土槟榔，主恶疮，诸虫咬及瘰疬，疥瘘等，细研油涂之。状如槟榔，于土穴中及阶除间得之。新者犹软，云蟾蜍屎也。蟾食百虫，故特主恶疮。

[图经] 文具石灰条下。

[◣外台秘要] 治肛门凸出。故[④]东壁土一升研，皂荚三挺长一尺二寸[⑤]，壁土挹粉肛门[⑥]。其[⑦]头出处，取[⑧]皂荚炙暖更递熨之，差[⑨]。

[肘后方] 服药过剂及中毒，烦闷欲死。刮东壁土[⑩]以水一二[⑪]升，调饮之。

[经验方] 治背痈疖。以多年烟薰壁土并黄檗二件等[⑫]捣罗末，用生姜汁拌成

---

① 土：傅《新修》、罗《新修》、尚辑本《新修》无。

② 刮末：刘《大观》、柯《大观》作“削末”；成化《政和》、商务《政和》作“刮末”。

③ 一：原脱，据刘《大观》、柯《大观》补。

④ 故：其下，《外台秘要》有“屋”字。

⑤ 一尺二寸：《外台秘要》作“者”。

⑥ 壁土挹粉肛门：《外台秘要》作“裹敷肛门”。

⑦ 其：原脱，据《外台秘要》补。

⑧ 取：原无，据文理补。

⑨ 差：《外台秘要》、柯《大观》作“取入则止”。

⑩ 土：其下，尚辑本《补辑肘后方》有“少少”2字。

⑪ 一二：成化《政和》、商务《政和》作“三”。

⑫ 等：其下，柯《大观》有“分”字。

膏，摊贴之，更以茅香汤调下一钱匕服，妙也。

[子母秘录] 治小儿脐风疮，历年不差方：东壁土傅之。

[衍义] 东壁土文具伏龙肝条下。

赤铜屑

以醋和如麦饭，袋盛，先刺腋下脉，去血，封之，攻腋臭神效。又熬使极热，投酒中，服五合，日三，主贼风反折。又烧赤铜五斤，内酒二斗中百遍，服同前，主贼风甚验。

[今按]《陈藏器本草》云：赤铜屑，主折伤[①]，能焊人骨及六畜有损者。取细研酒中温服之，直入骨损处，六畜死后，取骨视之，犹有焊痕。赤铜为佳，熟铜不堪。唐本先附

[臣禹锡等谨按日华子] 云：铜屑，味苦，平，微毒。明目，治风眼，接骨焊齿，疗女人血气及心痛。

[又云] 铜器，平。治霍乱转筋，肾堂及脐下疰痛，并衣被衬后，贮火熨之。

[◣外台秘要] 治狐臭。崔氏方先用清水净洗，又用清酢浆净洗讫，微揩使破，取铜屑和酢熟揩[②]。

[又方] 赤铜屑，以酢和银器中，炒极热，以布裹，熨腋下，冷复易，差止，甚验[③]。

[太清服炼灵砂法] 云：铜禀东方乙阴之气，结而成魄。性利，服之伤肾。

[朝野佥载] 云：定州人崔务，坠马折足。医者令取铜末，和酒服之，遂痊平。及亡后十余年改葬，视其胫骨折处，有铜束之。

[丹房镜源] 云：武昌铜若作丹，打之不裂折[④]。

锡铜[⑤]镜鼻

[臣禹锡等谨按月闭通用药] 云：锡铜镜鼻，平。**主女子血闭，癥瘕，伏肠[⑥]，绝孕**及伏

---

① 折伤：成化《政和》、商务《政和》作“伤寒”。

② 揩：其下，刘《大观》有“数度”2字。

③ 甚验：柯《大观》作“同治胡臭”。

④ 裂折：成化《政和》、商务《政和》作“烈花”。

⑤ 铜：刘《大观》、柯《大观》、成化《政和》、商务《政和》作黑字《别录》文。

⑥ 肠：傅《新修》、罗《新修》作“腹”。

尸邪气。生桂阳山谷。

［陶隐居］云：此物与胡粉异类，而今共条，当以其非止成一药，故以附见锡品中也。古无纯铜作镜者，皆用锡杂之，《别录》用铜镜鼻，即是今破古铜镜鼻尔。用之当烧令赤内酒中饮之。若置醯中出入百过，亦可捣也。铅与锡，《本经》云生桂阳，今则乃出临贺，犹是分桂阳所置。铅与锡相似，而入用大异。

［唐本注］云：临贺出者名铅，一名白镴，唯此一处资天下用，其锡出银处皆有之。虽相似，而入用大异也。

［今按］别本注云：凡铸①镜皆用锡和，不尔即不明白，故言锡铜镜鼻，今广陵者为胜。

［臣禹锡等谨按药性论］云：铜镜鼻，微寒。主治产后余疹刺痛三十六候，取七枚投醋中，熬过呷之。亦可入当归、芍药煎服之。

［药诀］云：镜鼻，味酸，冷，无毒。

［日华子］云：古鉴，平，微毒。辟一切邪魅，女人鬼交，飞尸蛊毒，小儿惊痫，百虫入人耳鼻中，将就彼敲，其虫即出。又催生，及治暴心痛，并烧酒淬服之。

［图经］文具铅、锡条下。

［▮圣惠方］治小儿卒中客忤。用铜照子鼻烧令赤，著少许酒中淬过，少少与儿服之。

铜青

平，微毒。治妇人血气心痛，合金疮，止血，明目，去肤赤息肉。生铜皆有青，青则铜之精华，铜器上绿色是，北庭罯者最佳。治目时淘洗用。新补见陈藏器、日华子。

［▮陈藏器］云：陶云青铜不入方用。按，青铜明目，去肤赤，合金疮，止血，入水不烂，令疮青黑。生熟铜皆有青，即是铜之精华，大者即空绿，以次空青也。铜青独在铜器上绿色者是。

［经验方］治痰涎潮盛，卒中不语，备急大效。碧琳丹：生碌二两净洗，于乳钵内研细，以水化去石澄清，同碌粉慢火熬令干，是取辰日辰时于辰位上修合，再研匀入麝香一分同研，以糯米糊和丸如弹子大，阴干。如卒中者，每丸作二服，用薄荷酒研下。瘫缓一切风，用朱砂酒研化下，候吐涎出，沫青碧色，泻下恶物。

---

① 铸：柯《大观》作“铜”。

[又方] 治小儿绿云丹：不计分两，研细如粉，用醋面糊和丸如鸡头大。每有中者，才觉便用薄荷酒磨下一丸，须臾便吐，其涎如胶，令人以手拔之候吐罢，神效①。

井底沙

至冷，主②治汤火烧疮用。

[千金方] 蝎螫人。以井底泥涂傅之，温则易之。

[肘后方] 卧忽不寤，勿以火照，火照之杀人。但痛啮其踵及足拇指甲际，而多唾其面即活。井底泥涂目毕，令人垂头于井中，呼其姓名便起。

[又方] 治妊娠得时疫病令胎不伤，取井底泥傅心下③。

代赭

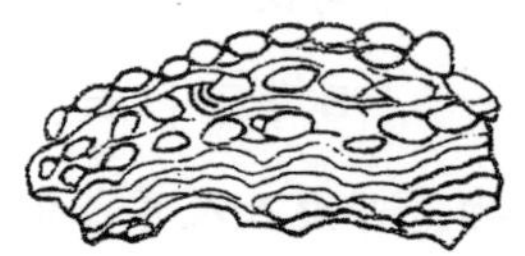

代赭

赤土

味苦、甘④，寒，无毒。**主鬼疰，贼风，蛊毒，杀精物恶鬼，腹中毒邪⑤气，女子赤沃漏下**，带下百病，产难，胞衣不出，堕胎，养血气，除五脏血脉中热，血痹血瘀，大人、小儿惊气入腹及阴痿不起。**一名须丸**出姑幕者名须丸，出代郡者名代赭，一名血师。生齐国山谷。赤红青色如鸡冠有泽，染爪⑥甲不渝者良。采无时。畏天雄。

［陶隐居］云：旧说云是代郡城门下土。江东久⑦绝，顷魏国所献，犹是彼间赤土尔，非复真物，此于俗用乃疏，而为仙方之要，并与戎盐、卤咸皆是急须。

［唐本注］云：此石多从代州来，云山中采得，非城门

---

① 经验方……神效：以上179字，刘《大观》无。“神效”之“效”字，柯《大观本草札记》注作“验”。

② 主：刘《大观》、柯《大观》无。

③ 治妊娠……心下：以上18字，原出《肘后方》，《纲目》化裁为“疗妊娠热病，取傅心下及丹田，可护胎气”，并注出处为“时珍”。

④ 甘：刘《大观》、柯《大观》、成化《政和》、商务《政和》注为黑字《别录》文。

⑤ 邪：傅《新修》、罗《新修》作“耶”。

⑥ 爪：《本经疏证》作“指”。

⑦ 久：傅《新修》、罗《新修》作“之”。

下土，又言生齐地山谷。今齐州亭山出赤石，其色有赤、红、青者。其赤者，亦如鸡冠且润泽，土人惟采以丹楹柱，而紫色且暗，此物与代州出者相似，古来用之。今灵州鸣沙县界河北，平地掘深四五尺得者，皮上赤滑，中紫如鸡肝，大胜齐、代所出者。

［臣禹锡等谨按药性论］云：代赭，使，雁门城土，干姜为使，味甘，平。主治女子崩中，淋沥不止，疗生子不落。末，温服之，辟鬼魅。

［萧炳］云：代赭，臣。

［日华子］云：代赭，畏附子。止吐血，鼻衄，肠风，痔瘘，月经不止，小儿惊痫，疳疾，反胃，止泻痢，脱精，尿血，遗溺，金疮长肉，安胎，健脾，又治夜多小便。

［图经曰］代赭，生齐国山谷，今河东、京东山中亦有之，以赤红青色如鸡冠有泽，染爪甲不渝者良。古方紫丸治小儿用代赭，云无真者，以左顾牡蛎代使，乃知真者难得。今医家所用，多择取大块，其上文头有①如浮沤丁者为胜，谓之丁头代赭，采无时。次条又有白垩，生邯郸山谷，即画家所用者，多而且贱，一名白善土。胡居士云：始兴小桂县晋阳乡有白善，俗方稀用。今处处皆有，人家往往用以浣衣。《山海经·西山经》石郿②音跪之山，其阴灌水出焉，而北流于愚水③，其中有流赭，以涂牛马无病。郭璞注云：赭，赤土也。今人以朱涂牛角，云以辟恶。又云：大次之山，其阳多垩。又《北山经》天池之山，其中多黄垩。又《中山经》葱聋之山，其中有大谷，多白、黑、青、黄垩。注云：言有杂色之垩也。然则赭以西土者为贵，垩至五色，入药惟白者耳④。

［■雷公云］凡使，不计多少，用蜡水细研尽，重重飞过，水面上有赤色如薄云者去之。然后用细茶脚汤煮之，一伏时了，取出又研一万匝，方入用。净铁铛一口，著火得铛热底赤，即下白蜡一两于铛底逡巡间，便投新汲水冲之于中，沸一二千度了，如此放冷，取出⑤使之。

［斗门方］治小肠气⑥。用血师一两，米醋一升，以火烧血师通赤，淬入醋中，

① 有：刘《大观》、柯《大观》无。

② 郿：其下，刘《大观》、柯《大观》有“一作胞”3字。

③ 流于愚水：柯《大观》作“注于禺水”。

④ 耳：刘《大观》误作“取”。

⑤ 出：刘《大观》、柯《大观》作“水”。

⑥ 小肠气：柯《大观》作“大肠风”。

以淬竭为度，捣罗如面。用汤调下一大钱，即差如神矣。血师即代赭也。

[御药院] 治风瘆瘆痒不可忍。赤土不计多少研碎，空心温酒调下一钱。

[丹房镜源云] 代赭出金色。

[别说云] 谨按，今处州岁贡，数不啻万斤，其色亦丹鲜。

[衍义曰] 代赭，方士炉火中多用，丁头、光泽、坚实、赤紫色者佳。白垩，即白善土，京师谓之白土子。方寸许切成段，鬻于市，人得以浣衣。今人合王瓜等分为末，汤点二钱服，治头痛。赤土，今公府用以饰椽柱者。水调细末一二钱服，以治风瘆。

石燕

以水煮汁饮之，主淋有效。妇人难产①，两手各把一枚，立验。出零陵。

永州石燕

[唐本注]云：俗云因雷雨则从石穴中出，随雨飞堕者，妄也。永州祁阳县西北百一十五里土岗上，掘深丈余取之。形似蚶而小，坚重如石也。

[臣禹锡等谨按蜀本注]云：《尔雅》云：螺，小者蜬音含②。

[今按]《陈藏器本草》云：石燕，主消渴，取水牛鼻和煮饮之。自死者鼻，不如落崖死者良。唐本先附

[臣禹锡等谨按萧炳]云③：别有乳洞中食乳有命者，亦名石燕，似蝙蝠口方，生气物也。

[日华子]云：石燕，凉，无毒。出南土穴中，凝强似石者佳。

[图经曰] 石燕，出零陵郡，今永州祁阳县江傍沙滩上有之。形似蚶而小，其实石也。或云生山洞中，因雷雨则飞出，堕于沙上而化为石，未审的否。今人以催

---

① 难产：傅《新修》、罗《新修》、尚辑本《新修》作“产难立验”。

② 臣禹锡……音含：以上19字，原为“臣禹锡等注云：《尔雅》云螺，谨按蜀本作蜬，小者蜬音含”，语句错乱，据刘《大观》、柯《大观》、成化《政和》、商务《政和》、《尔雅义疏》改。

③ 云：底本作白小字，据本书体例改。

生，令产妇两手各握一枚，须臾子则下。采无时。

[■食疗云] 在乳穴石洞中者，冬月采之堪食。余月采者，只堪治病，不堪食也。又治法：取石燕二七①枚，和五味炒令熟，以酒一斗，浸三日，即每夜卧时饮一两盏，随性也。甚能补益，能吃食，令人健力也。

[圣惠方] 治伤寒小腹胀满，小便不通。用石燕捣罗为末，不计时候，葱白汤调半钱，得通为度。

[简要济众] 治淋疾。石燕子七个，捣如黍米粒大②，新桑根白皮三两，剉如豆粒，同拌令匀③，分作七贴。用水一盏煎一贴，取七分④去滓，每⑤服空心、午前各一服⑥。

[灵苑方] 治久患肠风痔瘘一二十年不差，面色虚黄，饮食无味，及患脏腑伤损，多患泄泻，暑月常泻不止，及诸般淋沥，久患消渴，妇人月候湛浊，赤白带下，多年不差，应是脏腑诸疾皆主之。用石燕净洗，刷去泥土收之。右每日空心取一枚，于坚硬无油瓷器内，以温水磨服之，如弹丸大者一个分三服，大小以此为准，晚食前⑦更一服，若欲作散，须先杵罗为末，以磁石煼去杵头铁屑后，更入坚瓷钵内，以硬乳捶研细，水飞过，取白汁如泔乳者，澄去水曝干。每服半钱至一钱，清饭饮调下，温水亦得。此方偏治久年肠风痔，须常服勿令歇，服至及一月，诸疾皆愈。

[衍义曰] 石燕，今人用者如蚬蛤之状，色如土，坚重则石也。既无羽翼，焉能自石穴中飞出，何故只堕沙滩上？此说近妄。《唐本》注：永州土岗上，掘深丈余取之。形似蚶而小，重如石，则此自是一物，余说不可取。溃虚积药中多用。

戎盐

味咸，寒，无毒。**主明目、目痛，益气，坚⑧肌骨，去毒蛊⑨**，心腹痛，溺血

---

① 七：刘《大观》、柯《大观》作“十”。

② 大：柯《大观》无。

③ 匀：原作“均”，据柯《大观》改。

④ 七分：柯《大观》作“半盏”。

⑤ 每：柯《大观》作“温”。

⑥ 服：柯《大观》无。

⑦ 前：原脱，据底本《校勘本》、刘《大观》、柯《大观》补。

⑧ 坚：傅《新修》、罗《新修》作“监”；刘《大观》、柯《大观》作“紧”。

⑨ 蛊：傅《新修》、罗《新修》、尚辑本《新修》、《太平御览》作“虫”。

吐血，齿舌血出。一名胡盐。生胡盐山及西羌北地酒泉福禄城东南角。北海青，南海赤。十月采。

［陶隐居］云：今俗中不复见卤咸，惟魏国所献虏盐，即是河东大盐，形如结冰圆强，味咸、苦①，夏月小润液。虏中盐乃有九种：白盐、食盐，常食者；黑盐，主腹胀气满；胡盐，主耳聋目痛；柔盐，主马脊疮；又有赤盐、驳盐、臭盐、马齿盐四种，并不入食。马齿即大盐，黑盐疑是卤咸，柔盐疑是戎盐，而此戎盐又名胡盐，并主眼痛，二三相乱。今戎盐虏中甚有，从凉州来，芮芮河南使及北部胡客从敦煌来，亦得之，自是稀少尔。其形作块片，或如鸡鸭卵，或如菱米，色紫白，味不甚咸，口尝气臭，正如毈鸡子臭者言真。又河南盐池泥中，自有凝盐如石片，打破皆②方，青黑色，善疗马脊疮，又疑此或是。盐虽多种，而戎盐、卤咸最为要用。又巴东朐䏰县北③岸大有盐井，盐水自凝，生粥子盐，方一二寸，中央突张伞形，亦有方④如石膏、博棋者。李云：戎盐味苦，臭。是海潮水浇山石，经久盐凝著石取之。北海者青，南海者紫赤。又云：卤咸即是人煮盐釜底凝强盐滓，如此二说并未详⑤。

［唐本注］云：陶称卤咸，疑是黑盐，此是碱土，议如前说，其戎盐即胡盐。沙州名为秃登盐，廓州名为阴土盐，生河岸山坂之阴土石间，块大小不常，坚白似石，烧之不鸣炸尔。

［臣禹锡等谨按陈藏器］云：盐药，味咸，无毒。主眼赤眦烂风赤，细研水和点目中。又入腹去热烦，痰满，头痛，明目，镇心，水研服之。又主蚖⑥蛇恶虫毒，疥癣，痈肿，瘰疬。已前入腹，水消服之，著疮正尔摩傅。生海西南雷、罗诸州山谷。似芒消末细，入口极冷。南人多取傅疮肿，少有服者，恐极冷，入腹伤人，且宜慎⑦之。

［日华子］云：戎盐，平。助水脏，益精气，除五脏癥结，心腹积聚，痛疮疥癣等。即西蕃所出，食者号戎盐，又名羌盐。

---

① 苦：成化《政和》、商务《政和》、线装本《政和》作“若”。

② 皆：柯《大观》作“四”。

③ 北：成化《政和》、商务《政和》作“比”。

④ 方：原作“万”，据柯《大观》改。疑“万”为“方”字脱笔。

⑤ 详：原作“谛”，据成化《政和》、商务《政和》、线装本《政和》改。

⑥ 蚖：成化《政和》、商务《政和》作“虮”。疑“虮”为“蚖”字脱笔。

⑦ 慎：刘《大观》、柯《大观》作“谨”。

［图经］文具食①盐条下。

［■陈藏器］云：戎盐累卵。

［丹房镜源］云：戎盐，赤、黑二色。累卵，干汞，制丹砂。

［衍义曰］戎盐，成垛，裁之如枕，细白，味甘、咸。亦功在却血。入肾，治目中瘀赤、涩昏。

大盐

味甘、咸，寒，无毒。主肠胃结热，喘逆，胸中病②。**令人吐。**生邯郸及河东池泽。漏芦为之使。

［唐本注云］大盐，即河东印盐也，人之常食者是，形粗于末盐，故以大别之。

［臣禹锡等谨按萧炳］云：大盐，臣。

［图经］文具食③盐条下。

［■④太平广记］梁四公记⑤䶵杰曰：交河之间平碛中，掘深数尺有末盐，红紫色鲜，味甘，食之止痛。

［衍义曰］大盐，新者不苦，久则咸苦。今解州盐池所出者，皆成斗子，其形大小不等，久亦苦。海水煎成者，但味和。二盐互有得失。入药及金银作，多用大盐及解盐。傍海之人多黑色，盖日食鱼盐，此走血之验也。齿缝中血出，盐汤嗽之，及接药入肾。北虏以盐淹尸使不腐。

卤咸

味苦、咸，寒⑥，无毒。**主大热、消渴、狂烦，除邪及**⑦**下蛊毒，柔肌肤，**去五脏肠胃留热结气，心下坚，食已呕逆喘满，明目目痛。生河东盐池。

［陶隐居］云：是煎盐釜下凝滓。

---

① 食：原作“石”，据柯《大观》改。

② 主肠胃……胸中病：以上10字，《纲目》注为《本经》文。

③ 食：原作“石”，据柯《大观》改。

④ ■：原脱，据本书体例补。

⑤ 记：原作“子传”，据《太平广记》卷81改。

⑥ 苦、咸，寒：《纲目》注为《别录》文。“咸”，刘《大观》、柯《大观》、成化《政和》、商务《政和》注为《别录》文。

⑦ 及：其下，傅《新修》、罗《新修》、尚辑本《新修》有“吐”字。

［唐本注］云：卤咸既生河东，河东盐不釜煎，明非凝滓。此是碱土名卤咸，今人熟皮用之，斯则于碱地掘取之。

［图经］文具食①盐条下。

［■丹房镜源］云②：卤盐纯制四黄，作焊药。

浆水

味甘、酸，微温，无毒。主调中，引气宣和，强力通关，开胃止渴，霍乱泄痢，消宿食。宜作粥，薄暮啜之，解烦去睡，调理腑脏。粟米新熟白花者佳。煎令醋止呕哕，白人肤体如缯帛。为其常用，故人不齿其功。冰浆至冷，妇人怀妊不可食之，食谱所忌也。新补

［■外台秘要］大妙③去黑子方：夜以暖浆水洗面，以布揩黑子令赤痛，水研白檀香取浓汁以涂之，旦又复以浆水洗面，仍以鹰粪粉黑子。

［孙真人食忌］手指肿方：煎浆水和少盐，热渍之，冷即易。

［又方］食生脯腊过多，筋痛闷绝。煮细浆水粥，以少鹰粪末搅和，顿服三五合。鹞子粪亦得。

［兵部手集］救人霍乱，颇有神效。浆水稍醋味者，煎干姜屑，呷之。夏月腹肚不调，煎呷之差。

［产宝］云：孕妇令易产。酸浆水和水少许，顿服立产。

［杨氏产乳］云：妊娠不得食浆水粥，令儿骨瘦不成人。

［衍义曰］浆水，不可同李实饮，令人霍乱吐利。

井华水

味甘，平，无毒。主人九窍大惊出血，以水噀面。亦主口臭，正朝含之，吐弃厕下，数度即差。又令好颜色，和朱砂服之。又堪炼诸药石，投酒醋令不腐。洗目肤翳及酒后热痢，与诸水有异，其功极广。此水井中平旦第一汲者，《本经》注井苔条中略言之，今此重细解也。新补

［■千金方］治心闷汗出，不识人。新汲水和蜜饮之，甚妙。

---

① 食：原作"石"，据柯《大观》改。

② 丹房镜源云：《纲目》作"独孤滔曰"。

③ 大妙：柯《大观》作"救急"。

[又方①] 欲产时，取井花水半升，顿一服。

[又方] 治马汗及毛入人疮②，肿毒热③痛，入腹害人。以冷水浸疮，顿④易，饮好酒立⑤愈。

[又云] 井华水，服药、炼药并用之。

[梅师方] 治眼睛无故突一二寸者。以新汲水灌渍睛中，数易水，睛自入。

[又方] 治卒惊悸，九窍血皆溢出。以井华水噀面当止，勿使知之。

[衍义] 井华水，文具半天河条下。

菊花水

味甘，温，无毒。除风补衰，久服不老，令人好颜色，肥健，益阳道，温中，去痼疾。出南阳郦县北潭水，其源悉芳。菊生被崖，水为菊味。盛洪之《荆州记》云：郦县菊水，太尉胡广久患风羸，常汲饮此水，后疾逐瘳。此菊甘美，广后收此菊实播之京师，处处传植。《抱朴子》云：南阳郦县山中，有甘谷水，所以甘者，谷上左右皆生甘菊，菊花堕其中，历世弥久，故水味为变。其临此谷中居民，皆不穿井，悉食甘谷水，食无不寿考。故司空王畅、太尉刘宽、太傅袁隗皆为南阳太守，每到官，常使郦县月送甘谷水四十斛以为饮食。此诸公多患风痹及眩冒，皆得愈。新补

[衍义曰] 菊花水，本条言南阳郦县北潭水，其源悉芳。菊生被崖，水为菊味，此说甚怪。且菊生于浮土上，根深者不过尺，百花之中，此特浅露，水泉莫非深远而来。况菊根亦无香，其花当九月、十月间，止三两旬中，焉得香入水也？若因花而香，其无花之月合如何也？殊不详。水自有甘、淡、咸、苦，焉知无有菊味者？尝官于永、耀间，沿干至洪门北山下古石渠中，泉水清澈。众官酌而饮，其味与惠山泉水等，亦微香，世皆未知之。烹茶尤相宜。由是知泉脉如此，非缘浮土上所生菊能变泉味。博识之士，宜细详之。

---

① 方：其下，柯《大观》有“孕妇”2字。

② 疮：其下，柯《大观》有“中”字。

③ 毒热：柯《大观》无。

④ 顿：柯《大观》作“数”。疑“顿”为“频”之误。

⑤ 立：柯《大观》作“即”。

地浆

寒，主解中毒烦闷。

［陶隐居］云：此掘地作坎，以水沃其中，搅令浊，俄顷取之，以解中诸毒。山中有毒菌，人不识，煮食之，无不死。又枫树菌食之，令人笑不止，惟饮土[①]浆皆差，余药不能救矣。

［今注］《唐本》元在草部下品之下[②]，今移。

［臣禹锡等谨按日华子］云：地浆，无毒。

［🞂 圣惠方］治热渴心闷，服地浆一盏并[③]妙。

［梅师方］食生肉中毒。掘地深三尺，取土三[④]升，以水五升，煎五沸，清之一升，即愈。

腊雪

味甘，冷，无毒。解一切毒，治天行时气温疫，小儿热痫狂啼，大人丹石发动，酒后暴热，黄疸，仍小温服之。藏淹一切果实良。春雪有虫，水亦便败，所以不[⑤]收之。新补见陈藏器及日华子。

［🞂[⑥] 别说云］谨按，霜治暑月汗渍，腋下赤肿及痱疮。以和蚌粉，傅之立差。瓦、木上以鸡毛羽扫取，收瓷瓶中，时久不坏。今宜附腊雪后。

［衍义］腊雪，文具半天河条下。

泉水

味甘，平，无毒。主消渴，反胃，热痢热淋，小便赤涩，兼洗漆疮，射痈肿。令散，久服却温，调中，下热气，利小便，并多饮之。又新汲水，《百一方》云：患心腹冷病者，若男子病，令女人以一杯与饮；女子病，令男子以一杯与饮。又解

---

① 土：柯《大观》作“上”。

② 下品之下：刘《大观》、柯《大观》无。

③ 并：柯《大观》无。

④ 三：柯《大观》作“五”。

⑤ 不：其下，刘《大观》、柯《大观》有“堪”字。

⑥ 🞂：原脱，据本书体例补。

合口椒毒。又主食鱼肉，为骨所鲠。取一杯水，合口向水，张口取水气，鲠当自下。又主人忽被坠损肠出，以冷水喷之，令身噤，肠自入也。又腊日夜，令人持椒井傍，无与人语，内椒井中，服此水去温气。《博物志》亦云①：凡诸饮水，疗疾皆取新汲清泉，不用停汙浊暖，非直无效，固亦损人。新补

[■沈存中笔谈] 东阿是济水所经②，取其井水煮胶，谓之阿胶。用搅浊水则清，人服之，下膈疏痰止吐，皆取③济水性趋下，清而重，故以治淤浊及逆上之疾。

半天河

微寒。主鬼疰，狂，邪气，恶毒。

[陶隐居] 云：此竹篱头水也，及空树中水，皆可饮，并洗诸疮用之。

[今按]《陈藏器本草》云：半天河，在槐树间者主诸风及恶疮，风瘙疥痒，亦温取洗疮。

[今注]《唐本》元在草部，今移。

[臣禹锡等谨按药性论] 云：半天河，单用。此竹篱头水及高树穴中盛天雨，能杀鬼精，恍惚妄语，勿令知之与饮，差。

[日华子] 云：平，无毒。主蛊毒。

[■外台秘要] 治身体白驳。取树木孔中水洗之，捣桂屑，唾和傅驳上，日再④。白驳者，浸淫渐长似癣，但无疮也。

[衍义曰] 半天河水，一水也。然用水之义有数种，种各有理。如半天河水，在上天泽水也，故治心病、鬼疰、狂、邪气、恶毒。腊雪水，大寒水也，故解一切毒，治天行时气、温疫、热痫、丹石发、酒后暴热、黄疸。井华水，清冷澄澈水也，故通九窍，洗目肤翳及酒后热痢。后世又用东流水者，取其快顺疾速，通关下膈者也。倒流水者，取其回旋留止，上而不下者也。

热汤

主忤死。先以衣三重，藉忤死人腹上，乃取铜器若瓦器盛汤著衣上，汤冷者去

① 云：成化《政和》、商务《政和》作“雲”。

② 经：原无，据底本校勘表及柯氏补。

③ 取：原作“服”，据《梦溪笔谈》改。

④ 再：柯《大观》作“三”。

衣，大冷者换汤，即愈。又霍乱，手足转筋。以铜器若瓦器盛汤熨之，亦可令蹋器使脚底热彻，亦可以汤捋[①]之，冷则易，用醋煮汤更良，煮蓼子及吴茱萸汁亦好。以锦絮及破毡角脚，以汤淋之，贵在热彻。又缲丝汤，无毒，主蛔虫。热取一盏服之，此煮茧汁，为其杀虫故也。又焊猪汤，无毒，主产后血刺心痛欲死，取一盏温服之。新补见《抱朴子》、陈藏器。

[🀆陈藏器云] 凡初觉伤寒三日内，但取[②]热汤饮之，候吐则止，可饮一二升，随吐、汗出差。重者亦减半。又冻疮不差者，热汤洗之效。

[野人闲话]《朱真人灵验篇》：有病者，患风疾数年不差[③]。掘坑令患者解衣坐于坑内，遂以热汤上淋之。良久，复以簟盖之，差[④]。

[别说云] 谨按，《外台秘要》有作甘烂水法：以木盆盛水，杓扬千百下，泡起作珠子五六千颗，撇取治霍乱及入膀胱，治奔豚，药用殊胜。《伤寒论》第三卷，亦有此法。

[衍义曰] 热汤，助阳气，行经络。患风冷气痹人，多以汤渫脚至膝上，厚覆使汗出周身。然别有药，亦终假汤气而行也。四时暴泄利，四肢冷，脐腹疼，深汤中坐，浸至腹上，频频作，生阳佐药，无速于此。虚寒人始坐汤中必战，仍常令人伺守。

白垩乌恪切

味苦、辛，**温**，无毒。**主女子寒热，癥瘕，月闭，积聚**，阴肿痛，漏下，无子[⑤]，泄痢。不可久服，伤五脏，令人羸瘦。一名白善。生邯郸山谷。采无时。

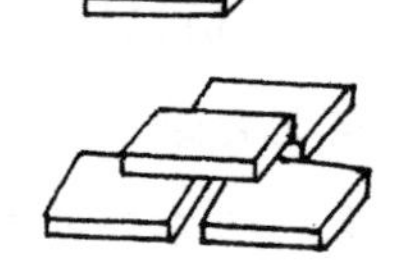
白垩

[陶隐居] 云：此即今画用者，甚多而贱，俗方亦稀，《仙经》不须。

[臣禹锡等谨按唐本] 云：胡居士言，始兴小桂县晋阳乡有白善。

[药性论] 云：白垩，使，味甘，平。主女子血结，月候不通，能涩肠止痢，

---

① 捋：成化《政和》、商务《政和》作“将”。

② 取：柯《大观》作“以”。

③ 差：原作“较”，据本条下文改。

④ 差：《纲目》卷5“热汤”条作“汗出而愈”。

⑤ 阴肿痛，漏下，无子：刘《大观》、柯《大观》注为白字《本经》文。

温暖。

［萧炳］云：不入汤。

［日华子］云：白善，味甘。治泻痢，痔瘘，泄精，女子子宫冷，男子水脏冷，鼻洪，吐血。本名白垩，入药烧用。

［图经］文具代赭条下。

［▌唐本余］注云：此即今画工用者，甚易得，方中稀用之，近代以白瓷为之。

［雷公云］凡使，勿用色青并底白者，先单捣令细，三度筛过了，又入钵中研之。然后将盐汤飞过，浪干。每修事白垩二两，用白盐一分，投于斗水中，用铜器物内，沸十余沸了，然后用此沸了水飞过白垩，免结涩人肠也。

［衍义］文具代赭条下。

冬灰

味辛，微温。主黑子，去疣音尤**息肉，疽蚀疥瘙。一名藜灰。**生方谷川泽。

［陶隐居］云：此即今浣衣黄灰尔，烧诸蒿、藜，积聚炼作之，性亦烈，又荻灰尤烈。欲销黑志①、疣赘，取此三种灰和水蒸以点之即去，不可广用，烂人皮肉。

［唐本注］云：桑薪灰，最入药用，疗黑子、疣赘，功胜冬灰。用煮小豆，大下水肿。然冬灰本是藜灰，余草不真。又有青蒿灰，烧蒿作②之。柃灰，烧木叶作。并入染用，亦堪蚀恶肉。柃灰一作苓字。

［臣禹锡等谨按陈藏器］云：桑灰，本功外，去风血癥瘕块。又主水阴淋，取酽汁作食，服三五升。又取鳖一头，治如食法，以桑灰汁煎如泥，和诸癥瘕药重煎，堪丸，众手捻成。日服十五丸，癥瘕痃癖无不差者。其方文多，不具载。

［图经］文具石灰条下。

［衍义曰］冬灰，诸家止解灰而不解冬，亦其阙也。诸灰一烘而成，惟冬灰，则经三四月方彻炉。灰既晓夕烧灼，其力得不全燥烈乎，而又体益重。今一爇而成者体轻，盖火力劣，故不及冬灰耳。若古③紧面少容方中，用九烧益母灰，盖取此

① 志：柯《大观》作“痣”。

② 作：柯《大观》作“煮”。

③ 古：商务《衍义》作“舌”。

义。如或诸方中用桑灰，自合依本法。既用冬灰，则须尔。《唐本》注云：冬灰本是藜灰，未知别有何说。又汤火灼，以饼炉中灰细罗，脂麻油调，羽扫，不得着水，仍避风。

青琅玕

味辛，平，无毒。**主身痒，火**①**疮，痈伤，**白秃，**疥瘙，死肌，**侵淫在皮肤中。煮炼服之，起阴气，可化为丹。**一名石珠，**一名青珠。生蜀郡平泽。采无时。杀锡毒，得水银良，畏鸡骨。

青琅玕

［陶隐居］云：此《蜀都赋》所称青珠黄环也。黄环乃是草，苟取名类而种族为乖。琅玕亦是昆仑②山上树名，又《九真经》中大丹名也。此石今亦无用，惟以疗手足逆胪音闾。化丹之事，未的见其术。

［唐本注］云：琅玕乃有数种色，是琉璃之类，火齐宝也。且琅玕五色，其③以青者，入药为胜。今出巂音髓州以西乌白蛮中及于阗国也。

［臣禹锡等谨按陈藏器］云：琉璃，主身热目赤，以水浸令冷熨之。《韵集》曰：火齐珠也。《南州异物志》云：琉璃本是石，以自然灰理之可为器，车渠、马脑并玉石类，是西国重宝。佛经云：七宝者，谓金、银、琉璃、车渠、马脑、玻璃、真珠是也。或云珊瑚、琥珀。今马脑碗上刻镂为奇工者，皆以自然灰又昆吾刀治之，自然灰，今时以牛皮胶作假者，非也。

［日华子］云：玻璃，冷，无毒。安心，止惊悸，明目，摩翳障。

［图经曰］青琅玕，生蜀郡平泽。苏恭注云：琅玕乃有数种，是琉璃之类，火齐宝也。琅玕五色，其④以青者入药，为胜、出巂音随州以西乌白蛮中及于阗国也。今秘书中有《异鱼图》载，琅玕青色，生海中，云海人于海底以网挂得之，初出水红色，久而青黑，枝柯似珊瑚而上有孔窍如虫蛀，击之有金石之声，乃与珊瑚相类。其说不同，人莫能的识。谨按，《尚书·禹贡》：雍州厥贡璆琳琅玕。《尔雅》

---

① 火：傅《新修》、罗《新修》作“大”。

② 仑：原无，据底本校勘表、刘《大观》、柯《大观》补。

③ 其：柯《大观》作“具”。

④ 其：原作“具”，据上文“唐本注”文改。

云：西北之美者，有昆仑墟①之璆琳琅玕焉。孔安国、郭璞皆以为石之似珠者。而《山海经》云：昆仑山有琅玕，若②然是石之美者，明莹若珠之色，而其状森植耳。大抵古人谓石之美者多谓之珠。《广雅》谓琉璃、珊瑚，皆为珠是也。故《本经》一名青珠。而左太冲《蜀都赋》云：青珠黄环。黄环是木，然引以相并者，亦谓其美如珠，而其类实木也。又如上所说，皆出西北山中，而今图乃云海底得之。盖③珍瑰之物，山海谷④俱产焉。今医方家亦以难得而稀用也。

［**唐本余**］味甘。

［**衍义曰**］青琅玕，《书》曰：三危既宅。三危，西裔之山也，厥贡惟球琳琅玕。孔颖达以谓琅玕石似玉。《新书》亦谓三苗、西戎。《西域记》云：天竺国正出此物。陶隐居谓为木，名大丹名。既是大丹名，则《本经》岂可更言煮炼服之。又曰：可化为丹。陶不合远引，非此琅玕也。《唐本》注云：是琉璃之类。且琉璃火成之物，琅玕又非火成。《经》曰：生蜀郡平泽，安得同类言之，其说愈远。且佛经所谓琉璃者，正如鬼谷珠之类，乃火成之物也，今人绝不见用。

自然铜

味辛，平，无毒。疗折伤，散血止痛，破积聚。生邕州山岩中出铜处，于坑中及石间采得，方圆不定，其色青黄如铜，不从矿炼，故号自然铜。今附

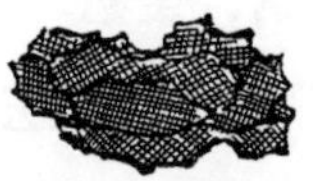

信州自然铜

［臣禹锡等谨按日华子］云：自然铜，凉。排脓消瘀血，续筋骨，治产后血邪，安心，止惊悸，以酒摩服。

火山军自然铜

［**图经曰**］自然铜，生邕州山岩中出铜处，今信州、火山军皆有之。于铜坑中及石间采之，方圆不定，其色青黄如铜，不从矿炼，故号自然铜。今信州出一种，如乱铜丝状，云在铜矿中，山气熏蒸，自然流出，亦若生银，如老翁须之类，入药最好。火山军者，颗块如铜，而坚重如石，医家谓之鍮石，用之力薄。采无时。今南方医者说，自然铜有两三体：一体大如麻黍，或多方解，累累相缀，至如斗大者，色煌煌明烂如黄金、鍮石，最上；一体成块，大小

① 墟：刘《大观》作“虚”。

② 若：刘《大观》作“者”。

③ 盖：刘《大观》作“苐”。

④ 谷：原作“容”，据刘《大观》、柯《大观》改。

不定，亦光明而赤；一体如姜、铁矢之类。又有如不冶①而成者，形大小不定，皆出铜坑中，击之易碎，有黄赤，有青黑者，炼之乃成铜也。据如此说，虽分析颇精，而未见似乱丝者耳。又云：今市人多以鉐石为自然铜，烧之皆成青焰如硫黄者是也。此亦有二三②种：一种有壳如禹③馀粮，击破其中光明如鉴，色黄类鍮石也；一种青黄而有墙壁，或文如束针；一种碎理如团砂者。皆光明如铜，色多青白而赤少者，烧之皆成烟焰，顷刻都尽。今药④家多误以此为自然铜，市中所货往往是此。自然铜用多须煅，此乃畏火，不必形色，只此可辨也。

鉐石

[◣雷公云] 石髓铅即自然铜也。凡使，勿用方金牙，其方金牙真似石髓铅，若误饵，吐煞人。其石髓铅，色似干银泥，味微甘。如采得，先捶碎，同甘草汤煮一伏时，至明漉出，摊令干，入臼中捣了，重筛过，以醋浸一宿，至明，用六一泥泥瓷合子，约盛得二升已来，于文武火中养三日夜，才干便用盖盖了，泥用火煅两伏时，去土抉盖，研如粉用。若修事五两，以醋两镒⑤为度。

[丹房镜源] 云：可食之自然铜，出信州铅山县银场铜坑中，深处有铜矿，多年矿气结成，似马屭勃，色紫重，食之若涩，是真自然铜。今人只以大碗石为自然铜，误也。

[别说云] 谨按，今辰州川泽中出一种形圆似蛇含，大者如胡桃，小者如栗，外青皮黑色光润，破之与鉐石无别，但比鉐石不作臭气尔，入药用之殊验。

[衍义曰] 自然铜，有人饲折翅雁，后遂飞去。今人打扑损，研极细，水飞过，同当归、没药各半钱，以酒调，频服，仍以手摩痛处。

金牙

味咸，无毒。主鬼疰，毒蛊，诸疰。生蜀郡，如金色者良。

[陶隐居] 云：今出蜀汉，似粗金，大⑥如棋子而方。又有铜牙亦相似，但外色黑，内色小浅，不入药用。金牙惟合酒、散及五疰丸，余方不甚须此。

---

① 冶：刘《大观》、柯《大观》作“治”。

② 三：成化《政和》、商务《政和》作“二”。

③ 禹：刘《大观》、柯《大观》无。

④ 药：成化《政和》、商务《政和》、《纲目》作“医”。

⑤ 镒：柯《大观》作“溢”。

⑥ 大：其下，刘《大观》、柯《大观》有“小”字。

[唐本注] 云：金牙，离本处入土水中，久皆色黑，不可谓之铜牙也。此出汉中，金牙湍湍两岸入石间，打出者，内即金色，岸摧入水，久者皆黑。近南山溪谷、茂州、雍州亦有，胜于汉中者。

金牙

[臣禹锡等谨按药性论] 云：金牙石，君。治一切风，筋骨挛急，腰脚不遂。烧，浸，服之良。

[日华子] 云：金牙石，味甘，平。治一切冷风气，暖腰膝，补水脏，惊悸，小儿惊痫。入药并烧淬去粗汁乃用。

[图经曰] 金牙，生蜀郡，今雍州亦有之。《本经》以如金色者良，而此物出于溪谷，在蜀汉江岸石间打出者，内即金色，岸摧入水，年久者多黑。葛洪治风毒厥，有大小金牙酒，但浸其汁而饮之。古方亦有烧淬去毒入药者。孙思邈治风毒及鬼疰、南方瘴气、传尸①等，各有大小金牙散之类是也。又有铜牙，亦相似而外黑色，方书少见用者。小金牙酒，主风疰百病，虚劳，湿冷缓不仁，不能行步，近人用之多效，故著其法云：金牙、细辛、地肤子、莽草、干地黄、蒴藋根、防风、附子、茵芋、续断、蜀椒各四两，独活一斤，十二物，金牙捣末，别盛练囊，余皆薄切，并金牙共内大绢囊，以清酒四斗②渍之，密泥器口，四宿酒成，温服二合，日三，渐增之③。

[衍义曰] 金牙，今方家绝可④用。以此故，商客无利不贩卖，医者由是委而不用，兼所出惟蜀郡有之，盖亦不广⑤也。余如《经》。

铜矿石

味酸，寒，有小⑥毒。主丁肿恶疮，驴马脊疮，臭腋，石上水磨取汁涂之。其丁肿，末之傅疮上，良。

[今按] 别本注云：状如姜石而有铜星，熔取铜也。唐本先附

---

① 尸：成化《政和》、商务《政和》作“户”。

② 斗：原作“升”，据刘《大观》、柯《大观》、成化《政和》、商务《政和》改。

③ 之：柯《大观》无。

④ 可：商务《衍义》作“不”。

⑤ 广：原作“度”，据底本校勘表、《本草衍义》改。

⑥ 小：傅《新修》、罗《新修》作“少”。

铜弩牙①

主妇人产难，血闭，月水不通，阴阳隔塞。

［陶隐居］云：即今人所用射者尔，取烧赤，内酒中，饮汁，得古者弥胜。

［臣禹锡等谨按日华子］云：平，微毒。

［圣惠方］治小儿吞珠珰钱而哽方：烧铜弩牙赤内水中，冷饮其汁，立出。

［千金方］令易产。铜弩牙烧令赤，投醋三合服，良久顿服，立产②。

金星石

寒，无毒。主脾肺壅毒及主肺损吐血、嗽血，下热涎，解众毒。今多出濠州。又有银星石，主疗与金星石大体相似。新定

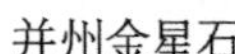

并州金星石

并州银星石

濠州银星石

［图经曰］金星石，生并州、濠州。寒，无毒。主脾、肺壅毒及肺损出血、嗽血，下热涎，解众毒。又有一种银星石，体性亦相似，采无时。

［衍义曰］金星石、银星石，治大风疾。别有法，须烧用。金星石于苍石内，外有金色麸片。银星石，有如③银色麸片。又一种深青色，坚润中有金色如麸片，不入药，工人碾为器，或妇人首饰。余如《经》。

特生礜石

味甘，温，有毒。主明目，利④耳，腹内绝寒，破坚结及鼠瘘，杀百虫恶兽。

---

① 牙：傅《新修》、罗《新修》作“可”。

② 令易产……立产：以上20字，刘《大观》、柯《大观》作“误吞铜铁而哽者方：烧铜弩牙令赤，内酒中饮之，立愈”22字。但成化《政和》、商务《政和》将此22字，续在“令易产……立产”文之后。

③ 如：原脱，据庆元《衍义》、商务《衍义》补。

④ 利：傅《新修》、罗《新修》无。

久服延年。一名苍礜石，一名鼠毒。生西①域②。采无时。火炼之良，畏水。

［陶隐居］云：旧鹳巢中者最佳，鹳常入水冷，故取以壅卵令热。今不可得。惟用出汉中者，其外形紫赤色，内白如霜，中央有白，形状如齿者佳。《大散方》云：又出荆州新城郡房陵县，缥白色为好。用之亦先以黄土包③烧之一日，亦可内斧孔中烧之，合玉壶诸丸用此。《仙经》不云特生，则止是前白礜石尔。

［唐本注］云：陶所说特生云：中如齿臼形者是。今出梁州，北马道戍涧中亦有之。形块小于白礜石，而肌粒大数倍，乃如小豆许。白礜石粒细，若粟米尔。

［图经］文具礜石条下。

握雪礜石

味甘，温，无毒。主痼冷，积聚，轻身延年，多食④令人热。

［唐本注］云：出徐州西宋⑤里山。入土丈余于烂土石间，黄白色，细软如面。一名化⑥公石，一名石脑。炼服别有法。唐本先附

［臣禹锡等谨按蜀本注］云：今据中品自有石脑一条，主治与此甚别，应似徐长卿一名鬼督邮之类也。

［图经］文具礜石条下。

［◥ 丹房镜源］握雪礜石，干汞，制汞并丹砂。

梁上尘

主腹痛噎，中恶，鼻衄，小儿软疮。唐本先附

［臣禹锡等谨按药对］云：梁上尘，微寒。

［日华子］云：平，无毒。

［◥ 雷公云］凡使，须去烟火远，高堂殿上者，拂下，筛用之。

---

① 西：傅《新修》、罗《新修》误作“血”。

② 域：傅《新修》、罗《新修》、尚辑本《新修》、柯《大观》作“城”。

③ 包：刘《大观》、柯《大观》作“苞”。

④ 食：傅《新修》、罗《新修》、尚辑本《新修》作“服”。

⑤ 宋：傅《新修》、罗《新修》、尚辑本《新修》作“宗”。

⑥ 化：傅《新修》、罗《新修》、尚辑本《新修》作“花”。

[外台秘要] 治小便不通及胞转[①]。取梁上尘三指撮，以水服之。

[又方] 治自缢死。用梁上尘如大豆，各内一个耳、鼻中，四处各一粒，极力齐吹之，即活。

[千金方] 妒乳。梁上尘醋和涂之，亦治阴肿。

[又方] 治妇人日月未足而欲产。取梁上尘、灶突煤二味，合方寸匕，酒服。

[千金翼] 凡痈，以梁上尘、灰葵茎等分，用醋和傅之。

[子母秘录] 治横生不可出。梁上尘，酒服方寸匕，亦治倒生。

[又方] 治小儿头疮。梁上尘和油，取瓶下滓，以皂荚汤洗后涂上。

土阴[②]孽

味咸，无毒。主妇人阴蚀，大热，干痂。生高山崖上之阴，色白如脂。采无时。

[陶隐居] 云：此犹似钟乳、孔[③]公孽之类，故亦有孽名，但在崖上尔，今时有之，但不复采用。

[唐本注] 云：此即土乳是也。出渭州鄣县三交驿西北坡平地土[④]窟中，见有六十余坎昔人采处。土人云：服之亦同钟乳而不发热。陶及《本经》俱云在崖上，此说非也。今渭州不复采用。

[今按] 别本注云：此则土脂液也，生于土穴，状如殷孽，故名土阴孽。

[臣禹锡等谨按蜀本注] 云：今据《本经》所载，既与陶注同，而苏说独异，恐苏亦未是。

车脂

主卒心痛，中恶气，以温酒调及热搅服之。又主妇人妒乳，乳痈，取脂熬令热涂之，亦和热酒服。今附

[臣禹锡等谨按陈藏器] 云：车脂，味辛，无毒。主鬼气，温酒烊令热服之。

[▮圣惠方] 治虾蟆及蝌蚪蛊，得之心腹胀满，口干思水，不能食，闷乱，大

---

① 治小便不通及胞转：柯《大观》作“忍小便久致胞转”。

② 阴：《纲目》作“般”。

③ 孔：傅《新修》、罗《新修》无。

④ 土：原作“上”，据傅《新修》、罗《新修》、尚辑本《新修》改。

喘而气发方：用车辖脂半升已来，渐渐服之，其蛊即出。

［外台秘要］治聤耳脓血出。取车辖脂，绵裹塞耳中。

［千金方］治小儿惊啼。车辖脂如小豆许，内口中又[①]脐中，差。

［别说云］谨按，车脂涂衣，衣不可洗涤，唯以生油方可解，然后复以蜜汤洗则净。

釭[②]音工中膏

主逆产，以膏画儿脚底即正。又主中风，发狂。取膏如鸡子大，以热醋搅令消，服之。今附

［▌千金方］治妊娠妇热病方：取车釭脂服之，大良，随意服。

［又方］治妊娠腹中痛。烧车辖脂末，内酒中，随意服之。

［梅师方］治诸虫入耳。取车釭脂涂耳孔中，自出。

［子母秘录］治产后阴脱。烧车釭头脂内酒中，分温三服，亦治咳嗽。

煅灶灰

主癥瘕坚积，去邪恶气。

［陶隐居］云：即今煅铁灶中灰尔，兼得铁力。以疗暴癥，大有效。

［臣禹锡等谨按唐本］云：贰车丸用之。

［陈藏器］云：灶突后黑土，无毒。主产后胞衣不下。末服三指撮，暖水及酒服之。天未明时取，至验也。

［又云］灶中热灰和醋，熨心腹冷气痛及血气绞痛，冷即易。

［图经］文具石灰条下。

［▌经验方］治妇人崩中。用百草霜二钱，狗胆汁一处拌匀，分作两服，以当归酒调下。

［续十全方］治暴泻痢。百草霜末，米饮调下二钱。

［杜壬方］治逆生，横生，瘦胎，妊娠产前、产后虚损，月候不调，崩中。百草霜、白芷等分末。每服二钱，童子小便、醋各少许调匀，更以热汤化开服，不过二服即差。

---

① 又：柯《大观》作“及”。

② 釭：套在车轴末端铁帽似圆窝，有利于车轴滚动。

[治疮] 头疮及诸热疮。先用醋少许和水，净洗去痂，再用温水洗，裛干，百草霜细研，入腻粉少许，生油调涂，立愈。

淋石

无毒。主石淋。此是患石淋人或于溺中出者，如小石，水磨服之，当得碎石随溺出。今附

[臣禹锡等谨按日华子] 云：淋石，暖。

[◣陈藏器云] 溺中出，正如小石，非他物也，候出时收之，淋为用最佳也。又主噎病吐食，俗云涩饭病者效。

方解石

味苦、辛，大寒，无毒。主胸中留热，结气，黄疸，通血脉，去蛊毒。一名黄石。生方山。采无时。恶巴豆。

[陶隐居] 云：按《本经》长石一名方石，疗体亦相似，疑是此也。

[唐本注] 云：此石性冷，疗热不减石膏也。

[今注] 此物大体与石膏相似，惟不附石而生，端然独处，形块大小不定，或在土中，或生溪水，得之敲破皆方解，故以为名。今沙州大鸟山出者佳。

[图经] 文具石膏条下。

礞石

治食积不消，留滞在脏腑，宿食癥块久不差及小儿食积羸瘦，妇人积年食癥，攻刺心腹。得硇砂、巴豆、大黄、京三棱等良。可作丸服用之，细研为粉。一名青礞石。新定

姜石

味咸，寒，无毒。主热豌豆疮，丁毒等肿。生土石间，状如姜，有五种色，白者最良，所在有之，以烂不磣插茬切者好，齐州历城东者良。唐本先附

[图经曰] 姜石，生土石间，齐州历城来①者良，所在亦有，今惟出齐州。其

① 来：刘《大观》、柯《大观》、成化《政和》、商务《政和》作“东”。

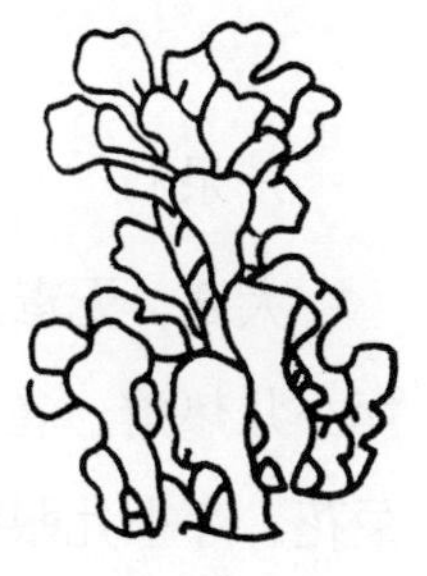
齐州姜石

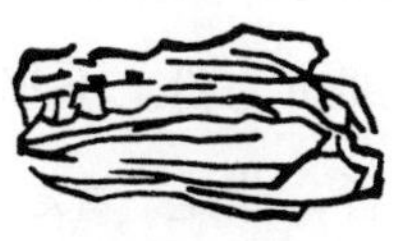
粗黄石

状如姜，有五种，用色白者，以烂而不磣者好，采无时。崔氏疗丁肿，单用白姜石末，和鸡子清傅之，丁自出。乳痈涂之亦善。大凡石类，多主[①]痈疽，北齐马嗣明医杨遵彦背疮，取粗理黄石如鹅卵大，猛烈火烧令赤，内酸醋中，因有屑落醋里，频烧淬石，至尽，取屑暴干，捣筛和醋涂之，立愈。刘禹锡谓之炼石法：用之傅疮肿无不愈者。世人又傅麦饭石亦治发背疮。麦饭石者，粗黄白，类麦饭，曾作磨硙者尤佳。中岳山人吕子华方云：取此石碎如棋子，炭火烧赤，投米醋中浸之，良久又烧，如此十遍，鹿角一具连脑骨者，二三寸截之，炭火烧令烟出即止[②]，白蔹末与石末等分，鹿角倍之，三物同杵[③]筛，令精细，取三年米醋，于铛中煎如鱼眼沸，即下前药调和，令如寒食饧，以篦傅于肿上，惟留肿头如指面，勿令有药，使热气得泄，如未有肿脓，即当内消，若已作头，即撮[④]令小。其病久，得此膏，直至肌肉烂落出筋骨者，即于细布上涂之，贴于疮上，干即易之，但中隔不穴者，即无不差。其疮肿时，切禁手触，其效极神异。此方，孙思邈《千金月令》已有之，与此大同小异，但此本论说稍备耳。又水中圆石治背上忽肿，渐如碟子，不识名者，以水中圆石一两碗[⑤]，烧令极热，泻[⑥]入清水中，沸定后洗肿处，立差。

［■外台秘要］救急治乳痈肿如碗大[⑦]，痛甚。取白姜石捣末一二升，用鸡子白和如饧[⑧]傅肿上，干易之，此方频试验佳[⑨]。

［衍义曰］姜石，所在皆有，须不见日色，旋取徽白者佳。治丁肿殊效。

---

① 主：柯《大观》作“中”。

② 止：其下，刘《大观》、柯《大观》有“火”字。

③ 杵：刘《大观》、柯《大观》作“捣”。

④ 撮：刘《大观》、柯《大观》作“繓”。

⑤ 碗：刘《大观》、柯《大观》作“掬”。

⑥ 泻：原作“写”，据柯《大观》改。

⑦ 碗大：成化《政和》、商务《政和》、柯《大观》倒置。

⑧ 饧：《外台秘要》作“稀泥”。

⑨ 佳：刘《大观》、柯《大观》、《外台秘要》作“如鸡子虑罪，取榆白皮和捣傅即差”。

井泉石

深州井泉石

大寒，无毒。主诸热，治眼肿痛，解心脏热结，消去肿毒及疗小儿热疳，雀目，青盲。得大黄、栀子，治眼睑肿。得决明、菊花，疗小儿眼疳生翳膜，甚良。亦治热嗽。近道处处有之，以出饶阳郡者为胜，生田野间地中，穿地深丈余得之。形如土色，圆方、长短、大小不等，内实而外则重重相叠。采无时。用之当细研为粉。不尔使人淋。又有一种如姜石，时人多指以为井泉石者，非是。新定

［**图经曰**］井泉石，生深州城西二十里剧家村地泉内，深一丈许。其石如土色，圆方、长短、大小不等，内实外圆，作层重叠相交。其性大寒，无毒。解心脏热结，消去肿毒及疗小儿热疳。不拘时月采之。

苍石

味甘，平①，有毒。主寒热，下气，瘘蚀，杀禽兽②。生西城。采无时。

［陶隐居］云：俗中不复用，莫识其状。

［唐本注］云：特生礜，一名苍礜石，而梁州特生亦有青者。今房陵、汉川与白礜石同处，有色青者，并毒杀禽兽，与礜石同。汉中人亦取以毒鼠，不入方用。此石出梁州、均州、房州，与二礜石同处，特生、苍石并生西城，在汉川金州也。

［**图经**］文具礜石条下。

花乳石

陕州花蕊石

主金疮止血，又疗产妇血晕恶血。出陕、华诸郡。色正黄，形之大小，方圆无定。欲服者，当以大火烧之；金疮止血，正尔刮末傅之即合，仍不作脓溃。或名花蕊石。新定

---

① 平：其下，傅《新修》、罗《新修》有“无毒”2字。

② 杀禽兽：傅《新修》、罗《新修》、尚辑本《新修》作“杀飞禽鼠”。

[图经曰] 花乳[①]石，出陕州阌乡县。体至坚重，色如硫黄，形块有极大者，人用琢[②]器。古方未有用者，近世以合硫黄同煅，研末傅金疮，其效如神。又人仓卒中金刃，不及煅合，但刮石上取细末傅之，亦效。采无时。

[别说云]《图经》玉石中品有花蕊石一种，主治与此同，是一物。

[衍义曰] 花乳石，其色如流黄，《本经》第五卷中已著。今出陕、华间，于黄石中，间有淡白点，以此得花之名。今惠民局花乳石散者是。此物，陕人又能镌为器。《图经》第二卷中易其名为花蕊石，是却取其色黄也。更无花乳之名，虑岁久为世所惑，故书之。

石蚕

无毒。主金疮止血，生肌，破石淋，血结。摩服之，当下碎石。生海岸石傍，状如蚕，其实石也。今附

[臣禹锡等谨按药诀] 云：石蚕，味苦，热，有毒。

石脑油

主小儿惊风，化涎，可和诸药作丸服。宜以瓷器贮之，不可近金银器，虽至完密，直尔透之。道家多用，俗方亦不甚须。新定

[图经] 文具钟乳石条下。

[衍义曰] 石脑油，真者难收，多渗蚀器物。今入药最少，烧炼或须也。仍常用有油去声器贮之。又研生砒霜，入石脑油再研如膏，入坩[③]锅子内，用净瓦片子盖定，置火上，俟锅子红泣尽油，出之。又再研，再入油，再上火，凡如此共两次，即砒霜伏。

白瓷瓦[④]屑

平，无毒，主妇人带下白崩，止呕吐[⑤]，破血，止血。水摩，涂疮灭瘢。定州

① 乳：刘《大观》、柯《大观》作“蕊”。

② 琢：柯《大观》作“作”。

③ 坩：原作“砶”，据《纲目》卷9“石脑油”条改。

④ 瓦：傅《新修》、罗《新修》、尚辑本《新修》无。

⑤ 吐：其下，傅《新修》、罗《新修》、尚辑本《新修》有“逆”字。

者良，余皆不如。唐本先附

［◣**经验后方**］治鼻衄久不止。定州白瓷，细捣研为末，每抄一剜耳许，入鼻立止。

［梅师方］治人面目卒得赤黑丹如疥状，不急治，遍身即死。若白丹者方：取白瓷瓦末，猪脂和涂之。

乌古瓦

寒，无毒。以水煮及渍汁饮，止消渴。取屋上年深者良。唐本先附

［臣禹锡等谨按药性论］云：乌古瓦，亦可单用。煎汤服，解人中大热。

［日华子］云：冷，并止小便，煎汁服之。

［◣**陈藏器**］主汤火伤，当取土底深者，既古且润三角瓦子。灸牙痛法：令三姓童子，候星初出时，指第一星，下火三角瓦上灸之。

不灰木

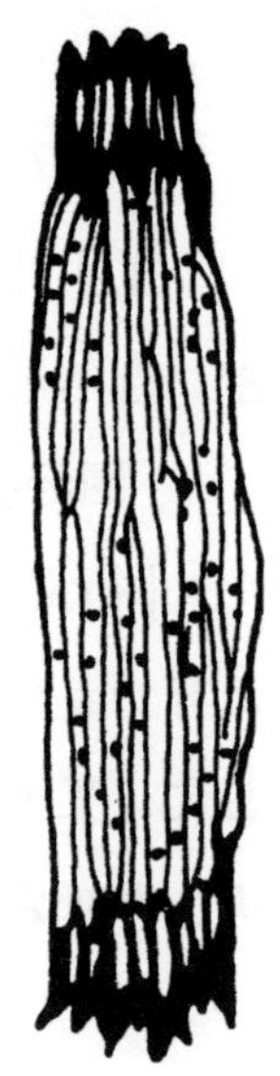
潞州不灰木

大寒。主热痱疮，和枣叶、石灰为粉，傅身。出上党。如烂木，烧之不然，石类也。今附

［**图经曰**］不灰木，出上党，今泽、潞山中皆有之，盖石类也。其色青白如烂木，烧之不然，以此得名。或云滑石之根也，出滑石处皆有，亦名无灰木。采无时。今处州山中出一种松石，如松干而实石也，或云松久化为石，人家多取以饰山亭及琢为枕。虽不入药，然与不灰木相类，故附之。

［◣**陈藏器**］要烧成灰，即斫破，以牛乳煮了便烧，黄牛粪烧之成灰。中和二年，于李宗处见传①。

［**丹房镜源**］云：不灰木煮汞。

蓬砂

气砂

味苦、辛，暖，无毒。消痰止嗽，破癥结，喉痹。及焊金银

① 中和二年，于李宗处见传：疑是后人所注，误为陈藏器文。按，“中和二年”即882年，陈藏器《本草拾遗》成于739年，不会记有882年的事。

用。或名鹏砂。新补见日华子。

鹏砂

［图经］文具硇砂条下。

［衍义曰］蓬砂，含化咽津，治喉中肿痛，鬲上痰热，初觉便治，不能成喉痹，亦缓取效可也。南番者，色重褐，其味和，其效速；西戎者，其色白，其味焦，其功缓，亦不堪作焊。

铅霜

冷①，无毒。消痰，止惊悸，解酒毒，疗胸膈烦闷，中风痰实，止渴。新补见日华子。

［图经］文具铅条下。

［▌简要济众］治室女月露滞涩，心烦恍惚。铅白霜细研为散，每服一钱，温地黄汁一合调下。生干地黄煎汤调服亦得。

［十全博救］治鼻衄方：铅白霜为末，取新汲水调一字。

［衍义曰］铅霜，《图经》已著其法，治上膈热涎塞。涂木瓜失酸味，金克木也。

古文钱

平②。治翳障，明目，疗风赤眼，盐卤浸用。妇人横③逆产，心腹痛，月隔，五淋，烧以醋淬用。新补见日华子。

［图经］文具铅条下。

［▌陈藏器云］大钱，银注中陶云不入用。按，钱青者是大钱，煮汁服，主五淋。磨入目，主盲瘴肤赤。和薏苡根煮服，主心腹痛。煮比轮钱以新汲水投服之，又主时气。含青钱，又主口内热疮。以二十文烧令赤，投酒中服之，立差。又主妇人患④横产。

［衍义曰］古文钱，古铜焦赤有毒，治目中瘴瘀，腐蚀坏肉。妇人横逆产，五淋多用。非特为有锡也，此说非是。今但取景王时大泉五十及宝货，秦半两，汉荚

---

① 冷：其上，《纲目》有“甘酸”2字。

② 平：《纲目》作“辛，平，有毒”。

③ 横：原作“揁”，据刘《大观》、柯《大观》改。

④ 患：刘《大观》、柯《大观》无。

钱、大小五铢，吴大泉五百、大泉当千，宋四铢、二铢，及梁四柱，北齐常平五铢。尔后，其品尚多，如此之类方可用。少时常自患暴赤目肿痛，数日不能开。客有教以生姜一块洗净去皮，以古青铜钱刮取姜汁，就钱棱上点。初甚苦热，泪蔑①面，然终无损。后有患者，教如此点，往往疑惑。信士点之，无不获验，一点遂愈，更不可再作。有疮者不可用。

蛇黄

主心痛，疰忤，石淋，产难，小儿惊痫，以水煮研服汁。出岭南，蛇腹中得之，圆重如锡，黄黑青杂色。

［今注②］蛇黄多赤色，有吐出者，野人或得之。唐本先附

［臣禹锡等谨按日华子］云：冷，无毒。镇心。如入药，烧赤三四次醋淬，飞研用之。

越州蛇黄

［图经曰］ 蛇黄，出岭南，今越州、信州亦有之。《本经》云：是蛇腹中得之，圆重如锡，黄黑青杂色。注云：多赤色，有吐出者，野人或得之。今医家用者，大如弹丸，坚如石，外黄内黑色，二月采。云是蛇冬蛰时所含土，到春发蛰，吐之而去。与旧说不同，未知孰是。

三十五种陈藏器余

玉井水

味甘，平，无毒。久服神仙，令人体润，毛发不白。出诸有玉处，山谷水泉皆有。犹润于草木，何况于人乎？夫人有发毛，如山之草木，故山有玉而草木润，身有玉而毛发黑。《异类》云：昆仑山有一石柱，柱上露盘，盘上有玉水溜下，土人得一合服之，与天地同年。又太华山有玉水，人得服之长生。玉既重宝，水又灵长，故能延生之望。今人近山多寿者，岂非玉石之津乎？故引水③为玉证。

---

① 蔑：商务《衍义》作“蔑”。目不明。

② 今注：原为黑小字，据本书体例改。

③ 水：柯《大观》作“长”。

碧海水

味咸，小温，有小①毒。煮浴去风瘙疥癣。饮一合，吐下宿食、胪胀。夜行海中，拨之有火星者，咸水色既碧，故云碧海。东方朔《十洲记》云。

千里水及东流水

味平，无毒。主病后虚弱，扬②之万过，煮药，禁神验。二水皆堪荡涤邪秽，煎煮汤药，禁咒鬼神，潢污行潦③，尚可荐羞王公，况其灵长者哉！盖取其洁诚也。《本经》云：东流水为云母所畏，炼云母用之，与诸水不同，即其效也。

秋露水

味甘，平，无毒。在百草头者愈百疾，止消渴，令人身轻不饥，肌肉悦泽。亦有化云母成粉，朝露未晞时拂取之。柏叶上露，主明目。百花上露，令人好颜色。露即一般所在有异，主疗不同。

甘露水

味甘美，无毒。食之润五脏，长年不饥神仙，缘是感应天降祐兆人也。

繁露水

是秋露繁浓时也，作盘以收之，煎令稠可食之。延年不饥。五月五日取露草一百种，阴干，烧为灰，和井花水，重炼令白，酸醋为饼，腋下挟之，干即易，主腋气臭，当抽一身间疮出，即以小便洗之。《续齐谐记》云：司农邓沼，八月朝入华山，见一童子以五彩囊承取柏叶下露，露皆如珠，云赤松先生取以明目。今人八月朝朝作露华明，像此也。汉武帝时，有吉云国有④吉云草，食之不死，日照草木有

---

① 小：柯《大观》作“少”。

② 扬：原作“汤”，据底本校勘表及柯氏改。

③ 潢污行潦：泛指各种积水池。《左传·隐公三年》：“潢污行潦之水。”“潢”，大的蓄水池。“污”，小的蓄水池。“潦”(lǎo)，雨后积水。

④ 有：柯《大观》无。

露，著皆五色，东方朔得玄露、青黄二露，各盛五合，帝赐群臣，老者皆少，病者皆除。东方朔曰：日初出处，露皆如糖可食。汉武帝《洞冥记》所载：今时人煎露亦如糖，久服不饥。《吕氏春秋》云：水之美者，有三危之露。为水即味重于水也。

六天气

服之令人不饥长年，美颜色，人有急难阳绝之处用之，如龟、蛇服气不死，阳陵子明经言：春食朝露，日欲出时向东气也；秋食飞泉，日[①]没时向西气也；冬食沆瀣，北方夜半气也；夏食正阳，南方日中气也。并天玄地黄之气，是为六气。亦言平明为朝露，日中为正阳，日入为飞泉[②]，夜半为沆瀣，及天地玄黄为六气。皆令人不饥，延年无疾者[③]。人有堕穴中，穴中有蛇，蛇每日作此气服之。其人既见蛇如此，依蛇时节，饥时便服。又即仿蛇，日日如之，经久渐渐有验，即体轻健，似能轻举，启蛰之后，人与蛇一时跃出焉。

梅雨水

洗疮疥，灭瘢痕。入酱令易熟，沾衣便腐，浣垢如灰汁，有异佗水。江淮已南，地气卑湿，五月上旬连下旬尤甚。月令土润溽暑是五月中气，过此节已后，皆须曝书。汉·崔寔七夕暴书，阮咸焉能免俗，盖此谓也。梅沾衣，皆以梅叶汤洗之脱也，余并不脱。

醴泉

味甘，平，无毒。主心腹痛，疰忤鬼气邪秽之属，并就泉空腹饮之。时代升平，则醴泉涌出，读古史大有此水，亦以新汲者佳。止热消渴及反胃，腹痛，霍乱为上。

甘露蜜

味甘，平，无毒。主胸膈诸热，明目止渴。生巴西绝域中，如饧也。

---

① 日：其下，柯《大观》有“欲”字。

② 飞泉：原作“泉飞”，据柯《大观》改，又上文亦有“秋食飞泉”。

③ 者：柯《大观》作“昔”，属下句。

[■汉武帝] 立金茎，作仙人掌承露盘，取云表之露服食，以求仙①。

冬霜

寒②，无毒。团食者，主解酒热，伤寒鼻塞，酒后诸热面赤者。

雹

主酱味不正，当时取一二升酱瓮中，即如本味也。

温汤

主诸风，筋骨挛缩及皮顽痹，手足不遂，无眉发，疥癣。诸疾在皮肤骨节者入浴。浴干，当大虚惫，可随病与药及饭食补养。自非有佗病人，则无宜轻入。又云：下有硫黄，即令水热。硫黄主诸疮病，水亦宜然。水有硫黄臭，故应愈诸风冷为上，当其热处，大可焊猪羊。

夏冰

味甘，大寒，无毒。主去热烦热，熨人乳石发，热肿。暑夏盛热，食此应与气候相反，便非宜人，或恐入腹冷热相激，却致诸疾也。《食谱》云：凡夏用冰，正可隐映饮食，令气冷，不可打碎食之，虽复当时暂快，久皆成疾。今冰井，西陆朝觌出之，颁赐官宰，应悉此。《淮南子》亦有作法。又以凝水石为之，皆非正冰也。

方诸水

味甘，寒，无毒。主明目，定心，去小儿热烦，止渴。方诸，大蚌也，向月取之，得三二合水，亦如朝露。阳燧向日，方诸向月，皆能致水火也。《周礼》明诸承水于月，谓之方诸。陈馔明水以为玄酒，酒水也。

---

① 汉武帝……以求仙：以上23字，唐慎微未注书名，按《艺文类聚》卷98应注“汉武故事”。

② 寒：其上，《纲目》有“甘”字。

乳穴中水

味甘，温，无毒。久服肥健人，能食，体润不老，与乳同功。近乳穴处人，取水作食酿酒，则大有益也。其水浓者，秤重他水。煎上有盐花，此真乳液也。所为穴中有鱼，出鱼部中。

水花

平，无毒。主渴。远行山无水处，和苦栝楼为丸，朝预服二十丸，永无渴。亦入杀野兽药，和狼毒、皂荚、矾石为散，揩安兽食余肉中，当令不渴，渴恐饮水药解，名水沫。江海中间，久沫成乳石，故如石水沫，犹软者是也。

赤龙浴水

小毒。主瘕结气诸瘕，恶虫入腹及咬人生疮者。此泽间小泉，赤蛇在中者，人或遇之，经雨，取水服及人浴。蛇有大毒，故以为用也。

粮罂中水

味辛，平，小毒。主鬼气，中恶，疰忤，心腹痛，恶梦鬼神①。进一合，多饮令人心闷。又云：洗眼见鬼，未试。害蚘蛊②。其清澄久远者佳。《古冢文》云③：蘧留余节，瓜毒溃尸④，言此二物不烂，余皆成水，北人呼粮罂为食罂也。

甑气水

主长毛发，以物于炊饮饭时承取，沐头，令发长密黑润。不能多得，朝朝梳小儿头，渐渐觉有益。

---

① 神：其下，《纲目》有“杀蛔虫”3字。

② 蚘蛊：柯《大观》作“蛔虫”。

③ 《古冢文》云：原作“古冢云文”，据《文选》卷60谢惠连《祭古冢文》改。

④ 蘧留余节，瓜毒溃尸：《文选》卷60谢惠连《祭古冢文》作“蘧传余节，瓜表遗犀”。

好井水及土石间新出泉水

味甘，平，无毒。主霍乱烦闷，呕吐，腹空，转筋。恐入腹及多服之，名曰洗肠。人皆惧此，尝试有效。不令[①]腹空，空则更服，如遇[②]力弱身冷，则恐脏胃悉寒，寒则不能支持，当以意消息。兼及当时横量灸脊骨三五十壮，令暖气彻内补胃气间，不然则危。又主消渴，反胃，热痢，淋，小便赤涩，兼洗漆疮，射痈肿令散。久服调中，下热气，伤胃，利大小便，并多饮之，令至喉少即消下。

正月雨水

夫妻各饮一杯，还房，当获时有子，神效也。

生熟汤

味咸，无毒。热盐投中饮之，吐宿食毒恶物之气，胪胀欲为霍乱者，觉腹内不稳，即进一二升，令吐得尽，便愈。亦主痰疟，皆须吐出痰及宿食，调中消食。又人大醉及食菰果过度，以生熟汤浸身，汤皆为酒及菰味。《博物志》云：浸至腰，食菰可五十枚，至胫颈则无限。

屋漏水

主洗犬咬疮，以水浇屋檐承取用之，以水滴檐下令土湿，取土以傅犬咬处疮上，中大有毒，误食必生恶疾。

三家洗碗水

主恶疮久不差者，煎令沸，以盐投中，洗之，不过三五度，立效。

蟹膏投漆中化为水

仙人用和药，《博物志》亦载。又蚯蚓破之去泥，以盐涂之化成水，大主天行诸热、小儿热病、痫癫等疾。新注云：涂丹毒并傅漆疮，效。

① 令：成化《政和》、商务《政和》作“今”。

② 遇：原作“过”，据成化《政和》、商务《政和》、柯《大观》、底本校勘表改。

猪槽中水

无毒。主诸蛊毒，服一杯，主蛇咬，可浸疮，皆有效验者矣。

市门众人溺坑中水

无毒。主消渴重者，取一小盏服之，勿令病人知之，三度差。

盐胆水

味咸，苦，有大毒。主䘌蚀疥癣，瘘虫咬，马牛为虫蚀，毒虫入肉生子毒。六畜饮一合，当时死，人亦如之。并盐初熟，槽中沥黑汁也。主疮，有血不可傅也。

水气

有毒。能为风温，疼痹，水肿，面黄，腹大。初在皮肤脚手，入渐至六腑，令人大小便涩，至五脏渐渐加至，忽攻心便死，急不旋踵，无宽延岁月。既是阴病，复宜以阴物生类，诸猪、鱼、螺、鳖之属，春夏秋宜泻，冬宜补药，尤宜浸酒中服之，随阴阳所行者。昔马援南征，多载薏苡仁。闵叔留寓，常食猪肝，盖以为湿疾也。江湖间露气成瘴，两山夹水中气疟，一冷一热，相激成病症。此三疾俱是湿为，能与人作寒热，消铄骨肉，南土尤甚。若欲医疗，须细分析，其大略皆瘴类也。人多一概医之，则不差。

冢井中水

有毒。人中之者立死。欲入冢井者，当先试之。法以鸡毛投井中，毛直而下者无毒；毛回旋而舞，似不下者有毒。以热醋数斗投井穴中，则可入矣。凡冢井及灶中，从夏至秋，毒气害人，从冬至春，则无毒气。凡秋露、春水著草，水亦能害人，冬夏则无。人素为物所伤，并有诸疮，触犯毒露及毒水，觉疮顽不痒痛，当中风水所为，身必反张似角弓。主之法：以盐豉和面作碗子，盖疮上，作大艾炷，灸一百壮，令抽恶水数升，举身觉痒，疮处知痛，差也。

阴地流泉

二月、八月行途之间勿饮之，令人夏发疟瘴，又损脚令软。五月、六月勿饮泽中停水，食著鱼鳖精，令人鳖瘕病也。

铜器盖食器上汗

滴食中，令人发恶疮，内疽，食性忌之也。

炊汤

经宿洗面，令人无颜色；洗体，令人成癣；未经宿者，洗面，令人亦然。

诸水有毒

水府龙宫，不可触犯；水中亦有赤脉，不可断之；井水沸，不可食之。已上并害人。东晋·温峤以物照水，为神所怒。《楚词》云：鳞屋贝阙，言河伯所居。《国语》云：季桓子穿井获土缶。仲尼曰[①]：水之怪魍魎，土之怪羵羊，水有脉及沸，并见白泽图。

重修政和经史证类备用本草卷第五

---

① 仲尼曰：《纲目》作“藏器曰”。

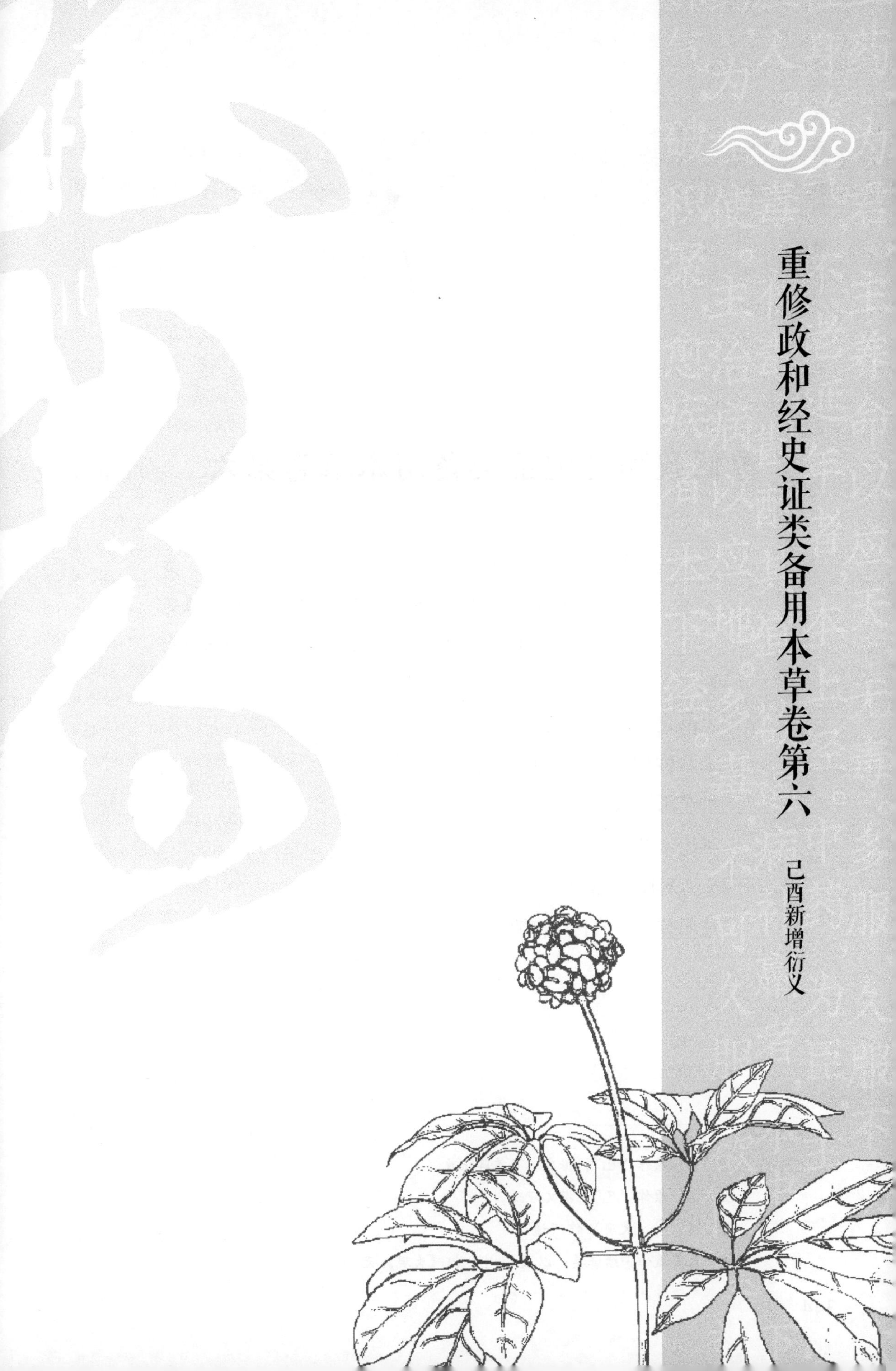

重修政和经史证类备用本草卷第六

己酉新增衍义

重修政和经史证类备用本草卷第六 己①酉新增衍义

成　都　唐　慎　微　续　证　类

中卫大夫康州防御使句当龙德宫总辖修建明堂所医药

提举入内医官编类圣济经提举太医学臣曹孝忠奉敕校勘

草部上品之上总八十七种

三十八种神农本经 白字

二种名医别录 墨字

一种唐本余

四十六种陈藏器余

凡墨盖子已②下并唐慎③微续证类④

---

① 己：原作“巳”，据底本书首牌记改。

② 已：原作“巳”，据文理改。

③ 慎：刘《大观》作“谨”。

④ 凡墨盖……续证类：以上13字，柯《大观》无。

黄精	**昌蒲**	**菊花** 苦薏、白菊 续注	
人参	**天门冬**	**甘草**	**干地黄**
术	**菟丝子**	**牛膝**	**茺蔚子** 茎附
女萎 萎蕤附	**防葵**	**茈**柴字**胡**	**麦门冬**
独活 羌活附①	升麻	**车前子** 叶、根等附	**木香**
署预 今呼山药②	**薏苡**音以**仁**	**泽泻** 叶、实等附	**远志** 小草附③
龙胆	**细辛**	**石斛**	**巴戟天**
白英④	**白蒿**	**赤箭**	**菴**音淹**蕳**音间**子**
菥音锡**蓂**音觅**子**	**蓍实**	**赤芝**	**黑芝**
青芝	**白芝**	**黄芝**	**紫芝**
卷柏			

一种唐本余

辟虺雷

四十六种陈藏器余

药王	兜木香	草犀根	薇
无风独摇草	零余子	百草花	红莲花白莲花
旱藕	羊不吃草	萍蓬草根	石蕊
仙人草	会州白药	救穷草	草豉
陈思岌	千里及	孝文韭	倚待草
鸡侯菜	桃朱术	铁葛	伏鸡子根
陈家白药	龙珠	捶胡根	甜藤
孟娘菜	吉祥草	地衣草	郎耶草
地杨梅	茅膏菜	鳖菜	益奶草
蜀胡烂	鸡脚草	难火兰	蓼荞
石荠宁	蓝藤根	七仙草	甘家白药
天竺干姜	池德勒		

① 羌活附：刘《大观》、柯《大观》无。

② 今呼山药：刘《大观》、柯《大观》无。

③ 小草附：刘《大观》、柯《大观》无。

④ 英：《本草和名》《医心方》、森立之辑《本经》误作“莫”。

黄精

味甘，平，无毒。主补中益气，除风湿，安五脏。久服轻身延年，不饥。一名重楼，一名菟竹，一名鸡格，一名救穷，一名鹿竹。生山谷。二月采根，阴干。

滁州黄精 　　丹州黄精 　　商州黄精

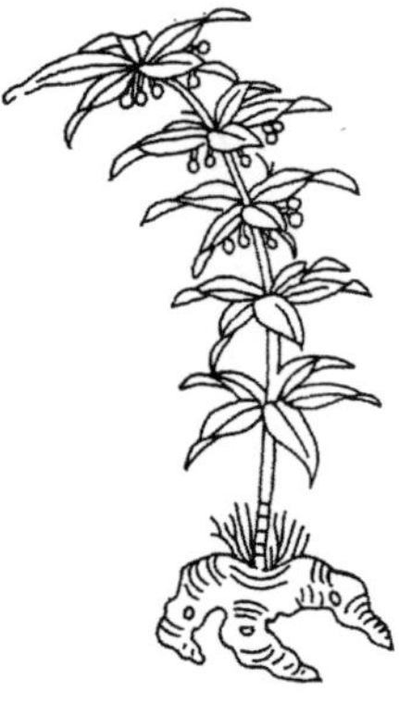

解州黄精 　　相州黄精 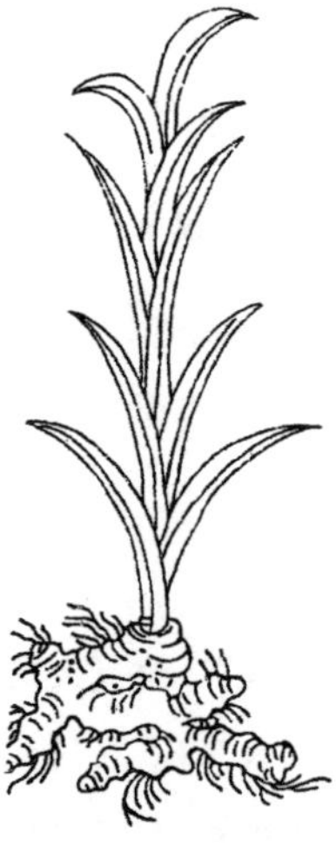　　兖州黄精 　　荆门军黄精

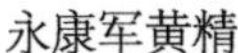
永康军黄精

解州黄精

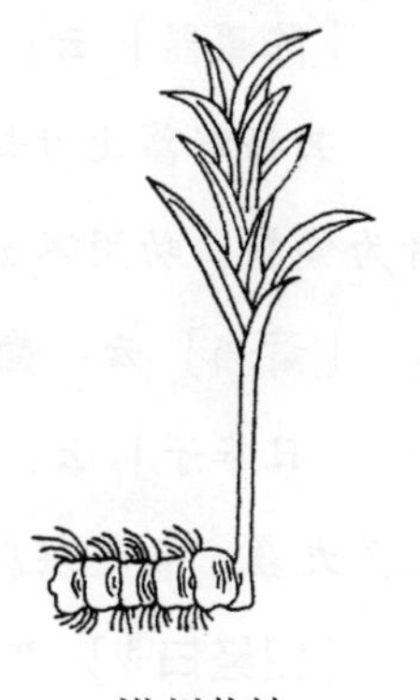
洪州黄精

［陶隐居］云：今处处有。二月始生，一枝多叶，叶状似竹而短，根似萎蕤。萎蕤根如荻根及昌蒲，概音既节而平直；黄精根如鬼臼①、黄连，大节而不平。虽燥，并柔软有脂润。俗方无用此，而为《仙经》所贵。根、叶、华、实皆可饵服，酒散随宜，具在断谷方中。黄精叶乃与钩吻相似，惟茎不紫、花不黄为异，而人多惑之。其类乃殊，遂致死生之反，亦为奇事。

［唐本注］云：黄精肥地生者，即大如拳；薄地生者，犹如拇指。萎蕤肥根颇类其小者，肌理形色都大相似。今以鬼臼、黄连为比，殊无仿佛。又黄精叶似柳②及龙胆、徐长卿辈而坚。其钩吻蔓生，殊非比类。

［今按］别本注③：今人服用，以九蒸九暴为胜，而云阴干者恐为烂坏。

［臣禹锡等谨按抱朴子］云：一名垂珠。服其花，胜其实，其实胜其根。但花难得，得其生花十斛，干之才可得五六斗耳。而服之日可三合，非大有役力者，不能办也。服黄精仅十年，乃可④得其益耳，且以断谷不及术，术饵令人肥健，可以负重涉险，但不及黄精甘美易食。凶年之时⑤，可以与老小代⑥粮，人食之谓为米脯也。

［广雅］云：黄精，龙衔也。

［永嘉记］云：黄精，出崧阳永宁县。

［药性论］云：黄精，君。

---

① 臼：成化《政和》、商务《政和》误作“白”。

② 柳：其下，刘《大观》、柯《大观》有“叶”字。

③ 注：其下，刘《大观》、柯《大观》有“云”字。

④ 可：其下，刘《大观》、柯《大观》有“大”字。

⑤ 之时：刘《大观》、柯《大观》无。

⑥ 代：原作“休”，据成化《政和》、商务《政和》、柯《大观》、底本校勘表改。

［陈藏器］云：黄精，陶云将钩吻相似，但一善一恶耳。按，钩吻即野葛之别名。若将野葛比黄精，则二物殊不相似，不知陶公凭何此[①]说。其叶[②]偏生，不对者为偏精，功用不如正精。

［萧炳］云：黄精，寒。

［日华子］云：补五劳七伤，助筋骨，止饥，耐寒暑，益脾胃，润心肺。单服九蒸九暴，食之驻颜，入药生用。

［图经曰[③]］黄精，旧不载所出州郡，但云生山谷，今南北皆有之，以嵩山、茅山者为佳。三月生，苗高一二尺以来，叶如竹叶而短，两两相对。茎梗柔脆，颇似桃枝，本黄末赤。四月开细青白花，如小豆花状。子白如黍，亦有无子者。根如嫩生姜，黄色。二月采根。蒸过，暴干用。今通[④]八月采，山中人九蒸九暴，作果卖，甚甘[⑤]美而黄黑色。江南人说：黄精苗叶稍类钩吻，但钩吻叶头极尖而根细。苏恭注云：钩吻蔓生。殊非比类，恐[⑥]南北所产之异耳。初生苗时，人多采为菜茹，谓之笔[⑦]菜，味极美，采取[⑧]尤宜辨之。隋·羊公《服黄精法》云：黄精是芝草之精也，一名萎蕤，一名仙人馀粮，一名苟格，一名菟竹，一名垂珠，一名马箭，一名白及。二月、三月采根，入地八九寸为上。细切一石，以水二石五斗煮去苦味，漉出，囊中压取汁，澄清，再煎如膏乃止。以炒黑豆黄末相和，令得所，捏作饼子如钱许大。初服二枚，日益之，百日知。亦焙干筛末，水服，功与上等。《抱朴子》云：服黄精花胜其实。花，生十斛，干之可得五六斗，服之十年，乃可得益。又《博物志》云：天老[⑨]谓黄帝曰，太阳之草名黄精，饵之可以长生。世传华佗漆叶青黏散云：青黏是黄精之正叶者，书传不载，未审的否[⑩]。

［▌雷公云］凡使，勿用钩吻，真似黄精，只是叶有毛钩子二个，是别认处，

---

① 此：刘《大观》、柯《大观》作“所”。

② 叶：成化《政和》、商务《政和》作“华”。

③ 曰：原作“云”，据本书体例及成化《政和》、商务《政和》、柯《大观》改。

④ 通：成化《政和》、商务《政和》作“遇”。

⑤ 甘：刘《大观》、柯《大观》作“甜”。

⑥ 恐：其上，刘《大观》、柯《大观》有“此”字。

⑦ 笔：成化《政和》、商务《政和》作“毕”。

⑧ 取：刘《大观》、柯《大观》作“时”。

⑨ 老：刘《大观》作“姥”。

⑩ 否：其下，刘《大观》、柯《大观》有“也”字。

若误服害人。黄精叶似竹叶。凡采得①，以溪水洗净后蒸，从巳至子，刀薄切，曝干用。

[**食疗**] 饵黄精，能老不饥。其法：可取瓮子去底，釜上安置令得所，盛黄精令满。密盖蒸之，令气溜，即暴之。第二②遍蒸之亦如此。九蒸九暴。凡生③时有一硕④，熟有三四斗。蒸之若生，则刺人咽喉；暴使干，不尔朽坏。其生者，若初服，只可一寸半，渐渐增之。十日不食，能长服之，止三尺五寸⑤。服三百日后，尽见鬼神，饵必升天。根、叶、花、实皆可食之。但相对者是，不对者名偏精。

[**圣惠方**] 神仙：服黄精成地仙，根茎不限多少，细剉，阴干捣末，每日净水调服，任意多少。一年之周，变老为少。

[**稽神录**] 临川有士人虐所使婢，婢乃逃入山中，久之见野草枝叶可爱，即拔取根食之甚美，自是常食，久⑥而遂不饥，轻健。夜息大树下，闻草中动，以为虎，惧而上树避之。及晓下平地，其身欻然凌空而去，或自一峰之顶，若飞鸟焉。数岁，其家人采薪见之，告其主，使捕之不得，一日遇绝壁下，以网三面围之，俄而腾上山顶。其主异之，或曰此婢安有仙骨，不过灵药服食，遂以酒馔五味香美，置往来之路，观其食否，果来食，食讫遂不能远去，擒之，具述其故。指所食之草，即黄精也。

[**道藏神仙芝草经**] 黄精，宽中益气，五⑦脏调良，肌肉充盛，骨体坚强，其力倍，多年不老，颜色鲜明，发白更黑，齿落更生。先下三⑧尸虫：上尸，好宝货，百日下；中尸，好五味，六十日下；下尸，好五色，三十日下，烂出。花、实、根三等，花为飞英，根为气精⑨。

[**博物志**] 昔黄⑩帝问天老曰：天地所生，岂有食之令人不死乎？天老曰：太阳之草，名曰黄精，饵之可以长生；太阴之草，名曰钩吻，不可食之，入口立死。

---

① 得：成化《政和》、商务《政和》作“的”。

② 二：成化《政和》、商务《政和》作“一”。

③ 生：其下，成化《政和》、商务《政和》有“用”字。

④ 硕：音“dàn”，通“石”（同“担”），容量单位，十斗为一石。

⑤ 寸：原作“升”，据成化《政和》、商务《政和》、底本校勘表改。

⑥ 久：刘《大观》、柯《大观》作“此”。

⑦ 五：其上，柯氏据《纲目》补“使”字。

⑧ 三：刘《大观》、柯《大观》作“二”。

⑨ 气精：成化《政和》、商务《政和》作“精气”。

⑩ 黄：成化《政和》、商务《政和》作“皇”。

人信钩吻之杀人，不信黄精之益寿，不亦甚乎。

［**灵芝瑞草经**］黄芝即黄精也。

昌蒲

味辛，温[①]**。**［臣禹锡等谨按久风湿痹通用药］云：昌蒲，平。无毒。**主风寒湿痹，咳逆上气，开心孔，补五脏，通九窍，明耳**[②]**目，出音声**[③]，主耳聋，痈疮，温肠胃，止小便利，四肢湿痹，不得屈伸，小儿温疟，身积热不解，可作浴汤。**久服轻身**[④]**，**聪耳目，**不忘，不迷惑，延年**[⑤]，益心智，高志不老。**一名昌阳**[⑥]**。**生上洛池泽及蜀郡严道。一寸九节者良，露根不可用。五月、十二月采根，阴干。秦皮、秦艽为之使，恶地胆、麻黄。

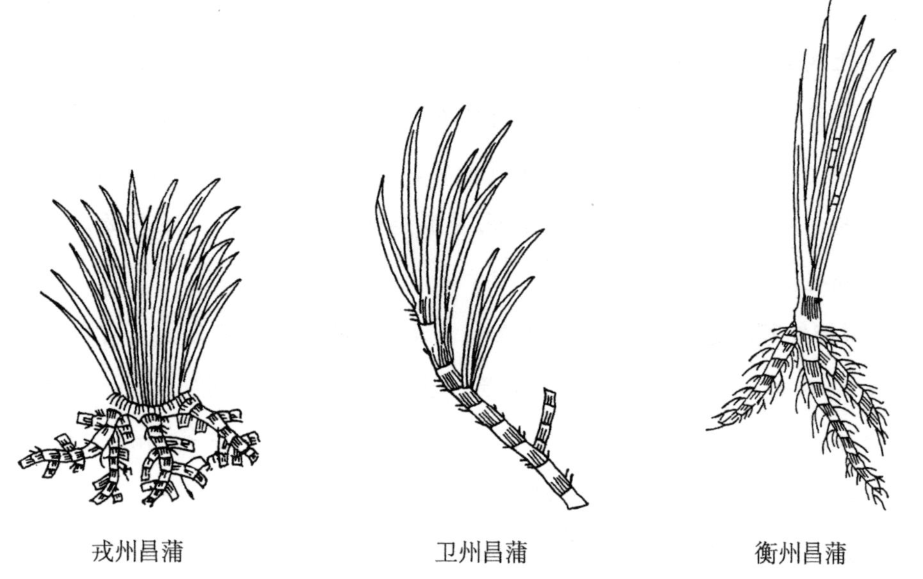

戎州昌蒲　　卫州昌蒲　　衡州昌蒲

［陶隐居］云：上洛郡属梁州，严道县在蜀郡。今乃处处有，生石碛上，槩音既为好。在下湿地大根者，名昌阳，止主风湿，不堪服食。此药甚去虫并蚤虱，而今都不言之。真昌蒲叶有脊，一如剑刃，四月、五月亦作小釐华也。东间溪侧又有名溪荪者，根形气色极似石上昌蒲，而叶正如蒲，无脊。俗人多呼此为石上昌蒲

① 昌蒲味辛，温：成化《政和》、商务《政和》误作黑字《别录》文。

② 耳：其下，刘《大观》、柯《大观》有“明”字。

③ 主风寒湿痹……出音声：以上24字，成化《政和》、商务《政和》误作黑字《别录》文。

④ 久服轻身：成化《政和》、商务《政和》误作黑字《别录》文。

⑤ 不忘，不迷惑，延年：成化《政和》、商务《政和》误作黑字《别录》文。

⑥ 一名昌阳：成化《政和》、商务《政和》误作黑字《别录》文。

者，谬矣。此止主咳逆，亦断蚤虱尔，不入服御用。诗咏：多云兰荪，正谓此也。

［臣禹锡等谨按吴氏］云：昌蒲，一名尧韭。

［罗浮山记］云：山中昌蒲，一寸二十节。

［药性论］云：昌蒲，君，味苦、辛，无毒。治风湿㾪[①]痹，耳鸣，头风泪下，鬼气，杀诸虫，治恶疮疥瘙。石涧所生坚小，一寸九节者上，此昌蒲亦名昌阳。

［日华子］云：除风下气，丈夫水脏、女人血海冷败，多忘长智，除烦闷，止心腹痛，霍乱转筋，治客风疮疥，涩小便，杀腹脏虫及蚤虱。耳痛作末炒，承热裹署[②]甚验。忌饴糖、羊肉。石昌蒲出宣州，二月、八月采取。

［图经曰］昌蒲，生上洛池泽及蜀郡严道，今处处有之，而池州、戎州者佳。春生青叶，长一二尺许，其叶中心有脊，状如剑，无花实。五月、十二月采根，阴干。今以五月五日收之。其根盘屈有节，状如马鞭大，一根傍引三四根，傍根节尤密，一寸九节者佳，亦有一寸十二节者。采之初虚软，暴干方坚实，折之中心色微赤，嚼之辛香少滓。人多植于干燥沙石土中，腊月移之尤易活。古方亦有单服者，采得紧小似鱼鳞者，治择一斤许，以水及米泔浸各一宿，又刮去皮，切，暴干捣筛，以糯米粥和匀，更入熟[③]蜜，搜丸[④]梧子大，绨葛袋盛，置当风处令干。每旦酒饮任下三十丸，临卧更服二[⑤]十丸，久久得效，如《本经》所说。又蜀人用治心腹冷气搊痛者，取一二寸捶碎，同吴茱萸煎汤饮之，良。黔、蜀蛮人亦常将随行，卒患心痛，嚼一二寸，热汤或酒送亦效。其生蛮谷中者尤佳，人家移种者亦堪用，但干后辛香坚实不及蛮人持来者，此即医方所用石昌蒲也。又有水昌蒲，生溪涧水泽中甚多，叶亦相似，但中心无脊，采之干后轻虚多滓，殊不及石昌蒲，不堪入药用，但可捣末，油调涂疥瘙。今药肆所货，多以两种相杂，尤难辨也。

［▶雷公云］凡使，勿用泥昌、夏昌，其二件相似，如竹根鞭，形黑、气秽、味腥，不堪用。凡使，采石上生者，根条嫩黄紧硬节稠，长一寸有九节者是真也。采得后，用铜刀刮上黄黑硬节皮一重了[⑥]，用嫩桑枝条相拌蒸，出暴干，去桑条，剉用。

---

① 㾪（wàn）：手足麻痹。

② 署：成化《政和》、商务《政和》作“署”。“署”，敷也。

③ 熟：成化《政和》、商务《政和》作“热”。

④ 丸：其下，成化《政和》、商务《政和》有“如”字。

⑤ 二：柯《大观》作“三”。

⑥ 了：原作“子”，据柯《大观》改。

［千金方］ 日月未足而欲产者。捣昌蒲根汁一二升，灌喉中。

［又方］ 久服聪明益智。甲子日取昌蒲一寸九节者，阴干百日为末。服方寸匕，日三服，耳目聪明，不忘。

［又方］ 治产后崩中下血不止。昌蒲一两半剉，酒二盏，煎取一盏去滓，分三服，食前温服。

［又方］ 治好忘，久服聪明益智。七月七日取昌蒲酒服三方寸匕，饮酒不醉，好事者服而验之。不可犯铁，若犯之①，令人吐逆。

［肘后方］ 扁鹊云：中恶与卒死，鬼击亦相类，已死者②为治，皆参③用此方④。捣昌蒲生根，绞汁灌之立差。尸厥之病，卒死脉犹动，听其耳中如微语声⑤，股⑥间暖，是也。亦此方治之⑦。又⑧人卧忽不寤，勿以火照，照之害⑨人，但痛啮其踵及足拇指甲际，而⑩唾其面，即活。又昌蒲末吹⑪鼻中，桂⑫末内舌下。

［又方］ 耳聋。昌蒲根一寸，巴豆一粒去心，二物合捣，分作七丸。绵裹塞耳，日著一丸效。

［又方］ 卒胎动不安，或腰痛胎转抢心，下血不止。昌蒲根汁三升服之。

［又方］ 若⑬下血不止。昌蒲三两，酒五升，煮取二升，分三服。

［经验方］ 治痈肿发背，生昌蒲捣贴。若疮干，捣末以水调涂之。《孙用和方》同。

［子母秘录］ 治胎动劳热不安，去血手足烦。昌蒲捣取汁服，二升分三服⑭。

---

① 若犯之：成化《政和》、商务《政和》无。

② 已死者：刘《大观》、柯《大观》无。

③ 参：其下，刘《大观》、柯《大观》有“取而”2字。

④ 此方：刘《大观》、柯《大观》作“之已死”。柯《大观本草札记》注作“此法”2字。

⑤ 如微语声：刘《大观》、柯《大观》作“或有如啸声”。

⑥ 股：柯《大观》作“腹”。

⑦ 亦此方治之：刘《大观》、柯《大观》作“捣干昌蒲枣核大著舌下”。

⑧ 又：刘《大观》、柯《大观》无。

⑨ 害：刘《大观》、柯《大观》作“杀”。

⑩ 而：刘《大观》、柯《大观》作“多”。

⑪ 吹：其下，刘《大观》、柯《大观》有“两”字。

⑫ 桂：其上，刘《大观》、柯《大观》有“又”字。

⑬ 若：刘《大观》、柯《大观》作“产后”。

⑭ 服：其下，柯《大观》有“差”字。

[产书] 治产后下血不止。昌蒲二两，以酒二升煮，分作两服，止。

[夏禹神仙经] 昌蒲薄切，令日干者三斤，以绢囊盛之，玄水一斛清者，玄水者酒也。悬此昌蒲密封闭一百日，出视之如绿菜色，以一斗熟黍米内中，封十四日间[①]，出饮酒。则一切三十六种风，有不治者悉效[②]。

[神仙传[③]] 武帝上嵩山，忽见仙人，长可二丈。问之。曰：吾九嶷山人也，闻中岳有石上昌蒲，一寸九节，食之长生，故来采之。忽然不见。

[抱朴子] 南中[④]多鹿，每一雄游牝百数，至春羸瘦，盖游牝多也。及夏，则唯食昌蒲一味，却[⑤]肥，当角解之时，其茸甚痛。猎人逢之，其鹿不敢逸走，伏而不动，猎者先以绳系其茸截取之，以其血未散，然后毙鹿。又韩终[⑥]服昌蒲十三[⑦]年，身上生毛，日视书万言，皆诵之，冬袒不寒。又昌蒲须得石上，一寸九节，紫花尤善。

[别说云] 谨按，今阳羡山中生水石间者，其叶逆水而生，根须略无，少泥土，根、叶[⑧]极紧细，一寸不啻九节，入药极佳。今二浙人家，以瓦石器种之，旦暮易水则茂，水浊及有泥滓则萎，近方多称用石昌蒲，必此类也。其池泽所生，肥大节疏粗慢，恐不可入药，唯可作果盘，盖气味不烈而和淡尔。

[衍义曰] 菖蒲，世又谓之兰荪，生水次，失水则枯，根节密者气味足。有人患遍身生热毒疮，痛而不痒，手足尤甚，然至颈而止，粘着衣被，晓夕不得睡，痛不可任[⑨]。有下俚教以菖蒲三斗，剉，日干之，捣罗为末，布席上，使病疮人恣卧其间，仍以被衣覆之。既不粘着衣被，又复得睡，不五七日[⑩]间，其疮如失。后自患此疮，亦如此用，应手神验。其石菖蒲根络石而生者，节乃密，入药须此等。

---

① 间：柯《大观》作“开”。

② 效：原作“较”，据成化《政和》、商务《政和》、柯《大观》改。

③ 神仙传：原作“汉武帝内传”，其下文原出《道藏·神仙传》“王兴”条，据此改。

④ 中：成化《政和》、商务《政和》作“山”。

⑤ 却：柯《大观》作“即”。

⑥ 终：原作“蘘”，据《抱朴子》卷11改。

⑦ 三：柯《大观》作“二”。

⑧ 叶：柯《大观》作“入”。

⑨ 任：商务《衍义》作“忍”。

⑩ 日：其下，庆元《衍义》有“之”字。

菊花

味苦、甘，**平**，无毒。**主**①**风头**②**眩、肿痛，目欲脱，泪出，皮肤死肌，恶风，湿痹**，疗腰痛去来陶陶，除胸中烦热，安肠胃，利五脉，调四肢。**久服利血气，轻身，耐老，延年。一名节华**，一名日精，一名女节，一名女华，一名女茎，一名更生，一名周盈，一名傅延年，一名阴成。生雍州川泽及田野。正月采根，三月采叶，五月采茎，九月采花，十一月采实，皆阴干。术③、枸杞根、桑根白皮为之使。

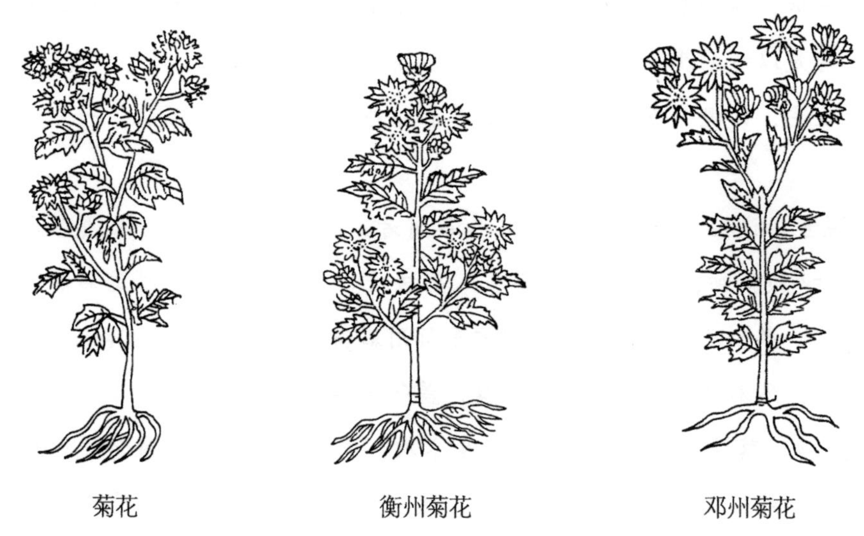

菊花　　衡州菊花　　邓州菊花

［陶隐居］云：菊有两种，一种茎紫，气香而味甘，叶可作羹食者，为真；一种青茎而大，作蒿艾气，味苦不堪食者名苦薏，非真。其华④正相似，唯以甘、苦别之尔。南阳郦县最多，今近道处处有，取种之便得。又有白菊，茎、叶都相似，唯花白，五月取。亦主风眩，能令头不白。《仙经》以菊为妙用，但难多得，宜常服之尔。

［臣禹锡等谨按尔雅］云：鞠，治蘠。注：今之秋华菊。

［药性论］云：甘菊花，使。能治热头风⑤旋倒地，脑骨疼痛，身上诸风令消散。

［陈藏器］云：苦薏，味苦。破血。妇人腹内宿血，食之。又调中止泄。花如

① 主：其下，《纲目》有“诸”字。

② 头：柯《大观》、《千金翼》作“头头”。

③ 术：成化《政和》、商务《政和》误作“水”。

④ 华：成化《政和》、商务《政和》作“叶”。

⑤ 风：柯《大观》作“旋”。

菊，茎似马兰，生泽畔，似菊，菊甘而薏苦。语曰：苦如薏是也。

［又云］白菊，味苦。染髭发令黑，和巨胜、茯苓蜜丸，主风眩，变白，不老，益颜色。又《灵宝方》茯苓合为丸以成，炼松脂和，每服如鸡子一丸，令人好颜色不老，主头眩。生平泽，花紫白，五月采①。《抱朴子·刘生丹法》：用白菊花汁和之。

［杨损之］云：甘者入药，苦者不任。

［日华子］云：菊花，治四肢游风，利血脉，心烦，胸膈壅闷，并痈毒，头痛，作枕明目，叶亦明目，生熟并可食。菊有两种：花大气香，茎紫者为甘菊；花小气烈，茎青小者名野菊，味苦。然虽如此，园蔬内种肥沃后同一体。花上水，益色壮阳，治一切风，并无所忌。

［图经曰］菊花，生雍州川泽及田野，今处处有之，以南阳菊潭者为佳。初春布地生细苗，夏茂、秋花、冬实。然菊之种类颇多，有紫茎而气香，叶厚至柔嫩可食者，其花微小，味甚甘，此为真；有青茎而大，叶细作蒿艾气味苦者，华亦大名苦薏，非真也。南阳菊亦有两种：白菊，叶大似艾叶，茎青根细，花白蕊黄；其黄菊，叶似茼②蒿，花蕊都黄。然今服饵家多用白者。南京又有一种开小花，花瓣下如小珠子，谓之珠子菊，云入药亦佳。正月采根，三月采叶，五月采茎，九月采花，十一月采实，皆阴干用。唐《天宝单方图》载白菊云：味辛，平，无毒。原生南阳山谷及田野中，颍川人呼为回蜂菊，汝南名荼③苦蒿，上党及建安郡、顺政郡并名羊欢草，河内名地薇蒿，诸郡皆有。其功主丈夫、妇人久患头风眩闷，头发干落，胸中痰结，每风发即头旋，眼昏暗，不觉欲倒者，是其候也。先灸两风池各二七壮，并服此白菊酒及丸，永差。其法：春末夏初收软苗，阴干，捣末。空腹取一方寸匕，和无灰酒服之，日再，渐加三方寸匕。若不欲④饮酒者，但和羹、粥、汁服之亦得。秋八月合花收暴干，切，取三大斤，以生绢囊盛贮⑤三大斗酒中，经七日服之，日三，常令酒气相续为佳。今诸州亦有作菊花酒者，其法得于此乎。

［**▶食疗云**］甘菊，平。其叶正月采，可作羹；茎五月五日采；花九月九日采。并主头风，目眩，泪出，去烦热，利五脏。野生苦菊不堪用。

---

① 采：原作“花”，据底本校勘表、柯《大观》改。

② 茼：刘《大观》作“桐”。

③ 荼：原作“蔡”，据刘《大观》、柯《大观》改。

④ 欲：刘《大观》、柯《大观》无。

⑤ 贮：其下，柯《大观》有“浸”字。

[圣惠方] 治头风头旋。用九月九日菊花暴干，取家糯米一斗蒸熟，用五两菊花末，搜拌如常酝法，多用细面曲为候，酒熟即压之去滓，每暖一小盏服。

[外台秘要] 治酒醉不醒。九月九日真菊花末，饮服方寸匕。

[肘后方] 治①丁肿垂死。菊叶一握，捣绞汁一升，入口即活，此神验。冬用其根。

[食医心镜] 甘菊，主头风目眩，胸中汹汹，目泪出，风痹骨肉痛，切作羹煮粥，并生食并得。

[玉函方] 王子乔变白增年方：甘菊，三月上寅日采，名曰玉英；六月上寅日采，名曰容成；九月上寅日采，名曰金精；十二月上寅日采，名曰长生。长生者，根茎是也。四味并阴干百日，取等分，以成日合捣千杵为末，酒调下一钱匕。以蜜丸如桐子大，酒服七丸，一日三服。百日身轻润泽；服之一年，发白变黑；服之二年，齿落再生；服之三②年，八十岁老人变为童儿，神效。

[衍义曰] 菊花，近世有二十余种，惟单叶花小而黄绿，叶色深小而薄，应候而开者是也。《月令》所谓菊有黄花者也。又邓州白菊，单叶者亦入药，余皆③医经不用。专治头目风热，今多收之作枕。

人参

味甘，微寒、微温，无毒。**主补五脏，安精神，定魂魄，止惊悸，除邪气，明目，开心，益智**，疗肠胃中冷，心腹④鼓痛，胸胁逆满，霍乱吐逆，调中，止消渴，通血脉，破坚积，令人不忘。**久服轻身延年。一名人衔，一名鬼盖**，一名神草，一名人微，一名土精，一名血参。如人形者有神。生上党山谷及辽东。二月、四月、八月上旬采根，竹刀刮，暴干，无令见风。茯苓为之使，恶溲疏，反藜芦⑤。

[陶隐居]云：上党郡在冀州西南。今魏国所献即是，形长而黄，状如防风，多润实而甘。俗用不入服乃重百济者，形细而坚白，气味薄于上党。次用高丽，高丽即是辽东。形大而虚软，不及百济。百济今臣属高丽，高丽所献，兼有两种，止

① 治：柯《大观》作“犯”。

② 三：《纲目》作“五”。

③ 皆：庆元《衍义》、商务《衍义》无。

④ 腹：成化《政和》、商务《政和》作“痛”。

⑤ 芦：其下，成化《政和》、商务《政和》有“又云马蔺为使恶卤咸”9字。

应择取之尔。实用并不及上党者，其为药切要，亦与甘草同功而易蛀音注蚛音仲。唯内器中密封头，可经年不坏。人参生一茎直上，四五叶[①]相对生，花紫色。高丽人作《人参赞》曰：三桠五叶，背阳向阴。欲来求我，椵[②]音贾树相寻。椵树叶似桐甚大，阴[③]广则多生阴地，采作甚有法。今近山亦有，但作之不好。

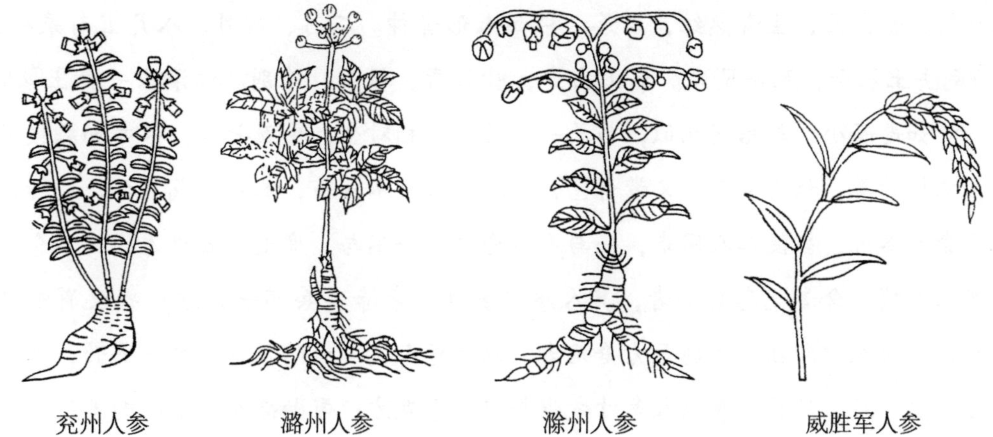

兖州人参　　潞州人参　　滁州人参　　威胜军人参

［唐本注］云：陶说人参，苗乃是荠苨、桔梗，不悟高丽赞也。今潞州、平州、泽州、易州、檀州、箕州、幽州、妫[④]州并出。盖以其山连亘相接，故皆有之也。

［今注］人参，见用多高丽、百济者。潞州太行山所出，谓之紫团参，亦用焉。陶云俗用不入服[⑤]，非也。

［臣禹锡等谨按药性论］云：人参，恶卤咸。生上党郡，人形者上，次出海东新罗国，又出渤海。主五脏气不足，五劳七伤虚损痿[⑥]弱，吐逆不下食，止霍乱烦闷、呕哕，补五脏六腑，保中守神。

［又云］马蔺为之使，消胸中痰，主肺萎吐脓及痫疾，冷气逆上，伤寒不下食，患人虚而多梦纷纭，加而用之。

［萧炳］云：人参和细辛密封，经年不坏。

［日华子］云：杀金石药毒，调中治气，消食开胃，食之无忌。

［图经曰］人参，生上党山谷及辽东，今河东诸州及泰山皆有之。又有河北榷

---

① 叶：成化《政和》、商务《政和》无。

② 椵：原作“猥”，据成化《政和》、商务《政和》改。

③ 阴：柯《大观》作“荫”。

④ 妫：地名。

⑤ 服：成化《政和》、商务《政和》无。

⑥ 痿：原作“痰”，据柯《大观》改。

场①及闽中来者，名新罗人参，然俱不及上党者佳。其根形状如防风而润实，春生苗，多于深山中背阴近椵音贾②漆下湿润处，初生小者三四寸许，一椏五叶；四五年后生两椏五叶，末有花茎；至十年后生三椏；年深者生四椏各五叶，中心生一茎，俗名百尺杆③。三月、四月有花，细小如粟，蕊如丝，紫白色，秋后结子，或七八枚，如大豆，生青熟红，自落。根如人形者神。二月、四月、八月上旬采根，竹④刮去土暴干，无令见风。泰山出者，叶秆青，根白，殊别。江淮出一种土⑤人参，叶如匙而小，与桔梗相似，苗长一二尺，叶相对生，生五七节，根亦如桔梗而柔，味极甘美，秋生紫花，又带青色，春秋采根，不入药，本处人或用之。相传欲试上党人参者，当使二人同走，一与人参含之，一不与，度走三五里许，其不含人参者必大喘，含者气息自如者，其人参乃真也。李绛《兵部手集方》疗反胃呕吐无常，粥饮入口即吐，困弱无力垂死者，以上党人参二大两拍破，水一大升，煮取四合，热顿服，日再。兼以人参汁煮粥与啖。李直方：司勋徐郎中于汉南患反胃两月余，诸方不差，遂与此方，当时便定。差后十余日发入京，绛每与名医持⑥论此药，难可为俦⑦也。又杂他药而其效最著者，张仲景治胸痹，心中痞坚，留气结胸，胸满胁下，逆气抢心，治中汤主之。人参、术、干姜、甘草各三两，四味以水八升，煮取三升，每服一升，日三。如脐上筑者，为肾气动，去术加桂四两；吐多者，去术加生姜三两；下多者，复其术；悸者，加茯苓二两；渴者，加术至四两半；腹痛者，加人参至四两半；寒者，加干姜至四两半；满者，去术⑧加附子一枚。服药后，如食顷，饮热粥一升许，微自温，勿发揭衣被。此方晋宋以后至唐，名医治心腹病者，无不用之，或作汤，或蜜丸，或加减，皆奇效。胡洽治霍乱，谓之温中汤。陶隐居《百一方》云：霍乱余药乃可难求，而治中丸⑨、四顺、厚朴诸

---

① 榷场：原作“摧扬”，据刘《大观》、柯《大观》改。

② 音贯：柯《大观》无。

③ 杆：成化《政和》、商务《政和》、柯《大观》作“杵”。

④ 竹：其下，柯《大观》有“刀”字。

⑤ 土：柯《大观》误作“上”。

⑥ 持：柯《大观》作“特”。

⑦ 俦：同“伴”。

⑧ 术：原作“米”，据成化《政和》、商务《政和》改。

⑨ 治中丸：《外台秘要》作“理中丸”，此因避宋代理宗讳改为“治”。

汤，不可暂缺，常须预合，每至秋月常赍①。自隋唐·石泉公王方庆云：治中丸②以下四方，不惟霍乱可医，至于诸病皆疗，并须预排比也。其三方者：治中汤、四顺汤、厚朴汤也。四顺汤，用人参、附子、炮干姜、甘草各二两，切，以水六升，煎取二升半，分四服。若下不止，加龙骨二两；若痛，加当归二两。厚朴汤见厚朴条。

［▌海药云］出新罗国所贡。又有手脚状如人形，长尺余，以杉木夹定，红线缠饰之。味甘，微温。主腹腰，消食，补养脏腑，益气安神，止呕逆，平脉，下痰，止烦躁，变酸水。又有沙州参，短小不堪，采根用时，去其芦头，不去者吐，人慎之。

［雷公云］凡使，要肥大，块如鸡腿，并似人形者，采得阴干，去四边芦头并黑者，剉入药中。夏中少使，发心痃之患也。

［外台秘要］治蜂、蝎螫人方：人参嚼以封之。

［千金方］开心，肥健人。人参一分，猪肪十分，酒拌和，服一百日。百日满③，体髓溢，日诵千言，肌肤润泽，去热风痰。

［肘后方］治卒上气，喘急鸣息便欲绝。人参末服方寸匕，日五六服。

［经验后方］治大人、小儿不进乳食，和气去痰。人参四两，半夏一两，生姜汁熬一宿，曝干为末，面糊④丸，如绿豆大。每服十丸，食后生姜汤吞下。

［又方］治狗咬破伤风。以人参不计多少，桑柴火上烧令烟绝，用盏子合研为末，掺在疮上，立效。

［胜金方］治吐血。以人参一味为末，鸡子清投新汲水调下一钱服之。

［灵苑方］治咳嗽上气，喘急，嗽血吐血。人参好者捣为末，每服三钱匕，鸡子清调之。五更初服便睡，去枕仰卧，只一服愈，年深者再服。忌腥⑤、咸、鲊、酱、面等，并勿过醉饱，将息佳。

［衍义曰］人参，今之用者，河北榷⑥场博易到，尽是高丽所出，率虚软味薄，

---

① 赍：带着。

② 治中丸：《外台秘要》作“理中丸”，此因避宋代理宗讳改为“治”。

③ 满：柯《大观》作“后”。

④ 糊：其下，成化《政和》、商务《政和》有“为”字。

⑤ 腥：成化《政和》、商务《政和》作“醒”。

⑥ 榷：原作“攉”，成化《政和》、商务《政和》作“擢”，商务《衍义》作“推”，据本条《图经》文改。

不若潞州上党者味厚体实，用之有据。土人得一窠，则置于版上，以色茸①缠系，根颇纤长，不与榷②场者相类。根下垂有及一尺余者，或十歧者。其价与银等，稍为难得。

天门冬

味苦、甘，**平**、大寒，无毒。**主诸暴风湿偏痹，强骨髓，杀三虫，去伏尸**，保定肺气，去寒热，养肌肤，益气力，利小便，冷而能补，**久服轻身，益气延年**，不饥③。**一名颠勒。**生奉高山谷。二月、三月、七月、八月采根，暴干。垣衣、地黄为之使，畏曾青。

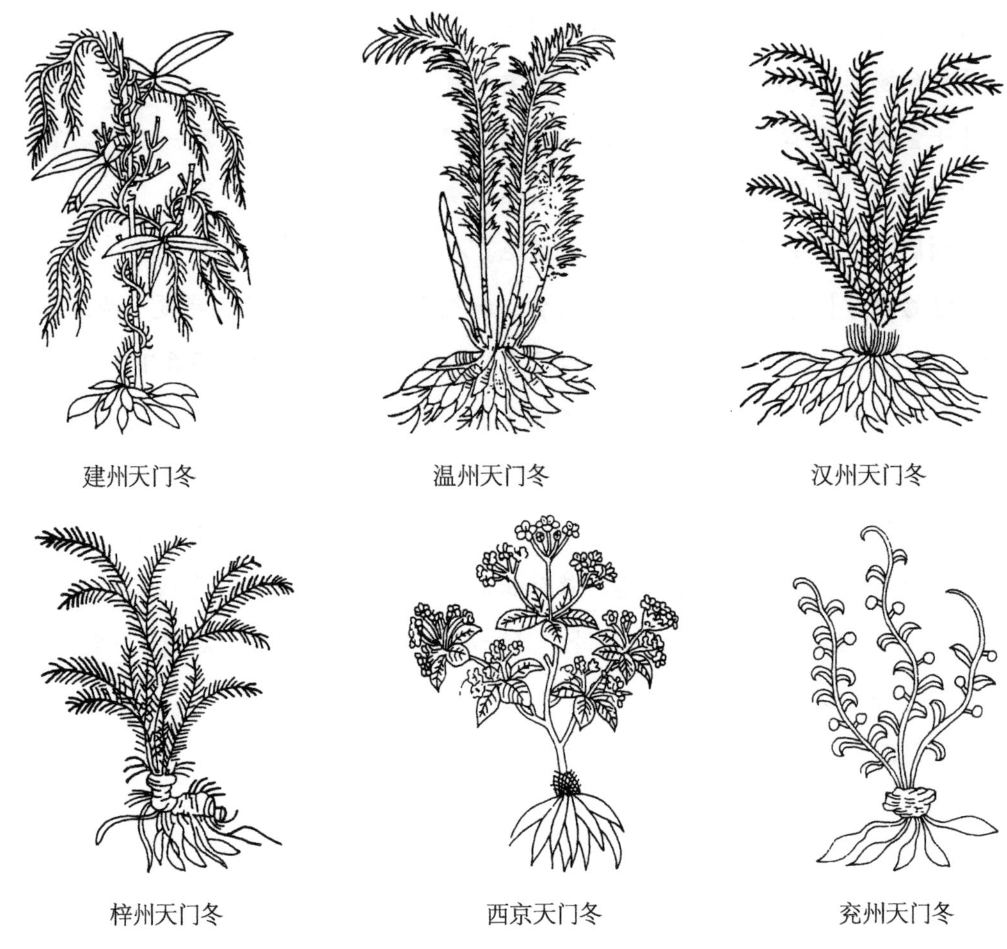

建州天门冬　温州天门冬　汉州天门冬

梓州天门冬　西京天门冬　兖州天门冬

---

① 茸：庆元《衍义》作“韭”；商务《衍义》作“丝”。

② 榷：原作“擢”，成化《政和》、商务《政和》作“擢”，商务《衍义》作“榷”，据本条《图经》文改。

③ 不饥：《纲目》注为《本经》文。

［陶隐居］云：奉高，太山下县名也。今处处有，以高地大根味甘者为好。张华《博物志》云：天门冬，逆捋①有逆刺。若叶滑者，名絺休②，一名颠棘。可以浣缣，素白如絨音越纻类。金城人名为浣草。擘其根，温汤中挼之，以浣衣胜灰。此非门冬，相似尔。按如此说，今人所采皆是有刺者，本名颠勒，亦粗相似，以浣垢衣则净。《桐君药录》又云：叶有刺，蔓生，五月花白，十月实黑，根连数十枚。如此殊相乱，而不复更有门冬，恐门冬自一种③，不即是浣草耶？又有百部，根亦相类，但苗异尔。门冬蒸剥去皮，食之甚甘美，止饥。虽暴干，犹脂润难捣，必须薄切，暴于日中，或火烘之也。俗人呼苗为棘刺，煮作饮乃宜人，而终非真棘刺尔。服天门冬，禁食鲤鱼。

［唐本注］云：此有二种，苗有刺而涩者，无刺而滑者，俱是门冬，俗云颠刺、浣草者，形貌諮音瞑之。虽作数名，终是一物。二根浣垢俱净，门冬、浣草，互名之也。

［今按］《陈藏器本草》云：天门冬，陶云百部根亦相类，苗异尔。按，天门冬根有十余茎，百部多者五六十茎，根长尖，内虚，味苦。天门冬根圆短实润，味甘不同，苗蔓亦别。如陶所说，乃是同类。今人或以门冬当百部者，说不明也。

［臣禹锡等谨按尔雅］云：蔷蘼，虋冬。注云：门冬，一名满冬。虋音门。

［抱朴子］云：或名地门冬，或名莚门冬，或名巔棘，或名淫羊食④，或名管松。其生高地，根短味甜气香者上；其生水侧下地者，叶细似蕴而微黄，根长而味多苦气臭者下。亦可服食，然善令人下气，为益又迟也。服之百日，皆丁壮兼倍，快于术及黄精也⑤。入山便可蒸，若煮啖之，取足以断谷；若有力，可饵之。亦作散并捣绞其汁作液以服，散尤益。

［药性论］云：天门冬，君。主肺气咳逆，喘息促急，除热，通肾气。疗肺痿，生痈吐脓，治湿疥，止消渴，去热中风，宜久服。煮食之，令人肌体滑泽，除身中一切恶气、不洁之疾，令人白净。蜀人使浣衣如玉，和地黄为使，服之耐⑥老，头不白，能冷补，患人体虚而热，加而用之。

---

① 捋：成化《政和》、商务《政和》作“将”。

② 休：成化《政和》、商务《政和》、《纲目》作“体”。

③ 自一种：刘《大观》、柯《大观》作“亦何必”。

④ 食：《纲目》作“藿”。

⑤ 也：其下，成化《政和》、商务《政和》有“杜紫微服之御八十妾有男一百四十岁”17字。

⑥ 耐：成化《政和》、商务《政和》作“柰”。

［杨损之］云：服天门冬，误食鲤鱼中毒，浮萍解之。

［日华子］云：贝母为使。镇心，润五脏，益皮肤，悦颜色，补五劳七伤。治肺气并嗽，消痰，风痹，热毒游风，烦闷吐血，去心用。

［图经曰］天门冬，生奉高山谷，今处处有之。春生藤蔓，大如钗股，高至丈余，叶如茴香，极尖细而疏滑，有逆刺，亦有涩而无刺者。其叶如丝杉而细散，皆名天门冬。夏生白花，亦有黄色者。秋结黑子，在其根枝傍。入伏后无花，暗结子。其根白或黄紫色，大如手指，长二三寸，大者为胜，颇与百部根相类，然圆实而长，一二十枚同撮。二月、三月、七月、八月采根，四破之，去心，先蒸半炊间，暴干，停留久仍湿润。入药时，重炕焙令燥。洛中出者，叶大干粗，殊不相类。岭南者无花，余无它异。谨按，天门冬别名，《尔雅》谓之蘼亡彼切，一名虋与门同冬。《山海经》云：条谷之山，其草多芍药，虋冬是也。《抱朴子》及《神仙服食方》云：天门冬，一名颠棘。在东岳名淫羊食①；在中岳名天门冬；在西岳名管松；在北岳名无不愈；在南岳名百部；在京陆山阜名颠棘。虽处处皆有，其名各异②，其实一也，在北岳地阴者尤佳。欲服之，细切，阴干，捣下筛，酒调三钱匕，日五六进之，二百日知，可以强筋髓，驻颜色，与炼成松脂同蜜丸益善。服者不可食鲤鱼，此③方以颠棘为别名，而张茂先以为异类。《博物志》云：天门冬茎间有刺，而叶滑者曰絺休，一名颠棘，根以浣缣素令白。越人④名为浣草，似天门冬而非也。凡⑤服此，先试浣衣如法者，便非天门冬。若如所说，则有刺而叶滑，便不中服。然今所有，往往是此类，用者须详之。

［▶雷公云］采得了，去上皮一重，便劈破，去心，用柳木甑，烧柳木柴，蒸一伏时，洒酒令遍，更添火蒸，出曝，去地二尺已来，作小架，上铺天门叶，将蒸了天门冬，摊令干用。

［食疗］补虚劳，治肺劳，止渴，去热风。可去皮、心，入蜜煮之，食后服之。若曝干，入蜜丸尤佳。亦用洗面，甚佳。

［外台秘要］治风癫引胁牵痛，发作则吐，耳如蝉鸣。天门冬去心、皮，曝干

---

① 食：原作“藿”，据《抱朴子·内篇》卷11“仙药篇”改。又上文掌禹锡引《抱朴子》文，亦作“食”。

② 各异：成化《政和》、商务《政和》作“不同”。

③ 此：刘《大观》、柯《大观》作“北”。

④ 越人：上文陶隐居文作“金城人”。

⑤ 凡：柯《大观》作“若”。

捣筛，酒服方寸匕。若人久服，亦能长生。

[经验后方] 服天门冬法：不计多少，去心、皮，为末，每服方寸匕，日三四服不绝，甚益人，以酒饮之。又治癥瘕积聚，去三尸①，轻身益气，延年耐②老，百病不侵。

[孙真人枕中记] 天门冬，末，服方寸匕，日三。无问山中、人间，恒勿废，久服益。若酿酒服之，去癥瘕积聚，风痰癫狂，三虫伏尸，除瘟痹③，轻身益气，令人不饥，百日还年耐④老。

[修真秘旨] 神仙：服天门冬三十斤，细切，阴干，捣末。每服三钱，酒调下，日五六服。二百日后怡泰，拘急者缓，羸⑤劣者强；三百日身轻；三年走及奔马。

[道书八帝圣化经] 欲不畏寒，取天门冬、茯苓等分为末。服方寸匕，日再服。大寒时，单衣汗出。

[抱朴子] 云：杜紫微服天门冬，御八十妾，有男一百四十人⑥，日行三百里。

[列仙传] 赤须⑦子食天门冬，齿落更生，发坠再出⑧。

[神仙传] 甘始者，太原人，服天门冬，在人间三百余年。

[衍义曰] 天门冬，麦门冬之类。虽曰去心，但以水渍漉使，周润，渗入肌，俟软，缓缓擘取，不可浸出脂液。其不知者，乃以汤浸一二时，柔即柔矣，然气味都尽，用之不效，乃曰药不神，其可得乎？治肺热之功为多。其味苦，但专泄而不专收，寒多人禁服。余如二经⑨。

甘草国老⑩

味甘，平，无毒。**主五脏六腑寒热邪气，坚筋骨，长肌肉，倍力，金疮尰**时勇切

---

① 尸：柯《大观》作“虫”。

② 耐：柯《大观》作“却”。

③ 痹：柯《大观》作“疫”。

④ 耐：柯《大观》作“却”。

⑤ 羸：原作“羸”，据医理改。

⑥ 四十人：《抱朴子》卷11作“三十人”。又“人”，成化《政和》、商务《政和》作“岁”。

⑦ 须：原作“项”，据《列仙传》卷下改。

⑧ 发坠再出：原作“细发复出”，据改同上。

⑨ 二经：指《嘉祐本草》《本草图经》。

⑩ 国老：傅《新修》、罗《新修》、尚辑本《新修》无。

解毒，温中下气，烦满短气，伤脏咳嗽，止渴，通经脉，利血气，解百药毒。为九土之精，安和七十二种石，一千二百种草。**久服轻身延年。**一名蜜甘，一名美草，一名蜜草，一名蕗草①。生河西川谷积沙山及上郡。二月、八月除日采根，暴干十日成。术、干漆、苦参为之使，恶远志，反大戟、芫花、甘遂、海藻四物。

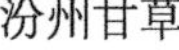
汾州甘草

汾州甘草

府州甘草

［陶隐居］云：河西、上郡不复通市，今出蜀汉中，悉从汶山诸夷中来。赤皮断理，看之坚实者，是抱罕草，最佳。抱②罕，羌地名。亦有火炙干者，理多虚疏。又有如鲤鱼肠者，被刀破，不复好。青州间亦有，不如。又有紫甘草，细而实，乏③时可用。此草最为众药之主，经方少不用者，犹如香中有沉香也。国老，即帝师之称，虽非君，为君所宗，是以能安和草石而解诸毒也。

［臣禹锡等谨按尔雅］云：蘦，大苦。注：今甘草也，蔓延生，叶似荷，青黄，茎赤有节，节有枝相当。疏引《诗·唐风》云：采苓采苓，首阳之巅是也。

［药性论］云：甘草，君。忌猪肉，诸药众中为君。治七十二种乳石毒，解一千二百般草木毒，调和使诸药有功，故号国老之名矣。主腹中冷痛，治惊痫，除腹胀满，补益五脏，制诸药毒，养肾气内伤，令人阴痿。主妇人血沥，腰痛，虚而多热，加而用之。

［日华子］云：安魂定魄，补五劳七伤，一切虚损，惊悸，烦闷，健忘，通九窍，利百脉，益精养气，壮筋骨，解冷热，入药炙用。

［图经曰］甘草，生河西川谷积沙山及上郡，今陕西河东州郡皆有之。春生青

① 草：《本草和名》无。

② 抱：原作“枹”，据刘《大观》、柯《大观》、成化《政和》、商务《政和》改。

③ 乏：成化《政和》、商务《政和》作“之”。

苗，高一二尺，叶如槐叶，七月开紫花似柰，冬结实作角子如毕①豆。根长者三四尺，粗细不定，皮赤，上有横梁，梁下皆细根也。二月、八月除日采根，暴干十日成，去芦头及赤皮，今云阴干用。今甘草有数种，以坚实断理者为佳，其轻虚纵理及细韧者不堪，惟货汤家用之。谨按，《尔雅》云：蘦，大苦。释曰：蘦，一名大苦。郭璞云：甘草也，蔓延生，叶似荷，青黄，茎赤有节，节有枝相当。或云：蘦似地黄。《诗·唐风》云：采苓采苓，首阳之巅是也。蘦与苓通用。首阳之②山，在河东蒲坂县，乃今甘草所生处相近，而先儒所说苗、叶与今全别，岂种类有不同者乎？张仲景《伤寒论》有一物甘草汤、甘草附子、甘草干姜、甘草泻心等汤，诸方用之最多，又能解百毒，为众药之要。孙思邈论云：有人中乌头、巴③豆毒，甘草入腹即定。方称大豆解百药毒，尝试之不效，乃加甘草为甘豆汤，其验更速。又《备④急方》云：席辩刺史尝言岭南俚人解毒药，并是尝用物，畏人得其法，乃言三百头牛药，或言三百两银药。辩久住彼，与之亲狎，乃得其实⑤。凡欲食，先取甘草一寸炙熟，嚼咽汁，若中毒，随即吐出。乃用都惏⑥藤、黄藤二物，酒煎令温常服，毒随大小溲⑦出。都惏⑥藤者出岭南，高三尺余，甚细长。所谓三百两银药也。又常带甘草十数寸随身，以备缓急。若经含甘草而食物不吐者，非毒也。崔元亮《海上方》治发背秘法，李北海云此方神授，极奇秘。以甘草三大两，生捣，别筛末，大麦面九两，于一大盘中相和搅令匀，取上好酥少许，别捻入药，令匀，百沸水搜⑧如饼剂，方圆大于疮一分，热傅肿上，以油片及故纸隔令通风，冷则换之。已成脓水自出，未成肿便内消。当患肿著药时，常须吃黄芪粥，甚妙。又一法：甘草一大两微炙，捣碎，水一大升浸之，器上横一小刀子，置露中经宿，平明以物搅令沫出，吹沫服之。但是疮肿发背皆可服，甚效。

[**雷公云**] 凡使，须去头尾尖处，其头尾吐人。每用切⑨长三寸，剉，劈破

---

① 毕：刘《大观》、柯《大观》作“荜”。

② 之：刘《大观》、柯《大观》无。

③ 巴：刘《大观》、柯《大观》作“芭”。

④ 备：其上，《纲目》有“葛洪肘后”4字。

⑤ 实：《纲目》作“详”。

⑥ 惏：《纲目》作“淋”。

⑦ 溲：柯《大观》作“便”。

⑧ 搜：原作“溲”，据炮制法改。

⑨ 用切：原作“斤皆”，据《纲目》改。

作六七片，使瓷器中盛，用酒浸蒸，从巳至午，出暴干，细剉。使一斤，用酥七两涂上，炙酥尽为度。又先炮令内外赤黄用，良。

［外台秘要］救急瘦疾。甘草三两炙，每旦以小便煮三四沸，顿服之，良。

［百一方］小儿初生，未①可与朱、蜜，取甘草一指节长炙碎，以水二合，煮取一合，以缠绵点儿口中，可得一蚬壳止，儿当快吐胸中恶汁，此后待儿饥渴，更与之。若两服并不吐，尽一合止，得吐恶汁，儿智惠无病。

［又方］中蛊者，煮甘草服之，当痰②出，若平生预服防蛊者，宜熟炙甘草煮服之。凡③中蛊毒即④内消，不⑤令吐痰⑥，神验。

［又方］食牛、羊肉中毒者，煮甘草汁服之一二升，当愈。

［经验方］崔宣州衍传赤白痢方：甘草一尺，炙，擘破，以淡浆水蘸三二度，又以慢火炙之，后用生姜去皮半两，二味以浆水一升半，煎取八合，服之立效。

［梅师方］治初得痢，冷热赤白及霍乱。甘草一两炙，豆蔻七个剉，以水三升，煎取一升分服。

［孙真人食忌］主一切伤寒。甘草如中指长，炙，细剉，取童子小便一升和煎取七合，空心服，日再服之。

［广利方］治肺痿久咳嗽，涕唾多，骨节烦闷，寒热。甘草十二分炙，捣为末，每日取小便三合，甘草末一钱匕，搅令散服。

［御药院］治二三日咽痛，可与甘草汤去滓，日三服。

［古今⑦录验］治阴下湿痒。甘草一尺并切，以水五升，煮取三升，渍洗之，日三五度，差。

［金匮玉函］菜中有水莨菪，叶圆而光，有毒，误食之令人狂乱，状若中风，或吐。甘草煮汁，服之即解。

［又方］治误饮馔中毒者。未审中何毒，卒急无药可解。只煎甘草、荠苨汤服之，入口便活。

---

① 未：柯《大观》作“亦”。

② 当痰：柯《大观》作“即吐”。

③ 凡：柯《大观》作“若”。

④ 即：其下，成化《政和》、商务《政和》有“令”字。

⑤ 不：成化《政和》、商务《政和》无。

⑥ 痰：成化《政和》、商务《政和》无。

⑦ 古今：原作“今古”，据本书“《证类本草》所出经史方书”改。

[又方] 治小儿撮口及发噤方：用生甘草一分细剉，以水一盏，煎至六分去滓，温与儿服，令吐痰涎后，以乳汁点儿口中差。

[又方] 治小儿中蛊欲死。甘草半两剉，以水一盏，煎五分去滓，作二服，当吐蛊出。

[又方] 治小儿羸瘦惙惙方：甘草二两，炙焦，杵为末，蜜丸如绿豆大。每温水下五丸，日二服。

[伤寒类要] 治伤寒三二日咽痛者。与甘草二两炙，水三升，煮取一升半，服五合，日三。

[又方] 伤寒，脉结代者，心悸动方：甘草二两，水三升，煮取一半，服七合，日二。

[姚和众] 治小儿尿血。甘草五分，以水六合，煎取二合去滓，一岁儿一日服令尽。

[淮南子] 甘草主生肌肉①。

[衍义曰] 甘草，枝叶悉如槐，高五六尺，但叶端微尖而糙涩，似有白毛。实作角生，如相思②角，作一本生，子如小扁豆③，齿啮不破。今出河东西界，入药须微炙；不尔，亦微凉。生则味不佳。

干地黄

味甘、苦，**寒**，无毒。**主折跌④绝筋，伤中，逐血痹，填骨髓，长肌肉。作汤除寒热，积聚，除痹。**主男子五劳七伤，女子伤中，胞漏，下血，破恶血，溺血，利大小肠，去胃中宿食，饱力断绝，补五脏内伤不足，通血脉，益气力，利耳目。**生者尤良。**

冀州地黄

生地黄大寒。主妇人崩中血不止及产后血上薄心闷绝，伤身胎动下血，胎不落，堕坠踠折，瘀血，留血，衄鼻，吐血，皆捣饮之。**久服轻身不老。一名地髓，**一名苄，一名芑。生咸阳川泽黄土地者佳。二月、八月采根，阴干。得麦门冬、清酒

① 生肌肉：《淮南子·览冥训》作“生肉之药”。

② 思：原作“恩”，据庆元《衍义》改。

③ 豆：其下，《纲目》有“极坚”2字。

④ 跌：孙星衍辑《本经》作“跌”。

良，恶贝母，畏芜荑。

沂州地黄

［陶隐居］云：咸阳，即长安也。生渭城者乃有子实①，实如小麦，淮南七精散用之。中间以彭城干地黄最好，次历阳，今用江宁板桥者为胜。作干者有法，捣汁和蒸，殊用工意；而此直云阴干，色味乃不相似，更恐以蒸作为失乎？大贵时乃取牛膝、萎蕤作之，人不能别。《仙经》亦服食，要用其华②；又善生根，亦主耳暴聋、重听。干者黏湿，作丸散用，须烈日暴之③，既燥则斤两大减，一斤才得十两散尔，用之宜加量也。

［今按］《陈藏器本草》云：干地黄，《本经》不言生干及蒸干。方家所用二物别，蒸干即温补，生干则平宣，当依此以用之。

［臣禹锡等谨按尔雅］云：苄，地黄。注云：一名地髓，江东呼苄音怙。

［药性论］云：干地黄，君。能补虚损，温中下气，通血脉。久服变白延年。治产后腹痛，主吐血不止。

［又云］生地黄，忌三白，味甘，平，无毒。解诸热，破血，通利月水闭绝。不利水道，捣薄心腹，能消瘀血。病人虚而多热，加而用之。

［萧炳］云：干、生二种，皆黑须发良药。

［日华子］云：干地黄，助心胆气，安魂定魄，治惊悸劳劣，心肺损，吐血鼻衄，妇人崩中血运，助筋骨，长志。日干者平，火干者温，功用同前。

［又云］生者水浸验，浮者名天④黄，半浮半沉者名人黄，沉者名地黄，沉者力佳，半沉者次，浮者劣。煎忌铁器。

［图经曰］ 地黄，生咸阳川泽黄土地者佳，今处处有之，以同州为上，二月生叶，布地便出似车前，药上有皱文而不光。高者及尺余，低者三四寸。其花似油麻花而红紫色，亦有黄花者。其实作房如连翘，子⑤甚细而沙褐色。根如人手指，通黄色，粗细长短不常。二月、八月采根，蒸三二日，令烂，暴干，谓之熟地黄。阴干者是生地黄。种之甚易，根入土即生。一说：古称种地黄宜黄土，今不然，大宜

---

① 子实：刘《大观》、柯《大观》倒置。

② 华：柯《大观》作“叶”。

③ 之：刘《大观》、柯《大观》无。

④ 天：原作“夫”，据成化《政和》、商务《政和》改。

⑤ 子：其上，《纲目》有“中”字。

肥壤虚地，则根大而多汁。其法：以苇席圆[1]编如车轮，径丈余，以壤土实苇席中为坛。坛上又以苇席实土为一级，比下坛径减一尺。如此数级如浮屠也。乃以地黄根节多者寸断之，莳坛上，层层令满，逐日以水灌之，令茂盛。至春秋分时，自上层取之，根皆长大而不断折，不被斸伤故也。得根暴干之。熟干地黄[2]最上，出同州，光润而甘美。南方不复识，但以生地黄草烟熏使干黑，洗之煤尽仍白也。今干之法，取肥地黄三二十斤净洗，更以拣去细根及根节瘦短者，亦得二三十斤，捣绞取汁，投银、铜器中，下肥地黄浸漉令浃，饭上蒸三四过，时时浸漉转蒸讫，又暴使汁尽。其地黄当光黑如漆，味甘如饴糖，须瓷器内收之，以其脂柔喜暴润也。又医家欲辨精粗，初采得以水浸，有浮者名天黄，不堪用；半沉者名人黄，为次；其沉者名地黄，最佳也。神仙方：服食地黄，采取根净洗，捣绞取汁，煎令小稠，内白蜜更煎，令可丸。晨朝酒送三十丸如梧子，日三。亦入青州枣肉同丸。又煎膏入干根末丸服。又四月采其实，阴干筛末，水服钱匕，其效皆等。其花名地髓花。延年方有单服二法。又治伤折金疮，为最要之药。《肘后方》疗踠折，四肢骨破碎及筋伤蹉跌，烂捣生地黄熬之，裹所伤处，以竹简编夹之遍，急缚勿令转动，一日一夕，可以十易，则差。崔元亮《海上方》治一切心痛，无问新久，以生地黄一味，随人所食多少，捣绞取汁，搜面作馎饦，或冷淘食，良久当利出虫长一尺许，头似壁宫，后不复患矣。昔有人患此病，三年不差，深以为恨，临终戒其家人，吾死后，当剖去病本，果得虫。置于竹节中，每所食皆饲之，因食地黄馎饦，亦与之，随即坏烂，由此得方，刘禹锡《传信方》亦纪其事云：正元十年，通事舍人崔抗女患心痛垂气绝，遂作地黄冷淘食之，便吐一物，可方一寸已来，如虾蟆状，无目、足等，微似有口，盖为此物所食，自此遂愈，食冷淘不用著盐。

［■雷公云］采生地黄去白皮，瓷锅上柳木甑蒸之，摊令气歇，拌酒再蒸，又出令干。勿令犯铜铁器，令人肾消并白髭发，男损荣，女损卫也。

［食疗］地黄，微寒。以少蜜煎，或浸食之，或煎汤，或入酒饮，并妙[3]。生则寒，主齿痛，唾血，折伤。叶可以羹。

---

① 圆：《纲目》作“围”。

② 地黄：刘《大观》、柯《大观》无。

③ 妙：刘《大观》、柯《大观》作“炒”。

[外台秘要] 张文仲治骨蒸方：生地黄一升，捣取汁，三度捣绞汁尽，分再服。若利即减之，以身体凉为度。

[千金方] 治牙齿根欲动脱。生地黄细剉，绵裹着齿上咂之，渍齿根，日三四，并咽之，十日，大佳。

[肘后方] 治耳中常鸣。生地黄截塞耳，数易之，以差为度①。一云以纸裹，微灰火中煨之用，良。

[百一方] 妊娠漏胎。生地黄汁一升，渍酒四合，煮三五沸服之，不止又服。

[又方] 治猘犬咬人，捣地黄汁饮之并涂疮口，百度止。

[梅师方] 治堕损筋骨，蹉跌骨碎破。捣生地黄熨热，裹三日夜，数易。若血聚，以针决之。

[又方] 治吐血神效方：生地黄汁一升二合，白胶香二两，以瓷器盛入甑蒸，令胶消服。

[又方] 治乳痈。捣生地黄汁傅之，热即易之，无不见效也。

[食医心镜] 主劳瘦骨蒸，日晚寒热，咳嗽唾血。生地黄汁二②合煮白粥，临熟入地黄汁搅令匀，空心食之。

[博济方] 治一切痈肿未破，疼痛，令内消。以生地黄杵如泥，随肿大小，摊于布上，掺木香末于中，又再摊地黄一重，贴于肿上，不过三五度。

[孙兆方] 治鼻衄及膈上盛热。干地黄、龙脑、薄荷等分为末，冷水调下。

[子母秘录] 小儿患蛊毒痢。生地黄汁一升二合，分三四服，立效。

[产宝] 妊娠下血如月信，通恐胎漏方：干地黄、干姜等分为末，用酒调方寸匕。

[抱朴子] 楚文子服地黄八年，夜视有光，手③上车弩。

[淮南子] 云：地黄④主属骨。

[衍义曰] 地黄，叶如甘露子，花如脂麻花，但有细斑点，北人谓之牛奶子。花、茎有微细短白毛。《经》只言干、生二种，不言熟者。如血虚劳热，产后虚

---

① 生地黄……为度：以上13字，《医心方》作“生地黄切断，仍塞之，日夜数十易”。尚辑本《补辑肘后方》作“生地黄截断塞耳，日十易之，以差”。

② 二：成化《政和》、商务《政和》、《纲目》作“三”。

③ 手：成化《政和》、商务《政和》作“于”。

④ 地黄：柯《大观》无。

热，老人中虚燥热，须地黄者，生与生干，常虑太①寒，如此之类，故后世改用熟者。蒸曝之法：以细碎者洗出，研取汁，将粗地黄蒸出曝干，投汁中，浸三二时，又曝，再蒸，如此再过为胜，亦不必多。此等与干、生二种，功治殊别。陶但云捣汁和蒸，殊用工意，不显其法，不注治疗，故须悉言耳。

术

味苦、甘，**温**，无毒。**主风寒湿痹，死肌痉**巨井切**疸，止汗除热，消食。**主大风在身面，风眩头痛，目泪出，消痰水，逐皮间风水结肿，除心下急满及霍乱吐下不止，利腰脐间血，益津液，暖胃，消谷，嗜食。**作煎饵，久服轻身延年不饥。一名山蓟，**一名山姜，一名山连。生郑山山谷、汉中、南郑。二月、三月、八月、九月采根，暴干。防风、地榆为之使。

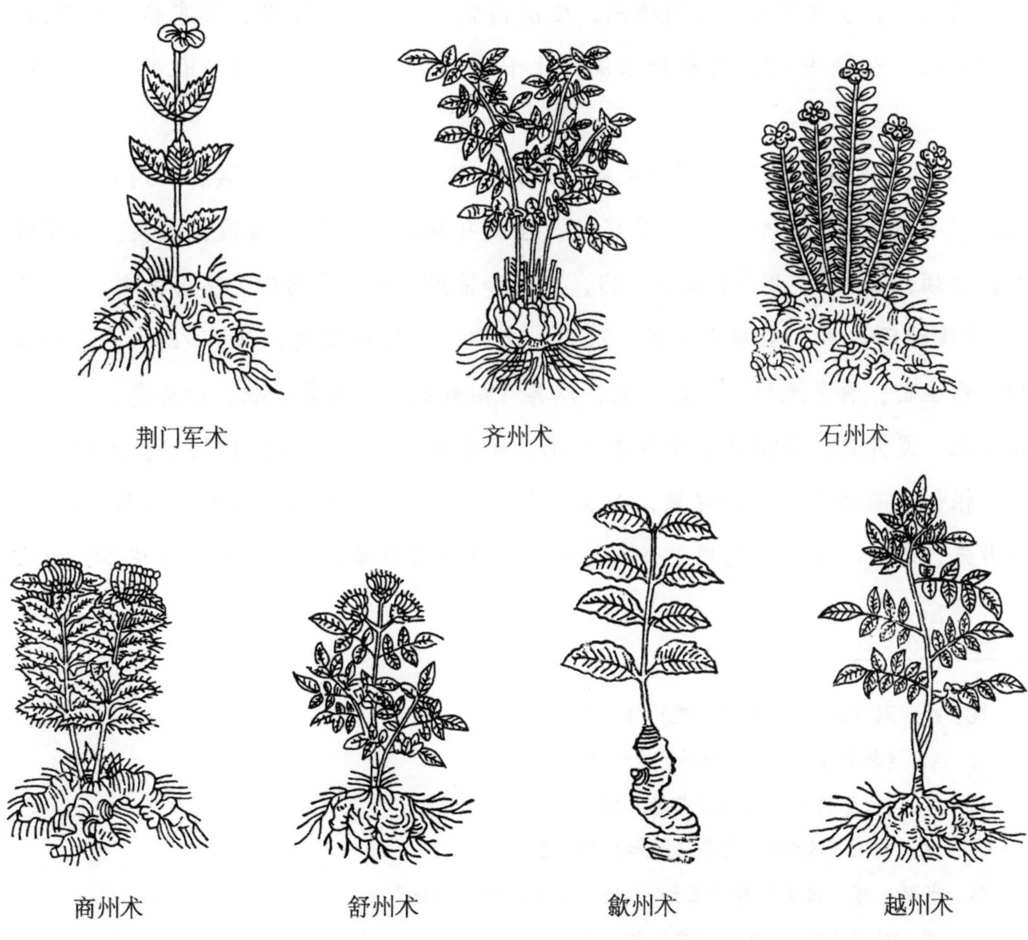

荆门军术　齐州术　石州术

商州术　舒州术　歙州术　越州术

① 太：庆元《衍义》作“大”。

［陶隐居］云：郑山即南郑也，今处处有，以蒋山、白山、茅山者为胜。十一月、十二月、正月、二月采好，多脂膏而甘。《仙经》云：亦能除恶气，弭灾疹①。丸散煎饵并有法。其苗又可作饮，甚香美，去水。术乃有两种：白术，叶大有毛而作桠，根甜而少膏，可作丸散用；赤术，叶细无桠，根小苦而多膏，可作煎用。昔刘涓子挼取其精而丸之，名守中金丸，可以长生。东境术大而无气烈，不任用。今市人卖者，皆以米粉涂令白，非自然，用时宜刮去之。

［臣禹锡等谨按吴氏］本草云：术，一名山芥，一名天苏。

［尔雅］云：术，山蓟。注：今术似蓟而生山中。疏云：生平地者即名蓟，生山中者名术。

［抱朴子］云：术，一名山精，故《神农②药经》曰：必欲长生，常③服山精。

［药性论云］白术，君，忌桃、李、雀肉、菘菜、青鱼。味甘、辛，无毒。能主大风𤸷痹，多年气痢，心腹胀痛，破消宿食，开胃，去痰涎，除寒热，止下泄，主面光悦，驻颜去皯，治水肿胀满，止呕逆，腹内冷痛，吐泻不住④及胃气虚，冷痢。

［日华子］云：术，治一切风疾，五劳七伤，冷气腹胀，补腰膝，消痰，治水气，利小便，止反胃呕逆及筋骨弱软，痃癖气块，妇人冷，癥瘕，温疾，山岚瘴气，除烦，长肌⑤。用⑥米泔浸一宿，入药如常用，又名吃力伽。苍者去皮。

［图经曰］术，生郑山山谷、汉中、南郑，今处处有之，以嵩⑦山、茅山者为佳。春生苗，青色无桠。一名山蓟，以其叶似蓟也。茎作蒿干状，青赤色，长三二尺以来。夏开花，紫碧色，亦似刺蓟花，或有黄白花者。入伏后结子，至秋而苗枯。根似姜而傍有细根，皮黑，心黄白色，中有膏液⑧紫色。二月、三月、八月、九月采，暴干。干湿并通用，今八月采之。服食家多单饵之⑨，或合白茯苓，或合

① 疹：刘《大观》、柯《大观》作“诊”。

② 农：《抱朴子·内篇·仙药》《太平御览》无。

③ 常：《太平御览》引《神药经》作“当”。

④ 住：成化《政和》、商务《政和》作“佳”。

⑤ 长肌：刘《大观》作“长切”；柯《大观》作“细切”。

⑥ 用：刘《大观》、柯《大观》作“后”。

⑦ 嵩：原作“蒿”，据刘《大观》、柯《大观》、成化《政和》、商务《政和》改。

⑧ 液：柯《大观》作“润”。

⑨ 饵之：成化《政和》、商务《政和》倒置。

石昌蒲，并捣末，旦日水调服，晚再进，久久弥佳[①]。又斸取生术，去土，水浸再三，煎如饴糖，酒调饮之更善，今茅山所制术煎，是此法也。陶隐居云：昔者刘涓子挼取其精而丸之，名守中金丸。今传其法乃是膏煎，恐非真耳。谨按，术有二种，《尔雅》云：术，山蓟，杨枹音孚蓟。释曰：此辨蓟生山中及平地者名也，生平地者名蓟，生山中[②]名术。陶注本草云：白术叶大而有毛，甜而少膏，赤术细苦而多膏是也。其生平地而肥大于众者，名杨枹蓟，今呼之马蓟，然则杨枹即白术也。今白术生杭、越、舒、宣州高山岗上，叶叶相对，上有毛，方茎，茎端生花，淡紫碧红数色，根作桠生。二月、三月、八月、九月采根，暴干。以大块[③]紫花者为胜，又名乞力伽。凡古方云术者乃白术也，非谓今之术矣。

[■唐本云] 利小便，及用苦酒渍之；用拭面皯䵳，极效。

[圣惠方] 治雀目，不计时月。和苍术二[④]两，捣罗为散，每服一钱，不计时候。以好羊子肝一个，用竹刀子批破，掺药在内，麻绳缠定。以粟米泔一大盏，煮熟为度，患人先熏眼药，气绝即吃之。《简要济众》亦治小儿雀目。

[外台秘要] 疗忽头眩晕，经久不差，四体渐羸，食无味，好食黄土。术三斤，曲三斤，捣筛，酒和，并丸如梧桐子大，曝干。饮服二十丸，忌桃、李、雀、蛤，日三服。

[千金方] 治中风口噤不知人。术四两，酒三升，煮取一升，顿服。

[又方] 疗烦闷。白术末，水调服方寸匕。

[经验方] 乌髭鬓[⑤]，驻颜色，壮筋骨，明耳目，除风气，润肌肤。久服令人轻健。苍术不计多少，用米泔水浸三两日，逐日换水，候满日取出，刮去黑皮，切作片子，暴干，用慢火炒令黄色，细捣末，每一斤末，用蒸过茯苓半斤，炼蜜为丸，如梧桐子大。空心卧时温熟[⑥]水下十五丸。别用术末六两，甘草末一两，拌和匀，作汤点之，下术丸妙。忌桃、李、雀、蛤及三白。

[又方] 治内外障眼。苍术四两，米泔浸七日，逐日换水后，刮去黑皮细切，入青盐一两同炒，黄色为度，去盐不用，木贼二两，以童子小便浸一宿，水淘焙

---

① 佳：成化《政和》、商务《政和》作“家”。

② 中：其下，刘《大观》、柯《大观》有“者”字。

③ 块：刘《大观》作“瑰”。

④ 二：柯《大观》作“三”。

⑤ 髭鬓：成化《政和》、商务《政和》作“鬓髪”；柯《大观》作“髭须”。

⑥ 熟：成化《政和》、商务《政和》作“热”。

干，同捣为末。每日不计时候，但饮食蔬菜内，调下一钱匕服，甚验。

[梅师方] 治心下有水。白术三两，泽泻五两剉，以水三升，煎取一升半分服。

[集验方] 治毒气攻疰，足胫久疮不差。白术为细末，盐浆水洗疮，干贴二日一换。可以负重涉崄。凶年与老小代①粮，人不能别之，谓之米脯。

[产宝] 产后中风寒，遍身冷直，口噤不识人方：白术四②两，以酒三升，煎取一升顿服。

[荀子注]《列仙传》刘涓子齐人，隐于岩山，饵术，能致风雨。

[抱朴子]《内篇》曰：南阳文氏③，值乱逃壶山中，饥困欲死，有一人教之食术，遂不饥，数十年乃还乡里，颜色更少，气力转胜，故术一名山精。《神④药经》曰：必欲长生，常⑤服山精。

[异术] 术草者，山之精也，结阴阳之精气，服之令人长生，绝谷致神仙。

[梁·庾肩吾] 答陶隐居赍术启曰：味重金浆，芳逾玉液，足使坐致延生，伏深铭感。

[衍义曰] 苍术，其长如大拇⑥指，肥实，皮色褐，气味辛烈，须米泔浸洗，再换泔，浸二日，去上粗皮。白术粗促，色微褐，气味亦微辛、苦而不烈。古方及《本经》止言术，未见分其苍、白二种也。只缘陶隐居言术有两种，自此人多贵白者。今人但贵其难得，惟用白者，往往将苍术置而不用。如古方平胃散之类，苍术为最要药，功尤速。殊不详本草原无白术之名，近世多用，亦宜两审。嵇康曰：闻道人遗言，饵术、黄精，令人久寿，亦无白字。

菟丝子

味辛、甘，**平**，无毒。**主续绝伤，补不足，益气力，肥健。汁去面䵟**，养肌，强阴，坚筋骨，主茎中寒，精自出，溺有余沥，口苦燥渴，寒血为积。**久服明目，**

---

① 代：原作“休”，据成化《政和》、商务《政和》改。

② 四：柯《大观》作“一”。

③ 氏：成化《政和》、商务《政和》作“氐”。

④ 神：其下，成化《政和》、商务《政和》、柯《大观》有“农”字。

⑤ 常：原作“当”，据成化《政和》、商务《政和》、柯《大观》改。

⑥ 拇：原作“小”，据底本校勘表改。

轻身延年①**。一名菟芦**，一名菟缕，一名蓎蒙，一名玉女，一名赤网，一名菟累音羸。生朝鲜川泽田野，蔓延草木之上，色黄而细为赤网，色浅而大为菟累，九月采实，暴干。得酒良，署预、松脂为之使，恶藋菌。

单州菟丝子

[陶隐居]云：宜丸不宜煮，田野墟落中甚多，皆浮生蓝纻、麻蒿上。旧言下有茯苓，上生菟丝，今不必尔。其茎挼以浴小儿，疗热痱音沸用。其实，先须酒渍之一宿，《仙经》、俗方并以为补药。

[臣禹锡等谨按吕氏春秋]云：或谓菟丝无根也，其根不属地，茯苓是也。

[抱朴子]云：菟丝之草，下有伏兔之根，无此兔，则丝不得生于上，然实不属也。又《内篇》云：菟丝初生之根，其形似兔，掘取割其血，以和丹，服之立变化。

[药性论]云：菟丝子，君。能治男子、女人虚冷，添精益髓，去腰疼膝冷。久服延年，驻悦颜色。又主消渴，热中。

[日华子]云：补五劳七伤，治鬼交泄精，尿血，润心肺。苗茎似黄麻线无根，株多附田中草被缠死，或生一丛如席阔。开花结子不分明，如碎黍米粒。八月、九月已前采。

[图经曰] 菟丝子，生朝鲜川泽田野，今近京亦有之，以冤句者为胜。夏生苗，如丝综蔓延草木之上。或云无根，假气而生。六七月结实，极细，如蚕子，土黄色。九月收采，暴干。得酒良。其实有二种：色黄而细者名赤网；色浅而大者名菟累。其功用并同。谨按，《尔雅》云：唐蒙，女萝。女萝②，菟丝。释曰：唐也，蒙也，女萝也，菟丝也，一物四名。而《本经》并以唐蒙为一名。又《诗》云：茑与女萝。《毛传》云：女萝，菟丝也。陆机③云今合药菟丝也，而《本经》菟丝无女萝之名。别有松萝条，一名女萝，自是木类寄生松上者，亦如菟丝寄生草上，岂二物同名，《本经》脱漏乎？又《书传》多云菟丝无根，其根不属地。今观其

---

① 久服明目，轻身延年：刘《大观》、柯《大观》、成化《政和》、商务《政和》作白字《本经》文；《纲目》作《别录》文。

② 女萝：成化《政和》、商务《政和》无。

③ 机：疑作“玑”。

苗，初生才若丝，遍地不能自起，得他①草梗，则缠绕随而上生。其根渐绝于地而寄空中，信《书传》之说不谬矣。然云：上有菟丝，下有茯苓，茯苓抽则菟丝死。又云：菟丝初生之根，其形似兔②，掘取割③其血，以和丹服之，今人未见其如此者，岂自一类乎？仙方多单服者，取实酒浸，暴干再浸，又暴，令酒尽，筛末，酒服，久而弥佳，兼明目。其苗生研汁，涂面斑神效。

[雷公曰] 勿用天碧草子，其样④真相似，只是天碧草子味酸涩并粘，不入药用。其菟丝子禀中和凝正阳气受结，偏补人卫气，助人筋脉，一茎从树感枝成，又从中春上阳结实，其气大小受七镒二两。全采得，去粗薄壳了，用苦酒浸二日，漉出，用黄精自然汁浸一宿，至明，微用火煎至干，入臼中，热烧铁杵，一去⑤三千余杵成粉，用苦酒并黄精自然汁，与菟丝子相对用之。

[肘后方] 治卒肿，满身面皆洪大。菟丝子一升，酒五升，渍二三宿，每服一升，日三⑥服。

[又方] 治痔发，痛如虫啮。菟丝子熬令黄黑，末，和鸡子黄涂之，亦治谷道中赤痛。

[又方] 治面上粉刺。捣菟丝子绞取汁，涂之差。

[经验后方] 治丈夫腰膝积冷痛，或顽麻无力。菟丝子洗秤一两，牛膝一两，同浸于银器内，用酒过一寸，五日暴干为末，将元浸酒再入少醇酒，作糊，搜和丸如梧桐子大，空心酒下二十丸。

[又方] 固阳丹：菟丝子二两，酒浸十日，水淘焙干为末，更入杜仲一两，蜜炙捣，用署预末酒煮为糊，丸如梧桐子大，空心用酒下五十丸。

[子母秘录] 治小儿头疮及女人面疮，菟丝汤洗。

[产书] 治横生。菟丝子为末，酒调下一钱匕，米饮调亦得。

[修真方] 神仙方：菟丝子一斗，酒一斗，浸良久漉出暴干，又浸，以酒尽为度。每服二钱，温酒下，日二服，后吃三五匙水饭压之。至三七日，加至三钱匕。服之令人光泽，三年老变为少，此药治腰膝去风，久服延年。

---

① 他：成化《政和》、商务《政和》作“地”。

② 兔：原作“菟”，据《抱朴子·内篇》改。

③ 割：原作“剖”，据《抱朴子·内篇》改。

④ 其样：《纲目》无。

⑤ 去：刘《大观》、柯《大观》作“劲”。

⑥ 三：柯《大观》作“二”。

［衍义曰］菟丝子，附丛木中，即便蔓延，花实，无绿叶，此为草中之异。其上有菟丝，下有茯苓之说未必耳。已于茯苓条中具言之。

牛膝为君

味苦、酸①，平②，无毒。**主寒③湿痿痹，四肢拘挛，膝痛不可屈伸，逐血气，伤热火烂，堕胎，**疗伤中少气，男子阴消，老人失溺，补中续绝，填骨髓，除脑中痛及腰脊痛，妇人月水不通，血结，益精，利阴气，止发白。**久服轻身耐④老。一名百倍。**生河内川谷及临朐。二月、八月、十月采根，阴干。恶萤火、陆英、龟甲，畏白前。

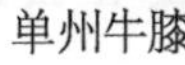
单州牛膝

［陶隐居］云：今出近道蔡州者最长⑤大，柔润，其茎有节似牛膝，故以为名也。乃云有雌雄，雄者茎紫色而节大为胜尔。

怀州牛膝

滁州牛膝

归州牛膝

［唐本注］云：诸药，八月已前采者，皆日干、火干乃佳，不尔，饱烂黑黯。其十月已后至正月，乃可阴干。

① 酸：成化《政和》、商务《政和》作白字《本经》文。

② 平：柯《大观》作白字《本经》文。

③ 寒：其上，《太平御览》有“伤”字。

④ 耐：《太平御览》作“能”。

⑤ 长：原作“良”，据刘《大观》、柯《大观》、成化《政和》、商务《政和》改。

[臣禹锡等谨按药性论]云：牛膝，臣，忌牛肉。能治阴痿，补肾填精，逐恶血流结，助十二经脉。病人虚羸，加而用之。

[日华子]云：牛膝，治腰膝软怯冷弱，破癥结，排脓止痛，产后①心腹痛并血运②，落死胎，壮阳。怀州者长白，近道苏州者色紫。

[图经曰] 牛膝，生河内川谷及临朐，今江、淮、闽、粤、关中亦有之，然不及怀州者为真。春生苗，茎高二三尺，青紫色，有节如鹤膝，又如牛膝状，以此名之。叶尖圆如匙，两两相对。于节上生花作穗，秋结实甚细。此有二种：茎紫节大者为雄；青细者为雌。二月、八月、十月采根，阴干。根极长大而柔润者佳。茎叶亦可单用。葛洪治老疟久不断者，取茎叶一把，切，以酒三升渍服，令微有酒气，不即断，更作，不过三剂止。唐·崔元亮《海上方》治疟用水煮牛膝根，未发前服。今福州人单用土牛膝根，净洗，切，焙干，捣，下筛，酒煎，温服，云治妇人血块极效。

[◣雷公云] 凡使，去头并尘土了，用黄精自然汁浸一宿，漉出，细剉，焙干用之。

[圣惠方] 治眼卒生珠管。牛膝并叶捣绞取汁，日三四度点之。

[又方] 治气湿痹腰膝痛。用牛膝叶一斤切，以米三合，于豉汁中相和，煮作粥，和盐、酱，空腹食之。

[外台秘要] 治劳疟积久不断者。长生③牛膝一握，切，以水六升，煮取二④升，分二④服，未发前服，临发又一服。

[千金方] 治妇人小户嫁⑤痛。牛膝五两，酒三升，煮取一升半，去滓，分作三服。

[又方] 治风瘙瘾疹。牛膝末酒服方寸匕，日三。并主骨疽癞病及瘖瘰⑥。

[肘后方] 口中及舌上生疮烂。取牛膝酒渍⑦，含渐之，无酒者，空含亦佳。

[又方] 治卒暴癥，腹中有如石刺，昼夜啼呼。牛膝二斤，以酒一斗渍，密

---

① 产后：柯《大观》作“及医”。

② 运：刘《大观》、柯《大观》、成化《政和》、商务《政和》作“晕”。

③ 生：柯《大观》作“大”。

④ 二：柯《大观》作“三”。

⑤ 嫁：成化《政和》、商务《政和》作“疼”。

⑥ 瘖瘰：瘾疹。

⑦ 渍：成化《政和》、商务《政和》作“浸”。

封，热灰火①中温令味出。服五合至一升，量力服之。

[又方] 治齿痛，牛膝末着齿间含之。

[又方] 凡痢下应先白后赤，若先赤后白为肠蛊。牛膝三两捣碎，以酒一升渍，经一宿。每服饮一两杯，日三服。

[又方] 治小便不利，茎中痛欲死，兼治妇人血结腹坚痛。牛膝一大把并叶，不以多少，酒煮饮之，立愈。

[经验后方] 治消渴不止，下元虚损。牛膝五两，细剉为末，生地黄汁五升浸，昼暴夜浸，汁尽为度，蜜丸梧桐子大，空心温酒下三十丸。久服壮筋骨，驻颜色，黑发，津液自完。

[梅师方] 治竹木针在肉中不出。取生牛膝茎捣末，涂之即出。

[又方] 治胞衣不出。牛膝八两，葵子一两，以水九升，煎取三升，分三服。

[又方] 治金疮痛所。生牛膝捣傅疮上，立差。

[孙真人食忌] 治牙齿疼痛，烧牛膝根灰致牙齿间。

[又方] 治卒得恶疮，人不识者。以牛膝根捣傅之。

[衍义曰] 牛膝，今西京作畦种，有长三尺者最佳。与苁蓉酒浸服，益肾。竹木刺入肉，嚼烂罨之，即出。

茺蔚子

味辛、甘，**微温**、微寒，无毒。**主明目益精，除水气**，疗血逆大热，头痛心烦。**久服轻身。**

茎　主瘾疹上音瘾，下音诊**痒，可作浴汤。一名益母，一名益明，一名大札**，一名贞蔚。生海滨池泽。五月采。

茺蔚子

[陶隐居] 云：今处处有。叶如荏，方茎，子形细长、三棱。方用亦稀。

[唐本注] 云：捣茺蔚茎傅丁肿，服汁使丁肿毒内消。又下子死腹中，主产后血胀闷，诸杂毒肿、丹油等肿。取汁如豆滴耳中，主聤耳。中虺蛇毒傅之良。

[今按]《陈藏器本草》云：此草，田野间人呼为郁臭草，本功外，苗、子入面药，令人光泽。亦捣苗傅乳痈恶肿痛者。

---

① 火：柯《大观》无。

又捣苗绞汁服，主浮肿，下水，兼恶毒肿。

［又按］别本注云：其子状如菥蓂子而稍粗大，微有陈气，作煎及捣绞取汁服之，下死胎也。

［臣禹锡等谨按尔雅］《释草》注云：萑①，蓷。今茺蔚也。叶似荏，方茎，白华，华生节间。又名益母。疏引刘歆曰：萑②，臭秽。臭秽即茺蔚也。

［日华子］云：治产后血胀，苗、叶同功。乃益母草子也。节③节生花如鸡冠，子黑色，九月采。

［图经曰］茺蔚子，生海滨池泽，今处处有之。谨按，《毛诗》云：中谷④有蓷他回切。《尔雅》云：萑⑤音隹，蓷。郭璞云：今茺蔚也。叶似荏，方茎，白华，华生节间。陆机⑥云，《韩诗》及《三苍》皆云：蓷，益母也。故曾子见之感恩。刘歆亦谓：蓷，臭秽。臭秽即茺蔚也。今园圃及田野见者极多，形色皆如郭说，而苗叶上节节生花，实似鸡冠子，黑色，茎作四方棱，五月采。又云九月采实，医方中稀见用实者。唐天后炼益母草泽面法：五月五日采根苗具者，勿令著土，暴干捣罗，以水和之，令极熟，团之如鸡子大，再暴，仍作一炉，四傍开窍，上下置火，安药中央，大火烧一炊久，即去大火，留小火养之，勿令绝。经一复⑦时出之，瓷器中研治筛⑧，再研三日，收之，使如澡豆法。《广济方》疗小儿疳痢困垂死者，取益母草煮食之，取足，差止，甚佳。韦丹治女子因热病胎死腹中，捣此草并苗令熟，以少许暖水和，绞取汁，顿服，良。又主难产，捣取汁七大合煎半，顿服，立下。无新者，以干者一大握，水七合煎服。又名郁臭草，又名苦低草。亦主马啮，细切此草和醋炒，傅之良。

［◣ 圣惠方］治妇人勒乳痛成痈。益母为末，水调涂乳上一宿，自差。生捣烂用之亦得。

［又方］治产后血不下。益母捣绞汁，每服一小盏，入酒一合，温搅匀服。

---

① 萑：成化《政和》、商务《政和》作“蕉”。

② 萑：成化《政和》、商务《政和》作“荏”。

③ 节：其上，柯《大观》有“作”字。

④ 谷：刘《大观》作“国”。

⑤ 萑：刘《大观》作“茷”。

⑥ 机：疑作“玑”。

⑦ 复：柯《大观》作“伏”。

⑧ 筛：其上，刘《大观》、柯《大观》有“下”字。

[**外台秘要**] 治折伤内损有瘀血，每天阴则痛，兼治产妇诸疾神[①]方：三月采益母草，一名负担[②]，一名夏枯草，洗择令净[③]，于箔上摊暴[④]令水干[⑤]，则用拔[⑥]断，可长五寸已来，勿用刀[⑦]，即置锅[⑧]中，以水二硕[⑨]以来，令草上水深[⑩]二三寸，煎煮[⑪]，候益母烂[⑫]，水三分减二，漉出[⑬]草，取五六斗汁，泻入盆中，澄之半日已来，以绵滤取清汁，盆中滓淀尽弃之。其清汁于小釜中，慢火煎取一斗以来如稀饧。每取梨许大，暖酒和服之，日再服。以和羹粥[⑭]并可。如远行，不能[⑮]稀煎去，即更炼可丸得。每服之，七日内则疼痛渐瘳，七[⑯]日平复。或有产妇恶露不尽及血晕，一二服差。其药治[⑰]风，益心力，无忌[⑱]。

[**肘后方**] 治一切产后血病，并[⑲]一切伤损。益母草不限多少，竹刀切，洗净，银器内炼成膏，瓷器内封之，并以酒服，内损亦服[⑳]。

[**孙真人**] 治马咬方：益母草细切，和醋炒，封之。

[**食医心镜**] 治小儿疳痢，痔疾。以益母草叶煮粥食之，取汁饮之亦妙。

---

① 神：其下，《外台秘要》有“效”字。

② 一名负担：《外台秘要》作“一重担”，是重量单位，非药物异名。

③ 洗择令净：《外台秘要》作“拣择去诸杂草及干叶，以水洗净”。

④ 暴：《外台秘要》作“晒”。

⑤ 干：《外台秘要》作“尽”。

⑥ 则用拔：“则”原作“别”，据《外台秘要》改，“用拔”，《外台秘要》作“用手捩”。

⑦ 刀：其下，《外台秘要》有“切”字。

⑧ 锅：《外台秘要》作“镬”。

⑨ 二硕：《外台秘要》作“两石”。

⑩ 深：《外台秘要》作“高”。

⑪ 煎煮：《外台秘要》作“则纵火煎”。

⑫ 烂：《外台秘要》作“糜烂”。

⑬ 出：《外台秘要》作“去”。

⑭ 粥：其下，《外台秘要》有“吃”字。

⑮ 能：其下，《外台秘要》有“将”字。

⑯ 七：《外台秘要》作“二七”。

⑰ 治：《外台秘要》作“兼疗”。

⑱ 无忌：《外台秘要》作“无所忌”。

⑲ 治一切产后血病，并：柯《大观》作“妇人一切血病及产妇”。

⑳ 内损亦服：柯《大观》作“之”。

[简要济众] 新生小儿浴法：益母草五两[①]剉，水一斗，煎十沸，温浴而[②]不生疮疥。

[斗门方] 治疖子已破，用益母捣傅疮，妙。

[丹房镜源] 烧益母灰，用面汤溲，烧之遍，治面上风刺，亦制硫黄。

[集验方] 治妇人带下赤白色。益母草花开时，采捣为末。每服二钱，食前温汤调下。

[子母秘录] 治产后血晕，心气绝。益母草研绞汁，服一盏，妙。

[又方] 治小儿疳。益母草绞汁，稍稍服。

[衍义曰] 茺蔚子，叶至初春亦可煮作菜食，凌冬不凋悴。唐武后九烧此灰，入紧面药。九烧之义，已具冬灰条下。

女萎 萎蕤

味甘，平，无毒。**主中风暴热，不能动摇，跌筋结肉，诸不足，**心腹结气，虚热湿毒，腰痛，茎中寒及目痛眦烂泪出。**久服去面黑䵟，好颜色，润泽，轻身不老。**一名荧，一名地节，一名玉竹，一名马薰。生太山山谷及丘[③]陵。立春后采，阴干。畏卤咸。

滁州萎蕤

舒州萎蕤

[陶隐居] 云：按，《本经》有女萎、无萎蕤，《别录》无女萎、有萎蕤，而为用正[④]同，疑女萎即萎蕤也[⑤]，惟名异尔[⑥]。今处处有，其根似黄精而小异，服食家亦用之。今市人别用一种物，根形状如续断茎，味至苦，乃言是女青根，出荆州。今疗下痢方多用女萎，而此都无止泄之说，疑必非也。萎蕤又主[⑦]理诸石，人服石不调和者，煮汁饮之。

[唐本注] 云：女萎功用及苗、蔓与萎蕤全别，列在中品。

① 草五两：柯《大观》无。

② 而：柯《大观》作“儿”。

③ 丘：柯《大观》作“上”。

④ 正：柯《大观》无。

⑤ 疑女萎即萎蕤也：刘《大观》、柯《大观》无。

⑥ 尔：其下，刘《大观》、柯《大观》有“如此女萎即应是萎蕤也”。

⑦ 主：其下，刘《大观》、柯《大观》有“能”字。

今《本经》朱书是女萎能效，墨字乃萎蕤之效①。今以朱书为白字。

［臣禹锡等谨按尔雅］云：荧，委萎。释曰：药草也。一名荧，一名委②萎。叶似竹，大者如箭竿，有节，叶狭长而表白里青，根大如指，长一二尺可啖。

［药性论］云：萎蕤，君。主时疾寒热，内补不足，去虚劳客热，头痛不安，加而用之良。

［陈藏器］云：女萎、萎蕤，二物同传，陶云同是一物，但名异耳。下痢方多用女萎，而此都无止泄之说，疑必非也。按，女萎，苏又于中品之中出之。云主霍乱、泄痢、肠鸣，正与陶注上品女萎相会，如此即二萎功用同矣，更非二物，苏乃剩出一条。苏又云：女萎与萎蕤不同，其萎蕤一名玉竹，为其似竹；一名地节，为其有节。《魏志·樊阿传》青黏③一名黄芝，一名地节，此即萎蕤，极似偏精。本功外，主聪明，调血气，令人强壮。和漆叶为散，主五脏，益精，去三虫，轻身不老，变白，润肌肤，暖腰脚。惟有热不可服。晋·嵇绍有胸中寒痰④，每酒后苦唾，服之得愈。草似竹，取根、花、叶阴干。昔华佗入山，见仙人所服，以告樊阿，服之寿百岁也。

［萧炳］云：萎蕤，补中益气，出均州。

［日华子］云：除烦闷，止渴，润心肺，补五劳七伤虚损，腰脚疼痛，天行热狂，服食无忌。

［图经曰］萎蕤，生泰山山谷丘陵，今滁州、岳州及汉中皆有之。叶狭而长，表白里青，亦类黄精。茎秆强直，似竹箭秆有节。根黄多须，大如指，长一二尺。或云可啖。三月开青花，结圆实。立春后采根阴干用之。《本经》与女萎同条，云是一物二名。又云自是二物，苗、蔓与功用全别。《尔雅》谓荧，委萎上于为切，下人垂切。郭璞注云：药草也。亦无女萎之别名，疑别是一物，且《本经》中品又别有女萎条。苏恭云：即此女萎，今《本经》朱书是女萎能效，黑字是萎蕤之功，观古方书所用，则似差别。胡洽治时气洞下匿下有女萎丸，治伤寒冷下结肠丸中用女萎，治虚劳小黄芪酒云下痢者加女萎。详此数方所用，乃似中品女萎，缘具性温，主霍乱泄痢故也。又主贼风，手足枯痹，四肢拘挛，茵⑤芋酒中用女萎。及

---

① 效：刘《大观》、柯《大观》作“功”。

② 委：成化《政和》、商务《政和》作“萎”。

③ 黏：原作“黏”，据刘《大观》、柯《大观》、成化《政和》、商务《政和》改。

④ 痰：原作“疹”，据柯《大观》改。

⑤ 茵：成化《政和》、商务《政和》作“菌”。

《古今录验》治身体疬疡斑剥女萎膏，乃似朱字女萎，缘其主中风不能动摇及去皯好色故也。又治伤寒七八日不解续命鳖甲汤，治脚弱鳖甲汤，并用萎蕤。及延年方：主风热项急痛，四肢骨肉烦热，萎蕤饮。又主虚风热，发即头热萎蕤丸。乃似此黑字萎蕤[①]，缘其主虚热湿毒、腰痛故也。三者主治既别，则非一物明矣。然陈藏器以为更非二物，是不然矣。此女萎性平，味甘；中品女萎味辛，性温。性味既殊，安得为一物。又云萎蕤一名地节，极似偏精，疑即青黏，华佗所服漆叶青黏散是此也。然世无复能辨者，非敢以为信然耳。

[**▶雷公云**] 凡使，勿用钩吻并黄精，其二物相似。萎蕤只是不同[②]，有误疾人，萎蕤节上有毛，茎斑，叶尖处有小黄点，采得先用竹刀刮上节皮了，洗净，却以蜜水浸一宿，蒸[③]了焙干用。

[**外台秘要**] 主发热口干，小便涩，萎蕤五两，煮汁饮之。

[**杨氏产乳**] 疗久痢脱肛不止。取女萎切一升，烧薰之。

防[④]葵

味辛、甘、苦，**寒**，无毒。**主疝瘕，肠泄，膀胱热结，溺不下，咳逆，温疟，癫痫，惊邪狂走**，疗五脏虚气，小腹支满，胪胀，口干，除肾邪，强志。**久服坚骨髓，益气轻身。**中火者不可服，令人恍惚见鬼。**一名梨盖，**一名房慈，一名爵离，一名农果，一名利茹，一名方盖。生临淄川谷及嵩高、太山、少室。三月三日采根，暴干。

襄州防葵

[陶隐居] 云：北信断，今用建平间者，云本与狼毒同根，犹如三建，今其形亦相似，但置水中不沉尔，而狼毒陈久亦不能沉矣。

[唐本注] 云：此药上品，无毒，久服主邪气惊狂之患[⑤]。其根叶似葵花子根，香味似防风，故名防葵。采依时者，亦能沉水，今乃用枯朽狼毒当之，极为谬矣。此物亦稀

① 萎蕤：原作"女萎"，据柯《大观》改。

② 同：柯《大观》作"可"。

③ 蒸：柯《大观》作"烝"。

④ 防：《太平御览》《本草和名》、孙星衍辑《本经》作"房"。

⑤ 患：刘《大观》、柯《大观》作"要"。

有，襄阳、望楚、山东及兴州西方有之。其兴州采得乃胜南者，为邻蜀土也。

［臣禹锡等谨按药性论］云：防葵，君，有小毒。能治疝气，痃癖气块，膀胱宿水，血气瘤大如碗，悉能消散。治鬼疟，主百邪鬼魅精怪，通气。

［图经曰］防葵，生临淄川谷及嵩高、少室、泰山。苏恭云：襄阳、望楚、山东及兴州西方有之。其兴州采得乃胜南者，为邻蜀土也。今惟出襄阳，诸郡不闻有之。其叶似葵，每茎三叶，一本十数茎，中发一干，其端开花，如葱花、景天辈而色白。根似防风，香味亦如之，依时采者乃沉水。陶隐居云：与狼毒同根，但置水不沉耳。今乃用枯朽狼毒当之，极为谬矣。三月三日采，六月开花即结实，采根为药。

［◣陈藏器云］按，此二物，一是上品，而陶云防葵与狼毒根同，但置水中不沉尔。然此二物，善恶不同，形质又别，陶既为此说，后人因而用之。防葵将以破坚积为下品之物，与狼毒同功，今古因循，遂无甄别，此殊误也。

［雷公云］凡使①，勿误用狼毒，缘真似防葵，而验之有异，效又不同，切②须审之，恐误疾人。其防葵在蔡州沙土中生，采得二十日便蚛③，用之唯轻为妙。欲使先须拣去蚛末，后用甘草汤浸一宿，漉出暴干，用黄精自然汁一二升拌了，土器中炒令黄精汁尽。

［肘后方］治癫狂疾。防葵末，温酒服一刀圭，至二三服，身润有④小不仁为候。

茈柴字**胡**为君

味苦，平、微寒，无毒。**主心腹，去肠胃中结气，饮食积聚，寒热邪气，推陈致新，**除伤寒心下烦热，诸痰热结实，胸中邪逆，五脏间游气，大肠停积水胀及湿痹拘挛，亦可作浴汤。**久服轻身，明目，益精。一名地薰，**一名山菜，一名茹草。叶一⑤名芸蒿，辛香可食。生洪⑥农川谷及冤句。二月、八月采根，暴干。得茯苓、桔梗、大黄、石膏、麻子仁、甘草、桂，以水一斗，煮取四升，入消石三方寸匕，疗伤寒，寒热头痛，心下烦满。半夏为之使，恶皂荚，畏女菀、藜芦。

---

① 使：其下，《纲目》有“防葵”2字。

② 切：成化《政和》、商务《政和》作“功”。

③ 便蚛：《纲目》作“便生蚛”。

④ 有：柯《大观》作“又”。

⑤ 一：柯《大观》无。

⑥ 洪：柯《大观》作“弘”。

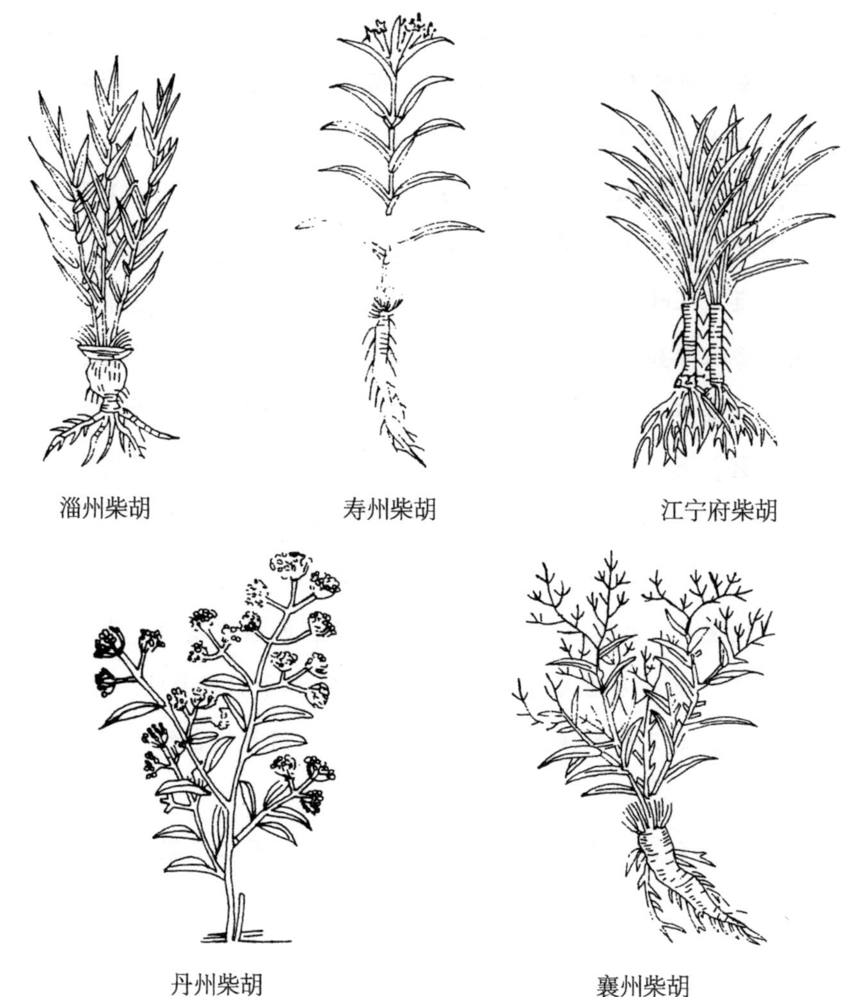

［陶隐居］云：今出近道，状如前胡而强。《博物志》云：芸蒿，叶似邪蒿，春秋有白蒻音弱，长四五寸，香美可食，长安及河内并有之。此茈胡疗伤寒第①一用。

［唐本注］云：茈是古柴字。《上林赋》云茈姜。及《尔雅》云：藐音邈，茈草。并作茈字。且此草，根紫色，今太②常用茈胡是也。又以木代③系，相承呼为茈胡。且检诸本草，无名此者。伤寒大、小茈胡汤，最为痰气之要，若以芸蒿根为之，更作茨音，大谬矣。

［臣禹锡等谨按药性论］云：茈胡，能治热劳、骨节烦疼、热气、肩背疼痛，宣畅血气，劳乏羸瘦，主下气消食，主时疾内外热不解，单煮服良④。

---

① 第：原作“弟”，据刘《大观》、柯《大观》、成化《政和》、商务《政和》改。

② 太：柯《大观本草札记》谓“太”是衍文。

③ 代：成化《政和》、商务《政和》作“伐”。

④ 良：柯《大观》作“之”。

［萧炳］云：主痰满，胸胁中痞。

［日华子］云：味甘。补五劳七伤，除烦止惊，益气力，消痰止嗽，润心肺，添精补髓，天行温①疾，热狂乏绝，胸胁气满，健忘。

［图经曰］柴胡，生洪②农山谷及冤句，今关陕、江湖间近道皆有之，以银州者为胜。二月生苗，甚香。茎青紫，叶似竹叶，稍紧，亦有似斜③蒿，亦有似麦门冬而短者。七月开黄花。生丹州，结青子，与他处者不类。根赤色，似前胡而强，芦头有赤毛如鼠尾，独窠长者好。二月、八月采根，暴干。张仲景治伤寒有大、小柴胡及柴胡加龙骨、柴胡加芒消等汤。故后人治寒热，此为最要之药。

［■陈藏器］陶云：芸蒿是茈胡，主伤寒。苏云：紫姜作紫，此草紫色。《上林赋》云：茈姜，今常用④茈胡是也。

［雷公曰］凡使，茎长软，皮赤，黄髭须。出在⑤平州平县，即今银州银县也。西畔生处，多有白鹤、绿鹤于此翔处，是茈胡香直上云⑥间，若有过往闻者皆气爽。凡采得后去髭并头，用银⑦刀削上⑧赤薄皮少许，却以粗布拭了，细剉用之。勿令犯火，立便无效也。

［孙尚药］治黄疸。柴胡一两去苗，甘草一分，右都细剉，作一剂，以水一碗，白茅根一握，同煎至七分，绞去滓，任意时时服一日尽。

［别说云］谨按，柴胡，唯银夏者最良，根如鼠尾，长一二尺，香味甚佳。今虽不见于《图经》，俗亦不识其真，故市人多以同华者代之，然亦胜于他处者，盖银夏地多沙，同华亦沙苑所出也。

［衍义曰］茈胡，《本经》并无一字治劳，今人治劳方中，鲜有不用者。呜呼！凡此误世甚多。尝原病劳，有一种真脏虚损，复受邪热，邪因虚而致劳，故曰劳者牢也。当须斟酌用之。如《经验方》中，治劳热青蒿煎丸，用茈胡正合宜耳，服之无不效，热去即须急已。若或无热，得此愈甚，虽至死，人亦不怨，目击甚多。

---

① 温：成化《政和》、商务《政和》、柯《大观》作“瘟”。

② 洪：柯《大观》作“弘”。

③ 斜：成化《政和》、商务《政和》作“科”。

④ 用：成化《政和》、商务《政和》作“有”。

⑤ 在：柯《大观》无。

⑥ 云：成化《政和》、商务《政和》作“雷”。

⑦ 银：成化《政和》、柯《大观》作“铜”。

⑧ 上：柯《大观》作“去”。

日华子又谓补五劳七伤。《药性论》亦谓治劳乏羸瘦。若此等病，苟无实热，医者执[1]而用之，不死何待！注释本草，一字亦不可忽，盖万世之后，所误无穷耳。苟有明哲之士，自可[2]处治。中下之学，不肯考究，枉致沦没，可不谨哉！可不戒哉！如张仲景治寒热往来如疟状，用柴胡汤，正合其宜。

麦门冬为君

味甘，平、微寒，无毒。**主心腹结气，伤[3]中伤饱，胃络脉绝，羸瘦短气**，身重目黄，心下支满，虚劳客热，口干燥渴，止呕吐，愈痿蹶，强阴益精，消谷调中，保神，定肺气，安五脏，令人肥健，美颜色，有子。**久服轻身，不老不饥。**秦名羊韭，齐名爱韭，楚名马韭，越名羊蓍，一名禹葭，一名禹馀粮。叶如韭，冬夏长生。生函谷川谷及堤坂肥土石间久废处。二月、三月、八月、十月采，阴干。地黄、车前为之使，恶款冬、苦瓠，畏苦参、青蘘。

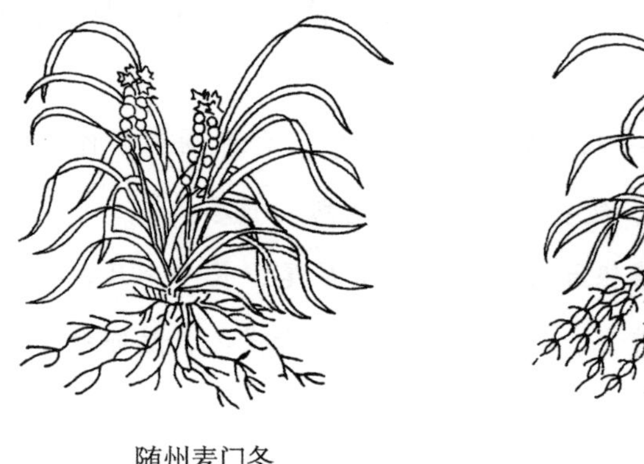

随州麦门冬　　睦州麦门冬

［陶隐居］云：函谷即秦关。而麦门冬异于羊韭之名矣。处处有，以四月采，冬月作实如青珠，根似穬麦，故谓麦门冬，以肥大者为好。用之汤泽抽去心，不尔，令人烦，断谷家为要。二门冬润时并重，既燥即轻，一斤减四五两尔。

［今按］《陈藏器本草》云：麦门冬，《本经》不言生者。按，生者本功外。去心煮[4]饮，止烦热消渴，身重目黄，寒热体劳，止呕开胃，下痰饮。干者入丸散及汤用之，功如《本经》，方家自有分别。出江宁小润，出新安大白，其大者苗如鹿葱，小者如韭叶。大小有三四种，功用相似，其子圆碧。久服轻身明目。和车前

① 执：原作“热”，据庆元《衍义》改。

② 可：原作“何”，据庆元《衍义》改。

③ 伤：原作“肠”，据成化《政和》、商务《政和》、柯《大观》改。

④ 煮：成化《政和》、商务《政和》作“热”。

子、干地黄为丸，食后服之，去温瘴，变白，明目，夜中见光。

［臣禹锡等谨按吴氏］云：一名马韭，一名虋音门①火冬，一名忍冬，一名忍陵，一名不②死药，一名仆垒，一名随脂。神农、岐伯：甘，平。黄帝、桐君、雷公：甘，无毒。季氏③：甘，小温。扁鹊：无毒。生山谷肥地，叶如韭，肥泽，丛生，采无时，实青黄。

［药性论］云：麦门冬，使，恶苦芙，畏木耳。能治热毒，止烦渴，主大④水，面、目、肢即浮肿，下水，治肺痿吐脓⑤，主泄精，疗心腹结气，身黑目黄，心下苦支满，虚劳客热。

［日华子］云：治五劳七伤，安魂定魄，止渴，肥人，时疾热狂，头痛，止嗽。

［图经曰］麦门冬，生函谷川谷及堤坂肥土⑥石间久废处，今所在有之。叶青似莎草，长及尺余，四季不凋。根黄白色，有须根作⑦连珠，形似穬麦颗，故名麦门冬。四月开淡红花，如红蓼花。实碧而⑧圆如珠。江南出者，叶大者苗如鹿⑨葱，小者如韭，大小有三四种，功用相似，或云吴地者尤胜。二月、三月、八月、十月采，阴干。亦堪单作煎饵之。取新根去心，捣熟绞取汁，和白蜜，银器中重汤煮，搅不停手，候如饴乃成。酒化温服之，治中益心，悦颜色，安神，益气，令人肥健，其力甚快。又主金石药发。麦门冬去心六两，人参四两，甘草二两炙，三物下筛，蜜丸如梧子，日再饮下。又崔元亮《海上方》治消渴丸云：偶于野人处得，神验不可言，用上元板桥麦门冬鲜肥者二大两，宣州黄连九节者二大两，去两头尖三五节，小刀子条理去皮毛了净，吹去尘，更以生布摩拭，秤之，捣末，以肥大苦瓠汁浸麦门冬经宿，然后去心，即于臼中捣烂，即内黄连末臼中和捣，候丸得，即并手丸大如梧⑩子，食后饮下五十丸，日再，但服两日，其渴必定。若重者，即初

---

① 音门：柯《大观》无。

② 不：成化《政和》、商务《政和》作“一”。

③ 季氏：《纲目》作“李当之”。

④ 大：成化《政和》、商务《政和》作“火”。

⑤ 治肺痿吐脓：属《药性论》文，《纲目》注出处为“大明”（即《日华子》）。又“脓”，成化《政和》、商务《政和》作“浓”。

⑥ 土：原作“上”，据刘《大观》、柯《大观》、成化《政和》、商务《政和》改。

⑦ 作：成化《政和》、商务《政和》作“在”。

⑧ 而：刘《大观》、柯《大观》无。

⑨ 鹿：原误作“粗”，据刘《大观》、柯《大观》、成化《政和》、商务《政和》改。

⑩ 梧：其下，柯《大观》有“桐”字。

服药，每一服一百五十丸，第二日服一百二十丸，第三日一百丸，第四日八十丸，第五日依本服丸。若欲合药，先看天气晴明，其夜方浸药，切须净处，禁妇人、鸡、犬见知。如似可，每日只服二十五丸，服讫觉虚，即取白羊头一枚，净去毛洗了，以水三大斗，煮令烂，去头，取汁可一斗已来，细细服之，亦不著盐，不过三剂平复①。

［**衍义曰**］麦门冬，根上子也。治心肺虚热，并虚劳客热，亦可取苗作熟水饮。

独活②

味苦、甘③，**平**、微温，无毒。**主风寒所击，金疮止痛，贲豚，痫痓**音炽，**女子疝瘕。**疗诸贼风，百节痛风无久新者。**久服轻身耐老。一名羌活，一名羌青，一名护羌使者，**一名胡王使者，一名独摇草。此草得风不摇，无风自动。生雍州川谷，或陇西南安。二月、八月采根，暴干。豚实为之使。

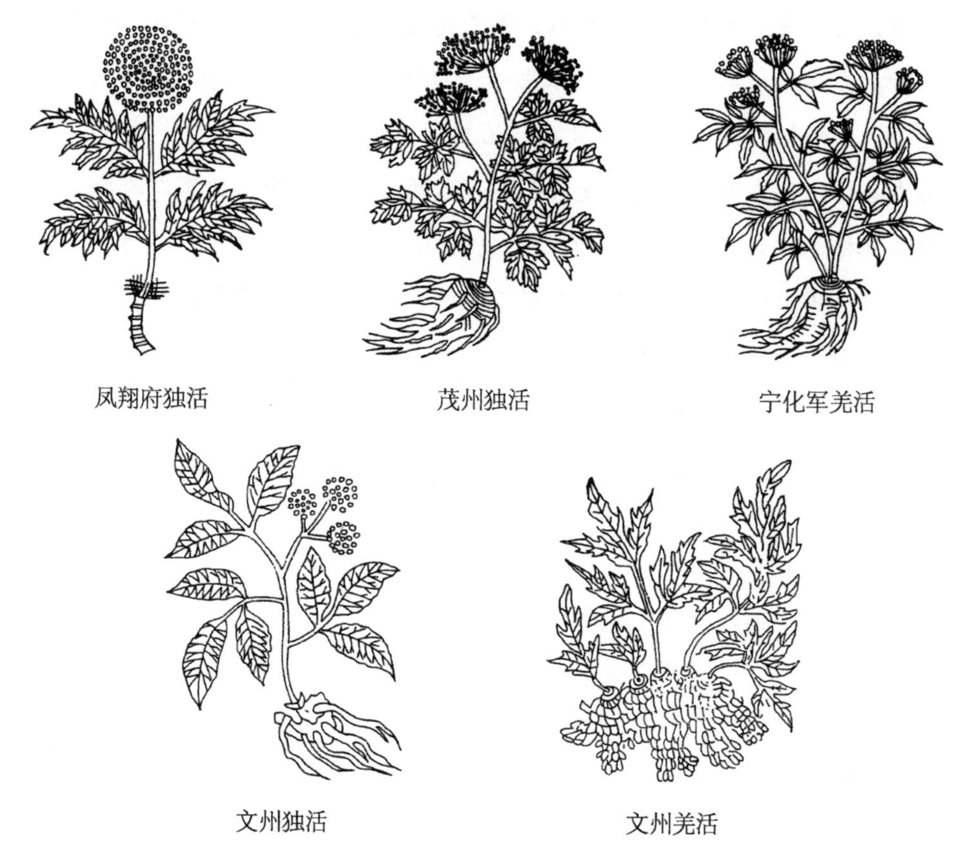

凤翔府独活　茂州独活　宁化军羌活

文州独活　文州羌活

① 平复：成化《政和》、商务《政和》作“平服”；柯《大观》作“差”。

② 独活：成化《政和》、商务《政和》作黑字《别录》文。

③ 甘：成化《政和》、商务《政和》作白字《本经》文。

[陶隐居]云：药名无豚实，恐是蠡实。此州郡县并是羌活，羌活形细而多节软润，气息极猛烈。出益州北部、西川为独活，色微白，形虚大，为用亦相似而小不如。其一茎直上，不为风摇，故名独活。至易蛀，宜密器藏之。

[唐本注]云：疗风宜用独活，兼水宜用羌活。

[臣禹锡等谨按药性论]云：独活，君，味苦、辛。能治中诸①风湿冷，奔喘逆气，皮肌苦痒，手足挛痛，劳损，主风毒齿痛。

[又云]羌活，君，味苦、辛，无毒。能治贼风，失音不语，多痒，血癞，手足不遂，口面㖞邪②，遍身㿗痹。

[日华子]云：羌活，治一切风并气，筋骨拳挛，四肢羸劣，头旋，明目，赤③疼及伏梁水气，五劳七伤，虚损冷气，骨节酸疼，通利五脏。独活即是羌活母类也。

[图经曰]独活、羌活，出雍州川谷或陇西南安，今④蜀汉出者佳。春生苗，叶如青麻。六月开花作丛，或黄或紫。结实时叶黄者是夹石上生，叶青者是土脉中生，此草得风不摇，无风自动，故一名独摇草。二月、八月采根，暴干用。《本经》云二物同一类，今人以紫色而节密者为羌活，黄色而作块者为独活。一说：按⑤陶隐居云，独活生西川、益州北部，色微白，形虚大，用与羌活相似。今蜀中乃有大独活，类桔梗而大，气味了⑥不与羌活相类，用之微寒而少效。今又有独活亦自蜀中来，形类羌活，微黄而极大，收时⑦寸解干之，气味亦芳烈，小类羌活，又有槐叶气者，今京下多用之，极效验，意此为真者，而市人或择羌活之大者为独活，殊未为当。大抵此物有两种：西川者，黄色，香如蜜；陇西者，紫色，秦陇人呼为山前独活。古方但用独活，今方既用独活而又用羌活，兹为谬矣。《箧中方》疗中风才觉，不问轻重，便须吐涎，然后次第治之。吐法：用羌活五大两，以水一大斗⑧，煎取五升，去滓，更入好酒半升和之，以牛蒡子半升炒，下筛，令极细，

① 中诸：成化《政和》、商务《政和》倒置。

② 邪：成化《政和》、商务《政和》作“斜”。

③ 赤：其下，刘《大观》、柯《大观》有“目”字。

④ 今：其下，刘《大观》、柯《大观》有“用”字。

⑤ 按：原作“桉”，据成化《政和》、商务《政和》、柯《大观》改。

⑥ 了：成化《政和》、商务《政和》作“亦”。

⑦ 时：成化《政和》、商务《政和》作“得”。

⑧ 大斗：“大”，成化《政和》、商务《政和》作“火”。“斗”，柯《大观》作“斛”。

以前汤酒斟酌调服，取吐，如已昏眩，即灌之，更不可用下药及缪针灸，但用补治汤饵，自差。

［【雷公云］采得后细剉，拌淫羊藿，裛[①]二日后暴干，去淫羊藿用，免烦人心。

［千金方］治中风通身冷，口噤不知人。独活四两，好酒一升，煎取半升，分温再服。

［肘后方］治风齿疼，颊肿。独活酒煮，热含之。

［经验后方］治中风不语。独活一两剉，酒二升，煎一升，大豆五合炒有声，将药酒热投，盖良久，温服三合，未差再服。

［必效方］治产后腹中绞刺疼痛。羌活二两，酒二升，煎取一升去滓，为二服。

［子母秘录］治中风腹痛，或子肠脱出。酒煎羌活取汁服。

［小品方］治产后风虚，独活汤主之。又白鲜皮汤主之。亦可与独活合白鲜皮各三两，水三升，煮取一升半，分三服。耐酒者，可以酒水中煮之佳。用白鲜亦同法。

［又方］治产后中风语涩，四肢拘急。羌活三两，为末。每服五钱，水、酒各半盏煎，去滓温服。《经验方》同。

［文潞公］治牙齿[②]，风上攻肿痛。独活、地黄各三两，末。每服三钱，水一盏煎，和滓温服。卧时再用。

升麻[③]

味甘、苦，平、微寒，无毒。主解百毒，杀百精老物殃鬼，辟温[④]疫，瘴气，邪气，蛊毒。入口皆吐出，中恶腹痛，时气毒疠，头痛寒热，风肿诸毒，喉痛口疮。久服不夭，轻身长年。一名周麻[⑤]。生益州山谷。二月、八月采根，日干。

［陶隐居］云：旧出宁州者第一，形细而黑，极坚实，顷[⑥]无复有。今惟出益州，好者细削，皮青绿色，谓之鸡骨升麻。北部间亦有，形又虚大，黄色。建平间

---

① 裛：缠裹，此处引申有浸渍的意思，同“腌”很相似。

② 齿：成化《政和》、商务《政和》无。

③ 升麻：柯《大观本草札记》云，据《太平御览》引此条，其当为阴文，即白字《本经》文。

④ 温：成化《政和》、商务《政和》作“瘟”。

⑤ 周麻：《太平御览》作“周升麻”。

⑥ 顷：成化《政和》、商务《政和》作“顿”。

亦有，形大味薄，不堪用。人言是落新妇根，不必尔。其形自相似，气色非也。落新妇亦解毒，取①叶挼作小儿浴汤，主惊忤。

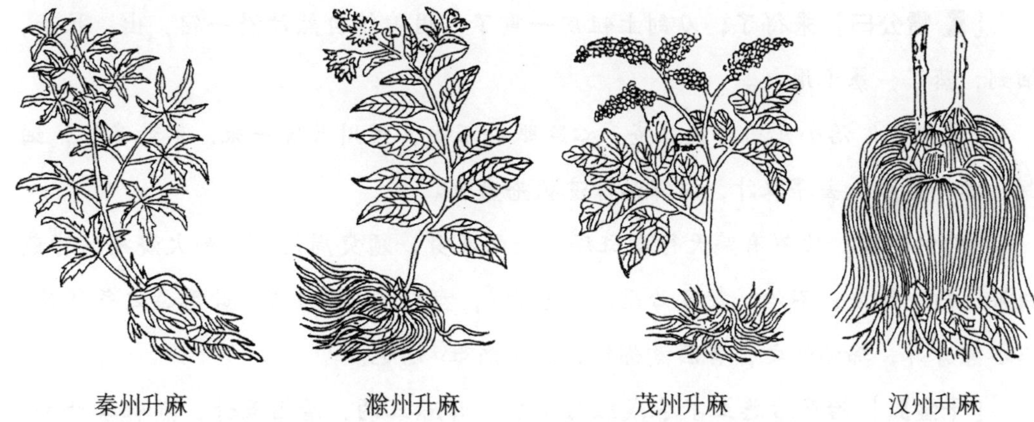

秦州升麻　　滁州升麻　　茂州升麻　　汉州升麻

［今按］别本注云：今嵩高出者色青，功用不如蜀者。

［臣禹锡等谨按药性论］云：蜀升麻，主治小儿风，惊痫，时气热疾，能治口齿，风䘌肿疼，牙根浮烂恶臭，热毒脓血，除心肺风毒热②，壅闭不通，口疮，烦闷。疗痈肿，豌豆疮，水煎绵沾③拭疮上。主百邪鬼魅。

［陈藏器］云：陶云，人言升麻是落新妇根，非也，相似耳。解毒取叶作小儿浴汤，主惊④。按⑤，今人多呼小升麻为落新妇，功用同于升麻，亦大小有殊。

［日华子］云：安魂定魄并鬼附啼泣，游风肿毒，口气疳䘌。又名落新妇。

［图经曰］升麻，生益州川谷，今蜀汉、陕西、淮南州郡皆有之，以蜀川者为胜。春生苗，高三尺以来。叶似麻叶，并青色。四月、五月著花似粟穗，白色。六月以后结实，黑色。根紫如蒿根，多须。二月、八月采，日暴干。今医家以治咽喉肿痛，口舌生疮，解伤寒头痛，凡肿毒之属殊效。细剉一两，水一升，煎炼取浓汁服之，入口即吐出毒气，蜀人多用之。杨炎《南行方》疗熛⑥疽汤用升麻，又有升麻膏、升麻揩汤，并疗诸丹毒等。石泉公王方庆《岭南方》服乳石补壅法云：南方养生治病，无过丹砂。其方用升麻末三两研炼了，光明砂一两，二物相合，蜜丸如梧子，每日食后服三丸。又有七物升麻丸：升麻、犀角、黄芩、朴消、栀子、大

---

① 取：柯《大观》作“收”。

② 疾能治……风毒热：以上25字，成化《政和》、商务《政和》均脱。

③ 沾：柯《大观》作“洗”。

④ 惊：其下，柯《大观》有“悸”字。

⑤ 按：柯《大观》无。

⑥ 熛：成化《政和》、商务《政和》作“烟”。

黄各二两，豉二升，微熬，同捣散，蜜丸。觉四肢大热，大便难，即服三十丸，取微利为知①。若四肢小热，于食上服二十丸，非但辟瘴，兼甚明目。

［**◣雷公曰**］采得了，刀刮上粗皮一重了，用黄精自然汁浸一宿，出，暴干，细剉，蒸了，暴干用之。

［**圣惠方**］治小儿斑疮及豆疮，心躁眠卧不安，用川升麻一味，不计多少，细剉，水一盏煎，去滓取汁，以绵沾汁洗拭疮盘上。

［**外台秘要**］比岁有病天行发斑疮，头面及身，须臾周匝，状如火烧疮，皆戴白浆，随决随生，不治，数日必死，治差后②，盘黯③弥岁方减，此恶毒之气所为。以水煮升麻，绵沾洗之，苦酒煮弥佳，但躁痛难④忍也。

［**千金翼**］治产后恶血不尽或经月半岁。升麻三两，清酒五升，煮取二升半，分温再服，当吐下恶物，极良。

［**肘后方**］喉痹。升麻剉，含之，喉塞亦然。

［**梅师方**］治时行病发疮。升麻五两，以水、蜜二味同煎三沸，半服、半傅疮。

［**姚和众**］小儿尿血。蜀升麻五分，水五合，煎取一合，去滓，一岁儿一日服尽。

车前子

味甘、咸，**寒**，无毒⑤。**主气癃，止痛，利水道小便，除湿痹，**男子伤中，女子淋沥，不欲食，养肺，强阴益精。令人有子，明目疗赤痛。**久服轻身耐老。**

叶及根　味甘，寒。主金疮，止血，衄鼻，瘀血，血瘕，下血，小便赤，止烦下气，除小虫。**一名当道，**一名芣音浮苢音以，一名虾蟆衣，一名牛遗，一名胜舄音昔。生真定平泽丘陵阪道中。五月五日采，阴干。

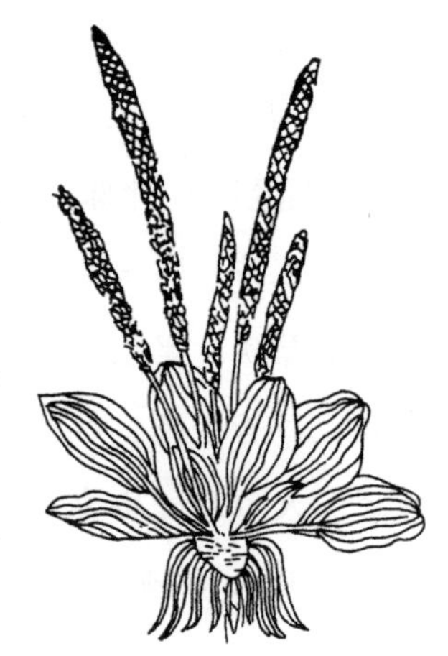
滁州车前子

［陶隐居］云：人家及路边甚多，其叶捣⑥取汁服，疗泄精甚验。子，性冷利，《仙经》亦服饵之，令人身轻，

① 知：柯《大观》作"好"字。

② 差后：柯《大观》作"后疮"。

③ 黯：成化《政和》、商务《政和》作"点"。

④ 难：柯《大观》作"不可"。

⑤ 无毒：成化《政和》、商务《政和》作白字《本经》文。

⑥ 捣：柯《大观》作"摄"。

能跳越岸谷①，不老而长生也。《韩诗》乃言芣苢，是木似李，食其实，宜子孙，此为谬矣。

［唐本注］云：今出开州者为最。

［臣禹锡等谨按尔雅］云：芣苢，马舄。马舄，车前。注：今车前草，大叶长穗，好生道边，江东呼为虾蟆衣。疏引陆机②疏云：马舄，一名车前，一名当道。喜在牛迹中③生，故曰车前、当道也。幽州人谓之牛舌草④，可鬻⑤作茹，大滑。其子治妇人难产。

［药性论］云：车前子，君，味甘，平。能去风毒，肝中风热，毒风冲眼，目赤痛，瘴⑥翳，脑痛泪出，压丹石毒，去心胸烦热。叶主泄精病，治尿血，能补五脏，明目，利小便，通五淋。

［萧炳］云：车前养肝。

［日华子］云：常山为使，通小便淋涩⑦，壮阳，治脱精，心烦下气。

［图经曰］车前子，生真定平泽丘陵道路中，今江湖、淮甸、近京、北地处处有之。春初生苗，叶布地如匙面，累年者长及尺余如鼠尾。花甚细，青色微赤。结实如葶⑧苈，赤黑色。五月五日采，阴干。今人五月采苗，七月、八月采实。人家园圃中或种之，蜀中尤尚。北人取根日干，作紫菀卖之，甚误所用。谨按⑨，《周南诗》云：采采芣苢。《尔雅》云：芣苢，马舄。马舄，车前。郭璞云：今车前草，大叶当道，长穗，好生道边，江东人呼为虾蟆衣。陆机②云：马舄，一名车前，一名当道，喜在牛迹中生，故曰车前、当道也。幽州人谓之牛舌草，可鬻与煮同作茹，大滑。其子治妇人难产是也。然今人不复有啖者，其子入药最多。驻景丸用车前、菟丝二物，蜜丸，食下服，古今为奇方。其叶，今医家生研水解饮之，治衄血甚善。

---

① 岸谷：柯《大观》作“面容”。

② 机：疑作“玑”。

③ 中：成化《政和》、商务《政和》无。

④ 草：成化《政和》、商务《政和》无。

⑤ 鬻：即“煮”字。刘《大观》、柯《大观》作“鬻”（粥的本字）。

⑥ 瘴：刘《大观》、柯《大观》作“障”。

⑦ 涩：刘《大观》、柯《大观》作“沥”。

⑧ 葶：柯《大观》作“亭”。

⑨ 按：原作“桉”，据刘《大观》、柯《大观》、成化《政和》、商务《政和》改。

［雷公曰］凡使，须一窠有九叶，内有蕊，茎可长一尺二寸者，和蕊、叶、根去土了，称有一镒者，力全堪用。使叶勿使蕊[①]、茎，使叶剉，于新瓦上摊干用之。

［圣惠方］治热痢不止者。捣车前叶绞取汁一盏，入蜜一合，煎，温分二服。

［又方］治久患内障眼。车前子、干地黄、麦门冬等分，为末，蜜丸如梧桐子大服，屡试有效。

［外台秘要］治阴痒痛。车前子，以水三升煮三沸，去滓，洗痒痛处。

［又方］治尿血。车前草捣绞取汁五合，空心服之。

［百一方］小便不通。车前子草一斤，水三升，煎取一升半，分三服。

［又方］治石淋。车前子二升。以绢囊盛，水八升，煮取三升。不食尽服之，须臾石下。

［梅师方］治妊娠患淋，小便涩，水道热不通。车前子五两，葵根切一升，二件以水五升，煎取一升半，分三服。

［子母秘录］治横生不可出，车前子末，酒服二钱匕。

［治泻］欧阳文忠公尝得暴下，国医不能愈。夫人云：市人有此药，三文一贴[②]甚效。公曰：吾辈脏腑，与市人不同，不可服。夫人买[③]之，以国医药杂进之，一服而愈。后公知之，召卖药者，厚遗之，问其方，久之乃肯传。但用车前子一味为末，米饮下二钱匕。云此药利水道而不动气，水道利则清浊分，谷脏自止矣。

［衍义曰］车前，陶隐居云：其叶捣取汁服，疗泄精。大误矣。此药甘滑，利小便，走泄精气。《经》云主小便赤，下气。有人作菜食，小便不禁，几为所误。

木香

味辛，温[④]，无毒。**主邪气，辟毒疫温鬼，强志，主淋露**，疗气劣，肌中偏寒，主气不足，消毒，杀鬼精物，温疟蛊毒，行药之精。**久服不梦寤魇寐**，轻身致神仙。一名蜜香[⑤]。生永昌山谷。

［陶隐居］云：此即青木香也。永昌不复贡，今皆从外国舶音白上来，乃云大

---

① 蕊：成化《政和》、商务《政和》作“药”。

② 贴：同“帖”。

③ 买：成化《政和》、商务《政和》作“贯”。

④ 温：柯《大观本草札记》云：“据《太平御览》当作白字《本经》文。”

⑤ 蜜香：《太平御览》作“木蜜香”。

秦国。以疗毒肿，消恶气，有验。今皆用合香，不入药用。惟制蛀虫丸用之，常能煮以沐浴，大佳尔。

［唐本注］云：此有二种，当以昆仑来者为佳，出西胡来者不善。叶似羊蹄而长大，花如菊花，其实黄黑，所在亦有之。

［今按］别本注云：叶似署预而根大，花紫色，功效极多，为药之要用。陶云不入药用，非也。

［臣禹锡等谨按蜀本］云：今苑中种之，花黄，苗高三四尺，叶长八九寸，皱软而有毛。

［药性论］云：木香，君。治女人血气，刺心心痛不可忍，末，酒服之，治九种心痛，积年冷气，痃癖癥块胀痛，逐诸壅①气上冲，烦闷，治霍乱吐泻，心腹疞②刺。

［隋书］云：樊子盖为武威太守，车驾西巡，将入吐谷浑，子盖以彼多瘴气，献青木香以御雾露。

［南州异物志］云：青木香，出天竺，是草根，状如甘草。

［萧炳］云：青木香功用与此同。又云：昆仑船上来，形如枯骨者良。

［日华子］云：治心腹一切气，止泻，霍乱，痢疾，安胎，健脾消食，疗羸劣③，膀胱冷痛，呕逆反胃。

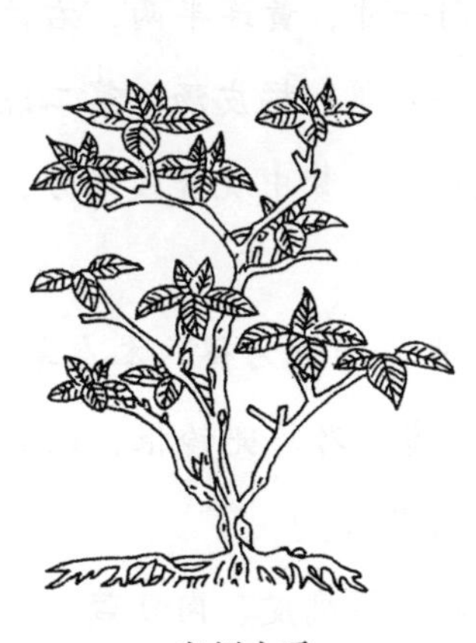

广州木香

海州青木香

滁州青木香

［图经曰］木香，生永昌山谷，今惟广州舶上有来者，他无所出。陶隐居云：

① 壅：刘《大观》、柯《大观》作“拥”。

② 疞：绞痛。

③ 劣：刘《大观》、柯《大观》作“瘦”。

即青木香也。根窠大类茄子，叶似羊蹄而长大，花如菊，实黄黑，亦有叶如山芋而开紫花者，不拘时月采根芽为药。以其形如枯骨者良。江淮间亦有此种，名土青木香，不堪入药用。伪蜀王昶苑中亦尝种之，云苗高三四尺，叶长八九寸，皱软而有毛，开黄花，恐亦是土木香种也。《续传信方》著张仲景青木香丸，主阳衰诸不足，用昆仑青木香、六路诃子皮各二十两，筛末，沙糖和之。驸马都尉郑某忘其名，去沙糖，加羚羊角十二两，白蜜丸如梧子，空腹酒下三十丸，日再，其效甚速。然用药不类古方，而云仲景者，不知何从而得之邪。按[①]，《修养书》云：正月一日取五木煮汤以浴，令人至老须发黑。徐锴注云：道家谓青木香为五香[②]，亦云五木。道家多以此浴，当是其义也。又古方主痈疽五香汤中，亦使青木香，青木香名为五香，信然矣。

［◣海药］谨按，《山海经》云：生东海昆仑山。

［**雷公曰**］凡使，其香是芦蔓根条，左盘旋。采得二十九日，方硬如朽骨硬碎。其有芦头丁盖子色青者，是木香神也。

［**外台秘要**］治狐臭，若股内阴下恒湿臭，或作疮。青木香，好醋浸，致腋下夹之，即愈[③]。

［**伤寒类要**］天行热病，若发赤黑斑如疮。青木香二两，水二升，煮取一升，顿服之效。

［**孙尚药**］治丈夫、妇人、小儿痢。木香一块，方圆一寸，黄连半两，右件二味用水半升同煎干，去黄连，只薄切木香焙干为末。三服：第一橘皮汤，第二陈米饮，第三甘草汤调下。此方李景纯传。有一妇人久患痢将死，梦中观音授此方，服之遂愈。

［**别说云**］谨按，木香，今皆从外国来，即青木香也，陶说为得，本在草部。而《图经》所载广州一种，乃是木类。又载滁州、海州者，乃马兜铃根，此山乡俗名尔。治疗冷热，殊不相似。此三种，自当入一外类别名尔。

［**衍义曰**］木香，专泄决胸腹间滞塞冷气，他则次之。得橘皮、肉豆蔻、生姜相佐使绝佳，效尤速。又一种，尝自岷州出塞，得生青木香，持归西洛。叶如牛蒡，但狭长，茎高三四尺，花黄，一如金钱，其根则青木香也。生嚼之，极辛香，

---

① 按：原作“杂”，据柯《大观》改。

② 为五香：成化《政和》、商务《政和》无。

③ 外台秘要……即愈：以上31字，成化《政和》、商务《政和》皆脱漏。

尤行气。

署预①

味甘，温、平，无毒。**主伤中，补虚羸，除寒热邪气，补中，益气力，长肌肉**，主头面游风，风头②眼眩，下气，止腰痛，补虚劳羸瘦，充五脏，除烦热，强阴。**久服耳目聪明，轻身，不饥，延年。一名山芋**，秦、楚名玉延，郑、越名土藷音除。生嵩高山谷。二月、八月采根，暴干。紫芝为之使，恶甘遂。

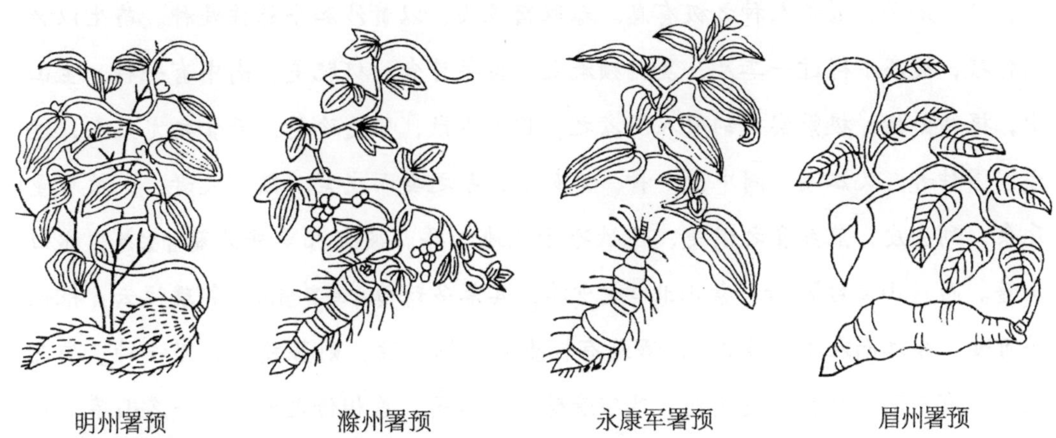

明州署预　滁州署预　永康军署预　眉州署预

［陶隐居］云：今近道处处有③，东山、南江皆多掘取食之以充粮。南康间最大而美，服食亦用之。

［唐本注］云：署预，日干捣细，筛为粉，食之大美，且愈疾而补。此有两种：一者白而且佳；一者青黑，味亦不美。蜀道者尤良。

［臣禹锡等谨按吴氏］云：署预，一名诸④署，齐、越名山羊⑤，一名修脆，一名儿草。神农：甘，小温。桐君、雷公：甘，无毒。或生临朐钟山，始生赤茎细蔓，五月华白，七月实青黄，八月熟落，根中白，皮黄，类芋。

［药性论］云：署预，臣。能补五劳七伤，去冷风，止腰疼，镇心神，安魂魄，开达心孔，多记事，补心气不足，患人体虚羸，加而用之。

---

① 署预：刘《大观》、柯《大观》、成化《政和》、商务《政和》作“薯蓣”。以下均同。

② 风头：成化《政和》、商务《政和》、柯《大观》倒置。

③ 有：其下，柯《大观》有“之”字。

④ 诸：成化《政和》、商务《政和》作“藷”。

⑤ 羊：柯《大观》作“芋”。

［异苑］云：署预，野人谓之土藷。若欲掘取，嘿①然则获，唱名便不可得。人有植之者，随所种之物而像之也。

［日华子］云：助五脏，强筋骨，长志，安神，主泄精，健忘。干者功用同前。

［图经曰］署预，生嵩高山山②谷，今处处有之，以北都、四明者为佳。春生苗，蔓延篱援。茎紫叶青，有三尖角似牵牛更厚而光泽。夏开细白花，大类枣花。秋生实于叶间，状如铃。二月、八月采根，今人冬春采，刮之白色者为上，青黑者不堪，暴干用之。法取粗根，刮去黄皮，以水浸，末白矾少许掺水中，经宿取，净洗去涎，焙干。近都人种之极有息。春取宿根头，以黄沙和牛粪作畦种。苗生以竹梢作援，援高不得过一二尺，夏月频溉之。当年可食，极肥美。南中有一种，生山中，根细如指，极紧实，刮磨入汤煮之，作块不散，味更珍美，云食之尤益人，过于家园种者。又江湖、闽中出一种，根如姜、芋之类而皮紫。极有大者，一枚可重斤余，刮去皮，煎煮食之俱美，但性冷于北地者耳。彼土人单呼为藷音若殊，亦曰山藷。而《山海经》云：景山北③望少泽，其草多藷藇音与署预同。郭璞注云：根似芋可食。今江南人单呼藷音储，语或有轻重耳。据此注，则薯蓣与藷乃一种。南北之产或有不同，故其形类差别。然字音殊、储不同，盖相传之讹也。一名山芋。

［🔖食疗］治头疼，利丈夫，助阴力。和面作馎饦④，则微⑤动气，为不能制面毒也。熟煮和蜜，或为汤煎，或为粉，并佳。干之入药更妙也。

［雷公曰］凡使，勿用平田生二三纪内者，要经十⑥纪者，山中生，皮赤，四面有髭生者妙。若采得，用铜刀削去上赤皮，洗去涎，蒸用。

［圣惠方］补虚损，益颜色。用署预于砂盆中细研，然后下于铫中，先以酥一大匙熬令香，次旋添酒一盏煎，搅令匀，空心饮之。

［食医心镜］主下焦虚冷，小便数，瘦损无力。生署预⑦半斤，刮去皮，以刀切碎，研令细烂，于铛中著酒，酒沸下署预，不得搅，待熟着少盐、葱白，更添

---

① 嘿：成化《政和》、商务《政和》作“哩”。

② 山山：成化《政和》、商务《政和》作“山”。

③ 北：人卫影印线装本《政和》作“其”。

④ 馎饦：一种煮食汤面饼。《齐民要术》卷9“饼法”云：“馎饦挼如大指许，二寸一断，著水盆中浸，宜以手向盆旁挼使极薄，皆急火逐沸熟煮。”

⑤ 微：成化《政和》、商务《政和》作“惟”。

⑥ 十：成化《政和》、商务《政和》作“千”。

⑦ 预：原作“药”，据药名改。

酒，空腹饮三二杯，妙。

[衍义曰] 山药。按本草，上一字犯英庙讳；下一字曰预，唐代宗名预，故改下一字为药。今人遂呼为山药。如此则尽失当日本名，虑岁久，以山药为别物，故书之。此物贵生干，方入药，其法：冬月以布裹手，用竹刀子剐去皮，于檐[①]下风迳处，盛竹筛中，不得见日色。一夕干五分，俟全干收之，惟风紧则干速。所以用干之意，盖生湿则滑，不可入药；熟则只堪啖，亦滞气。余如《经》。

薏音薏**苡**音以**仁**

味甘，微寒，无毒。**主筋急拘挛，不可屈伸，风湿痹，下气，**除筋骨邪气不仁，利肠胃，消水肿，令人能食。**久服轻身益气。其根，下三虫。一名解蠡**[②]，一名屋菼音毬[③]，一名起实，一名蘸[④]音感。生真定平泽及田野。八月采实，采根无时。

薏苡仁

[陶隐居] 云：真定县属常山郡，近道处处有，多生人家。交阯者子最大，彼土呼为秆音干珠。马援大取将还，人谗以为真珠也。实重累者为良。用之取中仁。今小儿病蛔虫，取根煮汁糜食之，甚香，而去蛔虫大效。

[今按]《陈藏器本草》云：薏苡收子，蒸令气[⑤]馏，暴干，磨取仁，炊作饭及作面。主不饥，温气，轻身。煮汁饮之，主消渴。

[又按] 别本注云：今多用梁汉者，气力劣于真定，取青水色者良。

[臣禹锡等谨按药性论] 云：能治热风，筋脉挛急，能令人食。主肺痿肺气，吐脓血，咳嗽涕唾，上气。昔马援[⑥]煎服之，破五溪毒肿。种于彼取仁甑中蒸，使气馏[⑦]，暴于日中，使干，挼之得仁矣。

[孟诜] 云：性平，去干湿脚气，大验[⑧]。

---

① 檐：其上，庆元《衍义》、商务《衍义》有“屋”字。

② 蠡：贝壳做的瓢。

③ 菼音毬：“菼”，古书上指荻。“菼”的原注音“毬”，成化《政和》、商务《政和》作“球”。

④ 蘸：刘《大观》、柯《大观》作“赣”。

⑤ 气：成化《政和》、商务《政和》作“器”。

⑥ 昔马援：成化《政和》、商务《政和》作“若”。

⑦ 馏：成化《政和》、商务《政和》作“馅”。

⑧ 验：柯《大观》作“效”。

［图经曰］薏苡仁，生真定平泽及田野，今所在有之。春生苗，茎高三四尺。叶如黍。开红白花作穗子。五月、六月结实，青白色，形如珠子而稍长，故呼意[①]珠子。小儿多以线穿如贯珠为戏。八月采实，采根无时。今人通以九月、十月采，用其实中仁。古方大抵心肺药多用之。韦丹治肺痈，心胸甲错者，淳[②]苦酒煮薏苡仁令浓，微温顿服之。肺有血当吐愈。《广济方》治冷气，薏苡仁饭粥法：细舂[③]其仁，炊为饭，气味欲匀如麦饭乃佳。或煮粥亦好，自任无忌。根之入药者，葛洪治卒心腹烦满，又胸胁痛者，剉根浓煮汁，服三升乃定。今人多取叶为饮，香益中空膈，甚胜其杂他药用者。张仲景治风湿身烦疼日晡剧者，与麻黄杏仁薏苡仁汤：麻黄三两，杏仁三[④]十枚，甘草、薏苡仁各一两，四物以水四升，煮取二升，分温再服。又治胸痹偏缓急者，薏苡仁附子散方：薏苡仁十五两，大附子十枚炮，二物杵末，每服方寸匕，日三。

［🅺陈藏器余］主消渴，煞蛔虫。根煮服，堕胎。

［雷公曰］凡使，勿用䅟米，颗大无味。其䅟米，时人呼为粳䅟是也。若薏苡仁，颗小色青，味甘，咬着黏人齿。夫[⑤]用一两，以糯米二两同熬，令糯米熟，去糯米取使。若更以盐汤煮过，别是一般修制，亦得。

［外台秘要］治牙齿风痛[⑥]。薏苡根四两，水四升，煮取二升，含冷易之，龈便生[⑦]。

［又方］咽喉卒痈肿，吞薏苡仁二枚。

［又方］蛔虫攻心腹痛。薏苡根二斤切，水七升，煮取三升。先食尽服之，虫死尽出。

［梅师方］肺疾唾脓血。取薏苡仁十两杵碎[⑧]，以水三升，煎取一升，入酒少许服之。

［食医心镜］治筋脉拘挛，久风湿痹，下气，除骨中邪气，利肠胃，消水肿，久

---

① 呼意：刘《大观》、柯《大观》作“名薏”。

② 淳：柯《大观》作“淳”。

③ 舂：原误作“春”，据刘《大观》、柯《大观》、成化《政和》、商务《政和》改。

④ 三：成化《政和》、商务《政和》作“二”。

⑤ 夫：柯《大观》作“牙”，属上句。

⑥ 痛：柯《大观》作“龋”。

⑦ 龈便生：柯《大观》无。

⑧ 碎：成化《政和》、商务《政和》作“破”。

服轻身，益气力。薏苡仁一升，捣为散。每服以水二升煮两匙末作粥，空腹①食之。

［**马援**］后汉《马援传》：援在交阯，常饵薏苡实，用能轻身省欲，以胜瘴气。南方薏苡实仁，援欲以为种，军还载之一车。

［**衍义曰**］薏苡仁，此李商隐《太仓铭》中所谓薏苡似珠，不可不虞者也。取仁用。《本经》云：微寒，主筋急拘挛。拘挛有两等。《素问》注中，大筋受热则缩而短，缩短故挛急不伸。此是因热而拘挛也，故可用薏苡仁。若《素问》言因寒即②筋急者，不可更用此也。凡用之，须倍于他药，此物力势和缓，须倍加用即见效。盖受寒，即能使人筋急；受热，故使人筋挛。若但热而不曾受寒③，亦能使人筋缓。受湿则又引长无力。

泽泻

味甘、咸，**寒**，无毒。**主风寒湿痹，乳④难，消水，养五脏，益气力，肥健，**补虚损五劳，除五脏痞满，起阴气，止泄精、消渴、淋沥，逐膀胱三焦停水。**久服耳目聪明，不饥，延年，轻身，面生光，能行水上。**扁鹊云：多服病人眼。**一名水泻，**一名及泻，**一名芒芋，一名鹄泻。**生汝南池泽。五月、六月⑤、八月采根，阴干。畏海蛤、文蛤。

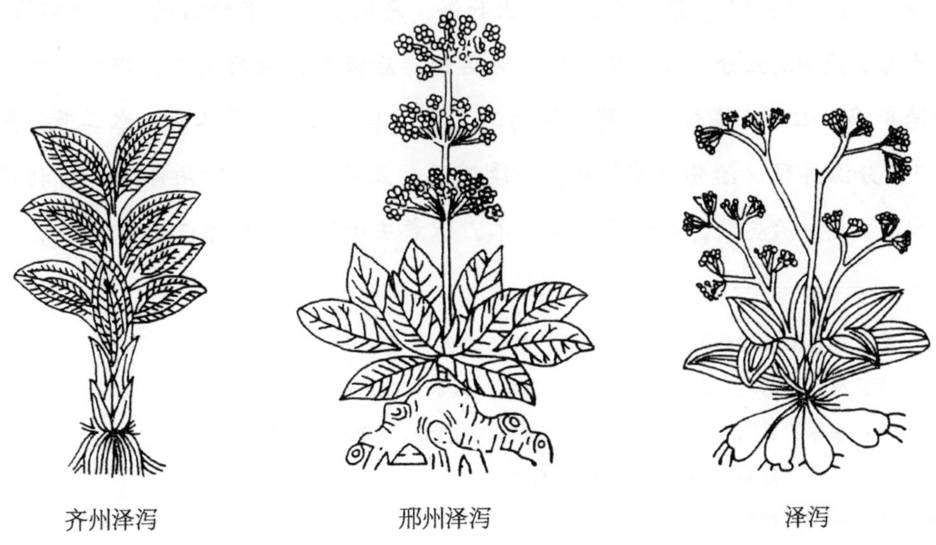

齐州泽泻　　邢州泽泻　　泽泻

---

① 腹：成化《政和》、商务《政和》作“心”。

② 即：庆元《衍义》、商务《衍义》作“则”。

③ 寒：原作“又”，据成化《政和》、商务《政和》、商务《衍义》改。

④ 乳：成化《政和》、商务《政和》作“孔”。

⑤ 六月：成化《政和》、商务《政和》无。

叶　味咸，无毒。主大风，乳汁不出，产难，强阴气。久服轻身。五月采。

实　味甘，无毒。主风痹、消渴，益肾气，强阴，补不足，除邪湿。久服面生光，令人无子。九月采。

［陶隐居］云：汝南郡属豫州。今近道亦有，不堪用，惟用汉中、南郑、青弋①，形大而长，尾间必有两歧为好。此物易朽蠹，常须密藏之。叶狭长，丛生诸浅水中。《仙经》服食断谷皆用之。亦云身轻，能步行水上。

［唐本注］云：今汝南不复采用，惟以泾州、华州者为善也。

［臣禹锡等谨按尔雅］云：藚，蕮②。疏云：藚，一名蕮③，即药草泽泻也。

［药性论］云：泽泻，君，味苦。能主肾虚精自出，治五淋，利膀胱热，宣通水道。

［日华子］云：治五劳七伤，主头旋，耳虚鸣，筋骨挛缩，通小肠，止遗沥，尿血，催生，难产，补女人血海，令人有子。叶壮水脏，下乳，通血脉。

［图经曰］泽泻，生汝南池泽，今山东、河、陕、江、淮亦有之，以汉中者为佳。春生苗，多在浅水中，叶似牛舌草④，独茎而长。秋时开白花，作丛似谷精草。五月、六月、八月采根，阴干。今人秋末采，暴干用。此物极易朽蠹，常⑤须密藏之。汉中出者，形大而长，尾间有两歧最佳。《尔雅》谓之藚羊朱切，一名蕮与舄同，私夕⑥切。《素问》身热解堕，汗出如浴，恶风少气，名曰酒风。治之以泽泻、术各十分，麋⑦衔五分，合以三指撮，为后饭。后饭者，饭后药先，谓之后饭。张仲景治杂病，心下有支饮，苦冒，泽泻汤主之。泽泻五两，术二两，水二升，煎取半升⑧，分温再服。治伤寒有⑨大、小泽泻汤，五苓⑩散辈，皆用泽泻，行利停水为最要。深师⑪治支饮，亦同用泽泻、术，但煮法小别。先以水二升煮二物，取一

---

① 青弋：成化《政和》、商务《政和》作“青代”；《纲目》作“青州、代州”。

② 蕮：原作“萬”，据成化《政和》、商务《政和》改。

③ 蕮：原作“蕮”，据成化《政和》、商务《政和》、《尔雅·释草》改。

④ 草：成化《政和》、商务《政和》无。

⑤ 常：柯《大观》作“当”。

⑥ 夕：成化《政和》、商务《政和》作“多”。

⑦ 麋：原作“麋”，据成化《政和》、商务《政和》、柯《大观》改。

⑧ 煎取半升：成化《政和》、商务《政和》无。

⑨ 有：其上，刘《大观》有“亦”字。

⑩ 苓：柯《大观》作“芩”。

⑪ 师：成化《政和》、商务《政和》误作“思”。

升，又以水一升煮泽泻[1]，取五合，合此二汁，为[2]再服。病甚欲眩者，服之必差。仙方亦单服泽泻一物，捣筛，取末，水调，日分服六两，百日体轻，久而健行。

[**◣雷公曰**] 不计多少，细剉，酒浸一[3]宿，漉出，曝干，任用也。

[**经验方**] 常服泽泻，皂荚水煮烂，焙干为末，炼蜜为丸如桐子大。空心以温酒下十五丸至二十丸，甚妙[4]。治肾脏风，生疮尤良[5]。

[**衍义曰**] 泽泻，其功尤长于行水。张仲景曰：水搐渴烦，小便不利，或吐或泻，五苓散主之。方用泽泻，故知其用长于行水。《本经》又引扁鹊云多服病人眼[6]，诚为行去其水。张仲景八味丸用之者，亦不过引接桂、附等归就肾经，别无他意。凡服泽泻散人，未有不小便多者，小便既多，肾气焉得复实？今人止泄精，多不敢用。

远志为君[7]

味苦，温，无毒。**主咳逆伤中，补不足，除邪气，利九窍，益智慧[8]，耳目聪明，不忘，强志，倍力，**利丈夫，定心气，止惊悸，益精，去心下膈气，皮肤中热，面目黄。**久服轻身不老，**好颜色，延年[9]。**叶[10]名小草，**主益精，补阴气，止虚损，梦泄。**一名棘菀，一名葽绕，一名细草。**生太山及冤句川谷。四月采根、叶，阴干。得茯苓、冬葵子、龙骨良，杀天雄、附子毒，畏真[11]珠、藜芦、蜚蠊、齐蛤。

[陶隐居] 云：按，药名无齐蛤，恐是百合。冤句县属兖州济阴郡，今犹从彭

---

① 泽泻：刘《大观》、柯《大观》作“滓”。

② 为：其上，刘《大观》、柯《大观》有“分”字。

③ 一：柯《大观》无。

④ 妙：柯《大观》作“效”。

⑤ 治肾脏风，生疮尤良：刘《大观》、柯《大观》无。“生”，成化《政和》、商务《政和》作“主”。

⑥ 眼：其下，商务《衍义》有“涩”字。

⑦ 为君：《千金翼》无。

⑧ 慧：《千金翼》作“惠”。

⑨ 好颜色，延年：《纲目》无。

⑩ 叶：《纲目》作“苗”。

⑪ 真：成化《政和》、商务《政和》作“珍”。

城北兰陵来。用之打①去心取皮，今用一斤正②得三两皮尔，市者加量之。小草状似麻黄而青。远志亦入仙方药用。

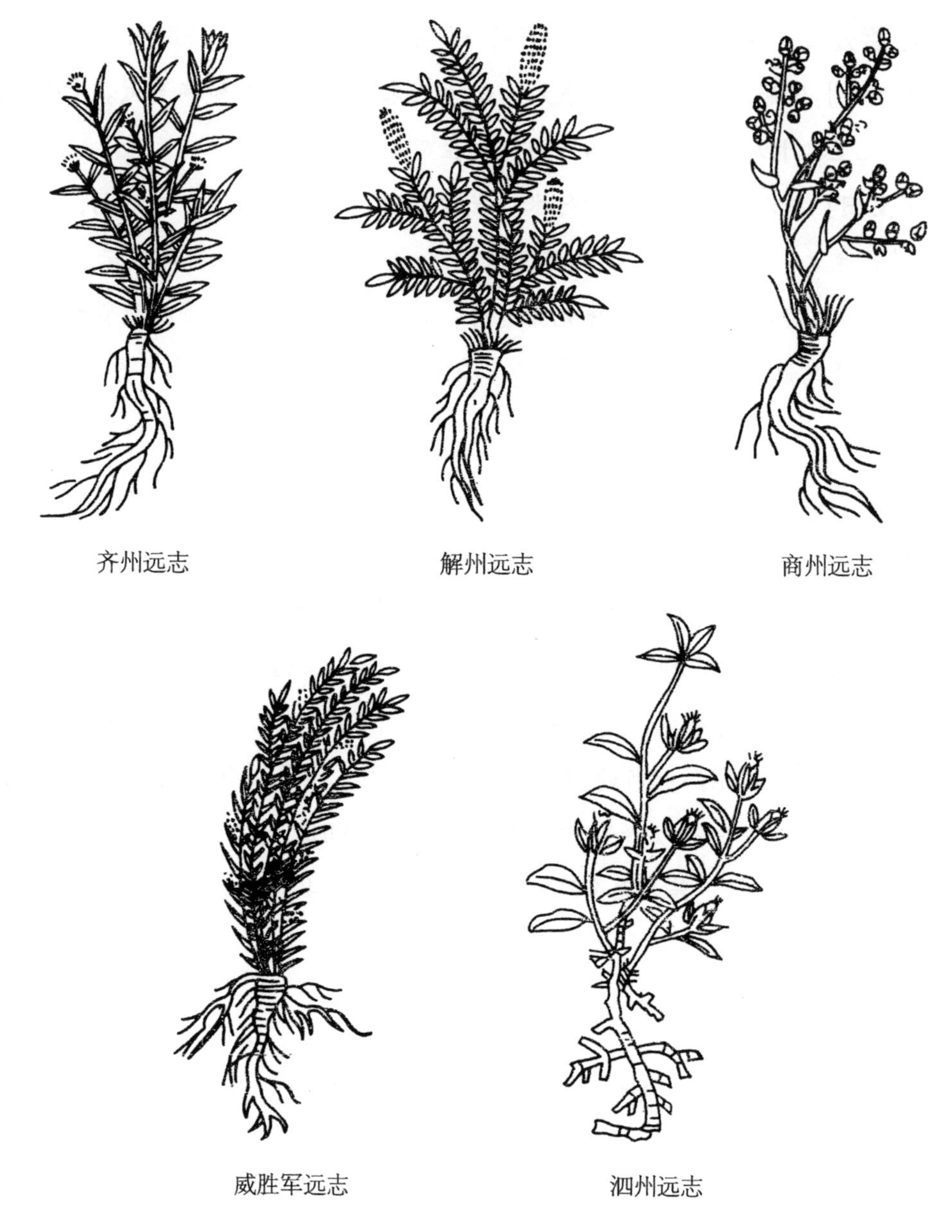

齐州远志　解州远志　商州远志

威胜军远志　泗州远志

［唐本注］云：《药录》下卷有齐蛤，即齐蛤元有，不得言无，今陶云恐是百合，非也。

［今注］远志茎叶似大青而小，比之麻黄，陶不识尔。

［臣禹锡等谨按尔雅］云：葽绕，棘蒬。注：今远志也，似麻黄，赤华，叶锐

---

① 打：成化《政和》、商务《政和》作“可”。

② 正：刘《大观》、柯《大观》作“止”。

而黄，其上谓之小草。

[药性论] 云：远志畏蛴螬。治心神健忘，安魂魄，令人不迷，坚壮阳道，主梦邪。

[日华子] 云：主膈气，惊魇，长肌肉，助筋骨，妇人血噤失音，小儿客忤。服无忌。

[图经曰] 远志，生泰山及冤句川谷，今河、陕、京西州郡亦有之。根黄色形如蒿根。苗名小草，似麻黄而青，又如荜豆。叶亦有似大青而小者。三月开花白色，根长及一尺。四月采根、叶，阴干，今云晒干用。泗州出者花红，根、叶俱大于它处。商州者根又黑色。俗传夷门远志最佳。古方[①]通用远志、小草。今医但用远志，稀用小草。《古今录验》及《范汪方》治胸痹心痛，逆气，膈中饮不下，小草丸。小草、桂心[②]、蜀椒去汗、干姜、细辛各三分[③]，附子二分炮，六物合捣下筛，和以蜜丸大如梧子。先食米汁下三丸，日三，不知稍增，以知为度。禁猪肉、冷水、生葱、菜。

[◣雷公曰] 远志，凡使，先须去心，若不去心，服之令人闷。去心了，用熟甘草汤浸[④]宿，漉出，曝干用之也。

[肘后方] 治人心孔惛塞，多忘喜误。丁酉日密自至市买远志，着巾角中，还为末服之，勿令人知。

[抱朴子]《内篇》云：陵阳仲子[⑤]服远志二十年，有子三十七人，开书所视，便记而不忘。

龙胆

味苦，寒[⑥]、大寒，无毒。**主骨间寒热，惊痫，邪气，续绝伤，定五脏，杀蛊毒**[⑦]，除胃中伏热，时气温热，热泄下痢，去肠中小虫，益肝胆气，止惊惕。**久服**

---

① 方：原作“木”，据刘《大观》、柯《大观》改，成化《政和》、商务《政和》作“本”。

② 桂心：柯《大观》无。

③ 分：成化《政和》、商务《政和》作“两”。

④ 浸：其下，柯《大观》有“一”字。

⑤ 仲子：《抱朴子》卷 11 倒置，《太平御览》卷 989 引《抱朴子·内篇》作“仲”。

⑥ 龙胆味苦，寒：成化《政和》、商务《政和》作黑字《别录》文。“寒”，成化《政和》、商务《政和》作“涩”。

⑦ 主骨间……杀蛊毒：以上 18 字，成化《政和》、商务《政和》作黑字《别录》文。

益智不忘，轻身耐老。一名陵游①。生齐朐山谷及冤句。二月、八月、十一月、十二月采根，阴干。贯众为之使，恶防葵、地黄。

睦州草龙胆

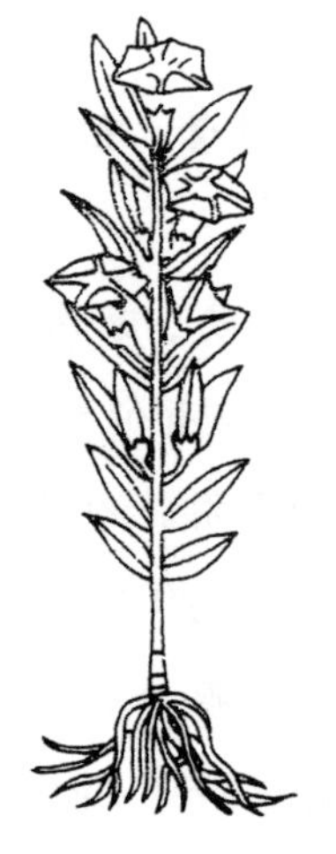
信阳军草龙胆

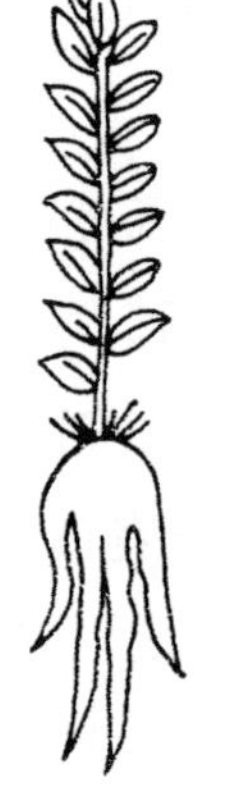
沂州草龙胆

襄州草龙胆

［陶隐居］云：今出近道，吴兴为胜。状似牛膝，味甚苦，故以胆为名。

［今按］别本注云：叶似龙葵，味苦如胆，因以为名。

［臣禹锡等谨按药性论］云：龙胆，君。能主小儿惊痫，入心，壮热，骨热，痈肿，治时疾，热黄，口疮。

［日华子］云：小豆为使。治客忤疳气，热病狂语及疮疥，明目，止烦，益智，治健忘。

［图经曰］龙胆，生齐朐山谷及冤句，今近道亦有之。宿根黄白色，下抽根十余本②，类牛膝。直上生苗，高尺余。四月生叶，似柳叶③而细，茎如小竹枝，七月开花如牵牛花，作铃铎形，青碧色。冬后结子，苗便枯。二月、八月、十一月、十二月采根，阴干。俗呼为草龙胆。浙中又有山龙胆草，味苦涩，取根细剉，用生姜自然汁浸一宿，去其性，焙干，捣，水煎一钱匕，温服之。治四肢疼痛。采无时候。叶经霜雪不凋，此同类而别种也。古方治疸④多用之。《集验方》谷疸丸：苦参三两，龙胆一两，二物下筛，牛胆和丸，先食以麦饮服之，如梧子五丸，日三，不知稍增。《删繁方》治劳疸，同用此龙胆，加至二两，更增栀子仁三七枚，三物同筛捣，丸以猪胆，服如前法，以饮下之。其说云：劳疸者，因劳为名；谷疸者，

---

① 久服……陵游：以上14字，成化《政和》、商务《政和》作黑字《别录》文。

② 本：其下，柯《大观》有“大”字。

③ 似柳叶：成化《政和》、商务《政和》无。

④ 疸：柯《大观》作“疸”。

因食而劳也。

[▮雷公云] 采得后阴干。欲使时，用铜刀切去髭土头了，剉，于甘草汤中浸一宿，至明漉出，暴干用。勿空腹饵之，令人溺不禁。

[圣惠方] 治蛔虫攻心如刺，吐清水。龙胆一两去头，剉，水二盏，煮取一盏去滓。隔宿不食，平旦一①顿服②。

[外台秘要] 治卒下血不止。龙胆一虎口，以水五升，煮取二升半，分为五服，差。

[肘后方] 治卒心痛。龙胆四两，酒三升，煮取一升半，顿服。

细辛

味辛，温，无毒。**主咳逆，头痛脑动，百节拘挛，风湿痹痛，死肌，**温中下气，破痰，利水道，开胸中，除喉痹，齆音瓮鼻③，风痫，癫疾，下乳结，汗④不出，血不行，安五脏，益肝胆，通精气。**久服明目，利九窍，轻身长年。一名小辛。**生华阴山谷。二月、八月采根，阴干。曾青、枣根为之使，得当归、芍药、白芷、芎䓖、牡丹、藁本、甘草共疗妇人，得决明、鲤鱼胆、青羊肝共疗目痛。恶狼毒、山茱萸、黄芪，畏消石、滑石，反藜芦。

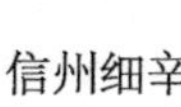

信州细辛

华州细辛

岢岚军细辛

---

① 旦一："旦"下，成化《政和》、商务《政和》有"时"字；"一"，柯《大观》无。

② 服：其下，成化《政和》、商务《政和》有"之即差"。

③ 齆音瓮鼻：即鼻息肉。又"鼻"下，《纲目》有"不闻香臭"4字。

④ 汗：《千金翼》作"汁"。

［陶隐居］云：今用东阳临海者，形段乃好，而辛烈不及华阴、高丽者。用之去其头节。人患口臭者，含之多效，最能除痰，明目也。

［臣禹锡等谨按[①]范子］云：细辛出华阴，色白者善。

［吴氏］云：细辛，一名细草。神农、黄帝、雷公、桐君：辛，小温。岐伯：无毒。季氏[②]：小寒。如葵叶赤黑，一根一叶相连。

［药性论］云：细辛，臣，忌生菜，味苦、辛。治咳逆上气，恶风风头，手足拘急，安五脏六腑，添胆气，去皮风湿痒，能止眼风泪下，明目，开胸中滞，除齿痛，主血闭，妇人血沥腰痛。

［日华子］云：治嗽，消死肌疮肉，胸中结聚。忌狸肉。

［图经曰］细辛，生华山山谷，今处处有之，然它处所出者，不及华州者真。其根细而其味极辛，故名之曰细辛。二月、八月采根，阴干用。今人多以杜蘅当之。杜蘅吐人，用时须细辨耳。杜蘅春初于宿根上生苗，叶似马蹄形状，高三二寸，茎如麦藁粗细，每窠上有五七叶，或八九叶，别无枝蔓。又于叶、茎间罅内，芦头上贴地生紫花，其花似见不见，暗结实如豆大，窠内有碎子似天仙子。苗、叶俱青，经霜即枯。其根成窠，有似饭帚密闹，细长四五寸，微黄白色，味辛。江淮俗呼为马蹄香，以人多误用，故此详述之。

［◣雷公云］凡使，一一拣去双叶，服之害人，须去头土了，用瓜水浸一宿，至明漉出[③]，曝干用之。

［圣惠方］治口臭及䘌齿肿痛。细辛煮取浓汁，熱含冷吐，差。

［外台秘要］治卒[④]客忤，停尸[⑤]不能言。细辛、桂心等分内口中。

［别说云］谨按，细辛非华阴者，不得为细辛用。若杜蘅之类，自应依本性于用尔。又细辛若单用末，不可过半钱匕，多即气闷塞不通者死。虽死无伤，近年关中或用此毒人者，闻平凉狱中尝治此，故不可不记，非本有毒，但以不识多寡之用，因以有此。

［衍义曰］细辛，用根，今惟华州者佳，柔韧，极细直，深紫色，味极辛，嚼

---

① 按：原作“桉”，据刘《大观》、柯《大观》、成化《政和》、商务《政和》改。

② 季氏：《纲目》作“李当之”。

③ 至明漉出：《纲目》无此4字。

④ 卒：《纲目》作“小儿”。

⑤ 停尸：《纲目》作“口”。“尸”，原作“口”，据《外台秘要》改。

之习习如椒。治头面风痛不可阙也。叶如葵叶，赤①黑，非此则杜蘅也。杜蘅叶，形如马蹄下，故俗云马蹄香。盖根似白前，又似细辛。襄、汉间一种细辛，极细而直，色黄白，乃是鬼督邮，不可用。

石斛

味甘，平，无毒。**主伤中，除痹，下气，补五脏，虚劳羸瘦，强阴，**益精②，补内绝不足，平胃气，长肌肉，逐皮肤邪热疿音沸气，脚膝③疼冷痹弱。**久服厚肠胃，轻身延年**④，定志除惊。**一名林兰，**一名禁生，一名杜兰，一名石蓫音逐⑤。生六安山谷水傍石上。七月、八月采茎，阴干。陆英为之使，恶凝水石、巴豆，畏僵蚕、雷丸。

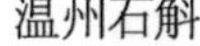

温州石斛

春州石斛

［陶隐居］云：今用石斛，出始兴。生石上，细实，桑灰汤沃之，色如金，形似蚱音窄蜢音猛髀者为佳。近道亦有，次宣城间生栎树上者，名木斛。其茎形长大而色浅。六安属庐江，今始安亦出木斛，至虚长，不入丸散，惟可为酒渍、煮汤用尔。俗方最以补虚，疗脚膝。

［唐本注］云：作干石斛，先以酒洗，捋蒸炙⑥成，不用灰汤。今荆襄及汉中、江左又有二种：一者似大麦，累累相连，头生一叶而性冷；一种大如雀髀，

① 赤：庆元《衍义》作“亦”。

② 益精：《纲目》注为白字《本经》文。

③ 膝：原作“胠”，据刘《大观》、柯《大观》、成化《政和》、商务《政和》改。

④ 轻身延年：《纲目》注为《别录》文。

⑤ 音逐：成化《政和》、商务《政和》无。

⑥ 炙：成化《政和》、商务《政和》作“九”。

名雀髀斛，生酒渍服，乃言胜干者。亦如麦斛，叶在茎端，其余斛如竹，节间生叶也。

［臣禹锡等谨按药性论］云：石斛，君。益气除热，主治男子腰脚软弱，健阳，逐皮肌风痹，骨中久冷虚损①，补肾，积精②，腰痛，养肾气③，益力。

［日华子］云：治虚损劣弱，壮筋骨，暖水脏，轻身益智，平胃气④，逐虚邪⑤。

［图经曰］石斛，生六安山谷水傍石上，今荆、湖⑥、川、广州郡及温、台州亦有之，以广南者为佳。多在山谷中。五月生苗，茎似竹节，节节间出碎叶。七月开花，十月结实，其根细长，黄色。七月、八月采茎。以桑灰汤沃之，色如金，阴干用。或云以酒洗，捋蒸炙成，不用灰汤。其江南生者有二种：一种似大麦，累累相连，头生一叶，名麦斛；一种大如雀髀，名雀髀斛，惟生石上者胜。亦有生栎木上者，名木斛，不堪用。

［◣雷公云］凡使，先去头土了，用酒浸一宿，漉出，于日中⑦曝干，却用酥蒸，从巳至酉，却徐徐焙干用。石斛锁⑧涎，涩丈夫元气。如斯修事，服满一镒，永无骨痛。

［衍义曰］石斛，细若小草，长三四寸，柔韧，析之如肉而实。今人多以木斛浑行，医工亦不能明辨。世又谓之金钗石斛，盖后人取象而言之。然甚不经。将木斛折之，中虚如禾草，长尺余，但色深黄光泽而已。真石斛，治胃中虚热有功。

巴戟天

味辛、甘，**微温**，无毒。**主大风邪气，阴痿不起，强筋骨，安五脏，补中，增志，益气**，疗头面游风，小腹及阴中相引痛，下气，补五劳，益精，利男子。生巴郡及下邳⑨山谷。二月、八月采根，阴干。覆盆子为之使，恶朝生、雷丸、丹参。

---

① 虚损：《纲目》无。

② 积精：《纲目》无。

③ 腰痛，养肾气：《纲目》无。

④ 平胃气：《纲目》作“清气”。

⑤ 逐虚邪：《纲目》无。

⑥ 湖：成化《政和》、商务《政和》无。

⑦ 漉出，于日中：《纲目》无。

⑧ 锁：《纲目》作“镇”字。

⑨ 邳：地名，在今江苏。

滁州巴戟天

归州巴戟天

［陶隐居］云：今亦用建平、宜都者，状如牡丹而细，外赤内黑，用之打去心。

［唐本注］云：巴戟天苗，俗方名三蔓草。叶似茗，经冬不枯，根如连珠，多者良，宿根青色，嫩根白紫，用之亦同。连珠肉厚者为胜。

［臣禹锡等谨按药性论］云：巴[1]戟天，使。能治男子夜梦，鬼交泄精，强阴，除头面中风，主下气，大风血癞。病人虚[2]损，加而用之。

［日华子］云：味苦。安五脏，定心气，除一切风，治邪气，疗水肿。又名不凋草，色紫如小念珠，有小孔子，坚硬难捣。

［图经曰］巴戟天，生巴郡及下邳山谷，今江淮、河东州郡亦有之，皆不及蜀州者佳。叶似茗，经冬不枯，俗名三蔓草，又名不凋草。多生竹林内。内地生者，叶似麦门冬而厚大，至秋结实。二月、八月采根，阴干，今多焙之。有宿根者青色，嫩根者白色，用之皆同，以连珠肉厚者胜。今方家多以紫色为良。蜀人云：都无紫色者。彼方人采得，或用黑豆同煮，欲其色紫，此殊失气味，尤宜辨之。一说蜀中又有一种山律根，正似巴戟，但色白。土人采得，以醋水煮之乃紫，以杂巴戟，莫能辨也。真巴戟，嫩者亦白，干时亦煮治使紫，力劣弱，不可用。今两种，市中皆是。但击破视之，其中紫而鲜洁者，伪也；真者击破，其中虽紫，又有微白惨[3]如粉色，理小暗也。

［◣雷公曰］凡使，须用枸杞子汤浸一宿，待稍软漉出，却用酒浸一伏时，又漉出，用菊花同熬令焦黄，去菊花，用布拭令干用。

---

① 巴：其上，刘《大观》、柯《大观》有“紫”字。

② 虚：其下，刘《大观》、柯《大观》有“而”字。

③ 惨：柯《大观》作“糁”。

［衍义曰］巴戟天，本有心，干缩时，偶自落，或可以抽摘，故中心或空，非自有小孔子也。今人欲要中间紫色，则多伪以大豆汁沃之，不可不察。外坚难染，故先从中间紫色。有人嗜酒，日须五七杯。后患脚气甚危，或教以巴戟半两，糯米同炒，米微转色，不用米，大黄一两，剉，炒，同为末，熟蜜为丸，温水服五七十丸，仍禁酒，遂愈。

白英

味甘，寒[①]，无毒。**主寒热，八疸**[②]**，消渴，补中益气。久服轻身延年。一名谷菜**[③]，一名白草。生益州山谷。春采叶，夏采茎，秋采花，冬采根。

［陶隐居[④]］云：诸方药不用。此乃有蔛音斛菜，生[⑤]水中，人蒸食之。此乃生山谷，当非是。又有白草，叶作羹饮，甚疗劳，而不用根、华。益州乃有苦菜，土人专食之，皆充健无病，疑或是此。

［唐本注[⑥]］云：此鬼目草也。蔓生，叶似王瓜，小长而五桠。实圆，若龙葵子，生青，熟紫黑，煮汁饮，解劳[⑦]。东人谓之白草。陶云白草，似识之而不的辨。

［今按］《陈藏器本草》云：白英，主烦热，风疹，丹毒，疟瘴寒热，小儿结热。煮汁饮之。一名鬼目。《尔雅》云：苻[⑧]，鬼目。注：似葛，叶有毛，子赤如耳珰珠，若云子熟黑，误矣。

［又按］别本注云：今江东人夏月取其茎、叶煮粥，极解热毒。

白蒿

味甘，平，无毒。**主五脏邪气，风寒湿痹，补中益气，长毛发令黑，疗心悬，**

---

① 白英味甘，寒：成化《政和》、商务《政和》作黑字《别录》文。

② 疸：原作“疽”，据刘《大观》、柯《大观》、成化《政和》、商务《政和》、《千金翼》改。

③ 主寒热……一名谷菜：成化《政和》、商务《政和》作黑字《别录》文。

④ 陶隐居：成化《政和》、商务《政和》作黑小字标记。

⑤ 生：柯《大观》作“出”。

⑥ 唐本注：成化《政和》、商务《政和》作黑小字标记。

⑦ 劳：柯《大观》作“毒”。

⑧ 苻：柯《大观》作“符”。

少食常饥。久服轻身，耳目聪明，不老。生中山川泽。二月采①。

［陶隐居］云：蒿类甚多，而俗中不闻呼白蒿者，方药家既不用，皆无复识之，所主疗既殊佳，应更加研访。服食七禽散云：白兔食之，仙。与前菴蕳子同法尔。

［唐本注］云：《尔雅》：蘩音烦，皤音婆蒿。即白蒿也。此蒿叶粗于青蒿，从初生至枯，白于众蒿，欲②似细艾者③，所④在有之也。

［今按］别本注云：叶似艾，叶上有白毛粗⑤涩，俗呼为蓬蒿。

［臣禹锡等谨按尔雅疏］云：蓬蒿可以为菹，故《诗笺》云：以豆荐蘩菹。陆机⑥云：凡艾，白色为皤蒿。今白嵩，春始生，及秋香美，可生食⑦，又可蒸。一名游胡，北海人谓之旁勃，故《大戴礼·夏小正传》曰：蘩，游胡。游胡，旁勃也。

［孟诜］云：白蒿，寒。春初此蒿前诸草生。捣汁去热黄及心痛。其叶生挼，醋淹之为菹，甚益人。又叶干为末，夏日暴水痢，以米饮和一匙，空腹服之。子，主鬼气，末，和酒服之良。又烧淋灰煎，治淋沥疾。

白蒿

白蒿

［图经曰］白蒿，蓬蒿也。生中山川泽，今所在有之。春初最先诸草而生，似青蒿而叶粗，上有白毛错涩。从初生至枯，白于众蒿，颇似细艾。二月采。此《尔雅》所谓蘩音烦⑧，皤音婆⑨蒿是也。疏云：蓬蒿，可以为菹。故《诗笺》云：以豆荐蘩菹。陆机⑩云：凡艾，白色为皤蒿。今白蒿，春始生，及秋香美，可生食，又可蒸。一名游胡，北海人谓之旁勃，故《大戴礼·夏小正》云：蘩，游胡。游胡，旁勃也。此草古人以为菹。唐·孟诜亦云：生挼醋食。今人但食蒌蒿，不复食此。

---

① 生中山川泽。二月采：原作小字注文，据柯《大观》改。又《千金翼》无此8字。

② 欲：柯《大观》作“颇”。

③ 者：柯《大观》无。

④ 所：其上，柯《大观》有“今”字。

⑤ 粗：《纲目》作“错”。

⑥ 机：疑作“玑”。

⑦ 生食：成化《政和》、商务《政和》作“食生”。

⑧ 音烦：柯《大观》无。

⑨ 音婆：柯《大观》无。

⑩ 机：疑作“玑”。

或疑此蒿即蒌蒿。而孟诜又别著蒌蒿条，所说不同，明是二物，乃知古今食品之异也。又今阶州以白蒿为茵陈蒿，苗、叶亦相似，然以入药，恐不可用也。按，蒿类亦多。《尔雅》云：蘩之丑，秋蒿。言春时各有种名，至秋老成，皆通呼为蒿也。中品有马先蒿，云生南阳川泽，叶如益母草，花红白，八九月有实，俗谓之虎麻，亦名马新蒿。《诗·小雅》所谓匪莪[①]，伊蔚是也。陆机[②]云：蔚，牡蒿。牡蒿，牡菣[③]慜刃切也。三月始生，七月华，似胡麻花而紫赤，八月为角，角似小豆角，锐而长，一名马新蒿。郭璞注《尔雅》：蔚，牡菣，谓无子者。而陆云有子，二说小异。今当用有子者为正。下品又有角蒿，云叶似白蒿，花如瞿麦，红赤可爱，子似王不留行，黑色作角，七八月采。又有茵陈蒿、草蒿，下自有条。白蒿、马新蒿，古方治癞疾多用之。《深[④]师方》云：取白艾蒿十束如升大，煮取汁，以曲及米一如酿酒法，候熟，稍稍饮之。但是恶疾遍体，面目有疮者，皆可饮之。又取马新蒿捣末，服方寸匕，日三。如更赤起，服之一年，都差平复。角蒿，医方鲜有用者。

赤箭[⑤]

味辛，温。主杀鬼精物，蛊毒恶气，消痈肿，下支满，疝[⑥]音山，下血。**久[⑦]服益气力，长阴，肥健，轻身增年。一名离母，一名鬼督邮。**生陈仓川谷、雍州及太山、少室。三月、四月、八月采根，暴干。

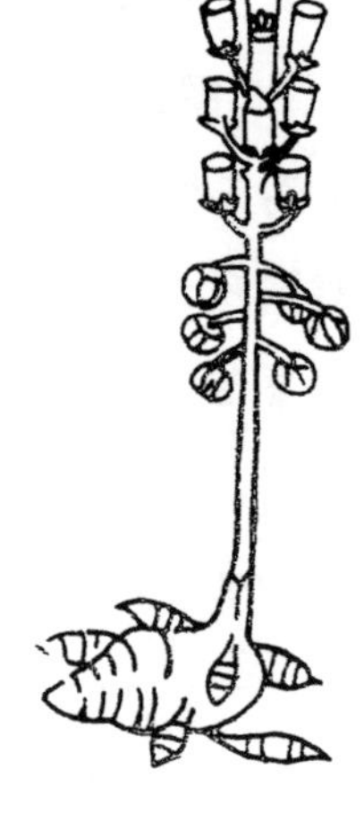
兖州赤箭

［陶隐居］云：陈仓属雍州扶风郡。按，此草亦是芝类。云茎赤如箭杆，叶生其端。根如人足，又云如芋，有十二子为卫。有风不动，无风自摇。如此亦非俗所见，而徐长卿亦名鬼督邮。又复有鬼箭，茎有羽，其疗并相似，而益人乖异，恐并非此赤箭。

［唐本注］云：此芝类，茎似箭杆，赤色，端有花、叶，远看

① 匪莪：“匪”，刘《大观》、柯《大观》作“非”。“莪”，成化《政和》、商务《政和》作“我”。

② 机：疑作“玑”。

③ 菣：青蒿。

④ 深：成化《政和》、商务《政和》作“梅”。

⑤ 赤箭：《太平御览》以“鬼督邮”为正名。

⑥ 疝：其上，《纲目》有“寒”字。

⑦ 久：成化《政和》、商务《政和》误作“义”。

如箭有羽。根、皮、肉汁与天门冬同，惟无心脉。去根五六寸，有十余子卫，似芋。其实似苦楝子，核作五六棱，中肉如面，日暴则枯萎也。得根即生啖音澹之，无干服法也。

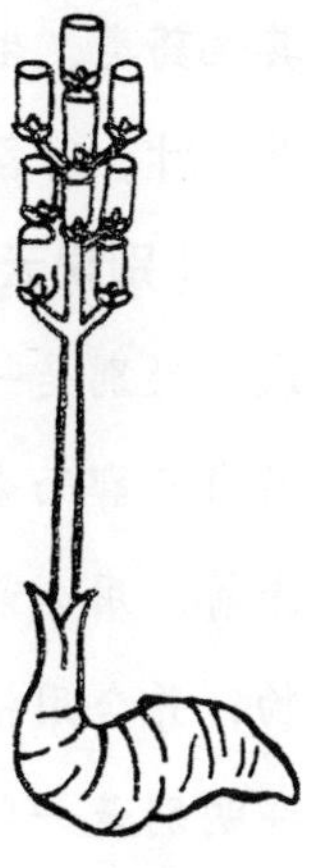

［臣禹锡等谨按药性论］云：赤箭，无毒。

赤箭

［图经曰］赤箭，生陈仓川谷、雍州及泰山、少室，今江湖间亦有之，然不中药用。其苗独茎如箭杆，叶生其端，四月开花，杆、叶俱赤，实似苦楝子，核作五六棱，中有肉如面，日暴则枯萎。其根大类天门冬，惟无心脉耳。去根五六寸，有十余子为卫，似芋。三月、四月、八月采根，暴干。今三月、四月采苗，七月、八月、九月采根。谨按，此草，有风不动，无风则自摇。《抱朴子》云：按[①]，仙方中有合离[②]草，一名独摇，一名离母。所以谓之合离、离母者，此草为物，下根如芋魁，有游子十二枚周环之，去大魁数尺，虽相须，而实不连，但以气相属耳。如菟丝之草下有伏菟之根，无此菟[③]，则丝不得上，亦不相属也。然则赤箭之异，陶隐居已云，此亦非俗所见。菟丝之下有伏菟[④]，亦不复闻有见者，殆其种类中时有神异者，乃如此耳。又陶、苏皆云赤箭是芝类，而上有六芝条，五芝皆以五色生于五岳，诸方所献者，紫芝生高夏山谷。苏云芝多黄白，稀有黑青者，紫芝最多，非五芝类，但芝自难得，纵获一二，岂得终久服邪。今山中虽时复[⑤]有之，而人莫能识其真，医家绝无用者，故州郡亦无图上，盖祥异之物，非世常有，但附其说于此耳。凡采药时月，皆先据《本经》而后著今土俗所宜，且赤箭《本经》但云三月、四月、八月采根，不言用苗，而今方家乃并用根苗，各有收采时月，与《本经》参差不同，难以兼著，故但从今法。其他药有相类者，亦同此比。又按序例云：凡采药，其根物多以二月、八月采者，谓春初津润[⑥]始萌，未冲枝叶，势力淳[⑦]浓故也。至秋枝叶津润归流于下。今即事验之，春宁宜早，秋宁宜晚，据此文意，采根者，须晚秋以后，初春以前，欲其苗梗枯落，至未萌芽时，气味正完，乃可采耳。然

---

① 按：原作“桉”，据刘《大观》、柯《大观》、成化《政和》、商务《政和》改。

② 离：柯《大观》作“蓠”。

③ 菟：成化《政和》、商务《政和》无。

④ 菟：柯《大观》作“兔”。

⑤ 复：刘《大观》作“得”。

⑥ 润：原作“闰”，据植物生理改。

⑦ 淳：柯《大观》作“湻”。

其他药类，生长及枯死有早晚，采之自随其时，不必拘以春秋也。下又云：华、实、茎、叶，乃各随其所熟，岁月亦有早晏，不必都依本文，是其义也。他亦同此比。

［**别说云**］谨按，今医家见用天麻，即是此赤箭根。今《补注》与《图经》所载，乃别是一物，中品之下又出天麻一目，注云出郓州。考今之所出，赤箭根苗，乃自齐郓而来者为上。今翰林沈公括最为博识，尝解此一说云：古方用天麻者不用赤箭，用赤箭者即无天麻，方中诸药皆同，而唯此名或别，即是天麻、赤箭本为一物，并合用根也。今中品之下，所别出天麻一目，乃与此赤箭所①说，都不相干，即明别是一物尔。然中品之下所为天麻者，世②所未尝见用，今就此赤箭根为天麻，则与今所用不相违。然赤箭则言苗，用之有自表入里之功；天麻则言根，用之有自内达外之理。根则抽苗径直而上，苗则结子成③熟而落，返从秆中而下，至土而生，似此粗可识其外内主治之理。

［**衍义曰**］赤箭，天麻苗也。然与天麻治疗不同，故后人分之为二。《经》中言八月采根暴④干，故知此即苗也。

菴音淹**蕳**音闾**子**

味苦，微寒、微温，无毒。**主五脏瘀血，腹中水气，胪胀留热，风寒湿痹，身体诸痛**，疗心下坚，膈中寒热，周痹，妇人月水不通，消食，明目。**久服轻身延年不老，**駏音巨驉音虚食之神仙。生雍州川谷，亦生上党及道边。十月采实，阴干。荆实、薏苡为之使。

宁州菴蕳子

秦子菴蕳子

① 所：柯《大观》作“是”。

② 世：柯《大观》作“此”。

③ 成：柯《大观》作“黄”。

④ 暴：商务《衍义》作“晒”。

［陶隐居］云：状如蒿艾之类，近道处处有。《仙经》亦时用之，人家种此辟蛇也。

［臣禹锡等谨按药性论］云：菴蕳，使①，味辛、苦。益气，主男子阴痿不起，治心腹胀满，能消瘀血。

［日华子］云：治腰脚重痛，膀胱疼，明目及骨节烦②痛，不下食。

［图经曰］菴蕳子，生雍州川谷及上党道边，今江淮亦有之。春生苗，叶如艾蒿，高三二尺。七月开花，八月结实，十月采③，阴干。今人通以九月采。江南人家多种此辟蛇。谨按，《本经》：久服轻身延年不老。而古方书少有服食者，惟入诸杂治药中。如胡洽④疗惊邪狸骨丸之类，皆大方中用之。孙思邈《千金翼》、韦宙《独行方》主踠折瘀血，并⑤单用菴蕳一物，煮汁服之，亦末⑥服。今人治打扑损，亦多用此法，饮散皆通，其效最速。服食方不见用者。

［▮广利方］治诸瘀血不散变成痈，捣生菴蕳蒿，取汁一升服之。

菥音锡**蓂**音觅**子**

菥蓂子

味辛，微温，无毒。**主明目，目痛泪出，除痹，补五脏，益精光**，疗心腹腰痛。**久服轻身不老。一名蔑菥，一名大蕺，一名马辛**，一名大荠。生咸阳川泽及道傍。四月、五月采，暴干。得荆实、细辛良，恶干姜、苦参。

［陶隐居］云：今处处有之，人乃⑦言是大荠子，俗用⑧甚稀。

［唐本注］云：《尔雅》云是大荠，然验其味甘而不辛也。

［臣禹锡等谨按蜀本］云：似荠菜而细，俗呼为老荠。

［药性论］云：菥蓂子，苦参为使。能治肝家积聚，眼

---

① 使：柯《大观》无。

② 烦：柯《大观》作“疲”。

③ 采：其下，成化《政和》、商务《政和》有“实”字。

④ 洽：原作“治”，据刘《大观》、柯《大观》改。

⑤ 并：柯《大观》无。

⑥ 末：成化《政和》、商务《政和》误作“未”。

⑦ 乃：成化《政和》、商务《政和》作“方”。

⑧ 用：柯《大观》作“方”。

目赤肿。

[陈藏器]云：菥蓂子，《本经》一名大荠。苏引《尔雅》为注云：大荠。按，大荠即葶苈，非菥蓂也。菥蓂大而褊，葶苈细而圆，二物殊别也。

[图经曰] 菥蓂子，生咸阳川泽及道傍，今处处有之。《尔雅》云：菥蓂，大荠。郭璞云：似荠，细叶，俗呼之曰老荠。苏恭亦云是大荠。又云：然菥蓂味辛，大荠味甘。陈藏器以大荠当[①]是葶苈，非菥蓂，菥蓂大而褊[②]，葶苈细而圆，二物殊也。而《尔雅》自有葶苈，谓之蕇音典。注云：实、叶皆似芥，一名狗荠，大抵二物皆荠类，故人多不能细分，乃尔致疑也。四月、五月采，暴干。古今眼目方中多用之。崔元亮《海上方》疗眼热痛，泪不止，以菥蓂子一物，捣筛为末，欲卧以铜箸点眼中，当有热泪及恶物出，并去胬肉。可三四十夜点之，甚佳。

蓍实

味苦、酸，**平，**无毒。**主益气，充肌肤，明目，聪慧先知。久服不饥，不老，轻身。**生少室山谷。八月、九月采实，日干。

蓍实

蔡州蓍实

[唐本注]云：此草所在有之，以其茎为筮[③]。陶误用楮实为之。《本经》云味苦，楮实味甘，其楮实移在木部也。

[图经曰] 蓍实，生少室山谷，今蔡州上蔡县白龟祠傍，其生如蒿作丛，高五

---

① 当：柯《大观》作“即”。

② 褊：原作“扁”，据柯《大观》改。

③ 筮：古代用蓍草占卦（迷信）。《纲目》无。

六尺，一本一二十茎，至多者三五十茎，生便条直，所以异于众蒿也。秋后有花出于枝端，红紫色，形如菊①，八月、九月采其实②，日干入药。今医家亦稀用。其茎为筮，以问鬼神、知吉凶，故圣人赞之，谓之神物。《史记·龟策传》曰：龟千岁，乃游于莲叶之上，蓍百茎共一根，又其所生，兽无虎狼，虫无毒螫。徐广注曰：刘向云龟千岁而灵，蓍百年而一本生百茎。又褚先生云：蓍生满百茎者，其下必有神龟守之，其上常有青云覆之。传曰：天下和平，王道得而蓍茎长丈，其丛生满百茎。方今世取蓍者，不能中古法度，不能得满百茎长丈者，取八十茎已上，蓍长八尺即难得也。人民好用卦者取满六十茎已上，长满六尺者，即可用矣。今蔡州所上③者，皆不言如此。然则此类，其神物乎，故不常有也。

赤芝

味苦，平。主胸中结，益心气，补中，增智慧，不忘。久食轻身不老，延年神仙。一名丹芝。生霍山。

［陶隐居］云：南岳本是衡山，汉武帝始以小霍山代之，非正④也。此则应生衡山也。

［**◣英公云**⑤］安心神。

黑芝

味咸，平。主癃音隆，**利水道，益肾气，通九窍，聪察。久食轻身不老，延年神仙。一名玄芝。**生常山。

［唐本注］云：五芝，《经》云：皆以五色生于五岳，诸方所献，白芝未必华山，黑芝又非常岳。且紫芝⑥多黄白，稀有黑青者，然紫芝最多，非五芝类。但芝自难得，纵获一二，岂得终久服耶。

---

① 菊：其下，《纲目》有“花”字。

② 八月、九月采其实：《纲目》作“结实如艾实”。

③ 上：柯《大观》作“生”。

④ 正：成化《政和》、商务《政和》、柯《大观》作“山”。

⑤ 云：底本作黑小字，据本书体例改。

⑥ 芝：成化《政和》、商务《政和》无。

青芝

味酸，平。主明目，补肝气，安精魂，仁恕。久食轻身不老，延年神仙。一名龙芝。生泰山。

［**▌英公云**］不忘，强志。

白芝

味辛，平。主咳逆上气，益肺气，通利口鼻，强志意，勇悍，安魄。久食轻身不老，延年神仙。一名玉芝。生华山。

黄芝

味甘，平。主心腹五邪，益脾气，安神，忠信和乐。久食轻身不老，延年神仙。一名金芝。生嵩山。

紫芝

味甘，温。主耳聋，利关节，保神，益精气，坚筋骨，好颜色。久服轻身不老，延年。一名木芝。生高夏①山谷。六芝皆无毒，六月、八月采。署预为之使，得发良，得麻子仁、白瓜子、牡桂②共益人，恶常山，畏扁青、茵陈蒿。

［陶隐居］云：按，郡县无高夏名，恐是山名尔。此六芝，皆仙草之类，俗所稀见，族种甚多，形色环异，并载《芝草图》中。今俗所用紫芝，此是朽树木株上所生，状如木檽③音软，名为紫芝。盖止疗痔，而不宜以合诸补丸药也。凡得芝草，便正尔食之，无余节度，故皆不云服法也。

［臣禹锡等谨按尔雅］云：茵④，芝。释曰：瑞草名也，一岁三华⑤，一名茵，

---

① 夏：成化《政和》、商务《政和》作“下”。

② 桂：成化《政和》、商务《政和》误作“挂”。

③ 檽：成化《政和》、商务《政和》误作“擩”。按，“檽”即木耳。

④ 茵：芝的别名。

⑤ 三华：郝懿行《尔雅义疏·释草》“茵芝”注云：“郭……以三秀为三华见《九歌》王逸注。”《九歌》云：“采三秀兮于山门。”王逸注：“三秀，芝草。”嵇康诗云：“煌煌灵芝，一年三秀。”

一名芝，《论衡》云：芝生于土，土气和，故芝草生①。《瑞命记②》曰：王者仁慈，则芝草生是也。

［抱朴子］云：赤者如珊瑚，白者如截肪，黑者如泽漆，青者如翠羽，黄者如紫③金，而皆光明洞彻，如坚冰也。

［又云］木芝者，松柏脂沦地；千岁，化为茯苓；万岁，其上生小木，状似莲花，名曰木威喜芝，夜视有光，持之甚滑，烧之不焦，带之辟兵。

［药性论］云：紫芝，使，畏发。味甘，平，无毒。主能保神益寿。

卷君免切**柏**

味辛、甘，**温**、平、微寒，无毒。**主五脏邪气，女子阴中寒热痛，癥瘕，血闭，绝子**，止咳逆，治脱肛，散淋结，头中风眩，痿蹶，强阴益精。**久服轻身和颜色**，令人好容体④。**一名万岁**，一名豹足，一名求股，一名交时。生常山山谷石间。五月、七月采，阴干。

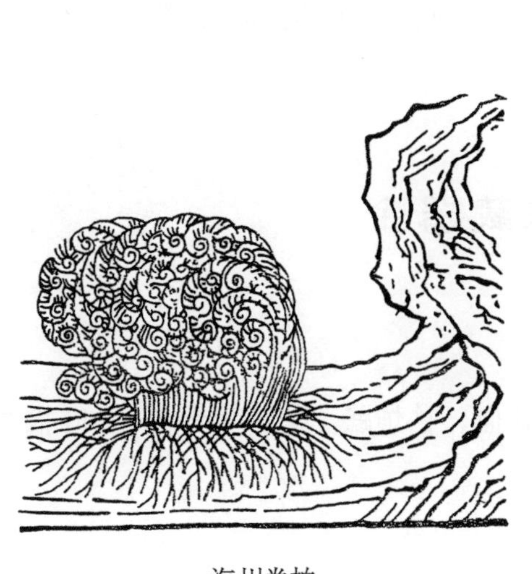

海州卷柏

兖州卷柏

［陶隐居］云：今出近道。丛生石土上，细叶似柏，卷屈状如鸡足，青黄色。用之，去下⑤近石有沙土处。

---

① 生：成化《政和》、商务《政和》作“王”。

② 记：原作“礼”，据《太平御览》引《古瑞命记》改。

③ 紫：柯《大观》作“黄”。

④ 体：成化《政和》、商务《政和》、《纲目》作“颜”。

⑤ 下：其下，柯《大观》有“土”字。

[臣禹锡等谨按范子]云：卷柏出三辅。

[吴氏]云：卷柏，神农：辛，平。桐君、雷公：甘。

[建康记]云：建康出卷柏。

[药性论]云：卷柏，君。能治月经不通，尸疰鬼疰，腹痛，去百邪鬼魅。

[日华子]云：镇心治邪，啼泣，除面皯，头风，暖水脏。生用破血，炙用止血。

[图经曰] 卷柏，生常山山谷间，今关、陕、沂、兖诸州亦有之。宿根紫色多须。春生苗，似柏叶而细碎，拳挛如鸡足，青黄色，高三五寸。无花、子，多生石上。五月、七月采，阴干。去下近石有沙土处，用之。

一种唐本余

辟虺雷

味苦，大寒，无毒。主解百毒，消痰，祛大热，疗头痛，辟瘟疫。一名辟蛇雷。其状如粗块苍术，节中有眼。

四十六种陈藏器余

药王

味甘，平，无毒。解一切毒，止鼻衄，吐血，祛烦躁。苗、茎青色[①]，叶摘之有乳[②]汁，捣汁饮验。

兜木香

烧去恶气，除病疫。汉武帝故事，西王母降，上烧兜木香末。兜木香，兜渠国所献，如大豆，涂宫门，香闻百里。关中大疾疫，死者相枕，烧此香，疫则止。内传云：死者皆起，此则灵香，非中国所致，标[③]其功用，为众草之首焉。

---

① 色：其下，柯《大观》有“花黄色”。

② 乳：成化《政和》、商务《政和》无。

③ 标：原作“摽”，据柯《大观》改。

草犀根

味辛，平，无毒。主解诸药毒。岭南及睦婺间，如中毒草，此药及千金藤并解之。亦主蛊毒，溪毒，恶刺，虎狼、虫虺等毒，天行疟瘴寒热，咳嗽痰壅，飞尸，喉闭，疮肿，小儿寒热，丹毒，中恶，注忤，痢血等。并煮汁服之，其功用如犀，故名草犀，解毒为最。生衢、婺[①]、洪、饶间。苗高二三尺，独茎，根如[②]细辛，研服更良。生水中者，名木犀也。

[▉海药云]谨按，《广州记》云：生岭南及海中。独茎、对叶而生如灯台草，若细辛。平，无毒。主解一切毒气，虎狼所伤，溪毒，野蛊等毒，并宜烧研[③]服，临死者服之得活。

薇

味甘，寒，无毒。久食不饥，调中，利大小肠。生水傍，叶似萍。《尔雅》曰：薇，垂也。《三秦记》曰：夷、齐食之三年，颜色不异。武王诫之，不食而死[④]。《广志》曰：薇叶似萍，可食，利人也。

[▉海药云]谨按，《广州记》云：生海、池、泽中。《尔雅》注云：薇，水菜。主利水道，下浮肿，润大肠。

无风独摇草

带之令夫妇相爱。生岭南。头如弹子，尾若鸟尾，两片开合，见人自动，故曰独摇草。

[▉海药云]谨按，《广志》云：生岭南。又云：生大秦国。性温、平，无毒。主头面游风，遍身痒。煮汁淋蘸。陶朱术云：五月五日采，诸山野往往亦有之。

零余子

味甘，温，无毒。主补虚，强腰脚，益肾，食之不饥。晒干，功用强于署预，

① 婺：地名，在今江西省。原作“婺”，据地名改。

② 如：成化《政和》、商务《政和》无。

③ 研：原作“碎”，据柯《大观》改。

④ 不食而死：柯《大观》作“不食死”。

有数[1]此则[2]是其一也。一本云：大如鸡子，小者如弹丸，在叶下生。

百草花

主百病，长生，神仙，亦煮花汁酿酒服之。《异类》云：凤刚者，渔阳人也，常采百花，水渍，封泥埋之百日，煎为丸。卒死者，内口中即活。胡刚服药，百余岁，入地肺山。《列仙传》云：尧时赤松子服之，得仙。

红莲花、白莲花

味甘，平，无毒。久服令人好颜色，变白却老。生西国，胡人将来至中国也。

旱藕

味甘，平，无毒。主长生不饥，黑毛发。生太行，如藕。

羊不吃草

味苦、辛，温，无毒。主一切风血，补益，攻诸病。煮之，亦浸酒。生蜀川山谷。叶细长，在诸草中羊不吃者是。

萍蓬草根

味甘，无毒。主补虚，益气力，久食不饥，厚肠胃。生南方池泽。大如荇，花黄，未开前如算袋，根如藕，饥年当谷也。

石蕊

主长年不饥。生太山石上，如花蕊，为丸散服之。今时无复有。王隐《晋书》曰：庾褒[3]入林虑山，食木实，饵石蕊，得长年也。

① 数：其下，柯《大观》有“种”字。

② 则：柯《大观》无。

③ 庾褒：“庾”成化《政和》、商务《政和》作“庚”。“褒”，柯《大观》作“衮”。

仙人草

主小儿酢疮。煮汤浴，亦捣傅之。酢疮，头小，大硬。小者，此疮或有不因药而自差者。当丹毒入腹必危，可预饮冷药以防之，兼用此草洗疮。亦明目，去肤翳，挼汁滴目中。生阶庭间。高二三寸，叶细有雁齿，似离鬲草，北①地不生也。

会州白药

主金疮，生肤，止血，碎末傅疮上。药如白蔹，出会州也。

救穷草

食之可绝谷长生。生地肺山大松树下，如竹，出新道书。地肺山高六千丈，其下有之，应可求也。

草豉

味辛，平，无毒。主恶气，调中，益五脏，开胃，令人能食。生巴西诸国。草似韭，豉出花中，人食之。

陈思岌

味辛，平，无毒。主解诸药毒，热毒，丹毒痈肿，天行壮热，喉痹，蛊毒，除风血，补益。已上并煮服之，亦磨傅疮上，亦浸酒。出岭南。一名千金藤，一名石黄香。今江东又有千金藤，一名乌虎藤，与陈思岌所主颇有异同，终非一物也。陈思岌蔓生，如小豆，根及叶辛香也。

千里及

味苦，平，小毒。主天下疫气，结黄，疟瘴，蛊毒。煮服之吐下，亦捣傅疮，虫、蛇、犬等咬处。藤生，道旁篱落间有之，叶细厚，宣、湖间有之。

---

① 北：柯《大观》作“此”。

孝文韭

味辛，温，无毒。主腹内冷胀满，泄痢肠澼，温中补虚。生塞北山谷。如韭，人多食之能行。云昔后魏孝文帝所种，以是为名。又有山韭，亦如韭，生山间，主毛发。又有石蒜，生石间。又有泽蒜，根如小蒜，叶如韭，生平泽，并温补下气。又滑水源。又有诸葛亮韭，而长，彼人食之，是蜀魏时诸葛亮所种也。

倚待草

味甘，温，无毒。主血气虚劳，腰膝疼弱，风缓，羸瘦无颜色，绝伤，无子，妇人老血。浸酒服之。逐病拯疾，故名倚待。生桂州如①安山谷，叶圆，高二三尺，八月采取。

鸡侯菜

味辛，温，无毒。久食温中益气。生岭南。顾《广州记》曰：鸡侯菜，似艾，二月生，宜鸡羹，故名之。

桃朱术

取子带之，令妇人为夫所爱。生园中，细如芹花，紫子作角，以镜向旁敲之，则子自发，五月五日收之也。

铁葛

味甘，温，无毒。主一切风，血气羸弱，令人性健。久服风缓及偏风并正。生山南峡中。叶似枸②杞，根如葛，黑色也。

伏鸡子根

味苦，寒，无毒。主解百药毒，诸热烦闷急黄，天行黄疸，疸疮，疟瘴中恶，寒热头痛，马急黄及牛疫，并水磨服。生者尤佳。亦傅痈肿，与陈家白药同功。但

① 如：柯《大观》作“始”。

② 枸：原作“苟”，据成化《政和》、商务《政和》改。

霍乱诸冷，不可服耳。生四明天台。叶圆薄似钱，蔓延，根作鸟形者良，一名承露仙。

陈家白药

味苦，寒，无毒。主解诸药毒。水研服之，入腹与毒相攻必吐，疑毒未止，更服。亦去心胸烦热，天行温①瘴。出苍梧。陈家解药用之，故有陈家之号。蔓及根并似土瓜，紧小者良，冬春采取，一名吉利菜。人亦食之，与婆罗门白药及赤药功用并相似。叶如钱，根如防己，出②明山。

龙珠

味苦，寒，无毒。子主丁肿。叶变白发，令人不睡。李邕方云：主诸热毒，石气发动，调中，解烦。生道傍。子圆赤珠似龙葵，但子熟时赤耳。

揰胡根

味甘，寒，无毒。主润五脏，止消渴，除烦，去热，明目，功用如麦门冬。生江南川谷荫地，苗如萱草，根似天门冬，用之去心。

甜藤

味甘，寒，无毒。去热烦，解毒，调中气，令人肥健。又主剥马血毒入肉，狂犬，牛马热黄。捣绞取汁，和米粉作糗饵，食之甜美，止泄。捣叶汁傅蛇咬疮。生江南山林下，蔓如葛。又有小叶尖长，气辛臭，捣傅小儿腹，除痞满闪癖。

孟娘菜

味苦，小温，无毒。主妇人腹中血结，羸瘦，男子阴囊湿痒，强阳道，令人健行，不睡，补虚，去痔瘘、瘰疬、瘿瘤，作菜。生四明诸山，冬夏常有。叶似升麻，方茎，山人取以为菜，一名孟母菜，一名厄菜。

---

① 温：成化《政和》、商务《政和》作“瘟”。

② 出：柯《大观本草札记》云：“一本‘出’下有‘四’字。”

吉祥草

味甘，温，无毒。主明目，强记，补心力。生西国，胡人将来也。

地衣草

味苦，平，无毒。主明目。崔知悌方云：服之令人目明。地上衣如草，生湿处是。

郎耶草

味苦，平，无毒。主赤白久痢，小儿大腹痞满，丹毒，寒热。取根、茎煮服之①。生山泽间，三四尺，叶作雁齿，如鬼针苗。

地杨梅

味辛，平，无毒。主赤白痢。取茎、子煎服。生江东温湿地。四五月有子似杨梅，苗如蓑草也。

茅膏菜

味甘，平，无毒。主赤白久痢，煮服之。草高一尺，生茅中。叶有毛，如油腻黏人手，子作角，中有小子也。

鳖菜

味辛，平，无毒。主破血，产后腹痛。煮汁服之，亦捣碎傅丁疮。生江南国荫地。似益母，方茎，对节，白花，花中甜汁，饮之如蜜②。

益奶草

味苦，平，无毒。主五野鸡病，脱肛，止血。炙令香，浸酒服之。生永嘉山

① 煮服之：原作“服煮之”，据柯《大观》改。

② 汁，饮之如蜜：成化《政和》、商务《政和》作“捣傅蛇咬疮。生高原，如小蒜而长。产后作羹，食之良”。按，此20字，原属下“蓼荞”条之文，成化《政和》、商务《政和》错简在此。

谷。叶如泽兰，茎赤，高二三尺也。

蜀胡烂

味辛，平，无毒。主冷气，心腹胀满，补肾，除妇人血气，下痢，杀牙齿虫。生安南，似蘹香子。

鸡脚草

味苦，平，无毒。主赤白久痢成疳。生泽畔。赤茎，对叶，如百合苗。

难火兰

味酸，温，无毒。主冷气风痹，开胃下食，去腹胀，久服明目。生巴西胡国。似菟丝子，长少许。

蓼荞

味辛，温，无毒。主霍乱，腹冷胀满，冷气攻击，腹内不调，产后血攻，胸胁刺痛。煮服之，亦食其苗如葱韭。亦捣傅蛇咬疮。生高原，如小蒜而长。产后作羹，食之良①。

石荠宁

味辛，温，无毒。主风冷气，并疮疥瘙，野鸡漏下血。煮汁服。生山石上。紫花细叶，高一二尺，山人并用之。

蓝藤根

味辛，温，无毒。上气冷嗽，煮服之。生新罗国，根如细辛。

七仙草

主杖疮，捣枝叶傅之。生山足，叶尖细长。

---

① 捣傅蛇咬疮……食之良：以上20字，成化《政和》、商务《政和》错简在上“鳖金菜”条。

甘家白药

味苦，大寒，小有毒。主解诸药毒，与陈家白药功用相似。人吐毒物，疑不稳，水研服之。即当吐之，未尽又服。此二药性冷，与霍乱下痢相反。出龚州已南。甘家亦因人为号。叶似车前，生阴处，根形如半夏。岭南多毒物，亦多解物，岂天资乎①？

天竺干姜

味辛，温，无毒。主冷气寒中，宿食不消，腹胀下痢，腰背疼，痃癖气块，恶血积聚。生婆罗门国，似②姜小黄。一名胡干姜。

池德勒

味辛，温，无毒。主破冷气，消食。生西国。草根也，胡国人用之。

重修政和经史证类备用本草卷第六

---

① 乎：其下，成化《政和》、商务《政和》有“汁，饮之如蜜”。按，此5字，原是上“鳖金菜”条之文，成化《政和》、商务《政和》错简在此。

② 似：成化《政和》、商务《政和》作“以”。

重修政和经史证类备用本草卷第七

己酉新增衍义

重修政和经史证类备用本草卷第七 己[①]酉新增衍义

成都唐慎微续证类

中卫大夫康州防御使句当龙德宫总辖修建明堂所医药提举入内医官编类圣济经提举太医学臣曹孝忠奉敕校勘

草部上品之下总五十三种

三十四种神农本经 白字

二种名医别录 墨字

二种唐本先附 注云唐附

五种唐本余

一十种陈藏器余

凡墨盖子已[②]下并唐慎[③]微续证类

蓝实 淀青布 续注　**芎䓖**　**蘼芜**

黄连　**络石** 地锦、扶芳、土鼓、石血、薜荔[④]、木莲、常春藤等 续注

① 己：原作"巳"，据底本书首牌记改。

② 已：原作"巳"，据文理改。

③ 慎：刘《大观》作"谨"。

④ 石血、薜荔：刘《大观》无。

蒺藜子 **黄芪** 白水芪、赤水芪、木芪 续注 **肉苁蓉** 草苁蓉附①
防风 叶附 花 续注 **蒲黄** **香蒲** **续断**
漏芦 **营实** 白蔷薇根 续注 **天名精**
决明子 茳芒② 续注 **丹参** **茜根** **飞廉**
五味子 **旋花** 续筋附 **兰草** 忍冬
蛇床子 **地肤子** 鸭舌草附③ 千岁蘽 藤是也④ **景天** 花附
茵陈蒿 **杜若** **沙参** **白兔藿**
徐长卿 **石龙刍** 败席 续注 **薇衔** **云实** 花附
王不留行 鬼督邮 唐附 白花藤 唐附

五种唐本余

留军待 地不容 独用将军 山胡椒
灯笼草

一十种陈藏器余

人肝藤 越王馀筭 石莼 海根
寡妇荐 自经死绳 刺蜜 骨路支
长松 合子草

① 草苁蓉附：刘《大观》无。
② 芒：原作“茳”，据刘《大观》改。
③ 鸭舌草附：刘《大观》无。
④ 藤是也：刘《大观》无。

蓝实

味苦，寒，无毒。**主解诸毒，杀蛊蚑**音其，小儿鬼也，**疰鬼，螫毒。久服头不白，轻身。**其叶汁，杀百药毒，解狼①毒、射罔毒。其茎、叶可以染青。生河内平泽。

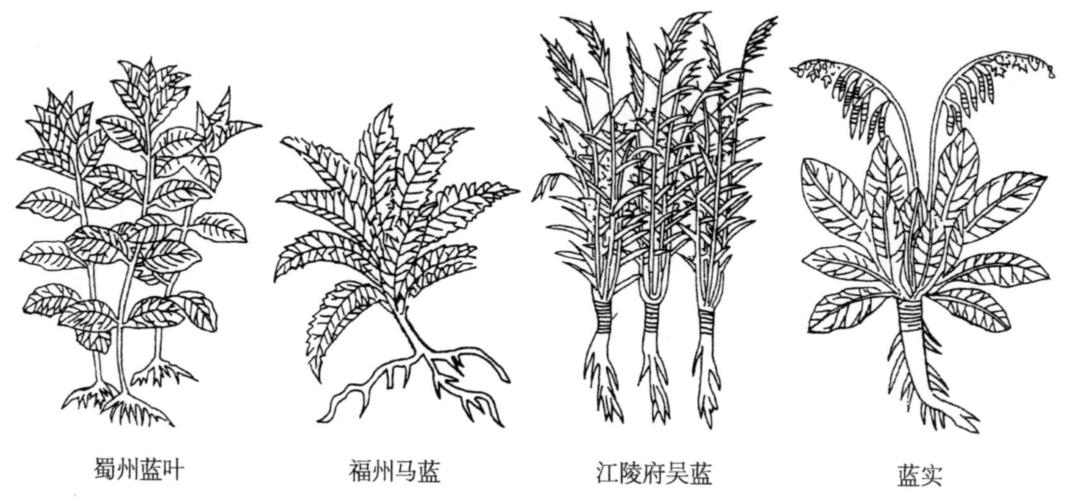

蜀州蓝叶　　福州马蓝　　江陵府吴蓝　　蓝实

［陶隐居］云：此即今染綼音禁碧所用者。至解毒，人卒不能得生蓝汁，乃浣②綼布汁以解之亦善。以汁涂五心，又止烦闷。尖叶者为胜，甚疗蜂螫毒。

［唐本注］云：蓝实有三种。一种围径二寸许，厚三四分。出岭南，云疗肿毒，太常名此草为木蓝子，如陶所引，乃是菘蓝，其汁抨普更切为淀音殿者。按，《经》所用，乃是蓼蓝实也，其苗似蓼，而味不辛者。此草汁疗热毒，诸蓝非比，

① 狼：柯《大观》作“很”。

② 浣：成化《政和》、商务《政和》作“渍”。

且二种蓝，今并堪染，菘蓝为淀，惟堪染青；其蓼蓝不堪为淀，惟作碧色尔。

［臣禹锡等谨按蜀本］《图经》云：叶似水蓼，花红白色，子若蓼子而大，黑色。今所在下湿地有，人皆种之。

［尔雅］云：葴，马蓝。注：今大叶冬蓝也。疏：今为淀者是也。

［药性论］云：蓝实，君，味甘。能填骨髓，明耳目，利五脏，调六腑，利关节，治经络中结气，使人健，少睡，益心力。蓝汁止心烦躁①，解蛊毒。

［日华子］云：吴蓝，味苦、甘，冷，无毒。治天行热狂，丁疮游风，热毒肿毒，风疹，除烦止渴，杀疳，解毒药、毒箭，金疮，血闷，虫蛇伤，毒刺，鼻洪，吐血，排脓，寒热头痛，赤眼，产后血运②，解金石药毒，解狼③毒、射罔毒，小儿壮热，热疳。

［陈藏器］云：苏云菘蓝造淀。按，淀多是槐蓝。蓼蓝作者，入药胜槐蓝。淀寒，傅热疮，解诸毒。滓，傅小儿秃疮。热肿初作，上沫堪染如青黛解毒。小儿丹热，和水服之。蓝有数种，蓼蓝最堪入药；甘蓝，北④人食之，去热黄也。

［又云］青布，味咸，寒。主解诸物毒，天行烦毒，小儿寒热，丹毒，并水渍取汁饮。烧作黑灰，傅恶疮，经年不差者，及灸疮止血，令不中风水。和蜡熏恶疮，入水不烂，熏嗽杀虫，熏虎狼③咬疮，出水毒。又于器中烧令烟出，以器口熏人中风水恶露等疮，行下得恶汁知痛痒，差。又入诸膏药，疗丁肿、狐刺等恶疮。又浸汁和生姜煮服，止霍乱。真者入用，假者不中。

［图经曰］蓝实，生河内平泽，今处处有之。人家蔬圃中作畦种莳，三月、四月生苗，高三二尺许，叶似水蓼，花红白色，实亦若蓼子而大，黑色，五月、六月采实。按，蓝有数种。有木蓝，出岭南，不入药。有菘蓝，可以为淀者，亦名马蓝。《尔雅》所谓葴，马蓝是也。有蓼蓝，但可染碧，而不堪作淀，即医方所用者也。又福州有一种马蓝，四时俱有，叶类苦益⑤菜，土人连根采之，焙，捣下簁，酒服钱匕，治妇人败血甚佳。又江宁有一种吴蓝，二三月内生，如蒿状，叶青花白，性寒，去热解毒，止吐血。此二种虽不类，而俱有蓝名。又古方多用吴蓝者，或恐是此，故并附之。后汉·赵岐作《蓝赋》，其序云：余就医偃师，道经陈留，

---

① 躁：柯《大观》作“燥”。

② 运：成化《政和》、商务《政和》、柯《大观》作“晕”。

③ 狼：柯《大观》作“很”。

④ 北：原作“此”，据刘《大观》、柯《大观》、底本校勘表改。

⑤ 益：柯《大观》、《纲目》作“荬”。

此境人皆以种蓝染绀为业，蓝田弥望，黍稷不殖①。至今近京种蓝特盛，云蓝汁治虫豸伤咬。刘禹锡《传信方》著其法云：取大蓝汁一碗，入雄黄、麝香二物，随意看多少，细研，投蓝汁中，以点咬处，若是毒者，即并细服其汁，神异之极也。昔张荐员外在剑南为张廷赏判官，忽被斑蜘蛛咬项上，一宿，咬处有二道赤色，细如箸，绕项上，从胸前下至心；经两宿，头面肿疼如数升碗大，肚渐肿，几至不救。张相素重荐，因出家财五百千，并荐家财又数百千，募能疗者。忽一人应召，云可治。张相初甚不信，欲验其方，遂令目前合药。其人云：不惜方，当疗人性命耳。遂取大蓝汁一瓷碗，取蜘蛛投之蓝汁，良久，方出得汁中，甚困不能动。又别捣蓝汁，加麝香末，更取蜘蛛投之，至汁而死。又更取蓝汁、麝香，复加雄黄和之，更取一蜘蛛投汁中，随化为水。张相及诸人甚异之，遂令点于咬处。两日内悉平愈。但咬处作小疮痂落如旧。又中品著青黛条，云：从胡国来，及太原、庐陵、南康等染淀，亦堪傅热毒等。染瓮上池②沫紫碧色者，同青黛功。

［**◣圣惠方**］治时气热毒，心神烦躁。用蓝淀半大匙，以新汲水一盏服。

［**又方**］治小儿中蛊下血欲死。捣青蓝汁，频频服半合。

［**千金方**］治唇上生疮，连年不差。以八月蓝叶壹斤，捣取汁洗，不过三日差。

［**又方**］治自缢死，以蓝汁灌之。又极须安定其心，徐缓解，慎勿割断绳，抱取心下犹温者，刺鸡冠血滴着口中，即活也，男雌女雄。

［**又方**］熊伤人疮，烧青布熏疮口③毒出，仍煮葛根，令浓汁以洗疮，日十度。并捣葛根为散，煮葛根汁服方寸匕，日五服，差。

［**又方**］治鳖瘕。蓝叶一斤捣，以水三升，绞取汁，服一升，日二。

［**千金翼**］治急疳蚀鼻口，数日欲死。取蓝淀傅之令遍，日十度，夜四度，差。

［**肘后方**］治人身体重，小腹急热上冲胸，头重不能举，眼中生眵，膝胫拘急欲死。取蓝一把，水五升，鼠屎两头尖者二七枚，煮取二升，尽服之，温覆取汗。

［**葛氏方**］新被毒箭。捣蓝青绞汁饮，并傅疮上。如无蓝，可渍青布绞汁饮之，亦以治疮中。

---

① 殖：柯《大观》作“植”。

② 池：成化《政和》、商务《政和》、柯《大观》作“地”。

③ 口：柯《大观》作“中”。

[又方] 中水毒。捣蓝青汁，以少水和，傅头面身上令匝。

[又方] 服药过剂烦闷及中毒烦闷欲死，捣蓝取汁服数升。无蓝，浣[①]青绢取汁饮亦佳。

[又方] 食杏仁中毒，蓝子汁解之。

[梅师方] 治虎伤人疮。取青布紧卷作缠，烧一头内竹筒中，射疮口，令烟熏入疮中，佳。

[又方] 治上气咳嗽，呷呀息气，喉中作声，唾黏。以蓝实叶水浸良久，捣绞取汁一升，空腹频服。须臾以杏仁研取汁，煮粥食之。一两日将息，依前法更服，吐痰尽方差。

[子母秘录] 治小儿赤痢。捣青蓝汁二升，分四服。

[又方] 治小儿丹，蓝淀傅，热即易。

[广五行记] 永徽中，绛州僧病噎不下食。告弟子，吾死之后，便可开吾胸喉，视有何物，言终而卒。弟子依言而开视，胸中得一物，形似鱼而有两头，遍体是肉鳞。弟子致器中，跳跃不止，戏以诸味，皆随化尽。时夏中蓝盛作淀，有一僧以淀致器中，此虫遂绕器中走，须臾化为水矣。

[衍义曰] 蓝实，即大蓝实也。谓之蓼蓝非是，《尔雅》所说是。解诸药等毒，不可阙也。实与叶两用，注不解实，只解蓝叶为未尽，《经》所说尽矣。蓝一本而有数色，刮竹青、绿云、碧青、蓝黄，岂非青出于蓝而青于蓝者也。生叶汁解药毒。此即大叶蓝，又非蓼蓝也。蓼蓝即堪揉汁染翠碧，花成长穗，细小，浅红色。

芎䓖

味辛，温，无毒。**主中风入脑，头痛**[②]**，寒痹，筋挛缓急，金疮**[③]**，妇人血闭，无子**，除脑中冷动，面上游风去来，目泪出，多涕唾，忽忽如醉，诸寒冷气，心腹坚痛，中恶，卒急肿痛，胁风痛，温中内寒。一名胡䓖，一名香果。其叶名蘼芜。生武功川谷、斜谷西岭。三月、四月采根，暴干。得细辛疗金疮止痛，得牡蛎疗头风[④]吐

① 浣：成化《政和》、商务《政和》作“渍”。

② 入脑，头痛：《太平御览》作“入头脑痛”。

③ 金疮：孙星衍辑《本经》作“金创”。

④ 头风：刘《大观》、柯《大观》倒置。

逆。白芷为之使①。

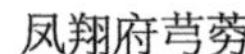

凤翔府芎䓖　　永康军芎䓖

［陶隐居］云：今惟出历阳，节大茎细，状如马衔，谓之马衔芎䓖。蜀中亦有而细，人患齿根血出者，含之多差。苗名蘼芜，亦入药，别在下说。俗方多用，道家时须尔。胡居士云：武功去长安二百里，正长安西，与扶风狄道相近；斜谷是长安西岭下，去长安一百八十里，山连接七百里。

［唐本注］云：今出秦州，其人间种者，形块大，重实，多脂润。山中采者瘦细。味苦、辛。以九月、十月采为佳。今云三月、四月，虚恶非时也。陶不见秦地芎䓖，故云惟出历阳，历阳出者，今不复用。

［臣禹锡等谨按蜀本］《图经》云：苗似芹、胡荽、蛇床辈，丛生，花白，今出秦州者为善，九月采根乃佳。

［吴氏］云：芎䓖，神农、黄帝、岐伯、雷公：辛，无毒。扁鹊：酸，无毒。季氏②：生温，熟寒。或生胡无桃山阴，或太山，叶香细，青黑文赤如藁本。冬夏丛生，五月华赤，七月实黑，茎端两叶，三月采，根有节，似马衔状。

［药性论］云：芎䓖，臣。能治腰脚软弱，半身不遂，主胞衣不出③，治腹内冷痛。

［日华子］云：畏黄连。治一切风，一切气，一切劳损，一切血，补五劳，壮筋骨，调众脉，破癥结宿血，养新血，长肉，鼻洪④，吐血及溺血，痔瘘，脑痈，

---

① 使：其下，《纲目》有“畏黄连，伏雌黄”。

② 季氏：《纲目》作“李当之”。

③ 出：《纲目》作“下”。

④ 洪：《纲目》作“血”。

发背，瘰疬，瘿①赘，疮疥及排脓，消瘀血。

［图经曰］芎䓖，生武功山②谷、斜谷西岭。蘼芜，芎䓖苗也。生雍州川泽及冤句，今关陕、蜀川、江东山中多③有之，而以蜀川者为胜。其苗四五月间生，叶似芹、胡荽、蛇床辈，作丛而茎细。《淮南子》所谓夫乱人者，若芎䓖之与藁本，蛇床之与蘼芜是也。其叶倍香。或莳于园庭，则芬馨满径。江东、蜀川人采其叶作饮香，云可以已④泄泻。七八月开白花，根坚瘦，黄黑色，三月、四月采，暴干。一云九月、十月采为佳，三月、四月非时也。关中⑤出者，俗呼为京芎，并通用，惟贵形块重实，作雀脑状者，谓之雀脑芎，此最有力也。蘼芜一名蕲古芹字，巨斤切，古方单用芎䓖，含咀以主口齿疾，近世或蜜和作指大丸，欲寝⑥服之，治风痰殊佳。

［█圣惠方］治妇人崩中下血，昼夜不止。以芎䓖一两剉，酒一大盏，煎至五分去滓，入生地黄汁二合，煎三两沸，食前分二服。

［千金方］治崩中，昼夜不止。芎䓖八两，清酒五升，煎取二升半，分三服。不耐者，徐徐进之。

［经验后方］治头风，化痰。川芎不计分两，用净水洗浸，薄切片子，日干或焙，杵为末，炼蜜为丸如小弹子大。不拘时，茶、酒嚼下一丸。

［斗门方］治偏头疼。用京芎细剉，酒浸，服之佳。

［灵苑方］治妇人经络，住经三个月。验胎法：川芎生为末，空心浓煎艾汤下一匙头。腹内微动者，是有胎也。

［续十全方］治胎忽因倒地、忽举动擎重促损，腹中不安及子死腹中。以芎䓖为末，酒服方寸匕，须臾一二服，立出。

［又方］风齿败口臭，但含芎䓖。

［御药院方］真宗赐高公⑦相国，去痰清目，进饮食，生犀丸：川芎十两紧小

---

① 瘿：柯《大观》无。

② 山：刘《大观》、柯《大观》作“川”。

③ 多：柯《大观》作“亦”。

④ 已：刘《大观》、柯《大观》作“止”。

⑤ 中：其下，柯《大观》有“所”字。

⑥ 寝：原作“寢”，据刘《大观》、柯《大观》改。

⑦ 公：柯《大观》、《纲目》无。

者，粟米泔浸三日换[①]，切片子，日干，为末作[②]两料。每料入麝、脑各一分，生犀半两，重汤煮，蜜杵为丸小弹子大。茶、酒嚼下一丸。痰，加朱砂半两。膈壅，加牛黄一分，水飞铁粉一分。头目昏眩，加细辛一分。口眼㖞斜，加[③]炮天南星一分。

［**春秋注云**[④]］麦曲鞠穷，所以御湿[⑤]。

［**简文帝劝医文**］麦曲芎䓖，才止河鱼之腹。

［**衍义曰**］芎䓖，今出川中，大块，其里色白，不油色，嚼之微辛、甘者佳。他种不入药，止可为末，煎汤沐浴。此药今人所用最多，头面风不可阙也，然须以他药佐之。沈括云：予一族子，旧服芎䓖，医郑叔熊见之云芎䓖不可久服、多令人暴死，后族子果无疾而卒。又朝士张子通之妻病脑风，服芎䓖甚久，亦一旦暴亡。皆目见者。此盖单服耳，若单服既久，则走散真气。既使他药佐使，又不久服，中病便已，则乌能至此也。

蘼芜

味辛，温，无毒。**主咳逆，定惊气，辟邪恶，除蛊毒，鬼疰，去三虫。久服通神。**主身中老风，头中久风，风眩。**一名薇芜，**一名茳[⑥]蓠，芎䓖苗也。生雍州川泽及冤句。四月、五月采叶，暴干。

［陶隐居］云：今出历阳，处处亦有，人家多种之。叶似蛇床而香，骚人借以为譬，方药用甚稀。

［唐本注］云：此有二种，一种似芹叶，一种如蛇床，香气相似，用亦不殊尔。

［臣禹锡等谨按尔雅］云：蕲茝，蘼芜。注：香草，叶小如萎状。疏引郭云：如萎蒿之状。

［**图经曰**］蘼芜，说文已具芎䓖条下。

［**■广志曰**］蘼芜，香草。魏武帝以藏衣中。

---

① 换：柯《大观》作“薄”，属下句。

② 作：其上，《纲目》有“分”字。

③ 加：原脱，据文理补。

④ 云：柯《大观》无。

⑤ 麦曲鞠穷，所以御湿：柯《大观》作“山芎䓖能去卑湿风气”。

⑥ 茳：原作“茫”，据刘《大观》、柯《大观》改。

[管子曰] 五沃之土生蘼芜。

[郭璞赞曰] 蘼芜，善[①]草，乱之蛇床，不陨其贵。自别[②]以芳。

黄连

味苦，寒、微寒，无毒。**主热气，目痛眦伤泣出，明目，肠澼腹痛，下痢，妇人阴中肿痛**，五脏冷热，久下泄澼脓血。止消渴、大惊，除水利骨，调胃厚肠，益胆，疗口疮。**久服令人不忘。一名王连。**生巫阳川谷及蜀郡、太山[③]。二月、八月采[④]。黄芩、龙骨、理石为之使，恶菊花、芫花、玄参、白鲜[⑤]，畏款冬[⑥]，胜乌头，解巴豆毒。

澧州黄连

[陶隐居] 云：巫阳在建平。今西间者，色浅而虚，不及东阳、新安诸县最胜。临海诸县者不佳。用之当布裹挼去毛，令如连珠。俗方多疗下痢及渴，道方服食长生。

[唐本注] 云：蜀道者粗大节平，味极浓苦，疗渴为最。江东者节如连珠，疗痢大善。今澧州者更胜。

宣州黄连

[今注] 医家见用宣州九节坚重，相击有声者为胜。

[臣禹锡等谨按蜀本]《图经》云：苗似[⑦]茶，花黄丛生，一茎生三叶，高尺许，冬不凋。江左者节高若连珠。蜀都者，节下不连珠。今秦地及杭州、柳州者佳。

[药性论] 云：黄连，臣。一名支连。恶白僵蚕，忌猪肉，恶冷水。杀小儿疳虫，点赤眼昏痛，镇肝去热毒。

[萧炳] 云：今出宣州绝佳，东阳亦有，歙州、处州者次。

[陈藏器] 云：主羸瘦气急。

---

① 善：原作“香”，据《说郛》引郭璞赞改。

② 别：原作“烈”，据《尔雅翼》引郭璞赞改。

③ 山：其下，《纲目》有“之阳”2字。

④ 采：其下，《纲目》有“根”字。

⑤ 鲜：其下，《纲目》有“皮”字。

⑥ 冬：其下，《纲目》有“牛膝”2字。

⑦ 似：其下，刘《大观》、柯《大观》有“细”字。

［日华子］云：治五劳七伤，益气，止心腹痛，惊悸烦躁①，润心肺，长肉止血，并疮疥，盗汗，天行热疾。猪肚蒸为丸，治小儿疳气。

［图经曰］ 黄连，生巫阳川谷及蜀郡、泰山，今江、湖、荆、夔州郡亦有，而以宣城者为胜，施、黔者次之。苗高一尺已来，叶似甘菊，四月开花，黄色。六月结实似芹子，色亦黄。二月、八月采根用。生江左者，根若连珠，其苗经冬不凋，叶如小雉尾草，正月开花作细穗，淡白微黄色，六七月根紧始堪采。古方以黄连为治痢之最，胡治方载九盏汤，主下痢，不问冷热、赤白、谷滞、休②息、久下悉主之。以黄连长三寸三十枚秤重一两半，龙骨如棋子四枚重四分，附子大者一枚，干姜一两半，胶一③两半，并切；先以水五合，著铜器中，去火三寸，煎沸便下，著生土上，沸止又上水五合，如此九上九下，内诸药著火上，沸辄下，著土④上，沸止又复，九上九下，度可得一升，顿服即止。又香连丸亦主下痢，近世盛行。其法以宣连、青木香分两停同捣筛，白蜜丸如梧子，空腹饮下二三⑤十丸，日再，如神。其久冷人，即用⑥煨熟大蒜作丸。此方本出李绛《兵部手集方》，婴孺用之亦效。又治目方用黄连多矣，而羊肝丸尤奇异，取黄连末一大两，白羊子肝一具，去膜，同于砂盆内研令极细，众手撚为丸如梧子。每食以暖浆水吞二⑦七枚，连作五剂，差。但是诸眼目疾及障翳、青盲皆主之，禁食猪肉及冷水。刘禹锡云，有崔承元者，因官治一死罪囚出活之，囚后数年以病自致死。一旦⑧，崔为内障所苦，丧明逾年后，半夜叹息独坐，时闻阶除间悉窣之声，崔问为谁，曰是昔所蒙活者囚，今故报恩至此，遂以此方告讫而没。崔依此合服，不数月，眼复明，因传此方于世。又今医家洗眼汤，以当归、芍药、黄连等分停，细切⑨，以雪水或甜水煎浓汁，乘热洗，冷即再温洗，甚益眼目，但是风毒赤目、花翳等，皆可用之。其说云：凡眼目之病，皆以血脉凝滞使然，故以行血药合黄连治之，血得热即行，故乘

---

① 躁：原作"燥"，据柯《大观》改。
② 休：成化《政和》、商务《政和》作"林"。
③ 一：柯《大观》作"二"。
④ 土：刘《大观》作"士"。
⑤ 二三：刘《大观》、柯《大观》作"三二"。
⑥ 用：成化《政和》、商务《政和》无。
⑦ 二：柯《大观》作"三"。
⑧ 一旦：柯《大观》无。
⑨ 切：柯《大观》无。

热洗之，用者无不神效。

［雷公云］凡使，以布拭上肉毛，然后用浆水浸二伏时，漉出，于柳木火中焙干用。若服此药得十两，不得食猪肉；若服至三年，不得食猪肉一生也。

［外台秘要］治卒[①]心痛，黄连八两一味㕮咀，以水七升，煮取五升[②]，绞去滓，寒温饮五合，日三服。

［又方］治目卒痒，目痛。末黄连，乳汁浸，点眦中止。

［千金方］治大热毒纯血痢。宣连六两，以水七升，煮取三升半，夜露星月下，平旦空腹顿服之，少卧将息。

［肘后方］治眼泪出不止，浓汁渍绵干[③]拭目。

［又方］赤痢热下，久不止。黄连末，鸡子白丸，饮服十丸，三十丸即差。

［又方］治卒消渴，小便多。捣黄连，绢筛，蜜和，服三十丸，治渴延年。

［又方］赤白痢下，令人下部疼重，故名重下，出脓血[④]如鸡子白，日夜数十行，绞[⑤]脐痛。治之[⑥]：黄连一升，酒五升，煮取一升半，分再服，当小绞痛[⑦]。

［经验方］治暴赤白痢如鹅、鸭肝者，痛不忍。黄连、黄芩各一两，以水二[⑧]升，煎取一[⑨]升，分三服，热吃，冷即凝矣。

［梅师方］伤寒病，发豌豆疮，未成脓方：黄连四两，水三升，煎取一升，去滓分服。

［斗门方］治痔疾有头如鸡冠者。用黄连末傅之即差，更加赤小豆末尤良。

［简要济众］小儿吐血不止。以一两去须，捣为散，每服一钱，水七分，入豉二十粒，同煎至五分，去滓，温服，量儿大小加减进。

［博济方］治久患脾泄，神圣香黄散：宣连一两、生姜四两一处以慢火炒，令

---

① 卒：《外台秘要》卷7“治卒心痛方”中并无黄连方，只有“治心痛方”中才有用黄连汤方，此处“卒”字似应删。

② 五升：《外台秘要》作“一升五合”。

③ 干：其下，柯《大观》有“常以”2字。

④ 赤白痢下……出脓血：以上17字，柯《大观》作“痢下赤脓”4字。

⑤ 绞：柯《大观》作“绕”。

⑥ 治之：柯《大观》无。

⑦ 服，当小绞痛：柯《大观》作“服，脐下当小绞痛即差，不差再服”13字。又“小”，成化《政和》、商务《政和》作“止”。

⑧ 二：柯《大观》作“一”。

⑨ 一：柯《大观》作“半”。

姜干脆、色深，去姜取连捣末，每服二钱匕，空心腊茶清下。甚者不过二服，差。

［**胜金方**］治眼黄连丸：宣连不限多少，捶碎，用新汲水一大碗，浸至六十日后，用绵滤过取汁，入元碗内，却于重汤上熬，不住以匙荡搅，候干为度。即穿地坑子可深一尺，以瓦铺底，将熟艾四两坐在瓦上，以火然如炙法。然后以药碗覆上，四畔封泥，开孔令烟出尽即止，取出刮下，丸如小豆大，每服十丸，甜竹叶汤下。

［**又方**］治久痢，累医不差。黄连一两为末，以鸡子白和为饼，炙令如紫肝色，杵为末，以浆水三升，慢火煎成膏①。白痢加酒半盏同煎，每服半合②，温米饮调下，食前服。

［**广利方**］治骨节热积渐黄瘦。黄连四分，碎切，以童子小便五③大合浸经宿，微煎三四沸，去滓，食上④分两服，如人行四五里再服。

［**杜壬**］治气痢泻，里急后重。神妙方：宣连一两，干姜半两，各为末。每用连二钱，姜半钱，和匀，空心温酒下。

［**子母秘录**］因惊、举重，胎动出血。取黄连末，酒服方寸匕，日三服。孙尚药同。

［**又方**］小儿⑤赤白痢多时，体弱不堪。宣连浓煎，和蜜服。日六七服，量其大小，每煎三分水减二分，频服。

［**又方**］小儿耳后月蚀疮，末黄连傅之。

［**又方**］小儿鼻下两道赤者名曰䘌，亦名赤鼻疳。鼻以米泔洗，傅黄连末，日三四度，佳。

［**姚和众小儿方**］小儿食土。取好土浓煎黄连汁搜之，日干与服。

［**抱朴子**］乳汁煎之，治目中百病。

［**宋·王微黄连赞**］黄连味苦，左右相因。断凉涤暑，阐命轻身。缙云昔御，飞跸⑥上旻⑦。不行而至，吾闻其人。

---

① 膏：其下，柯《大观》有“子”字。

② 合：成化《政和》、商务《政和》作“今”。

③ 五：柯《大观》作“用”。

④ 上：成化《政和》、商务《政和》作“土”。

⑤ 儿：原作“见”，据文理改。

⑥ 跸：帝王出行清道，禁止百姓往来。

⑦ 旻：苍天。

[梁·江淹黄连颂] 黄连上草，丹砂之次。御孽辟妖，长灵久视。骖龙行天，驯马匝地。鸿飞以仪，顺道则利。

[衍义曰] 黄连，今人多用治痢，盖热[①]以苦燥之义。下俚但见肠虚渗泄，微似有血便，即用之，更不知止。又不顾寒热多少，但以尽剂为度，由是多致危困。若气实初病，热多血利，服之便止，仍不必尽剂也。或虚而冷，则不须服。余如《经》。

络石

味苦，温、微寒，无毒[②]。**主风热，死肌，痈伤，口干舌焦，痈肿不消，喉舌肿**[③]，不通[④]，**水浆不下**，大惊入腹，除邪气，养肾，主腰髋音宽痛，坚筋骨，利关节。**久服轻身，明目，润泽，好颜色，不老延年**[⑤]，通神。**一名石鲮**音陵，一名石蹉[⑥]，一名略石，一名明石，一名领石，一名悬石。生太山川谷，或石山之阴，或高山岩石上，或生人[⑦]间。正月采。杜仲、牡丹为之使，恶铁落，畏贝母、菖蒲。

络石

[陶隐居] 云：不识此药，仙、俗方法都无用者，或云是石类。既云或生人间，则非石，犹如石斛等，系[⑧]石以为名尔。

[唐本注] 云：此物生阴湿处，冬夏常青，实黑而圆，其茎蔓延绕树石侧。若在石间者，叶细厚而圆短；绕树生者，叶大而薄。人家亦种之，俗名耐冬，山南人谓之石血，疗产后血结，大良。以其苞络[⑨]石木而生，故名络石。《别录》谓之石龙藤，主疗蝮蛇疮，绞取汁洗之，

---

① 热：庆元《衍义》、商务《衍义》作“执”。

② 无毒：《纲目》注为《本经》文。

③ 肿：其下，《纲目》有“闭”字。

④ 不通：《纲目》无。

⑤ 久服……延年：以上15字，《纲目》注为《别录》文。

⑥ 蹉：《纲目》作“磋”。

⑦ 人：柯《大观》作“木”。

⑧ 系：成化《政和》、商务《政和》作“击”。

⑨ 络：柯《大观》作“结”。

服汁亦去蛇毒心闷。刀斧伤诸①疮，封之立差。

［今按］《陈藏器本草》云：络石，煮汁服之，主一切风，变白宜老。在石者良，在木者随木有功。生山之阴，与薜荔相似。更有木莲、石血、地锦等十余种藤，并是其类，大略皆主风血，暖腰脚，变白不衰。若呼石血为络石，殊误尔。石血叶尖，一头赤；络石叶圆，正青。

［臣禹锡等谨按蜀本］《图经》云：生木石间，凌冬不凋，叶似细橘，蔓延木石之阴，茎节著处即生根须，包络石傍，花白，子黑。今所在有，六月、七月采茎叶，日干。

［药性论］云：络石，君，恶铁精，杀②孽毒。味甘，平。主治喉痹。

［陈藏器］云：地锦，味甘，温，无毒。主破老血，产后血结，妇人瘦损，不能饮食，腹中有块，淋沥不尽，赤白带下，天行心闷。并煎服之，亦浸酒。生淮南林下，叶如鸭掌，藤蔓著地，节处有根，亦缘树石，冬月不死，山人产后用之。一名地噤。苏恭注曰：络石，石血亦此类也。

［又云］扶芳藤，味苦，小温，无毒。主一切血，一切气，一切冷，去百病。久服延年，变白不老。山人取枫树上者为附枫藤，亦如桑上寄生，大主风血。一名滂藤。隋朝稠禅师作青饮，进炀帝以止渴。生吴郡。采之忌冢墓间者，取茎叶细剉，煎为煎，性冷，以酒浸服。藤苗小时如络石、薜荔夤缘树木，三五十年渐大，枝叶繁茂。叶圆，长二三寸，厚若石韦。生子似莲房，中有细子，一③年一熟。子亦入用④，房破血。一名木莲，打破有白汁，停久如漆，采取无时也。

［又云］土鼓藤，味苦。子，味甘，温，无毒。主风血，羸老，腹内诸冷，血闭，强腰脚，变白。煮服，浸酒服。生林薄间，作蔓绕草木，叶头尖，子熟如珠，碧色正圆。小儿取藤于地，打作鼓声，李邕名为常春藤。

［日华子］云：木莲藤汁，傅白癜，疬疡及风恶疥癣。

［又云］常春藤，一名龙鳞薜荔。

［图经曰］络石，生泰山川谷，或石山之阴，或高山岩上，或生人⑤间，今在处有之。宫寺及人家亭圃山石间，种以为饰。叶圆如细橘，正青，冬夏不凋。其茎

① 诸：柯《大观》无。

② 杀：柯《大观本草札记》云："'杀'下疑脱'般'字。"

③ 一：刘《大观》、柯《大观》作"二"。

④ 用：《纲目》作"药"。

⑤ 人：柯《大观》作"木"。

蔓延，茎节著处即生根须，包络石上，以此得名。花白子黑，正月采，或云六月、七月采茎叶，日干。以石上生者良。其在木上者，随木性而移。薜荔、木莲、地锦、石血，皆其类也。薜荔与此极相类[1]，但茎叶粗大[2]，如藤状，近人用其叶治背痈，干末服之，下利即愈。木莲更大如络石，其实若莲房，能壮阳道，尤胜。地锦叶如鸭掌，蔓著地上，随节有根，亦缘木石上。石血极与络石相类，但叶头尖而赤耳。

［**■雷公云**］凡采得后，用粗布揩[3]叶上、茎蔓上毛了，用熟甘草水浸一伏时，出，切，日干任用。

［**外台秘要**］治喉痹，咽喉寒[4]，喘息不通，须臾欲绝，神验。以络石草二两，水一升[5]，煎取一大[6]盏，去滓，细细吃，须臾即通。

［**背痈**］《图经》云：薜荔治背痈。晟顷寓宜兴县，张渚镇有一老举人聚村学，年七十余，忽一日患发背，村中无他医药，急取薜荔叶，烂研绞汁，和蜜饮数升，以其滓傅疮上，后以他药傅贴，遂愈。医者云：其本盖得薜荔之力，乃知《图经》所载不妄。

蒺藜子

味苦、辛，**温**、微寒，无毒。**主恶血，破癥结积聚，喉痹，乳难**，身体风痒，头痛，咳逆伤肺，肺痿，止烦下气，小儿头疮，痈肿阴㿉，可作摩粉。其叶主风痒，可煮以浴。**久服长肌肉，明目，轻身。一名旁通，一名屈人，一名止行，一名豺羽，一名升推**，一名即藜，一名茨。生冯翊平泽或道傍。七月、八月采实，暴干。乌头为之使。

同州白蒺藜

［陶隐居］云：多生道上[7]，而叶布地，子有刺，状如菱而小。长安最饶，人

---

① 类：柯《大观》作“似”。
② 大：柯《大观》作“尖”。
③ 揩：柯《大观》作“拭”。
④ 寒：柯《大观》作“疾”。
⑤ 升：其下，柯《大观》有“半”字。
⑥ 大：柯《大观》无。
⑦ 上：其下，《纲目》有“及墙上”。

行多著木屐①。今军家乃铸铁作之，以布敌路，亦呼蒺藜。《易》云：据于蒺藜。言其凶伤。《诗》云：墙有茨，不可扫也。以刺梗秽也。方用甚稀尔。

[今按] 别本注云：《本经》云温，《别录》云寒。此药性宣通，久服不冷而无壅热，则其温也。

[臣禹锡等谨按尔雅] 云：茨，蒺藜。注：布地蔓生，细叶，子有三角刺人。

[药性论] 云：白蒺藜子，君，味甘，有小毒。治诸风疬疡，破宿血②，疗吐脓，主难产③，去躁热，不入汤用。

秦州蒺藜子

[日华子] 云：治贲豚，肾气，肺气，胸膈满，催生并堕胎，益精，疗肿毒及水脏冷，小便多，止遗沥泄精，溺血。入药不计丸散，并炒去刺用。

[图经曰] 蒺藜子，生冯翊平泽或道傍。七月、八月采实，暴干。又冬采。黄白色，类军家铁蒺藜。此《诗》所谓墙有茨者。郭璞注《尔雅》云：布地蔓生，细叶，子有三角刺人是也。又一种白蒺藜，今生同州沙苑，牧马草地最多，而近道亦有之。绿叶细蔓，绵布沙上，七月开花，黄紫色，如豌豆花而小。九月结实，作荚子，便可采。其实味甘而微腥，褐绿色，与蚕种子相类而差大。又与马薸子酷相类，但马薸子微大，不堪入药，须细辨之。今人多用。然古方云：蒺藜子皆用有刺者，治风明目最良。神仙方亦有单饵蒺藜，云不问黑白，但取坚实者，舂去刺用。兼主痔漏，阴汗及妇人发乳，带下。葛洪治卒中五尸，捣蒺藜子，蜜丸，服如胡豆二枚，日三，愈。

[◣雷公云] 凡使，采④后净拣，择了蒸，从午至酉，出，日干。于木臼中舂，令皮上刺尽，用酒拌再蒸⑤，从午至酉，出，日干用。

[圣惠方] 治鼻塞多年，不闻香臭，水出不止。以蒺藜二握，当道车碾过，以水一大盏，煮取半盏。仰卧，先满口含饭，以汁一合灌鼻中。不过再灌之，嚏⑥出

① 屐：木头鞋。《纲目》作“履鞋”。
② 破宿血：《纲目》无。
③ 主难产：《纲目》无。
④ 采：其下，柯《大观》有“得”字。
⑤ 蒸：原作“烝”，据成化《政和》、商务《政和》改。
⑥ 嚏：柯《大观》作“当”。

一两个瘜肉，似赤蛹虫，即差。

［**外台秘要**］治急引腰脊痛。捣末，蜜和丸，酒服如胡豆大二丸，日三服。

［**又方**］补肝散：治三十年失明。蒺藜子七月七日收，阴干捣散。食后水服方寸匕。

［**又方**］治肿。蒺藜子一升熬令黄，捣筛，以麻油和如泥，炒令焦黑，以涂故布上，剪如肿大，勿开头搭上。

［**又方**］治蛔虫攻心如刺，吐清汁①。七月七日采蒺藜子，阴干作灰。先食服方寸匕，日三。

［**又方**］治一切丁肿。蒺藜子一升作灰，以酽②酢和封头上，如破，涂之佳。

［**又方**］备急小儿蠼螋疮，绕身匝即死。以蒺藜捣叶傅之，无叶用子亦可。

［**千金方**］涂疮肿。蒺藜蔓洗，三寸截之，以水五升，煮取二升，去滓，内铜器中，又煮取一升，内小器中，如稠糖下，取傅疮肿上。

［**又方**］治遍身风痒，生疮疥。以蒺藜子苗煮汤洗之，立差。《千金翼》同。

［**梅师方**］治难产碍胎在腹中，如已见儿，并胞衣不出，胎死。蒺藜子、贝母各四两，为末。米汤下一匙，相去四五里不下，再服。

［**孙真人食忌**］治白癜风③。以白蒺藜子④生捣为末，作汤服之⑤。

［**神仙秘旨云**］服蒺藜子一硕⑥，当七八月熟时收，日干，舂去刺，然后杵为末。每服二钱，新汲水调下，日三服，勿令中绝，断谷长生。服之一年已⑦后，冬不寒，夏不热。服之二年，老者复少，发白复黑，齿落重生。服之三年，身轻长生。

［**衍义曰**］蒺藜有两等。一等杜蒺藜，即今之道傍布地而生，或生墙上，有小黄花，结芒刺，此正是墙有茨者。花收摘，荫干为末，每服三二钱，饭后以温酒调服，治白癜风。又一种白蒺藜，出同州沙苑牧马处。黄紫花，作荚，结子如羊内肾。补肾药，今人多用。风家惟用刺蒺藜。

---

① 汁：柯《大观》作“水”。

② 酽：浓，味厚。

③ 风：其下，《纲目》有“疾”字。

④ 子：其下，《纲目》有“六两”2字。

⑤ 作汤服之：《纲目》作“每汤服二钱，日二服。一月绝根。服至半月，白处见红点，神效”。

⑥ 硕：通“石”。

⑦ 已：《纲目》作“以”。

黄芪

味甘，微温。无毒。**主痈疽久败疮，排脓止痛，大风癞疾，五痔鼠瘘，补虚，小儿百病，**妇人子脏风邪气，逐五脏间恶血，补丈夫虚损，五劳羸瘦，止渴，腹痛，泄痢，益气，利阴气。生白水者冷，补。其茎叶疗渴，及筋挛，痈肿疽疮。**一名戴糁，**一名戴椹，一名独椹，一名芰[①]草，一名蜀脂，一名百本。生蜀郡山谷、白水、汉中。二月、十月采，阴干。恶龟甲。

宪州黄芪

［陶隐居］云：第一出陇西叨[②]阳，色黄白，甜美，今亦难得。次用黑水宕昌者，色白，肌肤粗，新者，亦甘，温补。又有蚕陵白水者，色理胜蜀中者而冷补。又有赤色者，可作膏贴用，消痈肿，俗方多用，道家不须。

［唐本注］云：此物叶似羊齿，或如蒺藜。独茎，或作丛生。今出原州及华原者最良，蜀汉不复采用之。

［臣禹锡等谨按蜀本］《图经》云：叶似羊齿草，独茎，枝扶疏，紫花，根如甘草，皮黄肉白，长二三尺许。今原州者好，宜州、宁州亦佳。

［药性论］云：黄芪，一名王孙。治发背，内补，主虚喘，肾衰，耳聋，疗寒热。生陇西者下，补五脏。蜀白水赤皮者，微寒，此治客热用之。

［萧炳］云：出原州华原谷子山，花黄。

［日华子］云：黄芪，恶白鲜皮。助气壮筋骨，长肉，补血，破癥癖，瘰疬瘿赘，肠风，血崩，带下，赤白痢，产前后一切病，月候不匀，消渴，痰嗽，并治头风，热毒赤目等。药中补益，呼为羊肉。

［又云］白水芪，凉，无毒。排脓，治血及烦闷热毒，骨蒸劳。功次黄芪。赤水芪，凉，无毒。治血，退热毒，余功用并同上。木芪，凉，无毒。治烦，排脓。力微于黄芪，遇阙即倍用之。

［图经曰］黄芪，生蜀郡山谷、白水、汉中，今河东、陕西州郡多有之。根长

① 芰：《本草和名》作“艾”。

② 叨：柯《大观》作“洮”。

二三尺已来。独茎，作丛生，枝秆去地二三寸。其叶扶疏作羊齿状，又如蒺藜苗。七月中开黄紫花，其实作荚子，长寸许。八月中采根用。其皮折之如绵，谓之绵黄芪。然有数种：有白水芪、有①赤水芪、有①木芪，功用并同，而力不及白水芪。木芪短而理横。今人多以苜蓿根假作黄芪，折皮亦似绵，颇能乱真。但苜②蓿根坚而脆，黄芪至柔韧，皮微黄褐色，肉中白色，此为异耳。唐·许裔宗初仕陈为新蔡王外兵参军时，柳太后感风不能言，脉沉而口噤。裔宗曰：既不能下药，宜汤气熏之，药入腠理，周时可差。乃造黄芪防风汤数斛，置于床下，气如烟雾，其夕便得语。药力熏蒸，其效如此，因附著之。使善医者，知所取法焉。

[**◣雷公云**] 凡使，勿用木芪，草真相似，只是生时叶短并根横。先须去头上皱皮③了，蒸半日，出后，用手擘令细，于槐砧上剉用。

[**圣惠方**] 治肺壅④得吐。以黄芪二两，杵为细末。每服三钱，水一中盏，煎至六分，温服，日三四服。

[**又方**] 治缓疽。以一两杵成散，不计时候，温水调下二钱匕。

[**外台秘要**] 主甲疽疮，肿烂生脚指甲边，赤肉出，时差时发者。以黄芪⑤二两，䕡茹三两，苦酒浸一宿，以猪脂五合，微火上煎取三合，绞去滓，以封疮上，日三两度，其肉即消。

[**肘后方**] 治酒疸，心懊痛，足胫满，小便黄，饮酒发赤黑黄斑，由大醉当风，入水所致。黄芪二两，木兰一两，为末。酒服方寸匕，日三服。

[**梅师方**] 补肺排脓。以黄芪六两，剉碎，以水三升，煎取一升，去滓服。

[**初虞世**] 治陷甲生入肉，常有血，疼痛。黄芪、当归等分为末，贴疮上。若有恶肉，更研少硫黄末同贴。

[**孙用和**] 治肠风泻血。黄芪、黄连等分，右为末，面糊丸如绿豆大。每服三十丸，米饮下。

[**席延赏**] 治虚中有热，咳嗽脓血，口舌咽干，又不可服凉药。好黄芪四两，甘草一两，为末。每服三钱，如茶点、羹、粥中亦可服。

---

① 有：《纲目》脱。

② 苜：成化《政和》、商务《政和》作"茵"。

③ 皮：其下，刘《大观》、柯《大观》有"一重"2字。

④ 壅：柯《大观》作"痈"。

⑤ 黄芪：原脱，据成化《政和》、商务《政和》补。

[别说云] 谨按，黄芪本①出绵上为良，故名绵黄芪。今《图经》所绘宪水者即绵上，地相邻尔。若②以谓柔韧③如绵，即谓之绵黄芪，然黄芪本皆柔韧，若伪者，但以干脆为别尔。

[衍义曰] 防风、黄芪，世多相须而用。唐·许嗣④嗣本羊晋切，中庙讳，今改为嗣宗为新蔡王外兵参军，王⑤太后病风，不能言，脉沉难对，医告术穷。嗣④宗曰：饵液不可进。即以黄芪、防风煮汤数十斛，置床下，气如雾熏薄之，是夕语。

肉苁⑥蓉

味甘、酸、咸，**微温**，无毒。**主五劳七伤，补中。除茎中寒热痛⑦，养五脏，强阴，益精气，多子，妇人癥瘕**，除膀胱邪气，腰痛，止痢。**久服轻身。**生河西山谷及代郡雁门。五月五日采，阴干。

肉苁蓉

[陶隐居]云：代郡雁门属并州，多马处便有，言是野马精落地所生。生时似肉，以作羊肉羹，补虚乏极佳，亦可生啖。芮芮河南间至多。今第一出陇西，形扁广，柔润，多花而味甘。次出北国者，形短而少花。巴东建平间亦有，而不如也。

[唐本注]云：此注论草苁蓉，陶未见肉者。今人所用亦草苁蓉，刮去花用代肉尔。《本经》有肉苁蓉，功力殊胜。比来医人，时有用者。

[臣禹锡等谨按蜀本]《图经》云：出肃州禄福县沙中，三月、四月掘根，切取中央好者三四寸，绳穿阴干。八月始好，皮如松子鳞甲，根长尺余。其草苁蓉，四月中旬采，长五六寸至一尺已来，茎圆紫色，采取压令扁，日干。原州、秦州、灵州皆有之。

① 本：柯《大观》作“都”。

② 若：柯《大观》作“无”。

③ 韧：成化《政和》、商务《政和》作“韧”。

④ 嗣：商务《衍义》作“胤”。

⑤ 王：商务《衍义》作“柳”，并注云：“按，‘柳太后’，各本均作‘王太后’，今据《唐书·方伎传·许胤宗传》改。”

⑥ 苁：《医心方》《本草和名》作“纵”，孙星衍辑《本经》作“松”。

⑦ 痛：《太平御览》无。

［吴氏］云：肉苁蓉，一名肉松蓉①。神农、黄帝：咸。雷公：酸。季氏②：小温。生河西山阴地，长三四寸，丛生，或代郡。二月至八月采。

［药性论］云：肉苁蓉，臣。益髓，悦颜色，延年，治女人血崩，壮阳，日御过倍大补益。主赤白下，补精败，面黑，劳伤。用苁蓉四两，水煮令烂，薄切细研，精羊肉分为四度，五味，以米煮粥，空心服之。

［日华子］云：治男绝阳不兴，女绝阴不产，润五脏，长肌肉，暖腰膝，男子泄精③，尿血，遗沥，带下，阴痛。据本草云：即是野马精余沥结成。采访人方知教落树下并土堑上，此即④非马交之处，陶说误耳。又有花苁蓉，即是春抽苗者，力较微耳。

［图经曰］肉苁蓉，生河西山谷及代郡雁门，今陕西州郡多有之，然不及西羌界中来者，肉厚而力紧。旧说是野马遗沥落地所生。今西人云大木间及土堑垣中多生此，非游牝之所而乃有⑤，则知自有种类耳。或凝其初生于马沥，后乃滋殖，如茜根生于人血之类是也。皮如松子，有鳞甲。苗下有一细扁根，长尺余，三月采根，采时掘取中央好者，以绳穿，阴干。至八月乃堪用。《本经》云：五月五日采。五月恐已老不堪，故多三月采之。西人多用作⑥食品啖之，刮去鳞甲，以酒净洗，去黑汁，薄切，合山芋、羊肉作羹，极美好益人，食之胜服补药。又有一种草苁蓉，极相类，但根短，茎圆，紫色，比来人多取，刮去花，压令扁，以代肉者，功力殊劣耳。又下品有列当条云：生山南岩石上，如藕根，初生掘取，阴干，亦名草苁蓉。性温，补男子。疑即是此物。今人鲜用，故少有辨之者，因附见于此。

［◣陈藏器序云］强筋健⑦髓，苁蓉、鳣鱼为末，黄精酒丸服之，力可十倍。此说出《乾宁记》。

［雷公云］凡使，先须用清酒浸一宿，至明，以棕刷刷去沙土浮甲尽，劈破中心，去白膜一重，如竹丝草样。是此偏隔人心前气不散，令人上气不出。凡使用，先须酒浸，并刷草了却蒸，从午至酉，出，又用酥炙得所。

---

① 蓉：刘《大观》、柯《大观》作“容”。
② 季氏：《纲目》作“李当之”。
③ 精：刘《大观》、柯《大观》、线装本《政和》作“积”。
④ 即：柯《大观》作“却”。
⑤ 有：其下，刘《大观》、柯《大观》有“者”字。
⑥ 作：柯《大观》作“为”。
⑦ 健：原作“建”，据刘《大观》、柯《大观》改。

[衍义曰] 肉苁蓉，《图经》以谓皮如松子，有鳞。子字当为壳，于义为允。又曰：以酒净洗，去黑汁作羹。黑汁既去，气味皆尽。然嫩者方可作羹，老者苦。入药，少则不效。

防风

味甘、辛，**温**，无毒①。**主大风，头眩痛，恶风，风邪，目盲无所见，风行周身，骨节疼痹，烦满**，胁痛胁风，头面去来，四肢挛急，字乳，金疮，内痉。**久服轻身。**叶，主中风热汗出。**一名铜芸**，一名茴草，一名百枝，一名屏风，一名蕳根，一名百蜚②。生沙苑川泽及邯郸、琅邪、上蔡。二月、十月采根，暴干。得泽泻、藁本疗风，得当归、芍药、阳起石、禹馀粮疗妇人子脏风，杀附子毒，恶干姜、藜芦、白蔹、芫花。

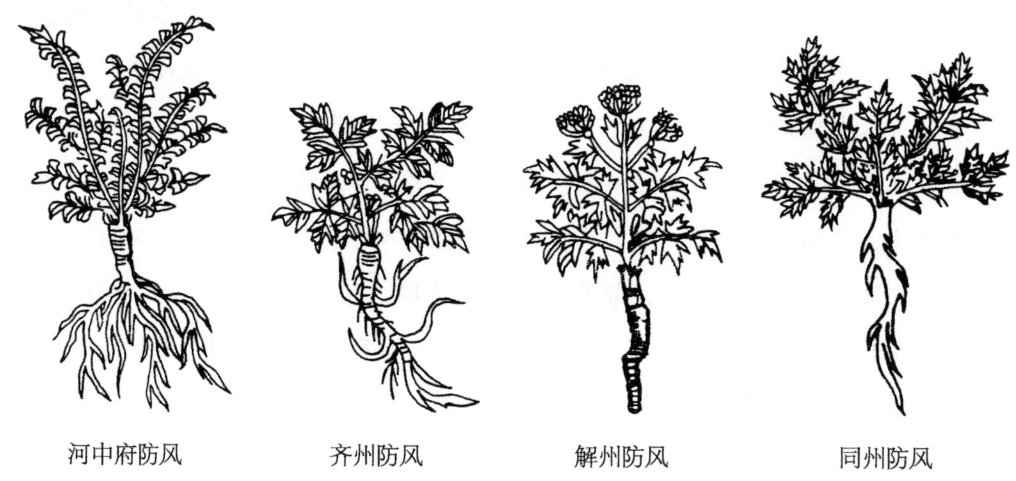

河中府防风　　齐州防风　　解州防风　　同州防风

[陶隐居] 云：郡县无名沙苑。今第一出彭城、兰陵，即近琅邪者。郁州互③市亦得④之。次出襄阳、义阳县界，亦可用，即近上蔡者。惟实而脂润，头节坚如蚯蚓头者为好。俗用疗风最要，道方时用。

[唐本注] 云：今出齐州、龙山最善，淄州、兖州、青州者亦佳。叶似牡蒿、附子苗等。《别录》云：叉头者，令人发狂；叉尾者，发痼疾。子似胡荽而大，调食用之香，而疗风更优也。沙苑在同州南，亦出防风，轻虚不如东道者，陶云无沙

---

① 无毒：孙星衍辑《本经》注为《本经》文。

② 百蜚：《纲目》注出处为"吴普"。

③ 互：《纲目》作"百"。

④ 得：《纲目》作"有"。

苑，误矣。襄阳、义阳、上蔡，元无防风，陶乃妄注尔。

［臣禹锡等谨按蜀本］《图经》云：叶似牡蒿，白花，八月、九月采根。

［药性论］云：防风，臣。花主心腹痛，四肢拘急，行履不得，经脉虚羸，主骨节间疼痛。

［段成式酉阳杂俎］云：青州防风子，可乱荜拨。

［日华子］云：治三十六般风，男子一切劳劣，补中，益神，风赤眼，止泪及瘫缓①，通利五脏，关脉，五劳七伤，羸损，盗汗，心烦体重，能安神定志②，匀气脉。

［图经曰］防风，生沙苑川泽及邯郸、上蔡，今京③东、淮、浙州郡皆有之。根土黄色，与蜀葵根相类，茎叶俱青绿色，茎深而叶淡，似青蒿而短小。初时嫩紫，作④菜茹，极爽口。五月开细白花，中心攒聚作大房，似莳⑤萝花。实似胡荽而大。二月、十月采根，暴干。关中生者，三月、六月采，然轻虚不及齐州者良。又有石防风，出河中府，根如蒿根而黄，叶青花白，五月开花，六月采根，暴干。亦疗头风眩痛。又宋、亳间及江东出一种防风，其苗初春便生，嫩时红紫色，彼人以作菜茹，味甚佳，然云动风气。《本经》云叶主中风热汗出，与此相反，恐别是一种耳。

［▌经验后方］治破伤风。防风、天南星等分，为末。每服二三匙，童子小便五升，煎至四升服，愈即止。

［又方］治崩中。防风去芦头，炙赤色，为末。每服二⑥钱，以面糊酒调下，更以面糊酒投之，此药累经有效。

［衍义］文具黄芪条下。

蒲黄

味甘，平，无毒。**主心腹膀胱寒热，利小便，止血，消瘀血。久服轻身，益气力，延年神仙。**生河东池泽。四月采。

---

① 缓：成化《政和》、商务《政和》作“痪”。

② 志：原作“思”，据成化《政和》、商务《政和》、柯《大观》改。

③ 京：《纲目》作“汴”。

④ 作：其上，《纲目》有“江东、宋、亳人采”6字。

⑤ 莳：刘《大观》、柯《大观》作“时”。

⑥ 二：成化《政和》、商务《政和》作“一”。

[陶隐居] 云：此即蒲厘力之切花上黄粉也，伺其有，便拂取之，甚疗血，《仙经》亦用此。

[臣禹锡等谨按药性论] 云：蒲黄，君。通经脉，止女子崩中不住，主痢血，止鼻衄，治尿血，利水道。

[日华子] 云：蒲黄，治扑①血闷，排脓，疮疖，妇人带下，月候不匀，血气心腹痛，妊孕人下血坠胎，血运②，血癥，儿枕急痛，小便不通，肠风泻血，游风肿毒，鼻洪，吐血，下乳，止泄精，血痢。此即是蒲上黄花。入药，要破血消肿即生使，要补血止血即炒用。蒲黄筛下后有赤滓，名为萼。炒用，甚涩肠，止泻血及血痢。

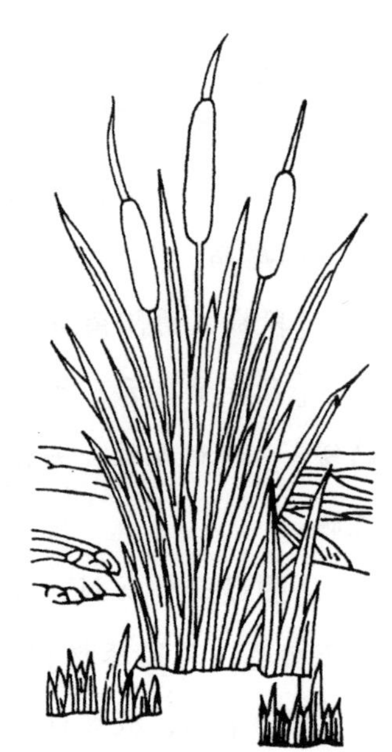

蒲黄

[图经曰] 蒲黄，生河东池泽。香蒲，蒲黄苗也。生南海池泽，今处处有之，而泰州者为良。春初生嫩叶，未出水时，红白色茸茸然。《周礼》以为菹，谓其始生。取其中心入地，大如匕柄，白色，生啖之，甘脆。以苦酒浸，如食笋，大美，亦可以为鲊，今人罕复有食者。至夏抽梗于丛叶中，花抱梗端，如武士棒③杵，故俚俗谓蒲捶，亦谓之蒲厘。花黄，即花中蕊屑也，细若金粉，当其欲开时，有便取之。市廛间亦采，以蜜搜作果食货卖，甚益小儿。医家又取其粉，下筛后有赤滓，谓之蒲萼。入药以涩肠已④泄，殊胜。

[🀄 雷公云] 凡使，勿用松黄并黄蒿。其二件全似，只是味跙⑤及吐人。凡欲使蒲黄，须隔三重纸焙令色黄，蒸半日，却焙令干，用之妙。

[千金方] 治重舌，舌上生疮，涎出。以蒲黄傅之，不过三度差。

[又方] 治丈夫阴下湿痒。蒲黄末傅之，三四良。

[肘后方] 治肠痔，每大便常血水。服蒲黄方寸匕，日三服良。

[葛氏方] 忍小便久致胞转。以蒲黄裹腰肾，令头致地，三度通。

[又方] 若血内漏者。蒲黄二两，水服方寸匕，立止。

[梅师方] 治产后血不下。蒲黄三两，水三升，煎取一升，顿服。

---

① 扑：其下，刘《大观》、柯《大观》有“损”字。

② 运：柯《大观》作“晕”。

③ 棒：原作“捧”，据《纲目》改。

④ 已：柯《大观》作“止”。

⑤ 味跙：指味恶，难以咽下。

[孙真人食忌] 主卒吐血，以水服蒲黄一升。

[简要济众] 治吐血，唾血。蒲黄一两，捣为散。每服三钱，温酒或冷水调，妙①。

[又方] 治小儿吐血不止。蒲黄细研，每服半钱，用生地黄汁调下，量儿大小加减进之。

[塞上方] 治鼠奶痔。蒲黄末，空心温酒下方寸匕，日三服。

[又方] 治坠伤扑②损，瘀血在内，烦闷。蒲黄末，空心热酒调下，三钱匕服。

[子母秘录] 治日月未足而欲产者。蒲黄如枣许大，以井花水服。

[又方] 治脱肛肠出。蒲黄和猪脂傅上，日三五度。

[杨氏产乳] 疗母劳热胎动下血，手足烦躁。蒲黄根绞汁，服一二升。

[产宝] 治产后下血，虚羸迨死。蒲黄二两，水二升，煎取八合，顿服。

[又方] 治产后妒乳并痈肿。蒲黄草熟杵，傅肿上，日二③度易之。并煎叶汁饮之亦佳，食之亦得，并④美。

[催生] 蒲黄、地龙、陈橘皮等分，地龙洗去土，于新瓦上焙令微黄，各为末，三处贴之。如经日不产，各抄一钱匕，新汲水调服，立产。此常亲用之，甚妙⑤。

[衍义曰] 蒲黄，处处有，即蒲槌⑥中黄粉也。今京师谓槌为蒲棒。初得黄，细罗，取萼别贮，以备他用。将蒲黄水调为膏，擘为块，人多食之，以解心脏虚热。小儿尤嗜。涉月则燥，色味皆淡，须蜜水和。然不可多食，令人自利，不益极虚人。

香蒲

味甘，平，无毒。**主五脏，心下邪气，口中烂臭，坚齿，明目，聪耳。久服轻身，耐老。一名睢**七余切，一名醮。生南海池泽。

① 妙：柯《大观》作“亦得”。

② 扑：原作“朴”，据医理改。

③ 二：柯《大观》作“三”。

④ 并：柯《大观》作“立”。

⑤ 妙：刘《大观》、柯《大观》作“效”。

⑥ 槌：原作“搥”，据庆元《衍义》、商务《衍义》改。

[陶隐居] 云：方药不复用，俗人无采，彼土人亦不复[①]识者[②]。江南贡菁茅，一名香茅，以供宗庙缩酒。或云是薰草，又云是燕麦，此蒲亦相类尔。

[唐本注] 云：此即甘蒲，作荐者，春初生，用白为菹，亦堪蒸[③]食。山南名此蒲为香蒲，谓昌蒲为臭蒲。陶隐居所[④]引菁茅，乃三脊茅也。其燕麦、薰草、香茅，野俗皆识，都不为类此，并非例也。蒲黄，即此香蒲花是也。

[图经曰] 文具蒲黄条下。

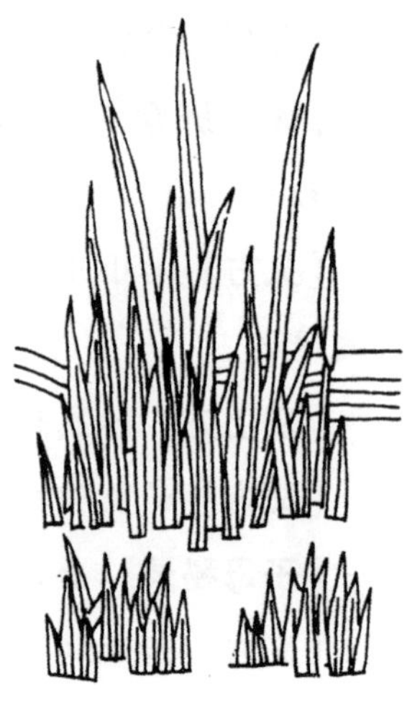

泰州香蒲

续断

味苦、辛，**微温**，无毒。**主伤寒，补不足，金疮[⑤]，痈伤[⑥]，折跌，续筋骨，妇人乳难**，崩中漏血，金疮血内漏，止痛生肌肉及踠伤，恶血，腰痛，关节缓急。**久服益气力。一名龙豆，一名属折**，一名接骨，一名南草，一名槐。生常山山谷。七月、八月采，阴干。地黄为之使，恶雷丸。

[陶隐居] 云：按，《桐君药录》云：续断生蔓延，叶细，茎如荏大，根本黄白有汁，七月、八月采根。今皆用茎叶，节节断，皮黄皱，状如鸡脚者，又呼为桑上寄生。恐皆非真。时人又有接骨树，高丈余许，叶似蒴音朔藋音濯[⑦]。皮，主疗金疮，有此接骨名，疑或是。而广州又有一藤名续断，一名诺藤，断其茎，器承其汁饮之，疗虚损绝伤；用沐头，又长发。折枝插地即生，恐此又相类。李云[⑧]是虎蓟，与此大乖，而虎蓟亦自疗血尔。

---

① 复：柯《大观》无。

② 者：刘《大观》、柯《大观》作“昔”。

③ 蒸：柯《大观》作“烝”。

④ 隐居所：柯《大观》无。

⑤ 疮：孙星衍辑《本经》作“创”。

⑥ 伤：《纲目》作“疡”。

⑦ 濯：刘《大观》、柯《大观》作“翟”。

⑧ 李云：《纲目》作“李当之云”。

晋州续断

越州续断

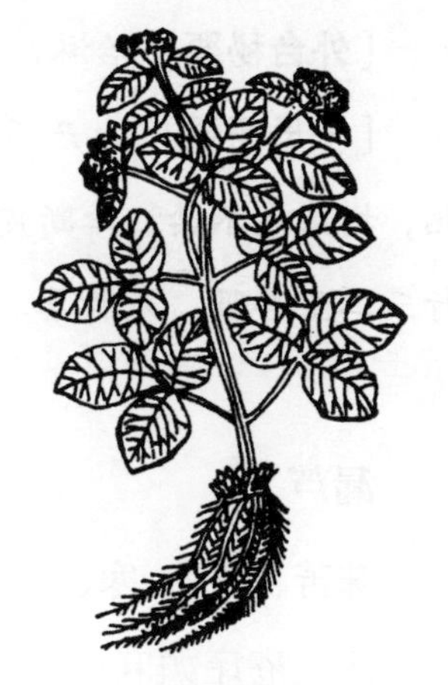

绛州续断

［唐本注］云：此药所在山谷皆有。今俗用者，是叶似苎而茎方，根如大蓟，黄白色。陶注者非也。

［臣禹锡等谨按蜀本］《图经》云：叶似苎，茎方，两叶对，花红白色，根如大蓟，一株有五六枝。

［药性论］云：续断，君。主绝伤，去诸温毒，能通宣经脉。

［日华子］云：助气，调血脉，补五劳七伤，破癥结瘀血，消肿毒，肠风，痔瘘，乳痈，瘰疬，扑损，妇人产前后一切病，面黄虚肿，缩小便，止泄精，尿血，胎漏，子宫冷。又名大蓟、山牛蒡。

［图经曰］续断，生常山山谷，今陕西、河中、兴元府、舒、越、晋①州亦有之。三月已②后生苗，秆四棱，似苎麻，叶亦类之，两两相对而生。四月开花，红白色，似益母花。根如大蓟，赤黄色，七月、八月采。谨按，《范汪方》云：续断即是马蓟，与小蓟叶③相似，但大于小蓟耳。叶似旁翁菜而小厚，两边有刺，刺人，其花紫色，与今越州生④者相类。而市之货者，亦有数种，少能辨其粗良。医人用之，但以节节断、皮黄皱者为真。

［◣雷公云］凡使，勿用草茆根，缘真似续断，若误用服之，令人筋软，采得后⑤横切剉之，又去向里硬筋了，用酒浸一伏时，焙干用⑥。

---

① 晋：其下，《纲目》有“绛诸”。

② 已：《纲目》作“以”。

③ 叶：原作“菜”，据刘《大观》、柯《大观》改。

④ 生：《纲目》作“所图”。

⑤ 后：《纲目》作“根”。

⑥ 用：其上，《纲目》有“入药”2字。

[外台秘要] 治淋，取生续断绞取汁服之，马蓟根是。

[子母秘录] 治产后心闷，手足烦热，猒猒气欲绝，血晕，心头硬，乍寒乍热，增寒忍不禁。续断皮一握，剉，以水三升，煎取一[①]升，分三服，温服。如人行三二里再服。无所忌。此药救产后垂死。

漏芦

味苦、咸[②]，寒、大寒，无毒。**主皮肤热[③]，恶疮，疽痔，湿痹，下乳汁**，止遗溺，热气疮痒如麻豆，可作浴汤。**久服轻身益气，耳目聪明，不老延年。一名野兰。**生乔山山谷。八月采根，阴干。

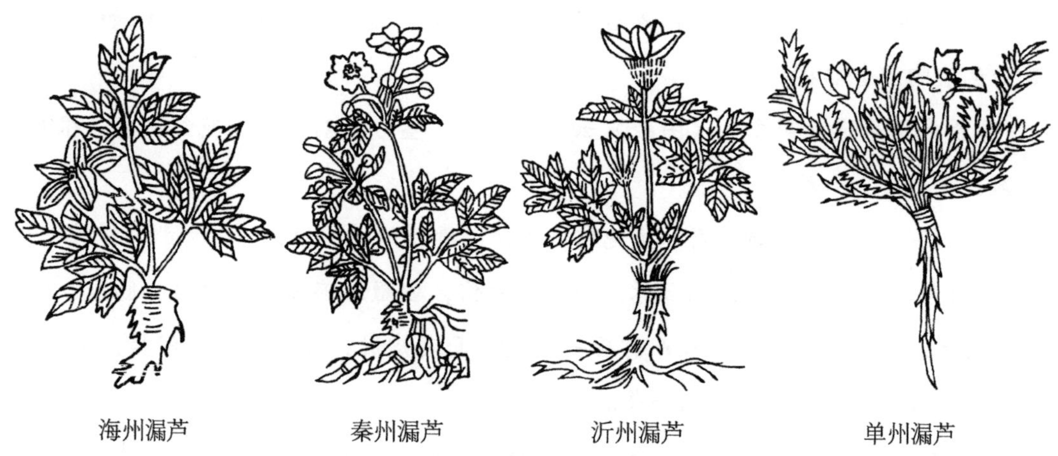

海州漏芦　秦州漏芦　沂州漏芦　单州漏芦

[陶隐居] 云：乔山应是黄帝所葬处，乃在上郡。今出近道亦有，疗诸瘘疥，此久服甚益人，而服食方罕用之。今市人皆取苗用之。俗中取根，名鹿骊力支切根，苦酒摩，以疗疮疥。

[唐本注] 云：此药俗名荚蒿，茎叶似白蒿，花黄，生荚[④]，长似细麻，如箸[⑤]许，有四五瓣，七月、八月后皆黑，异于众草蒿之类也。常用其茎叶及子，未见用根。其鹿骊，山南谓之木藜芦，有毒，非漏芦也[⑥]。

---

① 一：《纲目》作“二”。

② 咸：刘《大观》、柯《大观》作黑字《别录》文。

③ 热：其下，《纲目》有“毒”字。

④ 荚：其下，刘《大观》、柯《大观》有“端茎”2字。

⑤ 箸：成化《政和》、商务《政和》作“筋”。

⑥ 也：其下《纲目》有“今人以马蓟似苦芙者为漏芦，亦非也”。疑此15字为李时珍所增，非唐本注之文。

［今按］别本注云：漏芦，茎箸大，高四五尺，子房似油麻房而小。江东人取其苗用，胜于根。江宁及上党者佳。陶注云根名鹿骊，唐注云山南人名木藜芦，皆非也。漏芦自别尔。

［臣禹锡等谨按蜀本］《图经》云：叶似角蒿，今曹、兖州下湿地最多。六月、七月采茎，日干之，黑于众草。

［药性论］云：漏芦，君。能治身上热毒风，生恶疮，皮肌瘙痒，瘾疹。

［陈藏器］云：按，漏芦，南人用苗，北土多用根。树生如茱萸。树高二三尺，有毒，杀虫。山人洗疮疥用之。

［日华子］云：连翘为使。治小儿壮热，通小肠，泄精，尿血，风赤眼，乳痈，发背，瘰疬，肠风，排脓，补血。治扑损，续筋骨，傅金疮，止血长肉，通经脉。花苗并同用，俗呼为鬼油麻，形并气味似干牛蒡，头上有白花子。

［图经曰］漏芦，生乔山山谷，今京①东州郡及秦、海州皆有之。旧说茎叶似白蒿，有荚，花黄，生荚端②，茎若箸大，其子作房，类油麻房而小，七八月后皆黑，异于众草。今诸郡所图上，惟单州者差相类，沂州者花叶颇似牡丹。秦州者花似单叶寒菊，紫色，五七枝同一秆上。海州者花紫碧，如单叶莲花，花萼下及根傍有白茸裹之，根黑色如蔓菁而细，又类葱本，淮甸人呼为老翁花。三州所生，花虽别而叶颇相类，但秦、海州者，叶更作锯齿状耳。一物而殊类若此，医家何所适从，当依旧说，以单州出者为胜，六月、七月采茎苗，日干，八月采根，阴干，南方用苗，北土多用根。又此下有飞廉条云：生河内川泽，一名漏芦，与苦芺乌老切相类，惟叶下附茎有皮起似箭羽，又多刻缺，花紫色，生平泽。又有一种生山岗上，叶颇相似而无疏缺，且多毛，茎亦无羽，根直下更傍枝生，则肉白皮黑，中有黑脉，日干则黑如玄参。《经》云：七月、八月采花阴干用。苏恭云：用茎叶及疗疳蚀杀虫有验。据此所说，与秦州、海州所谓漏芦者，花叶及根颇相近，然彼人但谓之漏芦，今医家罕有用飞廉者。既未的识，故不复分别，但附其说于下。

［◣雷公云］凡使，勿用独漏，缘似漏芦，只是味苦、酸，误服令人吐不止，须细验。夫使③漏芦，细剉，拌生甘草相对蒸，从巳至申，去甘草净拣用。

［圣惠方］治小儿无辜疳，肚胀或时泻痢，冷热不调。以漏芦一两，杵为散。

---

① 京：《纲目》作“汴”。

② 有荚，花黄，生荚端：《纲目》作“花黄，有荚”。

③ 夫使：柯《大观》作“凡使”；《纲目》作“凡采得”。

每服以猪肝一两，散子一钱匕，盐少许，以水煮熟，空心顿服。

[外台秘要] 治蛔虫，漏芦，杵，以饼臛和方寸匕，服之①。

营实

味酸，温、微寒，无毒。**主痈疽，恶疮，结肉，跌筋，败疮，热气，阴蚀不瘳，利关节。**久服轻身益气。根止泄痢腹痛，五脏客热，除邪逆气，疽癞②，诸恶疮，金疮伤挞，生肉复肌。**一名墙薇③，一名墙麻，一名牛棘，**一名牛勒，一名蔷蘼，一名山棘。生零陵川谷及蜀郡。八月、九月采，阴干。

[陶隐居] 云：营实即是墙薇子，以白花者为良。根亦可煮酿酒，茎叶亦可煮作饮。

[臣禹锡等谨按蜀本]《图经》云：即蔷薇也。茎间多刺，蔓生，子若杜棠子，其花有百，叶八出、六出，或赤，或白者，今所在有之。

[葛洪治金创方] 用蔷薇灰末一方寸匕，日三服之。

[药性论] 云：蔷薇，使，味苦。子，治头疮白秃，主五脏客热。

[日华子] 云：白蔷薇根，味苦、涩，冷，无毒。治热毒风，痈疽，恶疮，牙齿痛，治邪气，通血经，止赤白痢，肠风泻血，恶疮疥癣，小儿疳虫肚痛。野白者用良。

[■ 雷公云] 今蔷薇也。凡采得，去根，并用粗布拭黄毛了，用刀于槐砧上细剉，用浆水拌令湿，蒸一宿，至明出，日干用。

[外台秘要] 治鲠及刺不出。蔷薇根末，水服④方寸匕，日三。

① 外台……服之：以上19字，刘《大观》、柯《大观》作“《千金方》治乳无汁方：漏芦、石钟乳各二两，治下筛，饮服方寸匕，即下”26字。

② 癞：柯《大观》作“瘫”。

③ 墙薇：《纲目》注为《别录》文。

④ 蔷薇根末，水服：柯《大观》作“服蔷薇灰末”。

[又方] 治①折箭刺入肉②，脓囊不出，坚惨③及鼠仆④。服⑤十日，鲠⑥刺皆穿皮出⑦。

[又方] 治少小睡中遗尿不自觉，以根随多少，剉，以酒饮之。

[千金方] 治口疮久不差入⑧胸中并生疮，三年已上不差。以根浓煮汁服⑨之，稍稍咽效⑩。冬取根，夏取茎叶用之。

[又方] 治壅热，口中及舌生疮烂。剉根浓煮汁，含漱之。冬用根皮，夏用枝叶。

[又方] 诸痈肿发背及痈疖已溃烂，疼痛。蔷薇壳更炙熨之，即愈。

[又方] 治小儿疳痢，行数暴多。生蔷薇根洗净切，以适多少浓煎汁，稍稍饮之差。

[肘后方] 治口疮。以根避风打去土，煮浓汁温含，冷易。《圣惠》同。

天名精

味甘，寒，无毒。**主瘀血，血瘕欲死，下血，止血，利小便，除小虫，去痹，除胸中结热，止烦⑪渴⑫，**遂水大吐下。**久服轻身，耐老。一名麦句姜，一名虾蟆蓝，一名豕首，**一名天门精，一名玉门精。一名彘颅，一名蟾蜍兰，一名觐。生平原川泽。五月采。垣衣为之使。

天名精

① 治：柯《大观》作"疗"。

② 肉：柯《大观》无。

③ 惨：柯《大观》作"燥"。

④ 仆：柯《大观》作"扑"。

⑤ 服：其下，柯《大观》有"之"字。

⑥ 鲠：柯《大观》作"髓"。

⑦ 出：其下，柯《大观》有"效"字。

⑧ 入：原作"及"，据《千金方》卷6"口病"改。

⑨ 汁服：柯《大观》作"含"。

⑩ 稍稍咽效：柯《大观》作"又稍稍咽之"。

⑪ 除小虫……止烦：以上12字，成化《政和》、商务《政和》、《纲目》作黑字《别录》文。

⑫ 渴：原作黑字《别录》文，据刘《大观》、柯《大观》改。

［陶隐居］云：此即今人呼为豨音喜莶音枚，亦名豨首。夏月捣汁服之，以除热病。味至苦，而云甘，恐或非是。

［唐本注］云：鹿活草是也。《别录》一名天蔓菁，南人名为地菘，味甘、辛，故名有姜称；状如蓝，故名虾蟆蓝，香气似兰，故名蟾蜍兰。主破血，生肌，止渴，利小便[①]，杀三虫，除诸毒肿，丁疮，瘘痔，金疮内射。身痒，瘾疹不止者，揩之立已，其豨莶苦而臭，名精乃辛而香，全不相类也。

明州天名精

［臣禹锡等谨按蜀本］《图经》云：地菘也。《小品方》名天芜菁，一名天蔓菁，声并相近。夏秋抽条，颇似薄荷，花紫白色，味辛而香，其叶似山南菘菜。

［尔雅］云：茢薽，豕首。释曰：药名也。一名麦句姜。郭云：江东豨首，可以熁蚕蛹者。三苍云：熁，熬也。

［药性论］云：麦句姜，使，味辛。治疮，止血及鼻衄不止。

［陈藏器］云：天名精，《本经》一名麦句姜。苏云：鹿活草也。《别录》云：一名天蔓菁，南人呼为地菘，与蔓菁相似，故有此名。《尔雅》云：大鞠，蘧麦。注云：麦句姜，蘧麦，即今之瞿麦，然终非麦句姜，《尔雅》注错如此。陶公注钓[②]樟条云：有一草，似狼牙，气辛臭，名为地菘，人呼为刘烬[③]草，主金疮，言刘烬[③]昔曾用之。《异苑》云：青州刘烬[③]，宋元嘉中射一獐，剖五脏，以此草塞之，蹶然而起，烬[③]怪而拔草，便倒，如此三度。烬[③]密录此草种之，主折伤多愈，因以名焉。既有活鹿之名，雅与獐事相会。陶、苏两说俱是地菘，功状既同，定非二物。

［图经曰］天名精，生平原川泽，今江湖间皆有之。夏秋抽条，颇如薄荷[④]，花紫白色，叶如菘菜而小，故南人谓之地菘。香气似兰，故名蟾蠩[⑤]兰。状如蓝，故名虾蟆蓝。其味甘、辛，故名麦句姜，一名豕首。《尔雅》所谓茢音列薽音真，豕

---

① 止渴，利小便：《纲目》作“止鼻衄”。

② 钓：原作“钩”，据刘《大观》、柯《大观》改。

③ 烬：刘《大观》、柯《大观》作“憓”。

④ 荷：成化《政和》、商务《政和》、刘《大观》作“苛”。

⑤ 蠩：成化《政和》、商务《政和》作“蜍”。

首是也。江东人用此以①熓音炒②蚕蛹。五月采此草。既名地菘，下品又有地菘条③。

决明子

味咸、苦、甘，**平**、微寒，无毒。**主青盲，目淫，肤赤，白膜，眼赤痛，泪出**，疗唇口青。**久服益精光，轻身。**生龙门川泽。石决明生豫章。十月十日采，阴干百日。蓍实为之使，恶大麻子。

决明子

眉州决明子

滁州决明子

［陶隐居］云：龙门乃在长安北。今处处有。叶如茳芒④，子形似马蹄，呼为马蹄决明。用之当捣碎。又别⑤有草决明，是萋音妻蒿子，在下品中也。

［臣禹锡等谨按唐本］云：石决明，是蚌蛤类，形似紫贝，附见别出在鱼兽条中，皆主明目，故并有决明之名。俗方惟以疗眼也，道术时须。

［蜀本］《图经》云：叶似苜蓿而阔大，夏花，秋生子作角，实似马蹄，俗名马蹄决明。今出广州、桂州，十月采子，阴干。

［尔雅］云：薢茩，芙茪。释曰：药草，决⑥明也。郭云：叶黄锐，赤华，实如山茱萸，或曰薩也。关西谓之薢茩。

---

① 以：成化《政和》、商务《政和》无。

② 音炒：刘《大观》、柯《大观》作"与炒同"。

③ 条：其下，刘《大观》、柯《大观》有"陶隐居云：钓樟条说地松，事见《异苑》。宋元嘉中，刘𢥞音获为青州，射一獐，即剖五脏，以此草塞之，蹶然而起。𢥞怪而拔草，便倒，如此者三。𢥞密录以种之。主折伤多愈，因名刘𢥞草。陈藏器以谓此草既有活鹿之名，雅与獐事相会，当便是一物不疑矣，故并于此见之"99字。

④ 芒：刘《大观》、柯《大观》作"芏"。

⑤ 别：柯《大观》无。

⑥ 决：刘《大观》、柯《大观》作"英"。

［药性论］云：决明，臣①。利五脏，常可作菜食之。又除肝家热，朝朝取一匙，挼令净，空心吞之，百日见夜光。

［陈藏器］云：茳芏，是江蓠子，芏字音吐，草也。似莞，生海边，可为席。又与决明叶不类。本草决明注又无，好事者更详之。陶云：决明叶如茳芏。按，茳芏性②平，无毒。火炙作饮极香，除痰止渴，令人不睡，调中。生道傍，叶小于决明。隋·稠禅师作五色饮，以为黄饮进，炀帝嘉之。

［日华子］云：马蹄决明，助肝气，益精。水调末涂，消肿毒。协太阳穴治头痛。又贴脑心止鼻洪。作枕胜黑豆，治头风③，明目也。

［图经曰］决明子，生龙门川泽，今处处有之，人家园圃所莳。夏初生苗，高三四尺许，根带紫色。叶似苜蓿而大。七月有花，黄白色。其子作穗，如青绿豆而锐，十月十日采，阴干百日。按，《尔雅》：薢茩，芙茪。释曰：药草，决明也。郭璞注云：叶黄锐，赤华④，实如山茱萸。关西谓之薢茩与此种颇不类。又有一种马蹄决明，叶如江豆⑤，子形似马蹄，故得此名。又萋蒿子亦谓之草决明，未知孰为入药者。然今医家但用子如⑥绿豆者。其石决明，是蚌蛤类，当在虫兽部中。

［▶食疗云］平。叶，主明目，利五脏，食之甚良。子，主肝家⑦热毒气，风眼赤泪，每日取一匙，挼去尘埃，空腹水吞之。百日后，夜见物光也。

［外台秘要］治积年失明不识人。决明子二升杵散，食后以粥饮服方寸匕。

［千金方］治肝毒热，取决明作菜食之。

［衍义曰］决明子，苗高四五尺，春亦为蔬。秋深结角，其子生角中如羊肾。今湖南、北人家园圃所种甚多，或在村野或成段种。《蜀本·图经》言叶似苜蓿而阔大，甚为允当。

丹参

味苦，微寒，无毒。**主心腹邪气，肠鸣幽幽如走水，寒热积聚，破癥除瘕，止**

---

① 臣：柯《大观》作“子”。

② 性：柯《大观》作“子”。

③ 风：柯《大观》无。

④ 华：刘《大观》、柯《大观》作“花”。

⑤ 江豆：柯《大观》作“茳芏”。

⑥ 名。又……子如：以上26字，成化《政和》、商务《政和》脱。

⑦ 肝家：柯《大观》作“人患”。

随州丹参

烦满，益气，养血，去心腹痼疾，结气，腰脊强，脚痹，除风邪留热。久服利人。**一名郄蝉草**，一名赤参，一名木羊乳[①]。生桐柏山川谷及太山。五月采根，暴干。畏咸水，反藜芦。

［陶隐居］云：此桐柏山，是淮水源所出之山，在义阳，非江东临海之桐柏也。今近道处处有。茎方有毛，紫花，时人呼为逐马。酒渍饮之疗风痹[②]。道家时有用处，时人服[③]多眼赤，故应性热；今云微寒，恐为谬矣。

［唐本注］云：此药冬采良，夏采虚恶。

［臣禹锡等谨按蜀本］《图经》云：叶似紫苏有细毛；花紫亦似苏花；根赤，大者如指，长尺余，一苗数根。今所在皆有，九月、十月采根。

［药性论］云：丹参，臣，平。能治脚弱疼痹，主中恶，治百邪鬼魅，腹痛，气作声音鸣吼，能定精。

［萧炳］云：酒浸服之，治风软脚，可逐奔马，故名奔马草，曾用有效。

［日华子］云：养神定志，通利关脉，治冷热劳，骨节疼痛，四肢不遂，排脓止痛，生肌长肉，破宿血，补新生血，安生胎，落死胎，止血崩带下，调妇人经脉不匀，血邪心烦，恶疮疥癣，瘿赘肿毒，丹毒，头痛赤眼，热温狂闷。又名山参。

［图经曰］丹参，生桐柏山川谷及泰山，今陕西、河东州郡及随州亦有之。二月生苗，高一尺许。茎秆方棱，青色。叶生相对，如薄荷而有毛。三月开花[④]，红紫色似苏花。根赤大如指，长亦[⑤]尺余，一苗数根。五月采，暴干。又云冬月采者良，夏月采者虚恶。

［▶圣惠方］治寒疝，小腹及阴中相引痛，白汗出欲死。以丹参一两，杵为散。每服热酒调下二钱匕，佳。

［千金方］治落胎，身下有血。丹参十二两，以酒五升，煮取三升，温服一升，日三服。

［梅师方］治中热油及火烧，除外痛。丹参八两，细剉，以水微调，取羊脂二

---

① 木羊乳：《纲目》注为“吴普”。

② 痹：其下，《纲目》引“弘景”文有“足软”2字。按，此2字原出于萧炳，非出于陶弘景。

③ 服：其下，柯《大观》有“之”字。

④ 三月开花：《纲目》作“三月至九月开花成穗”。

⑤ 亦：柯《大观》无。

斤，煎三上三下，以傅疮上。《肘后方》同。

茜根

味苦，寒。无毒。**主寒湿风痹，黄疸，补中，**止血，内崩，下血，膀胱不足，踒跌，蛊毒。久服益精气，轻身。可以染绛。一名地血，一名茹藘，一名茅蒐，一名蒨。生乔山川谷。二月、三月采根，暴干。畏鼠姑。

［陶隐居］云：此则今染绛茜草也。东间诸处乃有而少，不如西多。今俗、道、经方不甚服用。此当以其为疗少而丰贱故也。《诗》云茹藘在坂者是。

［臣禹锡等谨按蜀本］《图经》云：染绯草，叶似枣叶，头尖下阔，茎叶俱涩，四五叶对生节间，蔓延草木上，根紫赤色。今所在有，八月采根。

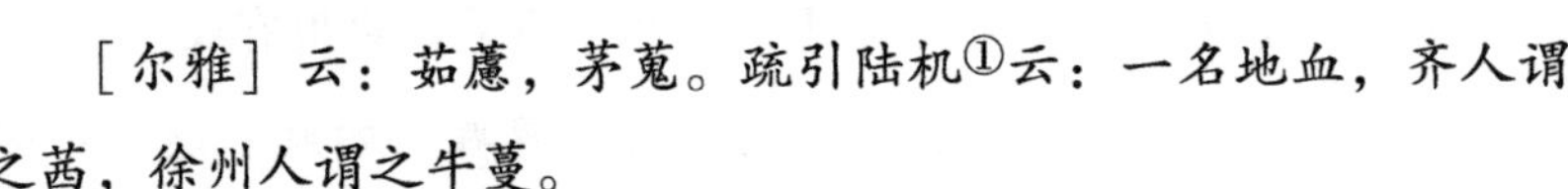

茜根

［尔雅］云：茹藘，茅蒐。疏引陆机①云：一名地血，齐人谓之茜，徐州人谓之牛蔓。

［药性论］云：茜根，味甘。主治六极伤心肺，吐血，泻血用之。

［陈藏器］云：茜根，主蛊，煮汁服之。今之染绯者，字亦作蒨。《周礼·庶氏②掌》除蛊毒，以嘉草攻之。嘉草、蘘荷与茜，主蛊为最也。

［日华子］云：味酸。止鼻洪，带下，产后血运，乳结，月经不止，肠风，痔瘘，排脓，治疮疖，泄精，尿血，扑损，瘀血，酒煎服。杀蛊毒，入药剉、炒用。

［图经曰］茜根，一作蒨。生乔山山③谷，今近处皆有之。染绯草也。许慎《说文解字》以为人血所生，叶似枣叶而头尖下阔，三五对生节间，其苗蔓延草木上，根紫色。陆机④《草木疏》云：茹藘，茅蒐，蒨草也。齐人谓之茜，徐州人谓之牛蔓。二月、三月采根，暴干。今圃人或作畦种莳。故《货殖传》云：卮茜千石，亦比千乘之家。言地利之厚也。医家用治蛊毒尤胜。《周礼·庶氏⑤掌》除蛊

① 机：疑作“玑”。

② 氏：成化《政和》、商务《政和》作“民”。

③ 山：柯《大观》作“川”。

④ 机：疑作“玑”。

⑤ 氏：成化《政和》、商务《政和》作“民”。

毒，以嘉草攻之。干①宝以嘉草为蘘荷。陈藏器以为蘘荷与茜主蛊之最也。

［**【雷公云**］凡使，勿用赤柳草根，真似茜根，只是味酸涩，不入药中用，若服，令人患内障眼，速服甘草水解之，即毒气散。凡使茜根，用铜刀于槐砧上剉，日干，勿犯铁并铅。

［**简要济众**］治吐血不定。茜草一两，生捣罗为散。每服二钱，水一中盏，煎至七分，放冷，食后服之良。

［**伤寒类要**］治心瘅烦心②，心中热，茜根主之。

［**又方**］治中蛊毒，或吐下血如烂肝。茜草根、蘘荷叶根各三两切，以水四升，煮取二升，去滓，适寒温，顿服即愈。

飞廉

味苦，平，无毒。**主骨节热，胫重酸疼**，头眩顶重，皮间邪风如蜂螫针刺，鱼子细起，热疮痈疽痔，湿痹，止风邪咳嗽，下乳汁。**久服令人身轻**，益气，明目，不老，可煮可干。一名漏芦，一名天荠，一名伏猪，**一名飞轻**，一名伏兔，一名飞雉，一名木禾。生河内川泽。正月采根。七月、八月采花，阴干。得乌头良，恶麻黄。

［陶隐居］云：处处有，极似苦芺乌老切，惟叶下附茎，轻有皮起似箭羽，叶又多刻缺，花紫色。俗方殆无用，而道家服其枝茎，可得长生，又入神枕方。今既别有漏芦，则非此别名尔。

［唐本注］云：此有两种。一是陶证，生平泽中者；其生山岗上者，叶颇相似，而无疏缺，且多毛，茎亦无羽，根直下，更无傍枝，生则肉白皮黑，中有黑脉，日干则黑如玄参。用叶茎及根，疗疳蚀，杀虫，与平泽者俱有验。今俗以马蓟、以苦芺为漏芦，并非是也。

［臣禹锡等谨按蜀本］《图经》云：叶似苦芺，茎似软羽，紫花，子毛白。今所在平泽皆有，五月、六月采，日干。

［药性论］云：飞廉，使，味苦，咸，有毒。主留血。

［萧炳］云：小儿疳痢，为散，以浆水下之，大效。

---

① 干：原作“于”，据刘《大观》、柯《大观》改。

② 烦心：成化《政和》、商务《政和》倒置。

[【雷公云] 凡使，勿用赤脂蔓，与飞廉形状相似，只赤脂蔓见酒[1]色便如血色，可表之。凡修事，先刮去粗皮了，杵，用苦酒拌之一夜，至明漉出，日干，细杵用之。

[千金翼] 治瘑蠹食口齿及下部。飞廉蒿烧灰捣筛，以两钱匕著痛处，甚痛，忍之；若不痛，非瘑也。下部虫如马尾大，相缠[2]出无数。十日差，二十日平复。

五味子

味酸，温，无毒。**主益气，咳逆上气，劳伤羸瘦，补不足，强阴，益男子精，**养五脏，除热，生阴中肌。一名会及，一名玄及。生齐山山谷及代郡。八月采实，阴干。苁蓉为之使，恶萎蕤，胜乌头。

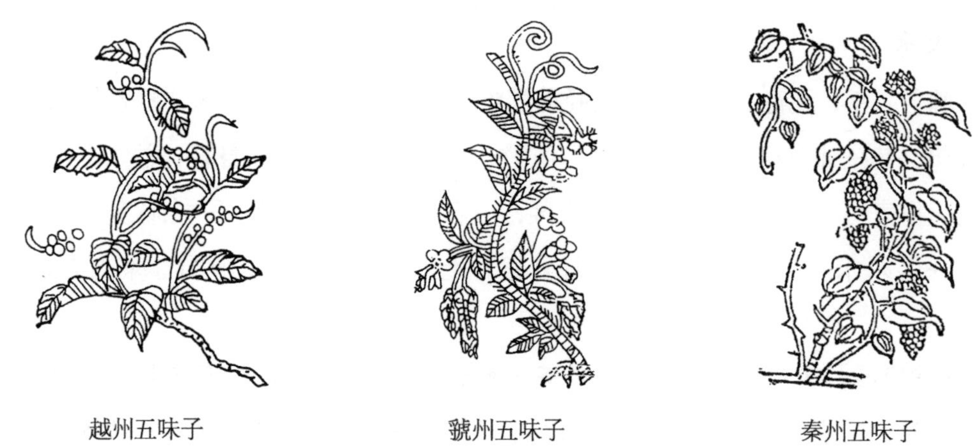

越州五味子　　虢州五味子　　秦州五味子

[陶隐居] 云：今第一出高丽，多肉而酸甜；次出青州、冀州，味过酸，其核并似猪肾。又有建平者少肉，核形不相似，味苦，亦良。此药多膏润，烈日暴之，乃可捣筛，道方亦须用。

[唐本注] 云：五味，皮肉甘、酸，核中辛、苦，都有咸味，此则五味具也。《本经》云味酸，当以木为五行之先也。其叶似杏而大，蔓生木上。子作房如落葵，大如蘡子。一出蒲州及蓝田山中。

[今注] 今河中府岁贡焉[3]。

[臣禹锡等谨按蜀本]《图经》云：茎赤色，蔓生，花黄白，生青熟紫，味甘者佳。八月采子，日干。

---

① 酒：其下《纲目》有“则”字。

② 缠：《千金翼》作“续”。

③ 今河中府岁贡焉：《纲目》注为“恭曰”。按，此7字出于《开宝本草》。

［尔雅］云：菋，荎藸。注：五味也。蔓生，子丛在茎头。疏云：一名菋，一名荎藸。

［药性论］云：五味子，君。能治中下气，止呕逆，补诸虚劳，令人体悦泽，除热气，病人虚而有气兼嗽，加用之。

［日华子］云：明目，暖水脏，治风下气，消食，霍乱转筋，痃癖，贲豚，冷气，消水肿，反胃，心腹气胀，止渴，除烦热，解酒毒，壮筋骨。

［图经曰］五味子，生齐山山谷及代郡，今河东、陕西州郡尤多，而杭越间亦有。春初生苗，引赤蔓于高木，其长六七尺。叶尖圆似杏叶。三四月开黄白花，类小莲花。七月成实，如①豌豆许大，生青熟红紫。《尔雅》云：菋，荎藸。注云：五味也。蔓生，子丛茎端。疏云：一名菋，一名荎藸。今有数种，大抵相近，而以味甘者为佳。八月采，阴干用。一说②小颗皮皱泡者，有白色盐霜一重，其味酸、咸、苦、辛、甘，味全者真也。《千金月令》：五月宜服五味汤。取五味子一大合，以木杵臼细捣之，置小瓷瓶中，以百沸汤投之，入少蜜，即密封头，置火边良久，汤成堪饮。

［▲雷公云］凡小颗皮皱泡者，有白扑盐霜一重，其味酸、咸、苦、辛、甘，味全者真也。凡用，以铜刀劈作两片，用蜜浸蒸，从巳至申，却以浆水浸一宿，焙干用。

［抱朴子］移门子服五味子十六年，面色如玉女，入水不沾，入火不灼。

［衍义曰］五味子，今华州之西至秦州皆有之。方红熟时，采得蒸烂，研滤汁去子，熬成稀膏。量酸甘入蜜，再上火，待蜜熟，俟冷，器中贮，作汤。肺虚寒人可化作③汤，时时服。作果，可以寄远。《本经》言温，今食之，多致虚热，小儿益甚。《药性论》以谓除热气。日华子云④谓暖水脏，又曰除烦热。后学至此多惑。今既用之治肺虚寒，则更不取除烦热之说。补下药亦用之。入药生曝不去子。

旋花

味甘，温，无毒。**主益气，去面皯黑色，媚好。其根味辛，主腹中寒热邪气，**

---

① 如：其上，《纲目》有"丛生茎端"4字。

② 一说：《纲目》作"雷敩言"。

③ 作：商务《衍义》作"为"。

④ 云：商务《衍义》作"又"。

利小便。久服不饥，轻身。一名筋根花，一名金沸，一名美草。生豫州平泽。五月采，阴干。

旋花

［陶隐居］云：东人呼为山姜，南人呼为美草。根似杜若，亦似高良姜。腹中冷痛，煮服甚效。作丸散服之，辟谷止饥。近有人从南还，遂用此术与人断谷，皆得半年、百日不饥不瘦。但志浅嗜深，不能久服尔。其叶似姜，花赤色，殊①辛美，子状如豆蔻，此旋花之名，即是其花也。今山东甚多。

［唐本注］云：此即生平泽，旋葍音福是也。其根似筋，故一名筋根。旋徐②兖切③花④，陶所证真山姜尔。陶复于下品旋葍注中云：此根出河南，北国来，根似芎䓖，惟膏中用。今复道似高良姜，二说自相矛盾。且此根味甘，山姜味辛，都非此类。其旋葍膏疗风逐水，止用花，言根亦无妨，然不可以杜若乱之也。又将旋葍花名金沸，作此别名，非也。《别录》云：根，主续筋也。

施州旋花

［今按］《陈藏器本草》云：旋花，本功外，取根食之不饥。又取根、苗捣绞汁服之，主丹毒，小儿毒热。根，主续筋骨，合金疮⑤。陶注误而唐注是也。

［臣禹锡等谨按蜀本］《图经》云：旋葍花根也，蔓生，叶似署预而多狭长，花红白色，根无毛节，蒸煮堪啖，味甘美，根名筋根。今所在川泽皆有。二月、八月采根，日干。

［萧炳］云：旋徐元切覆音伏用花，葍音福旋徐愿反⑥用根，今云旋覆根即葍旋误矣⑦。

［图经曰］旋徐愿切花，生豫州平泽，今处处皆有之。苏恭云：此即平泽所生

① 殊：《纲目》作“味”。

② 徐：其上，刘《大观》、柯《大观》有“音”字。

③ 切：刘《大观》、柯《大观》作“反”。

④ 花：柯《大观》无。

⑤ 续筋骨，合金疮：《纲目》注为《别录》文。按，此6字应属陈藏器之文。

⑥ 反：刘《大观》、柯《大观》作“切”。

⑦ 矣：其下，柯《大观》有“宜审之”3字。

旋蓄音福是也。其根似筋，故一名筋根。《别录》云根主续筋，故南人皆呼为续筋根。苗作丛蔓，叶似山芋而狭长。花白，夏秋生[①]遍田野。根无毛节，蒸煮堪啖，甚甘美。五月采花，阴干。二月、八月采根，日干。花今不见用者，下品有旋徐元切[②]覆花，与此殊别。人疑其相近，殊无谓也。《救急方》续断筋法：取旋蓄草根，净洗去土，捣，量疮大小傅之，日一二易之，乃差止。一名豗肠草，俗谓鼓子花也。黔南出一种旋花，粗茎，大叶，无花，不作蔓，恐别是一物也。

[衍义曰] 旋花，蔓生，今[③]河北、京西、关陕田野中甚多，最难锄艾，治之又生。世又谓之鼓子花，言其形肖也。四五月开花，亦有多叶者。其根寸截置土下，频灌溉，方涉旬，苗已生。《蜀本·图经》是矣。

兰草

味辛，平，无毒。**主利水道，杀蛊毒，辟不祥，**除胸中痰癖。**久服益气，轻身，不老，通神明。一名水香。**生大吴池泽。四月、五月采。

［陶隐居］云：方药、俗人并不复识用。大吴，即应是吴国尔，太[④]伯所居，故呼大吴。今东间有煎泽草[⑤]，名兰香，亦或是此也，生湿地。李云[⑥]：是今人所种，似都梁香草。

［唐本注］云：此是兰泽香草[⑦]也。八月花白，人间多种之以饰庭池，溪水涧傍往往亦有。陶云不识，又言煎泽草，或称李云都梁香近之，终非的识也。

［今按］别本注云：叶似马兰，故名兰草，俗呼为燕尾香。时人皆煮水以浴，疗风。故又名香水兰。陶云煎泽草，唐注云兰泽香，并非也。

［臣禹锡等谨按蜀本］《图经》云：叶似泽兰，尖长有歧，花红白色而香，生下湿地。

［陈藏器］云：兰草与泽兰，二物同名。陶公竟不能知，苏亦强有分[⑧]别。按，

---

① 生：刘《大观》、柯《大观》作“间”。

② 徐元切：柯《大观》无。

③ 今：其下，商务《衍义》有“之”字。

④ 太：柯《大观》作“大”。

⑤ 煎泽草：《纲目》注为“唐本”。按，此3字出自“弘景”注。

⑥ 李云：《纲目》作“李当之云”。

⑦ 兰泽香草：《纲目》注为“弘景”，按，此3字出自“唐本”。

⑧ 强有分：《纲目》作“浪”。

兰草本功外，主恶气，香泽可作膏涂发。生泽畔，叶光润，阴小紫，五月、六月采，阴干，妇人和油泽头，故云兰泽。李云都梁是也。苏注兰草云：八月花白，人多种于庭池。此即泽兰，非兰草也。泽兰叶尖，微有毛，不光润，方茎紫节，初采微辛，干亦辛，入产后补虚用之。已别出中品之下。苏乃将泽兰注于兰草之中，殊误也。《广志》云：都梁香出淮南，亦名煎泽草。盛洪之《荆州记》曰：都梁县有山，山下有水清浅，其中生兰草，因名为都梁，亦因山为号也。

［衍义曰］兰草，诸家之说异，同是曾未的识，故无定论。叶不香，惟花香。今江陵、鼎、澧州山谷之间颇有，山外平田即无，多生阴地，生于幽谷，益可验矣。叶如麦门冬而阔，且韧，长及一二尺，四时常青，花黄，中间叶上有细紫点，有春芳者，为春兰，色深；秋芳者，为秋兰，色淡。秋兰稍难得，二兰移植小槛中，置座右，花开时，满室尽香，与他花香又别。唐·白乐天有种兰不种艾之诗，正谓①此兰矣。今未见用者。《本经》苏注：八月花白，此即泽兰也。

忍冬

味甘，温，无毒。主寒热身肿。久服轻身，长年益寿。十二月采，阴干。

［陶隐居］云：今处处皆有，似藤生，凌②冬不调，故名忍冬。人惟取煮汁以酿酒，补虚疗风。《仙经》少用。此既长年益寿，甚可常采服。凡易得之草，而人多不肯为之，更求难得者，是贵远贱近，庸人③之情乎？

［唐本注］云：此草藤生，绕覆草木上。苗茎赤紫色，宿者有薄白皮膜音莫之。其嫩茎有毛，叶似胡豆，亦上下有毛。花白蕊紫。今人或以络石当之，非也。

［今按］《陈藏器本草》云：忍冬，主热毒血痢，水痢，浓煎服之。小寒，本条云温，非也。

［臣禹锡等谨按药性论］云：忍冬亦可单用。味辛，主治腹胀满，能止气下澼。

［▌肘后方］飞尸者，游走皮肤，穿脏腑，每发刺痛，变作无常；遁尸者，附骨入肉，攻凿血脉，每发不可得近，见尸丧闻哀哭便作；风尸者，淫跃四肢，不知

---

① 谓：商务《衍义》作“为”。

② 凌：柯《大观》作“更”。

③ 庸人：刘《大观》、柯《大观》无。

痛之所在，每发昏恍，得风雪便作；沉尸者，缠骨结脏①，冲心胁，每发绞切，遇寒冷便作；尸注者，举身沉重，精神错杂，常觉昏废，每节气至，则②辄致大恶。此一条别有治后熨也。忍冬茎③叶，剉数斛，煮令浓，取汁煎之，服如鸡子一枚，日二三服。

蛇床子

味苦、辛、甘④，**平**，无毒。**主妇人阴中肿痛，男子阴痿，湿痒，除痹气，利关节，癫痫，恶疮**，温中下气，令妇人子脏热，男子阴强。**久服轻身**，好颜色，令人有子。一名蛇粟⑤，**一名蛇米**，一名虺床⑥，一名思益，一名绳毒，一名枣棘，一名墙蘼。生临淄川谷及田野。五月采实，阴干。恶牡丹、巴豆、贝母。

［陶隐居］云：近道田野墟落间甚多。花、叶正似蘼芜。

［唐本注］云：《尔雅》一名盱音吁。

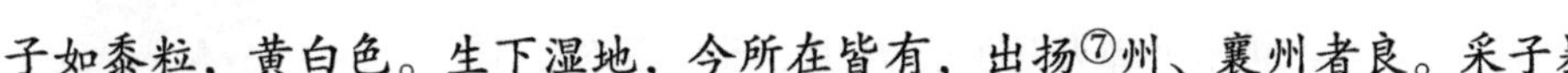

南京蛇床子

［臣禹锡等谨按蜀本］《图经》云：似小叶芎䓖，花白，子如黍粒，黄白色。生下湿地，今所在皆有，出扬⑦州、襄州者良。采子暴干。

［尔雅］云：盱，虺床。注：蛇床也，一名马床。

［药性论］云：蛇床仁，君，有小毒。治男子、女人虚，湿痹，毒风𤸷痛，去男子腰疼，浴男女阴，去风冷，大益阳事。主大风身痒，煎汤浴之差。疗齿痛及小儿惊痫。

［日华子］云：治暴冷，暖丈夫阳气，助女人阴气，扑损瘀血，腰胯疼，阴汗，湿癣，四肢顽痹，赤白带下，缩小便。凡合药服食，即挼去皮壳，取仁微炒杀毒，即不辣。作汤洗病则生使。

---

① 缠骨结脏：柯《大观》作“缠结脏骨”。

② 至，则：柯《大观》作“败变”。

③ 茎：原作“堇”，据成化《政和》、商务《政和》改。

④ 辛、甘：刘《大观》、柯《大观》作白字《本经》文。

⑤ 蛇粟：《纲目》注为《本经》文。

⑥ 虺床：《纲目》注出处为“尔雅”。“虺”，古书上的毒蛇。

⑦ 扬：原作“杨”，据刘《大观》、柯《大观》改。

［图经曰］ 蛇床子，生临淄川谷及田野，今处处有之，而扬[①]州、襄州者胜。三月生苗，高三二尺，叶青碎作丛似蒿枝。每枝上有花头百余，结同一窠似马芹类。四五月开白花，又[②]似散水[③]。子黄褐色如黍米，至轻虚。五月采实，阴干。《尔雅》谓之盱，一名虺床。

［◣雷公云］ 凡使，须用浓蓝汁，并百部草根自然汁，二味同浸三伏时，漉出，日干。却用生地黄汁相拌蒸，从午至亥，日干。用此药只令阳气盛数，号曰鬼考也。

［千金方］ 治产后阴下脱。蛇床子绢袋盛，蒸熨之。亦治阴户痛。

［又方］ 治小儿癣疮。杵蛇床末，和猪脂涂之。

［金匮方］ 温中坐药蛇床子散方：蛇床子仁为末，以白粉少许和令匀相得，如枣大，绵裹内之，自然温矣。

地肤子

味苦，寒，无毒。**主膀胱热，利小便，补中益精气**，去皮肤中热气，散恶疮疝瘕，强阴。**久服耳目聪明，轻身耐老**，使人润泽。**一名地葵**，一名地麦。生荆州平泽及田野。八月、十月采实，阴干。

密州地肤子

［陶隐居］云：今田野间亦多，皆取茎苗为扫帚。子微细，入补丸散用，《仙经》不甚须[④]。

［唐本注］云：地肤子，田野人名为地麦草，叶细茎赤，多出熟田中。苗极弱，不能胜举。今云堪为扫帚，恐人未识之。《别录》云：捣绞取汁，主赤白痢，洗目去热，暗雀盲涩痛。苗灰，主痢亦善。北人亦名涎衣草。

［臣禹锡等谨按蜀本］《图经》云：叶细茎赤，初生薄地，花黄白，子青白色，今所在有。

［药性论］云：地肤子，君。一名益明。与阳起石同服，主丈夫阴痿不起，补气益力，治阴卵㿉疾，去热风，可作汤沐浴。

---

① 扬：原作“杨”，据刘《大观》、柯《大观》改。

② 又：柯《大观》作“仁”。

③ 散水：《纲目》作“伞状”。

④ 须：成化《政和》、商务《政和》、柯《大观》作“用”。

蜀州地肤子

［日华子］云：治客热，丹肿。又名落帚子。色青，似一眠起蚕沙矣。

［图经曰］地肤子，生荆州平泽及田野，今蜀川、关中近地皆有之。初生薄地五六寸，根形如蒿，茎赤叶青，大似荆芥。三月开黄白花，八月、九月采实，阴干用。神仙七精散云：地肤子，星之精也。或曰其苗即独扫也，一名鸭舌草。陶隐居[①]谓茎苗可为扫帚者。苏恭云：苗极弱，不能胜举。二说不同，而今医家便以为独扫是也。密州所上者，其说益明。云根作丛生，每窠有二三十茎，茎有赤有黄，七月开黄花，其实地肤也。至八月而藨秆成，可采，正与此地独扫相类。若然，恐西北所出者短弱，故[②]苏注云尔。其叶味苦，寒，无毒。主大肠泄泻，止赤白痢，和气，涩肠胃，解恶疮毒。三[③]、四月、五月采。

［◣外台秘要］治目痛及眯忽中伤，因有热瞑者。取地肤子白汁注目中[④]。

［又方］疗手足烦疼。地肤草三两，水四升，煮取二升半。分三服，日一剂。

［肘后方］治积年久疼腰痛有时发动[⑤]。六月、七月取地肤子，干，末，酒服方寸匕，日五六服。

［子母秘录］治妊娠患淋，小便数，去少，忽热痛酸索，手足疼烦。地肤子十二两，初以水四升，煎取二升半，分温三服。

［杨氏产乳］疗小便数多，或热痛酸楚，手足烦疼。地肤草三两，以水四升，煮取二升半，分三服。

千岁蘽力轨切汁

味甘，平，无毒。主补五脏，益气，续筋骨，长肌肉，去诸痹。久服轻身不饥，耐老，通神明。一名蘽芜。生太山川谷。

［陶隐居］云：作藤生，树如葡萄，叶如鬼桃，蔓延木上，汁白。今俗人方药，都不复识用此，《仙经》数处须之。而远近道俗咸不识此，非甚是异物，正是

---

① 陶隐居：刘《大观》、柯《大观》作白小字。

② 故：刘《大观》作“放”。

③ 三：其下，柯《大观》有“月”字。

④ 中：柯《大观》无。

⑤ 治积年……发动：柯《大观》作“治久疹有时发动胁疼如打”11字。

未研访寻识之尔。

兖州千岁蘽

［唐本注］云：即蘡音缨薁音隩藤汁也。此藤有得千岁者，茎大如碗，冬惟叶凋，茎终不死。藤汁味甘，子味甘、酸，苗似葡萄，其茎主哕于月切逆大善，伤寒后呕哕①更良。

［今按］《陈藏器本草》云：千岁蘽，陶云藤生，树如葡萄，叶如鬼桃，蔓延木上，汁白。人不复识，仙方或须。唐本②注即云：蘡薁藤得千岁者，汁甘，子酸。按，蘡薁是山蒲桃，斫断藤，吹气出一头如通草。以水浸，吹取气，滴目中，去热翳赤障，更无甘汁，《本经》云汁甘，明非蘡薁也。千岁蘽似葛蔓，叶下白，子赤，条中有白汁。《草木疏》云：一名苣苽③，连蔓而生，子赤可食。《毛诗》云：葛蘽。注云：似葛之草也。此藤大者盘薄，故云千岁蘽谓蘡薁者，深是妄言。

［臣禹锡等谨按蜀本］《图经》云：今处处有，取汁用，当在夏秋也。

［日华子］云：味甘、酸。止渴，悦色。年多大者佳④，茎叶同用，又名蘡薁藤。

［图经曰］千岁蘽，生泰山川谷。作藤生，蔓延木上，叶如葡萄而小。四月摘其茎，汁白而甘。五月开花，七月结实，八月采子，青黑微赤。冬惟凋叶。此即《诗》云葛蘽者也。苏恭谓是蘡薁藤，深为谬妄。陶隐居、陈藏器说最得之。

［衍义曰］千岁蘽，唐开元末，访隐民姜抚，已几百岁。召至集贤院，言服常春藤，使白发还鬒⑤，则长生可致藤。生太湖，终南往往有之。帝遣使多取，以赐老臣。诏天下使自求之。擢⑥抚银青光禄大夫，号冲和先生。又言终南山有旱藕，饵之延年，状类葛粉。帝取之作汤饼，赐大臣。右骁骑将军甘守诚曰：常春者千岁蘽也，旱藕者牡蒙也。方家久不用，抚易名以神之。民间以酒渍藤饮者，多暴死，乃止。抚内惭，请求药牢山，遂逃去。今书之以备世疑。

---

① 哕：干呕，想吐而吐不出来。

② 本：刘《大观》、柯《大观》无。

③ 苽：原作“荒”，据底本校勘表、刘《大观》、柯《大观》改。

④ 佳：柯《大观》无。

⑤ 鬒：头发稠密，黑发。《纲目》作“黑”。

⑥ 擢：提拔。

景天

味苦、酸①，**平**，无毒。**主大热火疮，身热烦，邪恶气**，诸蛊毒，痂疕②疋几切，寒热风痹，诸不足。**花，主女人漏下赤白，轻身明目。**久服通神不老。**一名戒火**，一名火母，一名救火，一名据火，**一名慎火。**生太山川谷。四月四日、七月七日采，阴干。

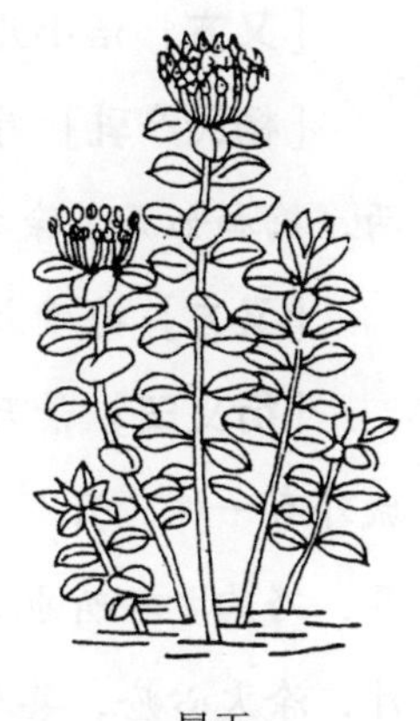
景天

［陶隐居］云：今人皆盆盛养之于屋上，云以辟火。叶，可疗金疮止血，以洗浴小儿，去烦热，惊气③。广州城外有一树，云大三四围，呼为慎火树。江东者甚细小。方用亦稀。其花入服食。众药之名，此最为丽。

［今注］皇④朝收复岭表，得广州医官问其事，曾无慎火成树者，盖陶之误尔。

［臣禹锡等谨按蜀本］《图经》云：慎火草，叶似马齿苋而大。

［药性论］云：景天，君，有小毒。能治风疹恶痒，主小儿丹毒及治发热惊疾。花能明目。

［日华子］云：景天，冷。治心烦热狂，赤眼，头痛，寒热，游风丹肿，女人带下。

［图经曰］景天，生泰山山谷，今南北皆有之，人家多种于中庭，或以盆盎⑤植于屋上，云以辟火，谓之慎火草。春生苗，叶似马齿而大，作层而上，茎极脆弱。夏中开红紫碎花，秋后枯死。亦有宿根者。四月四日、七月七日采其花并苗叶，阴干。攻治疮毒及婴孺风疹在皮肤不出者，生取苗叶五大两，和盐三大两，同研，绞取汁，以热手摩涂之，日再。但是热毒丹疮，皆可如此用之⑥。

［**▶ 外台秘要**］治瘾疹。以慎火草一斤，捣绞取汁，傅上热炙，摸之再三，即差。

［千金方］治小儿丹发。慎火草生一握，捣绞汁，以拭之揄上，日十遍，夜三

① 酸：刘《大观》、柯《大观》作白字《本经》文。

② 疕：头疡。

③ 气：刘《大观》、柯《大观》作“风”。

④ 皇：柯《大观》作“宋”。

⑤ 盎：成化《政和》、商务《政和》作“盛”。

⑥ 如此用之：柯《大观》作“依用”。

四遍。谭氏小儿方同。

［**子母秘录**］治产后阴下脱。慎火草一斤阴干，酒五升，煮取汁，分温四服。

［**又方**］治小儿赤游，行于体上下，至心即死。捣生景天傅疮上。

［**杨氏产乳**］疗烟火丹发，从背起或两胁及两足，赤如火。景天草、真珠末一两，捣和如泥，涂之。

［**又方**］疗萤火丹从头起，慎火草捣和苦酒涂之。

［**衍义曰**］景天，陶隐居既云今人皆盆盛养之于屋上，即知是草药。又言广州城外有一株，云可三四围，呼为慎火木。既曰云，即非亲见也。盖是传闻，亦非误耳，乃陶之轻听也。然极易种，但折生枝置土中，频浇溉，旬日便下根，浓研取汁，涂火心疮，甚验。干为末，水调，扫游风、赤瘇[①]赪[②]热者。

茵陈蒿

味苦，平、微寒，无毒。**主风湿，寒热，邪气，热结，黄疸**，通身发黄，小便不利，除头热，去伏瘕。**久服轻身，益气耐老**，面白悦长年。白兔食之仙[③]。生太山及丘陵坡[④]岸上。五月及立秋采，阴干。

绛州茵陈蒿

［陶隐居］云：今[⑤]处处有，似蓬蒿而叶紧细，茎，冬不死，春又生。惟入疗黄疸用。《仙经》云：白蒿，白兔食之仙。而今茵陈乃云此，恐是误尔。

［今按］《陈藏器本草》云：茵陈本功外，通关节，去滞热，伤寒用之。虽蒿类，苗细经冬不死，更因旧苗而生，故名因陈，后加蒿字也。

［今又］详：此非菜中茵陈也。

［臣禹锡等谨按蜀本］《图经》云：叶似青蒿而背白，今所在皆有，采苗阴干。

［药性论］云：茵陈蒿，使，味苦、辛，有小毒。治眼目通身黄，小便赤。

---

① 瘇：足肿。

② 赪：红色。

③ 白兔食之仙：《纲目》注为《本经》文。

④ 坡：刘《大观》、柯《大观》作“坂”。

⑤ 今：柯《大观》无。

江宁府茵陈

［日华子］云：石茵陈，味苦，凉，无毒。治天行时疾，热狂，头痛头旋，风眼疼，瘴疟，女人癥瘕，并闪损乏绝。又名茵陈蒿、山茵陈。本出和州及南山、岭上皆有。

［图经曰］ 茵陈蒿，生泰山及丘陵坡[①]岸上，今近道皆有之，而不及泰山者佳。春初生苗，高三五寸，似蓬蒿而叶紧细，无花实，秋后叶枯，茎秆经冬不死，至春更因旧苗而生新叶，故名茵陈蒿。五月、七月采茎叶阴干，今谓之山茵陈。江宁府又有一种茵陈，叶大根粗，黄白色，至夏有花实。阶州有一种名白蒿，亦似青蒿而背白，本土皆通入药用之。今南方医人用山茵陈，乃有数种。或著其说云：山茵陈，京下及北地用者，如艾蒿，叶细而背白，其气亦如艾，味苦，干则色黑。江南所用，茎叶都似家茵陈而大，高三四尺，气极芬香，味甘、辛，俗又名龙脑薄荷。吴中所用，乃石香葇也，叶至细，色黄，味辛，甚香烈，性温。误[②]作解脾药服之，大令人烦。以本草论之，但有茵陈蒿，而无山茵陈。本草注云：茵陈蒿叶似蓬蒿而紧细。今京下[③]、北地用为山茵陈者是也。大体世方用山茵陈疗脑痛，解伤寒发汗，行肢节滞气，化痰利膈，治劳倦最要。详本草正经，惟疗黄疸，利小便，与世方都不应。今试取京下[③]所用山茵陈，为解肌发汗药，灼然少效；江南山茵陈，疗伤寒脑痛绝胜。此[④]见诸医议论，谓家茵陈亦能解肌下膈，去胸中烦。方家少用，但可研作饮服之。本草所无，自出俗方。茵陈蒿复当别是一物，主疗自异，不得为山茵陈，此说亦未可据。但以功较之，则江南者为胜；以经言之，则非本草所出。医方所用，且可计较功效，本草之义，更当考论尔。

［🅼雷公云］ 凡使，须用叶有八角者，采得阴干，去根细剉用，勿令犯火。

［千金方］ 治遍身风痒，生疮疥。茵陈不计多少，煮浓汁洗之，立差。

［食医心镜］ 茵陈，主除大热，黄疸，伤寒头痛，风热瘴疠，利小便。切煮羹，生食之亦宜人。

［衍义曰］ 茵陈蒿，张仲景治伤寒，热甚发黄者，身面悉黄，用之极效。又一

---

① 坡：刘《大观》、柯《大观》作“坂”。

② 误：《纲目》作“若”。

③ 京下：《纲目》作“汴京”。

④ 此：《纲目》作“比”。

僧因伤寒后发汗不澈，有留热，身面皆黄，多热，期年不愈。医作食黄治之，治不对病，不去。问之，食不减。寻与此药，服五日，病减三分之一，十日减三分之二，二十日病悉去。方用山茵陈、山栀子各三分，秦艽、升麻各四钱，末之。每用三钱，水四合，煎及二合，去滓，食后温服，以知为度。然此药以茵陈蒿为本，故书之。

杜若

味辛，微温，无毒。**主胸胁下逆气，温中，风入脑户，头肿痛，多涕泪出**，眩倒目䀮䀮①莫郎切，止痛，除口臭气。**久服益精，明目，轻身**，令人不忘②。**一名杜蘅**，一名杜莲③，一名白连，一名白芩，一名若芝。生武陵川泽及冤句。二月、八月采根，暴干。得辛夷、细辛良，恶茈胡、前胡。

杜若

［陶隐居］云：今处处有。叶似姜而有文理，根似高良姜而细，味辛香。又绝似旋覆根，殆欲相乱，叶小异尔。《楚词》云：山中人兮芳杜若。此者一名杜蘅，今复别有杜蘅，不相似。

［唐本注］云：杜若，苗似廉姜，生阴地，根似高良姜，全少辛味。陶所注旋覆根，即真杜若也。

［臣禹锡等谨按蜀本］《图经》云：苗似山姜，花黄赤，子赤色，大如棘子，中似豆蔻。今出硖州、岭南者甚好。

［范子计然］云：杜蘅、杜若，出南郡、汉中，大者大善。

［图经曰］杜若，生武陵川泽及冤句，今江湖多有之。叶似姜，花赤色，根似高良姜而小辛味，子如豆蔻。二月、八月采根，暴干用。谨按，此草一名杜蘅，而中④品自有杜蘅条。杜蘅，《尔雅》所谓土卤者也。杜若，《广雅》所谓楚衡者也。其类自别，然古人多相杂引用。《九歌》云：采芳洲兮杜若。又《离骚》云：杂杜

---

① 䀮：目不明。

② 令人不忘：《纲目》注为《本经》文。

③ 莲：刘《大观》、柯《大观》作“连”。

④ 中：其上，《纲目》有“草部”2字。

蘅与芳芷。王逸辈皆不分别，但云香草也[1]。古方或用，而今人罕使，故亦少有识之者。

[**雷公云**] 凡使，勿用鸭喋草根，真相似，只是味效不同。凡修事，采得后[2]，刀刮上黄赤皮了，细剉，用二三重绢作袋盛，阴干。临使以蜜浸一夜，至明漉出用。

[**尔雅**] 一曰杜若，土卤，香草也。

沙参

味苦，微寒，无毒。**主血积惊气，除寒热，补中，益肺气，**疗胃痹心腹痛，结热邪气，头痛，皮间邪热，安五脏，补中。**久服利人**[3]**。一名知母**[4]，一名苦心，一名志取，一名虎须，一名白参，一名识美，一名文希。生河内川谷及冤句，般阳续山。二月、八月采根，暴干。恶防己，反藜芦。

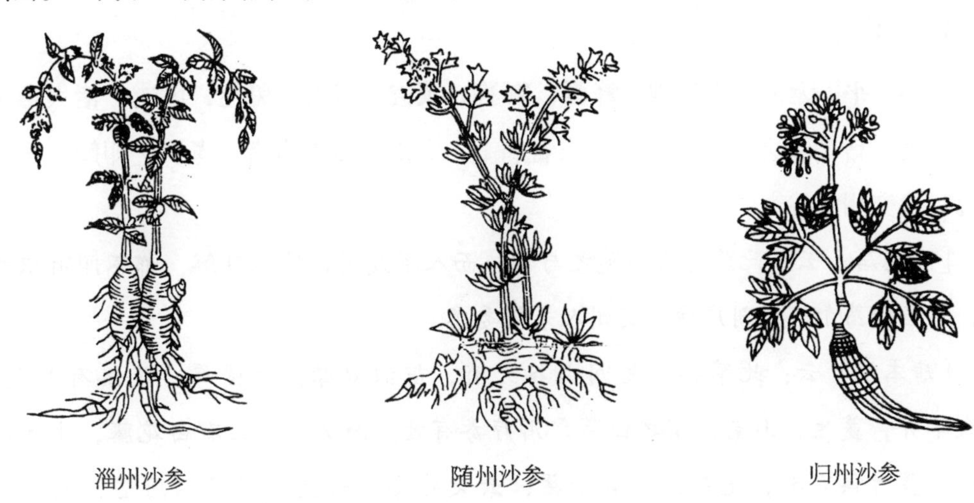

淄州沙参　随州沙参　归州沙参

[陶隐居] 云：今出近道。丛生，叶似枸杞，根白实者佳。此沙参并人参[5]是为五参，其形不尽相类，而主疗颇同，故皆有参名。又有紫参，正名牡蒙，在中品。

[唐本注] 云：紫参、牡蒙，各是一物，非异名也。今沙参出华州为善。

---

① 也：《纲目》作"故二名相混"。

② 后：《纲目》作"根"。

③ 久服利人：《纲目》注为黑字《别录》文。

④ 知母：《纲目》注为黑字《别录》文。

⑤ 此沙参并人参：《纲目》作"此与人参、玄参、丹参、苦参"。

［臣禹锡等谨按蜀本］《图经》云：花白色，根若葵根。

［药性论］云：沙参，臣。能去皮肌浮风，疝气下坠，治常欲眠，养肝气，宣五脏风气。

［日华子］云：补虚，止惊烦，益心肺，并一切恶疮疥癣及身痒，排脓，消肿毒。

［图经曰］ 沙参，生河内川谷及冤句、般阳续山，今出淄、齐、潞、随州，而江、淮、荆、湖州郡或有之。苗长一二尺以来，丛生崖壁间，叶似枸杞而有叉牙。七月开①紫花，根如葵根，箸许大，赤黄色，中正白实者佳。二月、八月采根，暴干。南土生者，叶有细有大，花白，瓣②上仍有白黏胶，此为小异。古方亦单用。葛洪：卒得诸疝，小腹及阴中相引痛如绞，自③汗出欲死者，捣筛末，酒服方寸匕，立差。

白兔藿

味苦，平，无毒。**主蛇虺、蜂虿、猘狗、菜肉、蛊毒，鬼疰，**风疰，诸大毒不可入口者，皆消除之。又去血，可末着痛上，立消。毒入腹者，煮饮之即解。**一名白葛。**生交州山谷。

［陶隐居］云：此药疗毒，莫之与敌，而人不复用，殊不可解，都不闻有识之者，想当似葛尔，须别广访，交州人未得委悉。

［唐本注］云：此草荆、襄间山谷大有，苗似萝摩，叶圆厚，茎俱有白毛，与众草异，蔓生，山南俗谓之白葛。用疗毒有效。而交、广又有白花藤，生叶似女贞，茎叶俱无毛，花白，根似野葛，云大疗毒，而交州用根不用苗，则非藿也。用叶苗者，真矣。二物疗治，并如《经》说，各自一物，下条载白花藤也。

［臣禹锡等谨按蜀本］《图经》云：蔓生，叶圆若莼，今襄州北、汝州南岗上有。五月、六月采苗④，日干。

［◣ 海药云］ 主风邪热极，宜煮白兔藿饮之。干则捣末，傅诸毒妙。

---

① 开：原作“间”，据底本校勘表、成化《政和》、商务《政和》、刘《大观》、柯《大观》改。

② 瓣：原作“辨”，据刘《大观》、柯《大观》改。

③ 自：原作“白”，据柯《大观》改。

④ 苗：柯《大观》无。

徐长卿

味辛，温，无毒。**主鬼物百精，蛊毒疫疾，邪恶气，温疟。久服强悍轻身，**益气延年。**一名鬼督邮。**生太山山谷及陇西。三月采。

［陶隐居］云：鬼督邮之名甚多。今俗用徐长卿者，其根正如细辛，小短扁①扁尔，气亦相似。今狗脊散用鬼督邮，当取其强悍宜腰脚，所以知是徐长卿，而非鬼箭、赤箭。

［唐本注］云：此药叶似柳，两叶相当，有光润②，所在川泽有之。根如细辛，微粗长，而有臊昔刀切气。今俗用代鬼督邮，非也。鬼督邮别有本条在下。

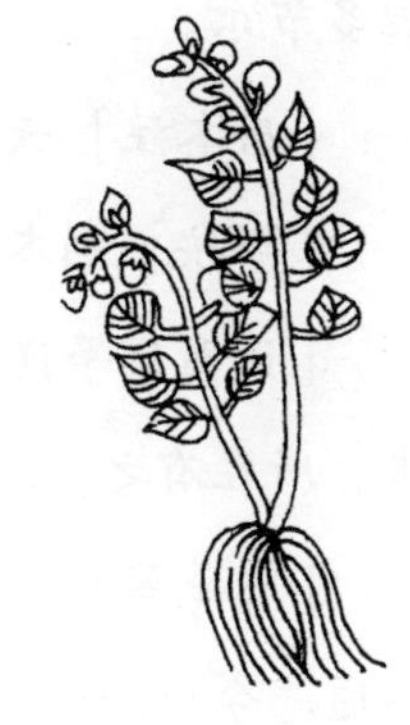
淄州徐长卿

［臣禹锡等谨按蜀本］《图经》云：苗似小麦，两叶相对，三月苗青，七月、八月著子，似萝摩子而小，九月苗黄，十月凋。生下湿川泽之间，今所在有之③。八月采，日干。

［图经曰］徐长卿，生泰山山岩谷及陇西，今淄、齐、淮、泗间亦有之。三月生青苗，叶似小桑，两两相当，而有光润。七④八月著⑤子，似萝摩而小，九月苗黄。十月而枯，根黄色，似细辛微粗长，有臊气。三月、四月采，一名别仙踪。

泗州徐长卿

［**雷公云**］凡采得，粗杵，拌少蜜令遍，用瓷器盛，蒸三伏时，日干用。

石龙刍

味苦，微寒、微温，无毒。**主心腹邪气，小便不利，淋闭，风湿，鬼疰恶毒，**补内虚不足，痞满，身无润泽，出汗，除茎中热痛，杀鬼疰恶毒气。**久服补虚羸，轻身，耳目聪明，延年。一名龙须，一名草续断，一名龙珠⑥，**一名龙华，一名悬

---

① 扁：柯《大观》无。

② 润：《纲目》作“泽”。

③ 之：柯《大观》无。

④ 七：其下，柯《大观》有“月”字。

⑤ 著：柯《大观》作“有”。

⑥ 珠：刘《大观》、柯《大观》作“朱”，并注为《别录》文。

莞，一名草毒。九节多味者良。生梁州山谷湿地。五月、七月采茎，暴干。

［陶隐居］云：茎青细相连，实赤，今出近道水石处，似东阳龙须以作席者，但多节尔。

［唐本注］云：《别录》云，一名方宾。主疗蛔虫及不消食尔。

［今按］别本注云：《别录》云微温，今之服用能除热，盖不温也。

［臣禹锡等谨按蜀本］《图经》云：茎如綖，丛生，俗名龙须草。今人以为席者，所在有之。八月、九月采根，暴干。

［陈藏器］云：按，龙须作席，弥败有垢者，取方尺煮汁服之。主淋及小便卒不通。今出汾州，亦处处有之。

薇衔

味苦，平、微寒，无毒。**主风湿痹历节痛，惊痫吐舌，悸气贼风，鼠瘘痈肿，**暴癥，逐水，疗痿蹶。久服轻身明目。**一名糜[①]衔，**一名承膏，一名承肌[②]，一名无心，一名无颠。生汉中川泽及冤句、邯郸。七月采茎叶，阴干。得秦皮良。

［陶隐居］云：俗用亦少。

［唐本注］云：此草丛生，似茺蔚及白头翁，其叶有毛，茎赤。疗贼风大效。南人谓之吴风草，一名鹿衔草，言鹿有疾，衔此草差。又有大小二种，楚人犹谓大者为大吴风草，小者为小吴风草也。

［今按］《陈藏器本草》云：妇人服之，绝产无子。

［臣禹锡等谨按蜀本］《图经》云：叶似茺蔚，丛生，有毛，黄花，根赤黑也。

［◣陈藏器］云：一名无心草，非草无心者，南人名吴风草，方药不用之[③]。

［素问云］黄帝曰：有病者身热解堕，汗出如浴，恶风少气，此为何病？岐伯曰：病名酒风。帝曰：治之奈何？岐伯曰：以泽泻、术各十[④]分，麋衔五分，合以三指撮，为后饭[⑤]。

---

① 糜：柯《大观》作“麋”。

② 承肌：《纲目》注出处为“吴普”。

③ 不用之：《纲目》作“少用”。“不”，柯《大观》作“罕”。

④ 各十：《纲目》作“各三五”。

⑤ 饭：其下，《纲目》有“后饭者，先服药也”。

云实

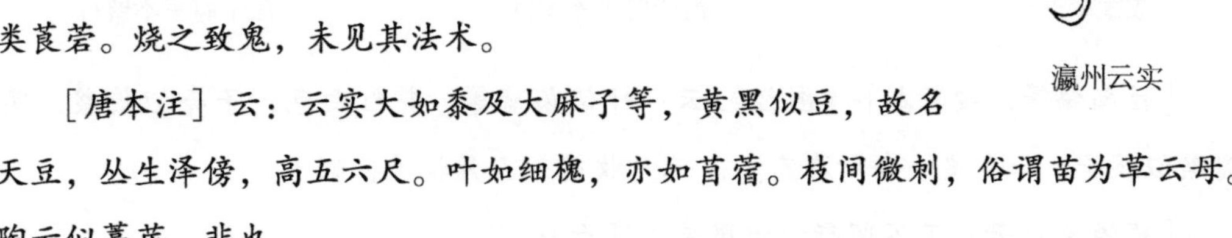

瀛州云实

味辛、苦，**温**，无毒。**主泄痢肠澼，杀虫蛊毒，去邪恶结气，止痛，除寒热**，消渴。

花　主见鬼精物，多食令人狂走，杀精物，下水。烧之致鬼。**久服轻身通神明**，益寿。一名员实，一名云英，一名天豆[①]。生河间川谷。十月采，暴干。

[陶隐居]云：今处处有。子细如葶苈子而小黑，其实亦类莨菪。烧之致鬼，未见其法术。

[唐本注]云：云实大如黍及大麻子等，黄黑似豆，故名天豆，丛生泽傍，高五六尺。叶如细槐，亦如苜蓿。枝间微刺，俗谓苗为草云母。陶云似葶苈，非也。

[臣禹锡等谨按蜀本]《图经》云：叶似细槐，花黄白，其荚如大豆，实青黄色，大若麻子。今所在平泽中有。五月、六月采实。

[图经曰]云实，生河间川谷。高五六尺，叶如槐而狭长，枝上有刺。苗名臭草，又名羊石子草。花黄白色，实若麻子大，黄黑色，俗名马豆。十月采，暴干用。今三月、四月采苗，五月、六月采实[②]，实过时即枯落。治疟药中多用之。

[雷公云]凡使，采得后粗捣，相对拌浑颗橡[③]实，蒸一日后出用[④]。

王不留行

味苦、甘，平，无毒。**主金疮止血，逐痛出刺，除风痹内寒**，止心烦，鼻衄，痈疽恶疮瘘乳，妇人难产。**久服轻身，耐老增寿。**生太山山谷。二月、八月采。

[陶隐居]云：今处处有。人言是蓼子，亦不尔。叶似酸浆，子似菘子。而多入痈瘘方用之。

---

① 天豆：《纲目》注出处为“吴普”。

② 五月、六月采实：《纲目》作“十月采实”。

③ 橡：原作“豫”，据药名改。

④ 后出用：《纲目》作“拣出暴干”。

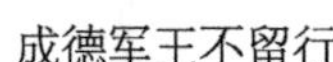
成德军王不留行

河中府王不留行

江宁府王不留行

[臣禹锡等谨按蜀本]《图经》云：叶似菘蓝等，花红白色，子壳似酸浆，实圆黑似菘子，如黍粟。今所在有之。三月收苗，五月收子，晒干。

[药性论]云：王不留行能治风毒，通血脉。

[日华子]云：治发背游风、风疹，妇人血经不匀及难产。根、苗、花、子并通用，又名禁宫花、剪金花。

[图经曰]王不留行，生泰山山谷，今江浙及并河近处皆有之。苗茎俱青，高七八寸已来。根黄色如荠根。叶尖如小匙头，亦有似槐叶者。四月开花，黄紫色，随茎而生，如松子状，又似猪蓝花。五月内采苗茎①，晒干用。俗间亦谓之剪金草。河北生者，叶圆花红，与此小别。张仲景治金疮，八物王不留行散，小疮粉其中，大疮但服之，产妇亦服。《正元广利方》疗诸风痉，有王不留行汤最效。

[◣雷公云]凡采得，拌浑②蒸，从巳至未，出，却下浆水浸一宿，至明出，焙干用之。

[梅师方]治竹木针刺在肉中不出，疼痛。以王不留行为末，熟水调③方寸匕，即出。

鬼督邮

味辛、苦，平，无毒。主鬼疰、卒忤中恶，心腹邪气，百精毒，温疟疫疾，强

---

① 茎：刘《大观》、柯《大观》作“叶”。

② 浑：《纲目》作“湿”。

③ 调：其下，《外台秘要》有“服”字。按，此方，《外台秘要》注为“深师方”，而本书注为“梅师方”。

腰脚，益膂力。一名独摇草。

[唐本注] 云：苗惟一茎，叶生茎端若繖音伞，根如牛膝而细黑。所在有之。有必丛生，今人以徐长卿代之，非也。唐本先附

[臣禹锡等谨按蜀本] 云：徐长卿、赤箭之类，亦一名为鬼督邮，但主治不同，宜审用也。又《图经》云：茎似细箭杆，高二尺已下。叶生茎端状繖。盖根横而不生须，花生叶心，黄白色。二月、八月采根，所在皆有。

[■雷公云] 凡采并细剉了，捣，用生甘草水煮一伏时，漉出用也。

白花藤

味苦，寒，无毒。主解诸药、菜、肉中毒。酒渍服之，主虚劳风热。生岭南、交州、广州平泽。

[唐本注] 云：苗似野葛而白花。根皮厚，肉白，其骨柔于野葛。唐本先附

[臣禹锡等谨按蜀本] 图经云：叶有细毛，蔓生，花白。根似牡丹，骨柔，皮白而厚。味苦，用根不用苗，凌冬不凋。

[■雷公云] 凡使，勿用菜花藤，缘真似白花藤，只是味不同。菜花藤酸涩，不堪用。其白花藤，味甘香，采得后去根细剉，阴干用之。

五种唐本余

留军待

味辛，温，无毒。主肢节风痛，筋脉不遂，折伤瘀血，五缓挛痛。生剑州山谷，其叶似楠木而细长。采无时。

地不容①

味苦，大寒，无毒。主解蛊毒，止烦热，辟瘴疠，利喉闭及痰毒。一名解毒子②。生山西谷。采无时。

---

① 地不容：本条，《纲目》以“解毒子”为正名，列在卷 18。

② 一名解毒子：《纲目》作“乡人亦呼为解毒子”8 字。按，此 8 字出于“苏颂”，非出于“苏恭”。

戎州地不容

[**图经曰**] 地不容，生戎州。味苦，大寒，无毒。蔓生，叶青，如杏叶而大，厚硬，凌冬不凋，无花实。根黄白色，外皮微粗褐，累累相连，如药实而圆大。采无时。能解蛊毒，辟瘴气，治咽喉闭塞①，乡人亦呼为解毒子。

独用将军

味辛，无毒。主治毒肿奶痈，解毒，破恶血。生林野。采无时。节节穿叶心生苗，其叶似楠，根并采用。

山胡椒

味辛，大热，无毒。主心腹痛，中冷，破滞。所在有之。似胡椒，颗粒大如黑豆，其色黑，俗用有效。

灯笼草

味苦，大寒，无毒。主上气咳嗽，风热，明目。所在有之。八月采。枝干高三四尺，有花红色，状若灯笼，内有子，红色可爱。根、茎、花、实并入药使。

一十种陈藏器余

人肝藤

主解诸毒药，肿游风，脚手软痹。并研服之，亦煮服之，亦傅病上。生岭南。叶三桠，花紫色。一名承露仙。又有伏鸡子，亦名承灵仙，叶圆，与此名同物异。

[**■海药云**]《广志》云：生岭南山石间，引蔓而生。主虫毒及手脚不遂等风。生研服。

[**杨氏产乳**] 疗中蛊毒。人肝藤以清水磨一弹丸饮之，不过三两服。

① 治咽喉闭塞：《纲目》作“治五脏邪气，清肺压热”。

越王馀筭①

味咸，平，无毒。主下水，破结气。生南海水中，如竹筭子，长尺许。《异苑》曰：晋安有越王馀筭，叶白者似骨，黑者似角，云是越王行海作筹有余，弃水中而生。

[■海药云] 谨按，《异苑记》云：昔晋安越王，因渡南海，将黑角白骨筭筹所余弃水中，故生此，遂名筭。味咸，温。主水肿浮气，结聚宿滞不消，腹中虚鸣，并宜煮服之。

石莼

味甘，平，无毒。下水，利小便。生南海中水石上。《南越志》云：似紫菜，色青。《临海异物志》曰：附石生也。

[■海药云] 主风秘不通，五鬲气，并小便不利，脐下结气，宜煮汁饮之。胡人多用治耳疾。

海根

味苦，小温，无毒。主霍乱中恶，心腹痛，鬼气注忤，飞尸，喉痹，蛊毒，痈疽恶肿，赤白游胗②，蛇咬犬毒。酒及水磨服，傅之亦佳。生会稽海畔山谷。茎赤，叶似马蓼，根似菝葜而小也，海人极用之③。

[■海药云] 胡人采得，蒸而用之，余并同。

寡妇荐

主小儿吐痢，霍乱。取二七茎，煮饮之。

自经死绳

主卒发颠狂，烧为末，服三指撮，三年陈蒲煮服之，亦佳。

---

① 越王馀筭：本条，《纲目》糅合陈藏器《本草拾遗》、李珣《海药本草》两家“越王馀筭”条文字，并注出处为“海药”。

② 胗：同“疹”。

③ 海人极用之：《纲目》作“胡人蒸而用之也”。按，此7字原出《海药本草》，非陈藏器文。

刺蜜

味甘，无毒。主骨热，痰嗽，痢暴下血，开胃，止渴除烦。生交河沙中。草头有刺，上有毛，毛中生蜜，一名草蜜。胡人呼为给敦罗。

骨路支

味辛，平，无毒。主上气浮肿，水气呕逆，妇人崩中，余血癥瘕，杀三虫。生昆仑国。苗似凌霄藤，根如青木香。安南亦有，一名飞滕。

长松

味甘，温，无毒。主风血冷气宿疾，温中去风。草似松，叶上有脂。山人服之。生关内山谷中。

合子草

有小毒。子及叶主蛊毒螫[1]咬，捣傅疮上。蔓生岸傍，叶尖花白，子中有两片如合子。

重修政和经史证类备用本草卷第七

---

① 螫：虫释毒也。

重修政和经史证类备用本草卷第八

己酉新增衍义

重修政和经史证类备用本草卷第八 己[①]酉新增衍义

成　都　唐　慎　微　续　证　类
中卫大夫康州防御使句当龙德宫总辖修建明堂所医药
提举入内医官编类圣济经提举太医学臣曹孝忠奉敕校勘

草部中品之上总六十二种

三十二种神农本经 白字

四种名医别录 墨字

一种唐本先附 注云唐附

二种今附 皆医家尝用有效。注云今附

一种新分条

二十二种陈藏器余

凡墨盖子已[②]下并唐慎[③]微续证类

干姜 生姜 元附干姜下，今分条 **葈**私以切**耳实** 叶附 苍耳也[④]

葛根 汁、叶、花附 葛粉 今附 **栝楼** 实、茎、叶附

---

① 己：原作“巳”，据底本书首牌记改。

② 已：原作“巳”，据文理改。

③ 慎：刘《大观》作“谨”。

④ 苍耳也：刘《大观》无。

苦参 **当归** **麻黄** **通草** 燕覆子、通脱木 续注
芍药 **蠡**音礼**实** 马蔺子是也 花、叶等附 **瞿**音劬**麦** 叶 续注
玄参 **秦艽**音胶 **百合** 红百合 续注 **知母**
贝母 **白芷** **淫羊藿** 仙灵脾是也 **黄芩**
狗脊 **石龙芮** **茅根** 茅花、茅针、屋茅 续注
紫菀 **紫草** 前胡 **败酱**
白鲜皮 **酸浆** 根 续注 **紫参** **藁本** 实附
石韦 石皮、瓦韦① 续注② **萆薢** 杜蘅
白薇 菝蒲八切葜弃八切 叶 续注 大青
女萎 唐附 石香菜 今附

二十二种陈藏器余

兜纳香 风延母 耕香 大瓠藤水
筋子根 土芋 优殿 土落草
狼菜 必似勒 胡面莽③ 海蕴
百丈青 斫合子 独自草 金钗股
博落回 毛建草 数低 仰盆
离鬲草 庐药

① 韦：成化《政和》、商务《政和》作“常”。
② 石皮、瓦韦 续注：刘《大观》无。
③ 莽：成化《政和》、商务《政和》作“莽”。

干姜

干姜

味辛，温、大热，无毒。**主胸满，咳逆上气，温中，止血，出汗，逐风湿痹，肠澼下痢**，寒冷腹痛，中恶霍乱，胀满，风邪诸毒，皮肤间结气，止唾血。**生者尤良。**

［臣禹锡等谨按唐本］又云：治风，下气，止血，宣诸络脉，微汗，久服令眼暗。

［**图经**］文具生姜条下。

［**▶ 外台秘要**］治疟不痊。干姜、高良姜等分为末。每服一钱，水一中盏，煎至七分服。

［**又方**］治卒心痛。干姜为末，米饮调下一钱。

［**千金方**］治齆鼻，以干姜末蜜和塞鼻中。

［**肘后方**］治①身②体重，小腹急，热必③冲胸膈④，头重不能举，眼中生翳，膝胫拘急。干姜四两，末。汤和温服，覆⑤取汗，得解。

［**又方**］治寒痢。切干姜如大豆，米饮服六七十枚，日三夜一服。痢青色者为寒痢，累服得⑥效。

---

① 治：其下，成化《政和》、商务《政和》有“阴易病”3字。

② 身：柯《大观》无。

③ 必：柯《大观》作“上”。

④ 膈：柯《大观》无。

⑤ 覆：柯《大观》作“盖”。

⑥ 得：柯《大观》作“而”。

[又方] 治虎[①]、犬咬人。干姜末以内疮中，立差。

[又方] 治蝎螫人，嚼干姜涂之。

[王氏博济方] 治疟。干姜炒令黑色，捣为末。临发时以温酒调三钱服，已发再服。

[广利方] 治诸蛇毒螫人欲死兼[②]辟蛇。干姜、雄黄等分，同研，用小绢袋盛，系臂上，男左女右，蛇闻药气逆避人。螫毒傅之。

[又方] 治鼻衄出血。干姜削令头尖，微煨，塞鼻中。

[孙真人] 治水泻无度。干姜末，粥饮调一钱服，立效。

[集验方] 治血痢神妙。干姜急于火内烧黑，不令成灰，瓷[③]碗合放冷，为末。每服一钱，米饮调下。

[又方] 治咳嗽，冷气结胀。干姜为末，热酒调半[④]钱服。兼[⑤]治头旋眼眩，立效。

[伤寒类要] 治伤寒，妇人得病虽差，未满百日，不可与男[⑥]交合，为阴阳之病，必拘急，手足拳欲死，丈夫病名为[⑦]阴易，妇人名为阳易，速当[⑧]汗之可愈[⑨]，满四日不可疗，宜令服此药。干姜四两为末，汤调顿服。覆衣被出汗得[⑩]解，手足伸遂[⑪]愈。

生姜

味辛，微温。主伤寒头痛鼻塞，咳逆上气，止呕吐。**久服去臭气，通神明。**生犍为川谷及荆州、扬[⑫]州。九月采。秦椒为之使，杀半夏、莨菪毒，恶黄芩、黄连、天鼠粪。

---

① 虎：柯《大观》作“獅”。

② 兼：柯《大观》作“又”。

③ 瓷：柯《大观》作“瓦”。

④ 半：柯《大观》作“一”。

⑤ 兼：柯《大观》作“又”。

⑥ 男：柯《大观》无。

⑦ 为：柯《大观》作“曰”。

⑧ 当：柯《大观》作“为”。

⑨ 愈：柯《大观》作“瘥”。

⑩ 得：柯《大观》作“方”。

⑪ 遂：柯《大观》作“而”。

⑫ 扬：原作“杨”，据刘《大观》、柯《大观》改。

涪州生姜

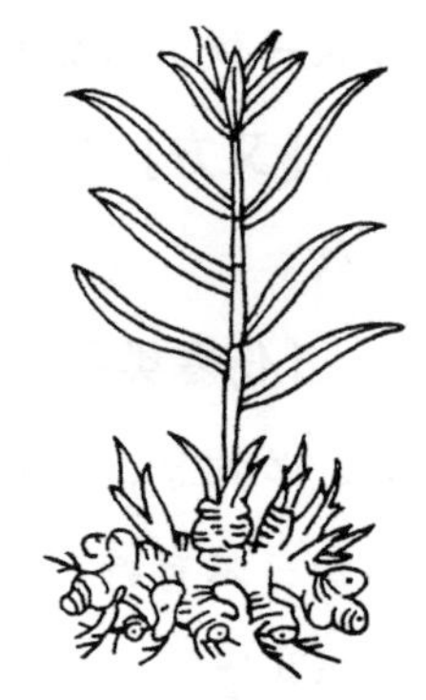

温州生姜

［陶隐居］云：干姜，今惟出临海、章安，两三村解作之。蜀汉姜旧美，荆州有好姜，而并不能作干者。凡作干姜法，水淹三日毕，去皮，置流水中六日，更去皮，然后晒干，置瓮缸①中，谓之酿也。

［又云］生姜，归五脏，去痰下气，止呕吐，除风邪寒热。久服少志少智，伤心气。如此则不可多食长御，有病者是所宜尔。今人啖诸辛辣物，惟此最常。故《论语》云：不彻②姜食。言可常啖，但勿过多尔。

［唐本注］云：姜，久服通神明，主风邪，主痰气。生者尤良。《经》云久服通神明，即可常啖也。今云少智少志，伤心气，不可多食者，谬为此说，检无所据。

［今注］陶注生姜别出菜部韭条下，今并唐本注移在本条。

［臣禹锡等谨按药性论］云：干姜，臣，味苦、辛。治腰肾中疼冷，冷气，破血去风，通四肢关节，开五脏六腑，去风毒冷痹，夜多小便。干者治嗽，主温中，用秦艽为使。主霍乱不止，腹痛，消胀满，冷痢，治血闭。病人虚而冷，宜加用之。

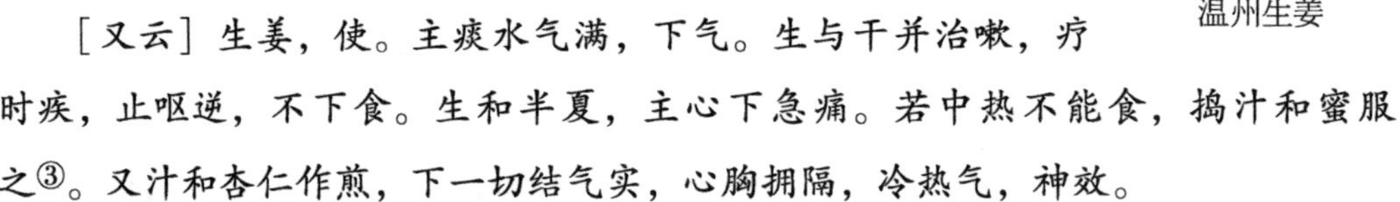

［又云］生姜，使。主痰水气满，下气。生与干并治嗽，疗时疾，止呕逆，不下食。生和半夏，主心下急痛。若中热不能食，捣汁和蜜服之③。又汁和杏仁作煎，下一切结气实，心胸拥隔，冷热气，神效。

［萧炳］云：生姜，一名母姜。

［孟诜］云：生姜，温。去痰下气，多食少心智，八九月食伤神。又冷痢，取椒烙之为末，共干姜末等分，以醋和面作小馄饨子，服二七枚。先以水煮，更稀④饮中重煮，出停冷，吞之，以粥饮下，空腹日一度作之良。谨按，止逆，散烦闷，开胃气。又姜屑末和酒服之，除偏风。汁作煎，下一切结实，冲胸隔恶气，神验。

［陈藏器］云：生姜，本功外，汁解毒药，自⑤余破血，调中，去冷，除痰，开胃。须热即去皮，要冷即留皮。

---

① 缸：柯《大观》作“瓶”。

② 彻：柯《大观》作“撤”。

③ 之：刘《大观》、柯《大观》无。

④ 稀：柯《大观》作“之”。

⑤ 自：刘《大观》作“目”。

[日华子]云：干姜，消痰，下气，治转筋，吐泻，腹脏冷，反胃干呕，瘀血，扑损，止鼻洪，解冷热毒，开胃，消宿食。

[图经曰] 生姜，生犍为山谷及荆州、扬①州，今处处有之，以汉、温、池州者为良。苗高二三尺，叶似箭竹叶而长，两两相对。苗青根黄，无花实。秋②采根，于长流水洗过，日晒为干姜。汉州干姜法：以水淹姜三日，去皮，又置流水中六日，更刮去皮，然后曝之，令干，酿于瓮中，三日乃成也。近世方有主脾胃虚冷，不下食，积久羸弱成瘵者，以温州白干姜一物，浆水煮，令透心润湿，取出焙干，捣筛，陈廪米煮粥饮，丸如梧③子。一服三五十枚，汤使任用，其效如神。又《千金方》主痰澼，以姜附汤治之，取生姜八两，附子生用四两，四破之，二物以水五升，煮取二升，分再服。亦主卒风。禁猪肉、冷水。崔元亮《集验方》载敕赐姜茶治痢方，以生姜切如麻粒大，和好茶一两碗，呷，任意，便差。若是热痢即留姜皮，冷即去皮，大妙。刘禹锡《传信方》李亚治一切嗽及上气者，用干姜，须是合州至好者，皂荚炮去皮子，取肥大无孔者，桂心紫色辛辣者削去皮，三物并别捣下筛了④。各秤等分，多少任意，和合后更捣筛一遍，炼白蜜和搜，又捣一二千杵。每饮服三丸，丸稍加大如梧子，不限食之先后。嗽发即服，日三五服。禁食葱、油、咸、腥、热面，其效如神。刘在淮南与李同幕府，李每与人药而不出方，或讥其吝。李乃情话曰：凡人患嗽，多进冷药，若见此方用药热燥，即不肯服，故但出药多效，试之信然。李卿换白发方云：刮老生姜皮一大升，于铛中以文武火煎之，不得令过沸，其铛惟得多油腻者尤佳，更不须洗刷，便以姜皮置铛中，密固济，勿令通气。令一精细人守之，地色未分，便须煎之，缓缓不得令火急。如其人稍疲，即换人看火，一复时即成，置于瓷钵中，极研之。李云：虽曰一复时，若火候匀即至日西药成矣⑤。使时先以小物点取如麻子大，先于白须下点药讫，然后拔之，再拔以手指熟捻之，令入肉。第四日当有黑者生，神效。

[▌食疗] 生姜，温。去痰下气，除壮热，治转筋，心满，去胸中臭气，通神明。又胃气虚，风热，不能食。姜汁半鸡子壳，生地黄汁少许，蜜一匙头，和水三

---

① 杨：原作“杨”，据刘《大观》、柯《大观》改。

② 秋：刘《大观》、柯《大观》作“八九月”。

③ 梧：刘《大观》、柯《大观》作“桐”。

④ 了：刘《大观》作“子”。

⑤ 矣：刘《大观》、柯《大观》作“也”。

合，顿服立差。又皮寒，性温，作屑末和酒服，治偏风。又姜汁和杏仁汁煎成膏[①]，酒调服，或水调下，善下一切结实冲胸膈。

［**外台秘要**］治霍乱，注痢不止，转筋入腹欲死。生姜三两捣破，以酒一升，煮三四沸顿服。

［**又方**］久患咳噫，连咳四五十声者。取生姜汁半合，蜜一匙头，煎令熟，温服。如此三服，立效。

［**又方**］治咳噫。生姜四两烂捣，入兰香叶二[②]两，椒末一钱匕，盐和面四两，裹作烧饼熟煨，空心吃，不过两三度。

［**又方**］去燥粪。生姜削如小指，长二寸，盐涂之，内下部中，立通。

［**千金方**］治干哕，若手足厥冷。宜食生姜，此是呕家圣药。又治心下痞坚不能食，胸中呕哕。生姜八两细切，以水三升，煮取一升，半夏五合洗去滑，以水五升，煮取一升，二味合煮取一升半，稍稍服之。

［**又方**］治喉闭并[③]毒气。生姜二斤捣汁，好蜜五合，慢火煎令相得，每服一合，日五服。

［**又方**］治产后秽污下不尽，腹满。生姜二斤，以水煮取汁服，即出。

［**肘后方**］治霍乱，心腹胀痛，烦满短气，未得吐下。生姜一斤切，以水七升，煮取二升，分作三服。

［**经验方**］善治狐臭。用生姜汁[④]涂腋下，绝根本。

［**梅师方**］治霍乱吐下不止，欲死。生姜五两，牛儿屎一升，切姜，以水四升，煎取二升，分温服。

［**又方**］治腹满不能服药。煨生姜绵裹，内下部中，冷即易之。

［**孙真人**］治小儿咳嗽。用生姜四两，煎汤沐浴。

［**孙真人食忌**］正月之节，食五辛以辟疠气，一日姜。

［**又方**］八月、九月食姜，至春多眼[⑤]患，损寿，减筋力。

［**食医心镜**］治呕吐，百药不差。生姜一两切如绿豆大，以醋浆七合，于银器中煎取四合，空腹和滓旋呷之。又生姜归五脏，理伤寒，头痛，去痰下气，通汗，

---

① 膏：原作“煎”，据成化《政和》、商务《政和》、柯《大观》改。

② 二：柯《大观》作“一”。

③ 闭并：柯《大观》作“咽及”。

④ 汁：柯《大观》无。

⑤ 眼：柯《大观》作“开”。

除鼻塞，咳逆上气，止呕吐，去骨热，胸膈中臭气，除风邪，伤寒，调和饮食。汤壶①居士云：姜杀腹内长虫，久食令人少智恚，伤心性。

［兵部手集］ 治反胃，羸弱不欲动。母姜二斤烂捣，绞取汁作拨粥服。作时如葛粉粥法。

［杨氏产乳］ 胎后血上冲心。生姜五两切，以水八升，煮三升，分三服。

［唐崔魏公］ 铉②夜暴亡，有梁新闻之，乃诊之曰：食毒。仆曰：常好食竹鸡，多食半夏苗。必是半夏毒，命生姜捩③汁，折齿而灌之，活。

［衍义曰］ 生姜，治暴逆气，嚼三两皂子大，下咽定，屡服屡定。初得寒热痰嗽，烧一块，唅④啮之终日间，嗽自愈。暴赤眼无疮者，以古铜钱刮净姜上取汁，于钱唇点目，热泪出。今日点，来日愈。但小儿甚惧，不须疑，已试良验。

菓私以切⑤**耳实**

味苦、甘，温。 叶，味苦、辛，微寒，有小毒。**主风头寒痛，风湿周痹，四肢拘挛痛，恶肉死肌，** 膝痛，溪毒。**久服益气，耳目聪明，强志轻身。一名胡菓，一名地葵，** 一名葹音施，一名常思。生安陆川谷及六安田野。实熟时采。

滁州菓耳

［陶隐居］云：此是常思菜，伧士⑥行切人皆食之。以叶覆麦作黄衣者，一名羊负来，昔中国无此，言从外国逐羊毛中来，方用亦甚稀。

［唐本注］云：苍耳，三月已后，七月已前刈，日干为散。夏，水服；冬，酒服。主大风癫痫，头风湿痹，毒在骨髓。日二⑦服，丸服二十、三十丸；散服一二匕。服满百日，病当出如病疥，或痒汁出，或斑驳甲错皮起，后乃皮落，肌如凝脂，令人省睡，除诸毒螫，杀

---

① 壶：原作“壸”，据成化《政和》、商务《政和》改。

② 铉：其下42字，原出《北梦琐言》，错混于此，非崔铉本人之事，所冠“唐崔魏公”标题，显系误注。

③ 捩：扭转。

④ 唅：商务《衍义》注云：“按，宋本、十万本‘唅’均作‘冷’，据《证类》本改。”

⑤ 私以切：柯《大观》无。

⑥ 士：刘《大观》、柯《大观》作“七”。

⑦ 二：成化《政和》、商务《政和》作“三”。

瘖湿䘌。久服益气，耳目聪明，轻身强志，主腰膝中风毒尤良。忌食猪肉、米泔。亦主猘①狗毒。

［今按］《陈藏器本草》云：葈耳，叶挼安舌下，令涎出，去目黄，好睡②。子炒令香，捣去刺，使腹破，浸酒，去风，补益。又烧作灰，和腊月猪脂，封丁肿，出根。又毡中子七枚，烧作灰，投酒中饮之，勿令知，主嗜酒。叶煮服之，主狂狗咬。

［臣禹锡等谨按尔雅］云：菤耳，苓③耳。注：《广雅》云葈耳也，亦云胡葈，注东呼为常葈。或曰苓③耳，形似鼠耳，丛生如盘。释曰，《诗·周南》云：采采卷耳。陆机④疏云：叶青白色似胡荽，白华，细茎，蔓生，可煮为茹，滑而少味。四月中生子，如妇人耳珰，幽州人谓之爵耳。

［药性论］云：葈耳亦可单用。味甘，无毒。主肝家热，明目。

［孟诜］云：苍耳，温。主中风，伤寒头痛。又丁肿困重，生捣苍耳根、叶，和小儿尿，绞取汁，冷服一升，日三度，甚验。

［日华子］云：治一切风气，填髓，暖腰脚，治瘰疬，疥癣及瘙痒，入药炒用。

［图经曰］葈耳，生安陆川谷及六安田野，今处处有之。谨按，诗人谓之卷耳，《尔雅》谓之苓③耳，《广雅》谓之葈耳，皆以实得名也。陆机④疏云：叶青白似胡荽，白华，细茎，蔓生，可煮为茹，滑而少味。四月中生子，正如妇人耳珰，今或谓之耳珰草。郑康成谓是白胡⑤荽，幽州人呼为爵耳。郭璞云：形似鼠耳，丛生如盘，今之所有，皆类此，但不作蔓生耳。或曰此物本生蜀中，其实多刺，因羊过之，毛中粘缀，遂至中国，故名羊负来。俗呼为道人头。实熟时采之，古今方书多单用。治丁肿困甚者，生捣根、叶，和小儿溺，绞取汁，令服一升，日三。又烧作灰，和腊月猪脂封上，须臾拔出根，愈。

［◣雷公云］凡采得，去心，取黄精，用竹刀细切拌之，同蒸，从巳至亥⑥，去黄精，取出，阴干用。

---

① 猘：狂犬。

② 睡：柯《大观》作“肿”。

③ 苓：成化《政和》、商务《政和》作“苍”。

④ 机：疑作“玑”。

⑤ 胡：柯《大观》作“葫”。

⑥ 亥：其下，《纲目》有“时出”2字。

[**食疗**] 拔丁肿根脚。又治一切风，取嫩叶一石切，捣，和五升麦蘖，团作块，于蒿、艾中盛二十日，状成曲。取米一斗，炊作饭①。看冷暖，入苍耳麦蘖曲，作三大升酿之，封一十四日成熟。取此酒，空心暖服之，神验。封此酒可两重布，不得全密，密则溢出。又不可和马肉食。

[**圣惠方**] 治妇人风瘙瘾疹，身痒不止。用苍耳花、叶、子等分，捣罗为末，豆淋，酒调服二钱匕。

[**又方**] 治产后诸痢，神效。苍耳叶，捣绞汁，温服半中盏，日三四服。

[**外台秘要**] 疗热毒病攻手足，肿疼痛欲脱方：取苍耳汁以渍之。

[**又方**] 救急疗齿风动痛。苍耳一握，以浆水煮，入盐，含。

[**千金方**] 当②以五月五日午时附③地刈取葈耳叶，洗，曝燥，捣下筛。酒若浆水服方寸匕，日三夜三④。散若吐逆，可蜜和为丸，准计一方寸匕数也。风轻易治者，日再服。若身体有风处皆作粟肌⑤出，或如麻豆粒，此为风毒出也。可以针刺溃去之，皆黄汁出乃止。五月五日多取阴干，著大瓮中，稍取用之，皆能⑥辟恶。若欲省病看疾⑦者使⑧服之，令人无所畏。若时气不和，举家服之。若病胃胀满，心闷发热，即服之。并杀三虫，肠痔，能进食，一周年服之佳。七月七、九月九可采用。

[**千金翼**] 治身体手足卒瘨肿，捣苍耳傅之立效。春用心，冬用子。

[**又方**] 治牙痛。以苍耳子五升，水一斗，煮取五升。热含之，疼即吐，吐后复含，不过三剂差。茎、叶亦得。

[**又方**] 治一切丁肿⑨。取苍耳根、茎和叶烧作灰，以醋泔淀和如泥，涂上，干即易。不过十余度，即拔出其根。

[**又方**] 治五痔方：苍耳茎、叶，以五月五日采，干为末，以水服方寸匕，

---

① 饭：成化《政和》、商务《政和》作“饮”。

② 当：其上，柯《大观》有“治诸风”3字。

③ 附：柯《大观》作“干”。

④ 夜三：柯《大观》无。

⑤ 肌：柯《大观》作“饥”。

⑥ 皆能：柯《大观》作“此草”。

⑦ 省病看疾：成化《政和》、商务《政和》作“省病著病”；柯《大观》作“看病省疾”。

⑧ 使：柯《大观》作“便”。

⑨ 肿：柯《大观》作“痛”。

立效。

［**百一方**］治卒得恶疮。以苍耳、桃皮作屑，内疮中，佳。

［**孙真人食忌**］苍耳合猪肉食，害人。

［**食医心镜**］除一切风湿痹，四肢拘挛。苍耳子三两捣末，以水一升半，煎取七合，去滓呷。

［**斗门方**］治妇人血风攻脑，头旋闷绝忽死，忽倒地不知人事者。用喝[①]起草取其嫩心，不限多少，阴干，为末。以常酒服一大钱，不拘时候，其功大效。服之多连脑盖，善通顶门，今苍耳是也。

［**胜金方**］治毒蛇并射工、沙虱[②]等伤，眼黑口噤，手脚强直，毒攻腹内成块，逡巡不救，宜用此方。苍耳嫩叶一握，研取汁，温酒和灌之，将滓厚罨所伤处。

［**杨氏产乳**］治误吞钱。菓耳头一把，以水一升，浸水中十余度，饮水愈。

葛根

味甘[③]**，平，**无毒。**主消渴，身大热，呕吐，诸痹，起阴气，解诸毒，**疗伤寒中风头痛，解肌发表出汗，开腠理，疗金疮，止痛胁风痛。

生根汁　大寒。疗消渴，伤寒壮热。

葛壳　主下痢十岁已上。

叶　主金疮止血。

花　主消酒。**一名鸡齐根，**一名鹿藿，一名黄斤。生汶山川谷。五月采根，曝干。杀野葛、巴豆百药毒。

海州葛根

［陶隐居］云：即今之葛根。人皆蒸食之。当取入土深大者，破而日干之。生者捣取汁饮之，解温病发热。其花并小豆花干末，服方寸匕，饮酒不知醉。南康、庐陵间最胜，多肉而少筋，甘美，但为药用之，不及此间尔。五月五日日中时，取葛根为屑，疗金疮、断血为要药。亦疗疟及疮，至良。

［唐本注］云：葛谷。即是实尔[④]，陶不言之。葛虽除毒，其根入土五六寸已

---

① 喝：柯《大观》作"唱"。

② 虱：柯《大观》作"风"。

③ 甘：其下，《纲目》有"辛"字。

④ 尔：柯《大观》作"耳"。

成州葛根

上者，名葛脰音豆。脰，颈①也。服之令人吐，以有微毒也。根，末之，主猘②狗啮，并饮其汁，良。蔓，烧为灰，水服方寸匕，主喉痹。

［今按］《陈藏器本草》云：葛根生者破血，合疮，堕胎，解酒毒，身热赤，酒黄，小便赤涩。可断谷不饥，根堪作粉。

［臣禹锡等谨按药性论］云：干葛，臣。能治天行，上气呕逆，开胃下食，主解酒毒，止烦渴。熬屑③治金疮，治时疾，解热。

［日华子］云：葛，冷，治胸膈热，心烦闷，热狂，止血痢，通小肠，排脓破血，傅蛇虫啮，解罯毒箭。干者力同。

［图经曰］ 葛根，生汶山川谷，今处处有之，江浙尤多。春生苗，引藤蔓，长一二丈，紫色；叶颇似楸叶而青，七月著花似豌豆花，不结实。根形如手臂，紫黑色。五月五日午时采根，曝④干。以入土深者为佳，今人多以作粉食之，甚益人。下品有葛粉条，即谓⑤此也，古方多用根。张仲景治伤寒，有葛根及加半夏、葛根黄芩黄连汤，以其主大热、解肌、开⑥腠理故也。葛洪治臂古对切腰痛，取生根嚼之，咽其汁，多益佳。叶主金刃疮。山行伤刺血出，卒不可得药，但挼叶傅之，甚效。《正元广利方》金创⑦中风痉欲死者，取生根四大两切，以水三升煮取一升，去滓，分温四服；口噤者，灌下即差。

［◣食疗］ 葛根，蒸食之，消酒毒。其粉亦甚妙。

［圣惠方］ 治时气头痛壮热。用生葛根净洗，捣取汁一大盏，豉一合，煎至六分，去豉，不计时候，分作二服，汗出即差。未汗再服。若心热，加栀子仁十枚同煎，去滓服。

［又方］ 治小儿热渴久不止。用葛根半两细剉，水一中盏，煎取六分，去滓，

---

① 脰，颈：“颈”，柯《大观》作“胫”。按，“脰”或释为“项”（颈也），或释为“胫”。柯《大观》作“胫”亦通。

② 猘：其下，刘《大观》、柯《大观》有“居例切”。按，“猘”，狂犬也。

③ 屑：其下，柯《大观》有“主”字。

④ 曝：柯《大观》作“暴”。

⑤ 谓：柯《大观》无。

⑥ 开：《纲目》作“发”。

⑦ 创：柯《大观》作“疮”。

频温服。

[**外台秘要**] 治伤筋绝，捣葛根汁饮之。葛白屑熬令黄，傅疮止血。

[**千金方**] 酒醉不醒，捣葛根汁饮一二升，便醒。

[**肘后方**] 治卒干呕不息，捣葛根，绞取汁，服一升，差。

[**又方**] 治金疮中风痉欲死。捣生葛根一斤，㕮咀，以水一斗，煮取五升，去滓，取一升服。若干者，捣末，温酒调三指撮。若口噤不开，但多服竹沥；又多服生葛根，自愈。食亦妙。

[**又方**] 服药失度，心中苦烦。饮生葛根汁，大良。无生者，捣干葛末，水服五合；亦可煮服之。

[**又方**] 食诸菜中毒，发狂烦闷，吐下欲死。煮葛根汁饮之。

[**梅师方**] 治金中经脉，伤及诸大脉皆血出多不可止，血冷则杀人。用生葛根一斤剉，以水九升，煎取三升，分作三服。

[**又方**] 治虎伤人疮。取生葛根煮浓汁，洗疮。兼捣葛末，水服方寸匕，日夜五六服。

[**又方**] 治伤寒初患二三日，头痛壮热。葛根五两，香豉一升细剉，以童子小便六升，煎取二升，分作三服，取汗。触风，食葱豉粥。

[**又方**] 治热毒下血，或因吃热物发动。用生葛根二斤，捣取汁一升，并藕汁一升，相和服。

[**广利方**] 治心热吐血不止。生葛根汁半大升，顿服，立差。

[**伤寒类要**] 治伤寒有数种，庸人不能分别，今取一药兼治。天行病①，若初觉头痛，内热，脉洪，起至二日。取葛根四两，水三②升，内豉一升，煮取半升服。捣生根汁尤佳。

[**又方**] 治妊娠热病心闷。取葛根汁二升，分作三服。

[**衍义曰**] 葛根，澧、鼎之间，冬月取生葛，以水中揉出粉，澄成垛。先煎汤使沸，后擘成块下汤中，良久，色如胶，其体甚韧，以蜜汤中拌食之。擦③少生姜尤佳。大治中热，酒、渴疾。多食行小便，亦能使人利。病酒及渴者，得之甚良。彼之人又切入煮茶中以待宾，但甘而无益。又将生葛根煮熟者，作果卖。虔、吉

---

① 天行病：《纲目》作“天行时气”。

② 三：《纲目》作“二”。

③ 擦：原作“攃”，据商务《衍义》改。成化《政和》、商务《政和》作“捺”。

州、南安军亦如此卖。

葛粉

味甘，大寒，无毒。主压丹石，去烦热，利大小便，止渴。小儿热痞，以葛根浸捣汁饮之良。今附

[臣禹锡等谨按] 中品上卷葛根条，功用与此相通。

[图经] 文具葛根条下。

[▶ **陈藏器**]《拾遗》云：用裛①小儿热疮妙。

[圣惠方] 治中鸩毒气欲绝者。用葛粉三合，水三中盏调饮之。如口噤者，以物揭开灌之。

[又方] 治胸中烦热或渴，心躁。葛粉四两，先以水浸粟米半升，经宿漉出，与葛粉相拌，令匀，煮熟食之。

[食医心镜] 治小儿壮热，呕吐不住食，惊痫方：葛粉二大钱，以水二合调令匀，泻向鏕锣②中，倾侧令遍，重汤中煮令熟，以糜饮相和食之。

栝楼

根　味苦，寒，无毒。**主消渴，身热烦满，大热，补虚安中，续绝伤**，除肠胃中痼热，八疸③，身面黄，唇干口燥，短气，通月水，止小便利。**一名地楼**，一名果蠃，一名天瓜，一名泽姑。

衡州栝楼

实　名黄瓜，主胸痹，悦泽人面。

茎、叶　疗中热伤暑。生洪农川谷及山阴地。入土深者良，生卤地者有毒。二月、八月采根，曝干，三十日成。枸杞为之使，恶干姜，畏牛膝、干漆④，反乌头。

[陶隐居] 云：出近道。藤生，状如土瓜而叶有叉。《毛诗》云：果蠃之实，亦施于宇。其实，今以杂作手膏用。根入土六七尺，大二

---

① 裛：缠也。

② 鏕锣：柯《大观》作"锩铎"。

③ 疸：柯《大观》作"疸"。

④ 干漆：柯《大观》无。

三围者，服食亦用之。

［唐本注］云：今用根作粉，大宜服石①，虚热人食之。作粉如作葛粉法，洁白美好。今出陕州者，白实最佳②。

［臣禹锡等谨按尔雅］云：果赢之实，栝楼。释曰：果赢之草，其实名栝楼。郭云：今齐人谓之天瓜。

［日华子］云：栝楼子，味苦，冷，无毒。补虚劳，口干，润心肺，疗手面皱，吐血，肠风泻血，赤白痢，并炒用。又栝楼根，通小肠，排脓，消肿毒，生肌长肉，消扑损瘀血，治热狂时疾，乳痈，发背，痔瘘，疮疖。

均州栝楼

［图经曰］栝楼，生洪农山谷及山阴地，今所在有之。实名黄瓜。《诗》所谓③果蓏之实是也。根亦名白药，皮黄肉白。三四月内生苗，引藤蔓。叶如甜瓜叶④，作叉，有细毛。七月开花，似葫芦花，浅黄色。实⑤在花下，大如拳，生青，至九月熟，赤黄色。二月、八月采根，刮去皮，曝干，三十日成。其实有正圆者，有锐而长者，功用皆同。其根惟岁久入土深者佳，卤地生者有毒。谨按，栝楼主消渴，古方亦单用之。孙思邈作粉法：深掘大根，厚削皮至白处，寸切之，水浸，一日一易水，经五日取出，烂捣研，以绢袋盛之，澄滤令极细如粉，去水。服方寸匕，日三四服。亦可作粉粥、乳酪中食之，并宜。卒患胸痹痛，取大实一枚切，薤白半升，以白酒七升，煮取二升，分再服。一方加半夏四两，汤洗去滑，同煮服更善。又唐·崔元亮疗箭镞⑥不出。捣根傅疮，日三易，自出。又疗时疾发黄，心狂烦热，闷不认人者。取大实一枚黄者，以新汲水九合，浸淘取汁，下蜜半大合，朴消八分，合搅令消尽，分再服，便差。

［◣雷公云］栝楼，凡使皮、子、茎、根，效各别。其栝并楼样全别。若栝，自圆，黄，皮厚，蒂小；若楼，唯形长，赤皮，蒂粗，是阴人服。若修事，去上壳

① 石：柯《大观》作“及”。

② 佳：柯《大观》作“胜”。

③ 谓：柯《大观》作“云”。

④ 叶：其下，《纲目》有“而窄”2字。

⑤ 实：其上，《纲目》有“结”字。

⑥ 镞：金属制的箭头。

皮革膜并油了。使根，待构①二三围②，去皮细捣作煎，搅取汁，冷饮任用也。

[**食疗**] 子，下乳汁。又治痈肿。栝楼根苦酒中熬燥，捣筛之，苦酒和，涂纸上摊贴。服金石人宜用。

[**圣惠方**] 治热病头疼发热进退方：用栝楼一枚大者，取其瓤细剉，置瓷碗中，用热汤一盏沃之，盖却良久，去滓，不计时候顿服。

[**又方**] 治中风口眼㖞斜。用栝楼绞取汁，和大麦面搜作饼，炙令热熨。正便止，勿令太过。

[**外台秘要**] 治消渴利方：生栝楼三十斤，以水一硕，煮取一斗半，去滓，以牛脂五合，煎取水尽。以暖酒先食服如鸡子大，日三服，即妙。

[**又方**] 主伤寒渴饮。栝楼根三两，以水五升，煮取一升。分二服。清淡竹沥一升，水二升，煮好银二两半，去银。先与病人饮之，然后服栝楼汤，其银汁须冷服。

[**肘后方**③] 治耳卒得风，觉耳中恍恍。栝楼根削令可入耳，以腊月猪脂煎三沸，出，塞耳，每用三七日即愈。

[**又方**] 消渴，小便多。栝楼薄切，炙取五两，水五升，煮取四升，随意饮之良。

[**又方**] 折伤。取栝楼根以涂之，重布裹之，热除，痛即止。

[**又方**] 治二三④年聋耳方：栝楼根三十斤细切之，以水煮，用酿酒如常法，久久服之，甚良。

[**又方**] 若肠随肛出，转久不可收入。捣生栝楼取汁，温之猪肉汁中洗手，随挼之令暖，自得入。

[**梅师方**] 治诸痈发背⑤，乳房初起微赤。捣栝楼作末，以井华水调方寸匕。

[**胜金方**] 治太阳伤寒。栝楼根二两，水五升，煮取一升半，分二服，小便利即差。

[**广利方**] 治小儿忽发黄，面目皮肉并黄。生栝楼根捣取汁二合，蜜一大匙⑥，二味暖相和，分再服。

---

① 使根，待构：《纲目》作“用根亦取大”。

② 围：柯《大观》作“团”。

③ 肘后方：柯《大观》作“又方”。柯《大观本草札记》云：“朝鲜本不作‘肘后方’。”

④ 二三：柯《大观本草札记》注：“别本《政和》作‘一二’。”

⑤ 发背：原倒置，据柯《大观》、《纲目》改。

⑥ 匙：柯《大观》作“酒匙”。

［集验方］ 下乳汁。栝楼子淘洗控干，炒令香熟，瓦上搶令白色为末，酒调下一匕，合面卧少时。

［杜壬］ 治胸膈痛彻背，心腹痞满，气不得通及治痰嗽。大栝楼去穰取子熟炒，别研和子、皮，面糊为丸，如梧桐子大，米饮下十五丸。

［伤寒类要］ 治脾瘅[①]溺赤出少，惕惕若恐，栝楼主之。

［子母[②]秘录］ 治乳肿痛。栝楼黄色老大者一枚熟捣，以白酒一斗煮取四升，去滓，温一升，日三服。若无大者，小者二枚黄熟为上。

［杨氏产乳］ 治热游丹赤肿。栝楼末二大两，酽[③]醋调涂之。

［又方］ 治乳无汁。栝楼根烧灰，米饮服方寸匕。

［产宝］ 治产后乳无汁。栝楼末，井花水服方寸匕，日二服，夜流出。

［杨文蔚］ 治痰嗽，利胸膈方：栝楼肥实大者，割开，子净洗，捶破括皮，细切焙干，半夏四十九个，汤洗十遍，捶破焙干，捣罗为末，用洗栝楼熟水并瓤同熬成膏，研细为丸如梧子大，生姜汤下二十丸。

［又方］ 治痈未溃。栝楼根、赤小豆等分为末，醋调涂。

［衍义曰］ 栝楼实[④]，九月、十月间取穰，以干葛粉拌，焙干，银石器中熳火炒熟为末。食后夜卧，以沸汤点一二钱服，治肺燥、热渴、大肠秘。其根与贝母、知母、秦艽、黄芩之类，皆治马热。

苦参

味苦，寒，无毒。**主心腹结气，癥瘕积聚，黄疸，溺有余沥，逐水，除痈肿，补中，明目止泪，**养肝胆气，安五脏，定志益精，利九窍，除伏热肠澼，止渴，醒酒，小便黄赤，疗恶疮、下部䘌，平胃气，令人嗜食、轻身。**一名水槐，一名苦蘵**音识，一名地槐，一名菟槐，一名骄[⑤]槐，一名白茎，一名虎麻，一名岑[⑥]茎，一名禄白，一名陵郎。生汝南山谷及田野。三月、八月、十月采根，暴干。玄参为之使，恶贝母、漏芦、菟丝，反藜芦。

---

① 瘅：由劳累造成的病。

② 子母：原倒置，据本书“《证类本草》所出经史方书”部分改。

③ 酽：浓醋，厚味。

④ 实：商务《衍义》无。

⑤ 骄：《千金翼》作“桥”。

⑥ 岑：《千金翼》作“禄”；《纲目》作“芩”。

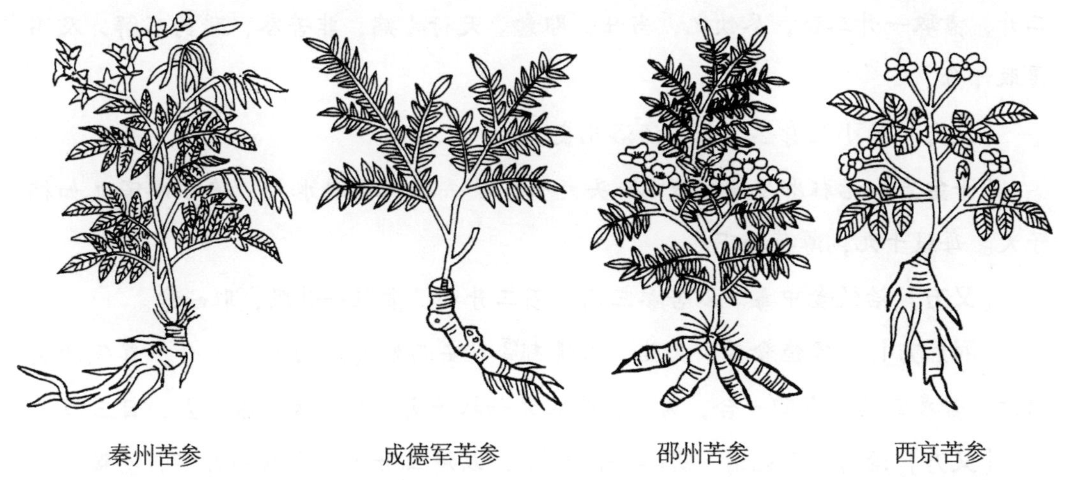

秦州苦参　　成德军苦参　　邵州苦参　　西京苦参

［陶隐居］云：今出近道处处有。叶极似槐树①，故有槐名，花黄，子作荚，根味至苦恶。病人酒渍饮之多差。患疥者，一两服亦除，盖能杀虫。

［唐本注］云：以十月收其实，饵如槐子法。久服轻身不老，明目，有验。

［臣禹锡等谨按药性论］云：苦参，能治热毒风，皮肌烦燥生疮，赤癞②眉脱，主除大热，嗜唾，治腹中冷痛，中恶腹痛，除体闷，治心腹积聚。不入汤用。

［日华子］云：杀疳虫，炒带烟出为末③，饭饮下，治肠风泻血并热痢。

［图经曰］苦参，生汝南山谷及田野，今近道处处皆有之。其根黄色，长五七寸许，两指粗细。三五茎并生，苗高三二尺已来。叶碎青色，极似槐叶，故有水槐名，春生冬凋。其花黄白，七月结实如小豆子。河北生者无花子。五月、六月、八月、十月采根，暴干用。古今方用治疮疹最多，亦可治癞疾。其法用苦参五斤切，以好酒三斗渍三十日。每饮一合，日三，常服不绝。若觉痹即差。取根、皮末，服之亦良。

［■ 唐本云］治胫酸，疗恶虫。

［雷公云］凡使，不计多少，先须用糯米浓泔汁浸一宿，上有腥秽气，并在水面上浮，并须重重淘过，即蒸，从巳至申出，晒干，细剉用之。

［圣惠方］治伤寒四日，已呕吐，更宜吐。以苦参末，酒下二钱，得吐差。

［外台秘要］治天行病四五日，结胸满痛，壮热，身体热。苦参一两剉，以醋

① 树：《纲目》作“叶”。

② 癞：柯《大观》作“肿”。

③ 炒带烟出为末：《纲目》作“炒存性”。按，今日炮制书中所言的“炒存性”，盖出于《纲目》，宋代本草仅言“炒带烟出为末”，并无“炒存性”一词。

二升，煮取一升二合，尽饮之，当吐，即愈。天行毒病，非苦参、醋药不解，及温覆取汗愈。

[又方] 治小儿身热。苦参汤浴儿良。

[千金方] 治狂邪发恶，或①披头大叫，欲杀人，不避水火。苦参以蜜丸如桐子大。每服十丸，薄荷汤下。

[又方] 治饮食中毒。以苦参三两，酒二升半，煮取一升服，取吐愈。

[肘后方] 治谷疸食劳，头旋，心怫郁②不安而发黄。由失饥大食，胃气冲熏所致。苦参三两，龙胆一合，为末，牛胆丸如梧子大。生大麦汁服五丸，日三服。

[又方] 治时气垂死者。苦参一两㕮咀，以酒二升半，煮取一升半，去滓，适寒温尽服之。当闻苦参吐毒如溶胶，便愈。

[又方] 治卒心痛。苦参三两，苦酒一升半，煮取八合，分二服。

[梅师方] 治饮食中毒，鱼、肉、菜等。苦参三两，以苦酒一升，煎三五沸，去滓服，吐出即愈。或取煮犀角汁一升，亦佳。

[又方] 治伤寒四五日，头痛壮热，胸中烦痛。苦参五两，乌梅二十枚细剉，以水二升，煎取一升，分服。

[孙真人食忌] 治中恶心痛。苦参一两，酒一升半，煮取八合，乘热顿服。

[胜金方] 治时疾热病，狂言心躁。苦参不限多少，炒黄色为末。每服二钱，水一盏，煎至八分，温服，连煎三服。有汗、无汗皆差。

[集验方] 治毒热，足肿疼欲脱。酒煮苦参以渍之。

[伤寒类要] 治瘟气病欲死。苦参二两，以水二升，煮取一升，顿服之。吐则愈，或汗愈。

[子母秘录] 治小腹疼，青黑或赤，不能喘。苦参一两，醋一升半，煎八合，分二服。

[太仓公③] 淳于意医齐中大夫病龋齿，灸左手阳明脉，苦参汤日漱三升。出入慎风，五六日愈④。

[沈存中笔谈] 常患腰疼，时以病齿用苦参。后有太常少卿舒昭亮，用苦参

---

① 恶，或：柯《大观》作“无常”。

② 怫郁：忿怒忧郁的样子。

③ 太仓公：柯《大观》作“史记”。

④ 愈：其上，柯《大观》有“已”字。

揩①齿，岁久亦病腰。自后不用苦参，腰疾遂愈。

［**衍义曰**］苦参，有朝士苦腰重，久坐，旅拒十余步，然后能行。有一将佐谓朝士曰：见公日逐以药揩齿，得无用苦参否？曰：始以病齿，用苦参已数年。此病由苦参入齿，其气味伤肾，故使人腰重。后有太常少卿舒昭亮，用苦参揩齿，岁久亦病腰。自后悉不用，腰疾皆愈。此皆方书旧不载者。有人病遍身风热细疹，痒痛不可任②，连胸、颈、脐、腹及近隐处③皆然，涎痰亦多，夜④不得睡。以苦参末一两，皂角二两，水一升，揉滤取汁，银石器熬成膏，和苦参末为丸如梧桐子大。食后温水服二十至三十丸，次日便愈。

当归

味甘、辛，**温**、大温，无毒。**主咳逆上气，温疟寒热洗洗**音癣**在皮肤中，妇人漏下，绝子，诸恶疮疡**音羊**，金疮，煮饮之。**温中止痛，除客血内塞，中风痓，汗不出，湿痹，中恶，客气虚冷，补五脏，生肌肉。**一名干归。**生陇西川谷。二月、八月采根，阴干。恶䕡茹，畏菖蒲、海藻、牡蒙。

文州当归

［陶隐居］云：今陇西叨⑤阳黑水当归，多肉少枝，气香，名马尾当归，稍难⑥得。西川北部当归，多根枝而细⑦。历阳所出，色白而气味薄⑧，不相似，呼为⑨草当归，阙少时乃用之。方家有云真当归，正谓⑩此，有好恶故也。俗用甚多，道方时须尔。

---

① 揩：原作“楷”，据医理改。

② 任：商务《衍义》作“忍”。

③ 处：原脱，据庆元《衍义》、商务《衍义》补。

④ 夜：原脱，据庆元《衍义》、商务《衍义》补。

⑤ 叨：成化《政和》、商务《政和》、柯《大观》作“四”。

⑥ 难：柯《大观》作“艰”。

⑦ 细：柯《大观》作“小”。

⑧ 薄：柯《大观》作“短”。

⑨ 为：柯《大观》作“曰”。

⑩ 谓：柯《大观》作“言”。

滁州当归

［唐本注］云：当归苗有二种。于内①一种，似大叶芎䓖；一种似细叶芎䓖，惟②茎叶卑下于芎䓖也。今出当州、宕州、翼州、松州，宕州最胜③。细叶者名蚕头当归，大叶者名马尾当归，今用多是马尾当归，蚕头者不如此，不复用，陶称历阳者，是蚕头当归也。

［臣禹锡等谨按尔雅］云：薜，山蕲。注：《广雅》曰，山蕲，当归也。当归今似蕲而粗大。

［吴氏］云：当归，神农、黄帝、桐君、扁鹊：甘，无毒。岐伯、雷公：辛，无毒。季氏：小温。或生羌胡地。

［范子］云：当归无枯者善④。

［药性论］云：当归，臣，恶热面。止呕逆，虚劳寒热，破宿血，主女子崩中，下肠胃冷，补诸不足，止痢腹痛⑤。单煮饮汁，治温疟，主女人沥血腰痛，疗齿⑥疼痛不可忍。患人虚冷，加而用之。

［日华子］云：治一切风，一切血，补一切劳，破⑦恶血，养新血及主癥癖。

［图经曰］当归，生陇西川谷，今川蜀、陕西诸郡及江宁府、滁州皆有之，以蜀中者为胜。春生苗，绿叶有三瓣。七八月开花似时罗，浅紫色。根黑黄色。二月、八月采根，阴干。然苗有二种，都类芎䓖，而叶有大小为异，茎梗比芎䓖甚卑下。根亦二种，大叶名马尾当归，细叶名蚕头当归。大抵以肉厚而不枯者为胜。谨按，《尔雅》云：薜布革切，山蕲古芹字⑧，巨斤切。郭璞注引《广雅》云：山蕲，当归也。似蕲而粗大。释曰：《说文》云，蕲，草也。生山中者名薜，一名山蕲。然则当归，芹类也。在平地者名芹，生山中而粗大者名当归也。

［▌雷公云］凡使，先去尘并头尖硬处一分已来，酒浸一宿。若要破血，即使

---

① 于内：刘《大观》、柯《大观》无。
② 惟：柯《大观》作“但”。
③ 胜：柯《大观》作“良”。
④ 善：柯《大观》作“良”。
⑤ 痛：柯《大观》作“疼”。
⑥ 疗齿：柯《大观》作“治牙”。
⑦ 破：柯《大观》作“去”。
⑧ 古芹字：柯《大观》无。

头一节硬实处。若要止痛止血，即用尾。若一时用，不如不使，服食无效，单使妙也。

[外台秘要] 治头疼欲裂。当归二两，酒一升，煮取六合饮，至再服。

[又方] 治心痛。当归为末，酒服方寸匕。

[肘后方] 治小儿多患胎寒好啼，昼夜不止，因此成痫。当归末一小豆大，以乳汁灌之，日夜三四度服，差。

[葛氏方] 治小便出血。当归四两细剉，酒三升，煮取一升，顿服之。

[梅师方] 治胎动下血，心腹疼，死生不知，服此汤，活即安，死即下。用当归四两，芎䓖九两，细剉，以酒三升，水四升，煎取三升，分服。

[子母秘录] 治倒产，子死腹中。捣当归末，酒服方寸匕。

[又方] 治小儿脐风疮久不差。用当归末傅之。

[贾相公] 进过《牛经》：牛有尿血病。当归、红花各半两为末，以酒半升煎，候冷，灌之差①。

[支太医方] 治妇人百病，诸虚不足。当归四两、地黄二两为末，蜜和丸如梧子大。食前米饮下十五丸。

[别说云] 谨按，当归，自古医家方论，用治妇人产后恶血上冲，仓卒取效，无急于此，世俗多以谓唯能治血。又《外台秘要》《金匮》《千金》等方，皆为大补不足，决取立效之药。气血昏乱者，服之即定。此盖服之能使气血各有所归，则可以于产后备急于补虚速效，恐圣人立当归之名，必因此出矣。

[衍义曰] 当归，《广雅》云：山蕲古芹切，当归也，似芹而粗大。《说文》云：蕲，草也，生山中者名薜音百。新书《图经》以谓当归，芹类也。在平地者名芹，生山中粗大者名当归。若然，则今川蜀皆以平地作畦种，尤肥好、多脂肉。不以平地、山中为等差，但肥润不枯燥者佳。今医家用此一种为胜。市人又以薄酒洒使肥润，不可不察也。《药性论》云：补女子诸不足，此说尽当归之用也②。

麻黄

味苦，温、微温，无毒。**主中风伤寒头痛，温疟，发表出汗，去邪热气，止咳逆上气，除寒热，破癥坚积聚**，五脏邪气缓急，风胁痛，字乳余疾，止好唾，通腠

---

① 差：其上，柯《大观》有“得”字。

② 也：庆元《衍义》、商务《衍义》作“矣”。

理，疏伤寒头疼，解肌，泄邪恶气，消赤黑斑毒。不可多服，令人虚。一名卑相，**一名龙沙**，一名卑盐。生晋地及河东。立秋采茎，阴干令青。厚朴[①]为之使，恶辛夷、石韦。

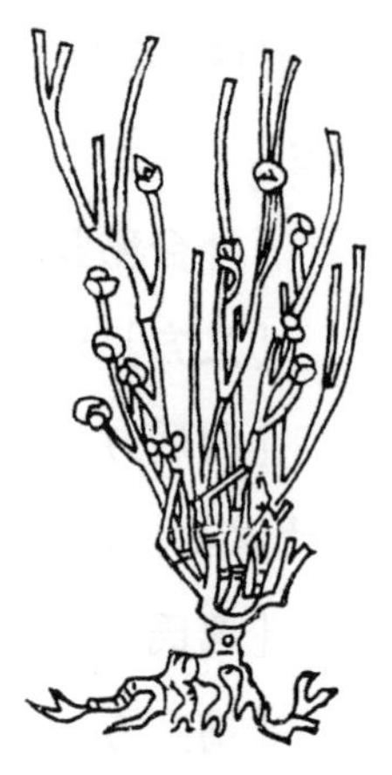

同州麻黄

［陶隐居］云：今出青州、彭城、荥阳、中牟者为胜，色青而多沫。蜀中亦有，不好。用之折除节，节止汗故也。先煮一两沸，去上沫，沫令人烦。其根亦止汗，夏月杂粉用之。俗用疗伤寒，解肌第一。

［唐本注］云：郑州鹿台及关中沙苑河傍沙洲上太[②]多。其青、徐者，今不复用。同州沙苑最多也。

［今注］今用中牟者为胜，开封府岁贡焉。

［臣禹锡等谨按药性论］云：麻黄，君，味甘，平。能治身上毒风𤸷痹，皮肉不仁，主壮热，解肌发汗，温疟，治温疫。根、节能止汗。方曰：并故竹扇杵末扑之。又牡蛎粉、粟粉并根等分末，生绢袋盛，盗汗出即扑，手摩之。

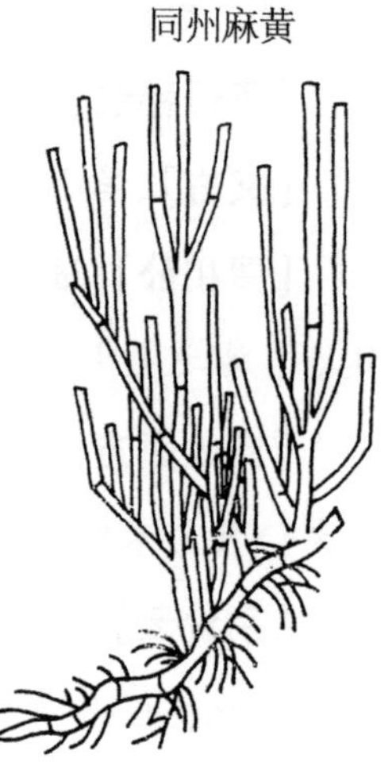

茂州麻黄

［段成式酉阳杂俎］云：麻黄，茎端开花，花小而黄，蔟生。子如覆盆子，可食。

［日华子］云：通九窍，调血脉，开毛孔皮肤，逐风，破癥癖积聚，逐五脏邪气，退热，御山岚瘴气。

［图经曰］麻黄，生晋地及河东，今近京多有之，以荥阳、中牟者为胜。苗春生，至夏五月则长及一尺已来。梢上有黄花，结实如百合瓣而小，又似皂荚子，味甜，微有麻黄气，外红皮，里仁子黑。根紫赤色。俗说有雌雄二种。雌者于三月、四月内开花，六月内结子。雄者无花，不结子。至立秋后，收采其茎，阴干令青。张仲景治伤寒，有麻黄汤及大、小青龙汤，皆用麻黄；治肺痿上气，有射干麻黄汤、厚朴麻黄汤[③]，皆大方也。古方汤用麻黄，皆先[④]煮去沫，然后内诸药。今用丸散者，皆不然也。《必效方》治天行一二日者，麻黄一大两去节，以水四升煮去沫，取二升，去滓，著米[⑤]一匙及豉为稀粥，取强一升，先作熟

① 朴：其下，《纲目》有“白薇”2字。

② 太：柯《大观》作“大”。

③ 厚朴麻黄汤：柯《大观》无。

④ 先：柯《大观》无。

⑤ 米：成化《政和》、商务《政和》作“末”。

汤浴淋头百余碗，然后服粥，厚覆取汗，于夜最佳。《千金方》疗伤寒，雪煎以麻黄十斤去节，杏仁四升去两仁、尖、皮熬，大黄一斤十三两金色者，先以雪水五硕四斗，渍麻黄于东向灶釜中，三宿后内大黄搅令调，以桑薪煮之，得二硕汁，去滓，复内釜中，又捣杏仁内汁中，复煮之，可余六七斗，绞去滓，置铜器中；更以雪水三斗合煎，令得二斗四升，药成，丸如弹子。有病者，以沸白汤五合，研一丸入汤中，适寒温服之，立汗①出；若不愈者，复服一丸，封药勿令泄也。

［**◣雷公云**］凡使，去节并沫，若不尽，服之令人闷。用夹刀剪去节②并头，槐砧③上用铜刀细剉，煎三四十沸，竹片掠去上沫尽，漉出，晒干用之。

［**伤寒类要**］张仲景《伤寒论》云：黄疸病，以麻黄醇酒汤主之。麻黄一把去节，绵裹，以美酒五升，煮取半升，去滓，顿服。又治伤寒表热发疸，宜汗之则愈，冬月用酒，春宜用水煮之良。

［**子母秘录**］治产后腹痛及血下不尽。麻黄去节杵末，酒服方寸匕，一日二④三服，血下尽即止。泽兰汤服亦妙。

［**衍义曰**］麻黄，出郑州者佳，剪⑤去节，半两，以蜜一匙匕同炒良久，以水半升煎，俟沸，去上沫，再煎，去三分之一，不用滓。病疮疱倒黡⑥黑者，乘热尽服之，避风，伺其疮复出。一法用无灰酒煎。但小儿不能饮酒者难服，然其效更速。以此知此药入表也。

通草

味辛、甘，**平**，无毒。**主去恶虫，除脾胃寒热，通利九窍、血脉关节，令人不忘**，疗脾疸，常欲眠，心烦，哕出音声，疗耳聋，散痈肿、诸结不消，及金疮恶疮，鼠瘘，踒折，齆音瓮鼻息肉，堕胎，去三虫。**一名附支**，一名丁翁⑦。生石城山谷及山阳。正月⑧采枝，阴干。

---

① 立汗："立"，柯《大观》无。"汗"，柯《大观本草札记》云："《政和》'汗'下有'立'字。"

② 节：柯《大观》作"背"。

③ 砧：柯《大观》作"枯"。

④ 二：成化《政和》、商务《政和》作"一"。

⑤ 剪：原作"翦"，据庆元《衍义》、商务《衍义》改。

⑥ 黡：原作"餍"，据庆元《衍义》、商务《衍义》改。

⑦ 丁翁：《纲目》注出处为"吴普"。

⑧ 月：其下，《纲目》有"二月"2字。

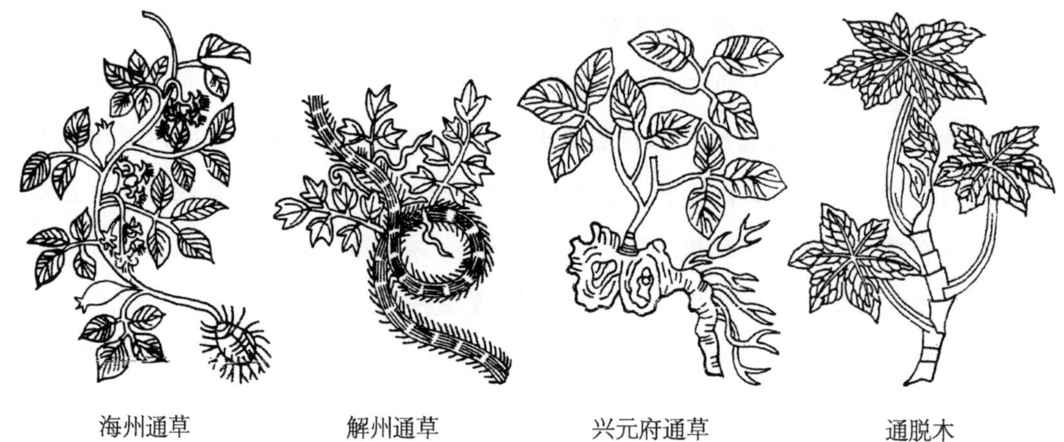

海州通草　　解州通草　　兴元府通草　　通脱木

［陶隐居］云：今出近道。绕树藤生，汁白。茎有细孔，两头皆通。含一头吹之，则气出彼头者良。或云即葍音福藤茎。

［唐本注］云：此物大者径三寸，每节有二三枝，枝头有五叶。其子长三四寸，核黑穰白，食之甘美。南人谓为燕覆①芳服切，或名乌覆②，今言葍藤，葍、覆声相近尔。

［臣禹锡等谨按药性论］云：木通，臣，微寒。一名王翁万年。主治五淋，利小便，开关格，治人多睡，主水肿浮大，除烦热。用根治项下瘤瘿。

［孟诜］云：燕覆子，平。厚③肠胃，令人能食，下三焦，除恶气。和子食之更好④。江北人多不识⑤，江南人多食⑥。又续五脏断绝气，使语声足气⑦，通十二经脉。其茎名通草⑧，食之通利诸经脉拥不通之气⑨，北人但识通草，不委子之功⑩。其皮不堪食。

［陈士良］云：燕覆子，寒，无毒。主胃口热闭，反胃不下食，除三焦客热。

---

① 覆：其下，《纲目》有“子”字。

② 覆：其下，《纲目》有“子”字。

③ 厚：敦煌《食疗》作“利”。

④ 食之更好：敦煌《食疗》“食更良”。

⑤ 识：其下，敦煌《食疗》有“此物”2字。

⑥ 江南人多食：敦煌《食疗》作“即南方人食之”。

⑦ 又续……足气：以上12字，敦煌《食疗》作“又主续五脏音声及气，使人足气力”。

⑧ 名通草：敦煌《食疗》作“为草”2字。

⑨ 食之……之气：以上12字，敦煌《食疗》作“利关节拥塞不通之气”。

⑩ 北人……之功：以上11字，敦煌《食疗》作“今北人只识通草而不委子功”。

此是木通，实名桴[①]棪子，茎名木通。主理风热淋疾，小便数急疼，小腹虚满。宜煎汤并葱食之，有效。野生。

［日华子］云：木通，安心除烦，止渴退热，治健忘，明耳目，治鼻塞，通小肠，下水，破积聚血块，排脓，治疮疖，止痛，催生下胞，女人血闭，月候不匀，天行时疾，头痛目眩，羸劣，乳结及下乳。子名蘾子，七八月采。

［陈藏器］云：通脱木，无毒。花上粉，主诸虫疮，野鸡病，取粉内疮中。生山侧，叶似萆麻，心中有瓤，轻白可爱，女工取以饰物。《尔雅》云：离南，活脱也。一本云：药草，生江南，主虫病，今俗亦名通草。

［图经曰］ 通草，生石城山谷及山阳，今泽、潞、汉中、江淮、湖南州郡亦有之。生作藤蔓，大如指，其茎秆大者径三寸。每节有二三枝，枝头出五叶，颇类石韦，又似芍药，三叶相对。夏秋开紫花，亦有白花者。结实如小木瓜，核黑瓤白，食之甘美，南人谓之燕蘾，亦云乌蘾，正月、二月采枝，阴干用。或以为葡萄苗，非也。今人谓之木通，而俗间所谓通草，乃通脱木也。此木生山侧，叶如萆麻，心空中有瓤，轻白可爱，女工取以饰物。《尔雅》云：离南，活莌音脱。释云：离南，草也，一名活莌。《山海经》又名寇脱，生江南，高丈许，大叶似荷而肥，茎中有瓤正白者是也。又名倚商，主蛊毒。其花上粉，主诸虫瘘恶疮痔疾，取粉内疮中。《正元广利方》疗瘰疬，及李绛兵部疗胸伏气攻胃咽不散方中，并用之。今京师园圃间亦有种莳者。又按，张氏《燕吴行役记[②]》：扬[③]州大仪甘泉东院两廊前有通草，其形如椿，少叶，子垂梢际，如苦楝。与今所说殊别，不知是木通邪？通脱邪？或别是一种也。古方所用通草，皆今之木通，通脱稀有使者。近世医家多用利小便，南人或以蜜煎作果食之甚美，兼解诸药毒。

［◣陈藏器云］ 本功外，子味甘，利大小便，宣通，去烦热，食之令人心宽，止渴下气，江东人呼为畜葍子，江西人呼为拏子，如算袋，瓤黄子黑，食之当去其皮。苏云色白，乃猴葍也。

［海药］ 云：谨按，《徐表南州记》云，生广州山谷。味[④]温，平。主诸瘘疮，喉咙痛[⑤]及喉痹，并宜煎服之。磨亦得，急即含之。

---

① 桴：鼓槌。

② 役记：柯《大观》作“役记云”；《纲目》作“纪载”。

③ 扬：原作“杨”，据柯《大观》改。

④ 味：其下，疑有脱文。

⑤ 痛：柯《大观》作“疾”。

［**食疗**］云：煮饮之，通妇人血气。浓煎三五盏即便通。又除寒热不通之气，消鼠瘘，金疮，踒折，煮汁酿酒妙。

芍药

味苦、酸，平①、微寒，有小毒。**主邪气腹痛，除血痹，破坚积，寒热疝瘕，止痛，利小便，益气**，通顺血脉，缓中，散恶血，逐贼血，去水气，利膀胱、大小肠，消痈肿，时行寒热，中恶，腹痛、腰痛。一名白木②，一名余容，一名犁食，一名解仓，一名铤。生中岳川谷及丘陵。二月、八月采根，暴干。须丸为之使。［臣禹锡等谨按］别本作雷丸。恶石斛、芒消，畏消石、鳖甲、小蓟，反藜芦。

泽州芍药

［陶隐居］云：今出白山、蒋山、茅山最好，白而长大③。余处亦有而多赤，赤者小利，俗方以止痛，乃不减当归。道家亦服食之，又煮石用之。

［今按］别本注云：此有两种。赤者利小便下气；白者止痛散血。其花亦有红、白二色。

［臣禹锡等谨按吴氏］云：芍药，神农：苦。桐君：甘，无毒。岐伯：咸。季氏④：小寒。雷公：酸。

［药性论］云：芍药，臣。能治肺邪气，腹中疞⑤痛，血气积聚，通宣脏腑拥气，治邪痛败血，主时疾骨热，强五脏，补肾气，治心腹坚胀，妇人血闭不通，消瘀血，能蚀脓。

［日华子］云：治风补劳，主女人一切病，并⑥产前后诸疾，通月水，退热除烦，益气，天行热疾，瘟瘴惊狂，妇人血运，及肠风泻血，痔瘘，发背疮疥，头痛，明目，目赤胬肉。赤色者多补气，白者治血，此便芍药花根。海、盐、杭、越俱好。

---

① 平：刘《大观》、柯《大观》作白字《本经》文。

② 木：《千金翼》《太平御览》作“术”。

③ 大：《纲目》作“尺许”。

④ 季氏：《纲目》作“李当之”。

⑤ 疞：腹绞痛。

⑥ 并：《纲目》作“胎”。

[**图经曰**] 芍药，生中岳川谷及丘陵，今处处有之，淮南者胜。春生红芽作丛，茎上三枝五叶，似牡丹而狭长，高一二尺。夏开花，有红、白、紫数种，子似牡丹子而小。秋时采根，根亦有赤白二色。崔豹《古今注》云：芍药有二种，有草①芍药、木芍药。木者花大而色深，俗呼为牡丹，非也。又云，牛亨问曰：将离相别，赠以芍药，何也？答曰：芍药一名何离，故相赠；犹相②招召，赠③以文无，文无一名当归；欲忘人之忧，则赠以丹棘，丹棘一名忘忧，使忘忧也；欲蠲人之忿，则赠以④青裳，青裳一名合欢，赠之使忘忿也。张仲景治伤寒，汤多用芍药，以其主寒热，利小便故也。古人亦有单服食者。安期生服炼法云：芍药二种。一者金芍药；二者木芍药。救病用金芍药，色白多脂肉；木芍药色紫，瘦多脉。若取，审看勿令差错。若欲服饵，采得净刮去皮，以东流水煮百沸，出，阴干。停三日，又于木甑内蒸之，上覆以净黄土，一日夜熟，出，阴干，捣末。以麦饮或酒服三钱匕，日三。满三百日，可以登岭。绝谷不饥。《正元广利方》治妇女赤白下，年月深久不差者，取白芍药三大两，并干姜半大两，细剉，熬令黄，捣下筛，空肚和饮汁服二钱匕，日再，佳。又金创血不止而痛者，亦单捣白芍药末，傅上即止，良验。

[**唐本注**] 益好血。

[**雷公云**] 凡采得后，于日中晒干，以竹刀刮上粗皮并头土了，剉之，将蜜水拌蒸，从巳至未，晒干用之。

[**经验后方**] 治风毒，骨髓疼痛。芍药二分，虎骨一两，炙为末，夹绢袋盛，酒三升渍五日。每服三合，日三服。

[**博济方**] 治五淋。赤芍药一两，槟榔一个，面裹煨为末。每服一钱匕，水一盏，煎七分，空心服。

[**广利方**] 治金疮血不止，痛。白芍药一两，熬令黄，杵令细为散。酒或米饮下二钱并得，初三服，渐加。

[**初虞世**] 治咯血衄血。白芍药一两，犀角末一分，为末。新水服一钱匕，血止⑤为限。

---

① 草：柯《大观》作“赤”。

② 相：刘《大观》、柯《大观》无。

③ 赠：其上，刘《大观》、柯《大观》有“则”字。

④ 以：柯《大观》无。

⑤ 止：成化《政和》、商务《政和》误作“土”。

［别说云］谨按，《本经》：芍药，生丘陵川谷，今世所用者多是人家种植。欲其花叶肥大，必加粪壤，每岁八九月取其根分削，因利以为药，遂暴干货卖，今淮南真阳①尤多。药家见其肥大，而不知香味绝不佳，故入药不可责其效。今考，用宜依《本经》所说，川谷丘陵有生者为胜尔。

［衍义曰］芍药，全用根，其品亦多，须用花红而单叶，山中者为佳。花叶多即根虚。然其根多赤色，其味涩苦②，或有色白粗肥者益好。余如《经》。然血虚寒人，禁此一物。古人有言曰：减芍药以避中寒。诚不可忽。

蠡音礼**实**

味甘，平、温，**无毒**。**主皮肤寒热，胃中热气，风寒湿痹，坚筋骨，令人嗜食**，止心烦满，利大小便，长肌肤肥大。**久服轻身。**

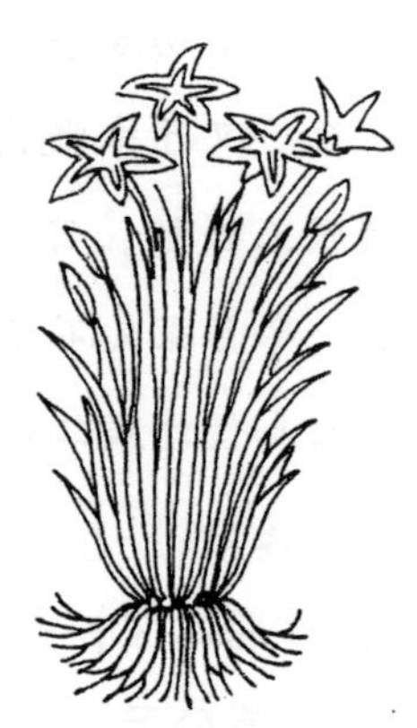

冀州蠡实

花、叶③ 去白虫， 疗喉痹，多服令人溏泄。一名荔实，**一名剧草，一名三坚，一名豕首。** 生河东川谷。五月采实，阴干。

［陶隐居］云：方药不复用，俗无识者。天名精亦名豕首也。

［唐本注］云：此即马蔺子也。《月令》云：荔挺出。郑注云：荔，马薤也。《说文》云：荔，似蒲根，可为刷。《通俗文》：一名马蔺。《本经》：一名荔实子。疗金疮血内④流、痈肿等病，有效。

［臣禹锡等谨按蜀本］云：蠡实，寒。

［日华子］云：马蔺，治妇人血气烦闷，产后血运⑤并经脉不止，崩中，带下，消一切疮疖肿毒，止鼻洪吐血，通小肠，消酒毒，治黄病，傅蛇虫咬，杀蕈毒。亦可蔬菜食，茎、叶同用。

［图经曰］蠡实，马蔺子也，北人音讹，呼为马楝子。生河东川谷，今陕西诸

① 阳：柯《大观》作“扬”。
② 苦：原作“若”，据商务《衍义》改。
③ 叶：其上，《纲目》有“茎及根”。
④ 内：柯《大观》无。
⑤ 运：成化《政和》、商务《政和》作“晕”。

郡及鼎、澧州亦有之，近京尤多。叶似薤而长厚，三月开紫碧花，五月结实作角子，如麻大①而赤色有棱，根细长，通黄色，人取以为刷。三月采花，五月采实，并阴干用。谨按，《颜氏家训》云：《月令》曰②，荔挺出。郑康成云：荔挺，马薤也。《易统验玄图》云：荔挺不出，则国多火灾。《说文》云：荔似蒲而小，根可为刷。《广雅》云：马薤，荔也。蔡邕、高诱皆云荔以挺出，然则郑以荔挺为名，误矣。此物河北平泽率生之，江东颇多，种于阶庭，但呼为旱蒲，故不识马薤。讲礼者，乃以为马苋，且马苋③亦名豚耳，俗曰马齿者是也。其花、实皆入药。《列仙传》：寇先生者，宋人也，好种荔，食其葩实焉。今山人亦单服其实，云大温，益下，甚有奇效。崔元亮治喉痹肿痛，取荔花、皮、根共十二分，以水一升，煮取六合，去滓含之，细细咽汁，差止。

［■外台秘要］治睡死者④。杵蠡实根一握，水绞取汁，稍稍咽之，口噤灌之⑤。

［又方］治喉痹，咽喉⑥喘息不通，须臾欲绝，神验。以根、叶二两，水一升半，煮取一盏，去滓，细细吃，立通。

［千金方］治中蛊下血如鸡肝出，其余四脏悉坏，唯心未毁，或鼻破待死。取马蔺根末，水服方寸匕，随吐则出，极神。此苗似葛蔓绿紫⑦，生子似橘子。

［肘后方］治面及鼻病酒皶。以马蔺子花杵傅之，佳。

［张文仲］治水痢百病。以马蔺子，用六月六日面熬令黄，各等分为末，空心米饮服方寸匕。如无六月六日面，用常面或牛骨灰等分亦得。

［又方］治水痢白病⑧。以马蔺子、干姜、黄连各等分⑨为散，熟煮汤，取一合许，和二方寸匕，入腹即断。冷热皆治，常用神效。不得轻之。忌猪肉、冷水⑩。

［衍义曰］蠡实，陶隐居云：方药不复用，俗无识者。《本经》诸家所注不相

---

① 大：刘《大观》作“人”。

② 曰：柯《大观》作“云”。

③ 且马苋：刘《大观》、柯《大观》无。

④ 治睡死者：柯《大观》作“疗喉痹垂死者”。

⑤ 灌之：柯《大观》作“拗开灌”。

⑥ 喉：其下，柯《大观》有“塞”字。

⑦ 绿紫：柯《大观》作“缘柴”。

⑧ 病：柯《大观》作“起”。

⑨ 各等分：柯《大观》作“元无分两”。

⑩ 又方……冷水：以上53字，本书原脱，据成化《政和》、商务《政和》、柯《大观》补。

应，若果是马蔺，则日华子不当更言亦可为蔬菜食。盖马蔺，其叶马、牛皆不食，为才出土叶已硬，况又无味，岂可更堪人食也。今不敢以蠡实为马蔺子，更俟博识者。

瞿音劬**麦**

味苦、辛，**寒**，无毒。**主关格诸癃结，小便不通，出刺，决痈肿，明目去翳，破胎堕子，下闭血**，养肾气，逐膀胱邪逆，止霍乱，长毛发。**一名巨句麦**，一名大兰，一名大兰。生太山川谷。立秋采实，阴干。蘘草、牡丹为之使，恶螵蛸。

绛州瞿麦

［陶隐居］云：今出近道。一茎生细叶，花红紫赤可爱，合子、叶刈取之，子颇似麦，故名瞿麦。此类乃有两种。一种微大，花边有叉桠，未知何者是，今市人皆用小者；复一种叶广相似而有毛，花晚而甚赤。按，《经》云：采实。中①子至细，燥熟②便脱尽。今市人惟合茎叶用，而实正空壳无复子尔。

［臣禹锡等谨按药性论］云：瞿麦，臣，味甘。主五淋。

［日华子］云：瞿麦，催生，又名杜母草、燕麦、蘥麦，又云石竹。叶治痔瘘并泻血，作汤粥食并得。子治月经不通，破血块，排脓。叶治小儿蛔虫，痔疾，煎汤服。丹石药发并眼目肿痛及肿毒，捣傅。治浸淫疮并妇人阴疮。

［图经曰］瞿麦，生泰山川谷，今处处有之。苗高一尺以来，叶尖小，青色，根紫黑色，形如细蔓菁。花红紫赤色，亦似映山红，二月至五月开。七月结实作穗，子颇似麦，故以名之。立③秋后合子叶收采，阴干用。河阳河中府出者，苗可用。淮甸出者根细，村民取作刷帚。《尔雅》谓之大菊。《广雅》谓之茈萎是也。古今方通心经、利小肠为最要。张仲景治小便不利，有水气，栝楼瞿麦丸主之。栝楼根二两，大附子一个，茯苓、山芋各三两，瞿麦一分，五物杵末，蜜丸如梧子大，一服三丸，日三。未知，益至七八丸。以小便利，腹中温为知也。

［▶雷公云］凡使，只用蕊壳，不用茎叶。若一时使，即空心令人气咽，小便不禁。凡欲用，先须以堇竹沥浸一伏时，漉出，晒干用。

---

① 中：其上，刘《大观》、柯《大观》有“实”字。

② 熟：《纲目》作“热”。

③ 立：成化《政和》、商务《政和》作“主”。

[外台秘要] 治鲠①。以瞿麦为末，水服方寸匕。

[又方] 治石淋。取子酒服方寸匕，一二日当下石。

[千金方] 治产经数日不出，或子死腹中，母欲死。以瞿麦煮浓汁服之。

[梅师方] 治竹木刺入肉中不出。瞿麦为末，水服方寸匕，或煮瞿麦汁饮之，日三。《千金》同。

[崔氏] 治鱼脐疮毒肿，烧灰和油傅于肿上，甚佳。

[衍义曰] 瞿麦，八政散用瞿麦，今人为至要药。若心经虽有热而小肠虚者服之，则心热未退，而小肠别作病矣。料其意者，不过为心与小肠为传送，故用此入小肠药。按《经》，瞿麦并不治心热。若心无大热，则当止治其心，若或制之不尽，须当求其属以衰之。用八政散者，其意如此。

玄参

味苦、咸，**微寒**，无毒。**主腹中寒热积聚，女子产乳余疾，补肾气，令人目明**，主暴中风，伤寒身热，支满狂邪，忽忽不知人，温疟洒洒，血瘕，下寒血，除胸中气，下水，止烦渴，散颈下核，痈肿，心腹痛，坚癥，定五脏。久服补虚，明目，强阴益精。**一名重台**，一名玄台，一名鹿肠，一名正马，一名咸，一名端。生河间川谷及冤句。三月、四月采根，暴干。恶黄芪、干姜、大枣、山茱萸，反藜芦。

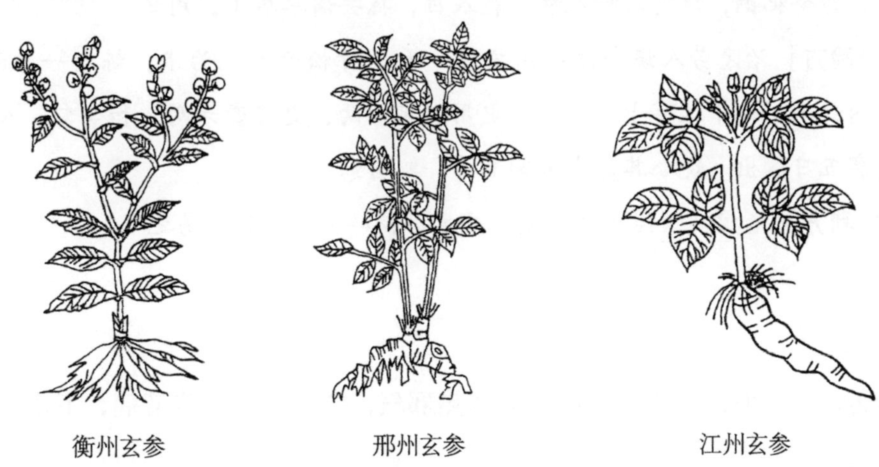

衡州玄参　　邢州玄参　　江州玄参

[陶隐居] 云：今出近道，处处有。茎似人参而长大。根甚黑，亦微香，道家时用，亦以合香。

[唐本注] 云：玄参根苗并臭，茎亦不似人参，陶云道家亦以合香，未见其

① 鲠：柯《大观》作"哽"。

理也。

［今注］详此药，茎方大，高四五尺，紫赤色而有细毛。叶如掌大而尖长。根生青白，干即紫黑，新者润腻，合香用之。俗呼为馥草，酒渍饮之，疗诸毒鼠瘘。陶云似人参茎，唐本注言根苗并臭，盖未深识尔。

［臣禹锡等谨按药性论］云：玄参，使，一名逐马，味苦。能治暴结热，主热风头①痛，伤寒劳复②，散瘤瘿③瘰疬。

［日华子］云：治头风，热毒游风，补虚劳损，心惊烦躁劣乏，骨蒸传尸邪气，止健忘，消肿毒。

［图经曰］玄参，生河间及冤句，今处处有之。二月生苗。叶似脂麻④，又如槐柳⑤。细茎青紫色。七月开花青碧色。八月结子黑色。亦有白花，茎方大，紫赤色而有细毛，有节若竹者，高五六尺。叶如掌大而尖长如锯齿。其根尖长，生青白，干即紫黑，新者润腻。一根可生五七枚，三月、八月、九月采，暴干。或云蒸过日干。陶隐居云：道家时用合香。今人有传其法：以玄参、甘松香各杵末，均秤分两，盛以大酒瓶中，投白蜜渍，令瓶七八分，紧封系头，安釜中，煮不住火，一伏时止火，候冷，破瓶取出，再捣熟，如干，更用熟蜜和，瓷器盛，荫埋地中，旋取，使入龙脑搜，亦可以熏衣。

［◣雷公云］凡采得后，须用蒲草重重相隔，入甑蒸两伏时后，出，干，晒。使用时，勿令犯铜，饵之后噎人喉，丧人目，拣去蒲草尽了，用之。

［经验方］治患劳人烧香法：用玄参一斤，甘松六两，为末，炼蜜一斤和匀，入瓷瓶内封闭，地中埋窨十日取出。更用灰末六两，更炼蜜六两，和令匀，入瓶内封，更窨五日取出。烧令其鼻中常闻其香，疾自愈。

［广利方］治瘰疬，经年久不差。生玄参捣碎傅上，日二易之⑥。

秦艽胶字

味苦、辛，**平**、微温，无毒。**主寒热邪气，寒湿风痹，肢节痛，下水，利小**

① 头：刘《大观》、柯《大观》作“喉”。

② 劳复：原作“复劳”，据柯《大观》改。

③ 瘿：《纲目》作“瘘”。

④ 麻：其下，《纲目》有“对生”2字。

⑤ 柳：其下，《纲目》有“而尖长有锯齿”。

⑥ 之：其下，刘《大观》另有书写体“张仲景伤寒热毒发斑，玄参升麻汤主之”16字。

便，疗风无问久新，通身挛急。生飞乌山谷。二月、八月采根，暴①干。昌蒲为之使。

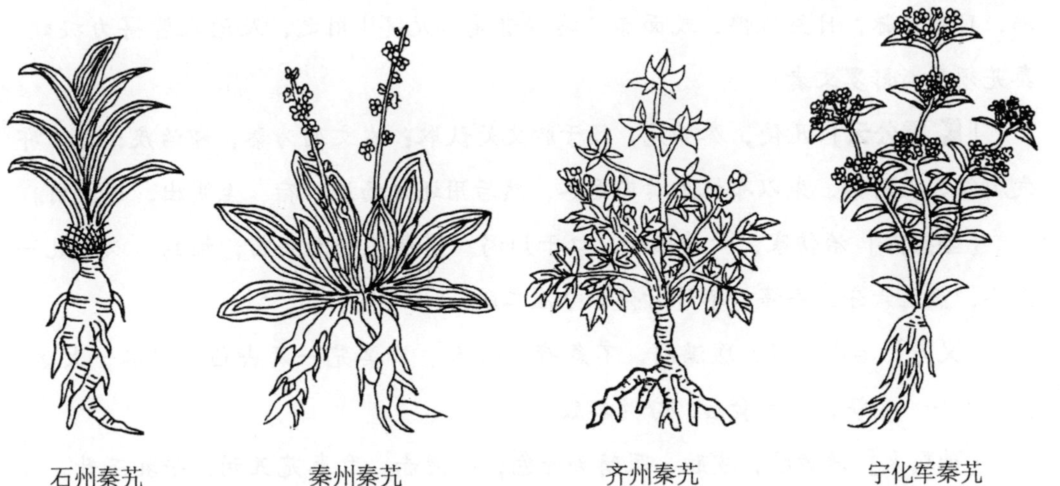
石州秦艽　秦州秦艽　齐州秦艽　宁化军秦艽

［陶隐居］云：飞乌或是地名，今出甘松、龙洞、蚕陵，长大黄白色为佳。根皆作罗文相交，中多衔土，用之熟破除去。方家多作秦胶字，与独活疗风常用，道家不须尔。

［唐本注］云：今出泾州、鄜州、岐州者良。本作札，或作纠、作胶，正作艽也。

［臣禹锡等谨按药性论］云：秦艽，解米脂，人食谷不充悦，畏牛乳。点服之，利大小便。差五种②黄病，解酒毒，去头风。

［萧炳］云：《本经》名秦瓜，世人以疗酒黄、黄疸大效。

［日华子］云：味苦，冷。主传尸，骨蒸，治疳及时气。又名秦瓜，罗纹者佳③。

［图经曰］秦艽，生飞乌山谷，今河陕州军多有之。根土黄色，而相交纠，长一尺已来，粗细不等。枝秆高五六寸，叶婆娑连茎梗，俱青色，如莴苣叶。六月中开花，紫色，似葛花，当月结子。每于春秋采根，阴干。《正元广利方》疗黄，心烦热，口干，皮肉皆黄。以秦艽十二分，牛乳一大升，同煮，取七合，去滓，分温再服，差。此方出于许仁则。又崔元亮《集验方》：凡发背疑似者，须使服秦艽牛乳煎，当得快利三五行，即差。法并同此。又治黄方，用秦艽一大两细剉，作两贴子，以上好酒一升，每贴半升，酒绞，取汁，去滓，空腹分两服。或利便止，就中

---

① 暴：柯《大观》作“曝”。

② 种：成化《政和》、商务《政和》作“肿”。

③ 佳：柯《大观本草札记》云：“《政和》无‘佳’字。”

好酒人易治。凡黄有数种：伤酒曰酒黄；夜食误餐鼠粪亦作黄；因劳发黄，多痰涕，目有赤脉，日益憔悴，或面赤，恶心者是。元亮①用之，及治人皆得力极效。秦艽须用新好罗文者②。

[◣雷公云] 凡使，秦并艽，须于脚文处认取：左文列为秦，即治疾；艽，即发脚气。凡用秦，先以布拭上黄肉毛尽，然后用还元汤浸一宿，至明出，日干用。

[圣惠方] 治伤寒，心神热躁，口干烦渴。用秦艽一两去苗，细剉，以牛乳一大盏，煎至六分，去滓，不计时候，分温二服。

[又方] 治小便难，腹满闷，不急疗之杀人。用秦艽一两去苗，以水一大盏，煎取七分，去滓，每于食后，分为二服。

[孙真人] 治黄疸，皮肤、眼睛如金色，小便赤。取秦艽五两，牛乳三升，煮取一升，去滓，内芒消一两，服。

百合

味甘，平，无毒。**主邪气腹胀，心痛，利大小便，补中益气，**除浮肿胪胀，痞满，寒热，通身疼痛，及乳难，喉痹，止涕泪。一名重箱，一名摩罗，一名中逢花，一名强瞿。生荆州川谷。二月、八月采根，曝③干。

滁州百合

[陶隐居] 云：近道处处有。根如胡蒜，数十片相累。人亦蒸煮食之，乃言初是蚯蚓相缠结变作之。俗人皆呼为强仇，仇即瞿也，声之讹尔。亦堪服食。

[唐本注] 云：此药有二种。一种细叶，花红白色；一种叶大茎长，根粗花白，宜入药用。

[臣禹锡等谨按药性论] 云：百合，使，有小毒。主百邪鬼魅，涕泣不止，除心下急满痛，治脚气，热咳逆。

[吴氏] 云：百合，一名重迈，一名中庭。生冤朐及荆山。

[日华子] 云：白④百合，安心定胆，益志，养五脏，治癫邪、啼泣、狂叫、

---

① 亮：柯《大观》作“高”。

② 者：其下，柯《大观》有“佳”字。

③ 曝：《纲目》作“阴”。

④ 白：柯《大观》无。

惊悸，杀蛊毒，气熓、乳痈、发背及诸疮肿，并治产后血狂运①。

［又云］红百合，凉，无毒。治疮肿及疗惊邪。此是红花者，名连珠。

成州百合

［图经曰］百合，生荆州川谷，今近道处处有之。春生苗，高数尺②。秆粗如箭，四面有叶如鸡距，又似柳叶，青色，叶近茎微紫，茎端碧白。四五月开红、白花，如石榴觜而大。根如胡蒜，重叠生二三十瓣。二月、八月采根，暴干。人亦蒸食之，甚益气。又有一种，花黄有黑斑，细叶，叶间有黑子，不堪入药。徐锴《岁时广记》：二③月种百合法，宜鸡粪。或云百合是蚯蚓所化，而反好鸡粪，理不可知也。又百合作面最益人，取根暴干捣细筛，食之如法。张仲景治百合④病，有百合知母汤、百合滑石代赭汤、百合鸡子汤、百合地黄汤。凡四方，病名百合，而用百合治之，不识其义。

［◣食疗］云：平。主心急黄。蒸过蜜和食之，作粉尤佳。红花者名山丹，不甚良⑤。

［圣惠方］治肺脏壅热烦闷。新百合四两，蜜半盏，和蒸令软，时时含一枣大，咽津。

［又方］治伤寒，腹中满痛。用百合一两，炒令黄色，捣为散，不计时候，粥饮调下二钱服⑥。

［孙真人食忌］治阴毒伤寒。煮百合浓汁，服一升良。

［胜金方］治耳聋疼痛。以干百合为末，温水调下二钱匕，食后服。

［衍义曰］百合，张仲景用治伤寒坏后百合病，须此也。茎高三尺许，叶如大柳叶，四向攒枝而上。其颠即有淡黄白⑦花，四垂向下覆，长蕊。花心有檀色，每一枝颠须五六花。子紫色，圆如梧子，生于枝叶间。每叶一子，不在花中，此又异

---

① 运：柯《大观》作“晕”。

② 高数尺：《纲目》作“高二三尺”。

③ 二：柯《大观》作“三”。

④ 百合：刘《大观》、柯《大观》无。

⑤ 良：刘《大观》、柯《大观》作“食”。

⑥ 服：柯《大观》无。

⑦ 白：庆元《衍义》作“四”；商务《衍义》作“白”。

也。根即百合，其色白，其形如松子壳，四向攒生，中间出苗。

知母

味苦，寒，无毒。**主消渴热中，除邪气，肢体浮肿，下水，补不足，益气，**疗伤寒，久疟，烦热，胁下邪气，膈中恶及风汗，内疸。多服令人泄。**一名蚳**音岐**母，一名连母，一名野蓼，一名地参，一名水参，一名水浚，一名货母，一名蝭**音匙，又音提**母，**一名女雷，一名女理，一名儿草，一名鹿列，一名韭逢，一名儿踵草，一名东根，一名水须，一名沉燔，一名蕁杜含切。［臣禹锡等谨按唐本］一名昌支。生河内川谷。二月、八月采根，曝干。

滁州知母　　隰州知母　　解州知母　　威胜军知母　　卫州知母

［陶隐居］云：今出彭城。形似菖蒲而柔润，叶至难死，掘出随生，须枯燥乃止。甚疗热结，亦主疟热烦也。

［臣禹锡等谨按尔雅］云：蕁，莐藩。释曰：知母也，一名蕁，一名莐藩。郭云：生山上，叶如韭。

［范子］云：提母出三辅，黄白者善。

［吴氏］云：知母，神农、桐君：无毒。补不足，益气。

［药性论］云：知母，君，性平。主治心烦躁闷，骨热劳往来，生①产后蓐劳，肾气劳，憎寒虚损，患人虚而口干，加而用之。

［日华子］云：味苦、甘。治热劳，传尸疰病，通小肠，消痰止嗽，润心肺，补虚乏，安心，止惊悸。

---

① 生：刘《大观》、柯《大观》作“主”。

[图经曰] 知母，生河内川谷，今濒河①诸郡及解州、滁州亦有之。根黄色，似菖蒲而柔润。叶至难死，掘出随生，须燥乃止。四月开青花如韭花，八月结实。二月、八月采根，暴干用。《尔雅》谓之蕁徒南切，又谓之莸直林切藩是也。《肘后方》用此一物治溪毒大胜。其法：连根叶捣作散服之。亦可投水捣绞②汁，饮一二升。夏月出行，多取此屑自随。欲入水，先取少许投水上流，便无畏。兼辟射工，亦可和水作汤浴之，甚佳。

[◣雷公云] 凡使，先于槐砧上细剉，焙干，木臼杵捣，勿令犯铁器。

[圣惠方] 治妊娠月未足似欲产，腹中痛。用知母二两末，蜜丸如梧桐子大，不计时候，粥饮下二十丸。《杨氏产乳》同。

贝母

味辛、苦，**平**、微寒，无毒③。**主伤寒烦热，淋沥、邪气、疝瘕，喉痹，乳难，金疮风痉，**疗腹中结实，心下满，洗洗恶风寒，目眩项直，咳嗽上气，止烦热渴，出汗，安五脏，利骨髓。**一名空草，**一名药实，一名苦花，一名苦菜，一名商草，一名勤母。生晋地。十月采根，暴干。厚朴、白薇为之使，恶桃花，畏秦艽、礜石、莽草，反乌头。

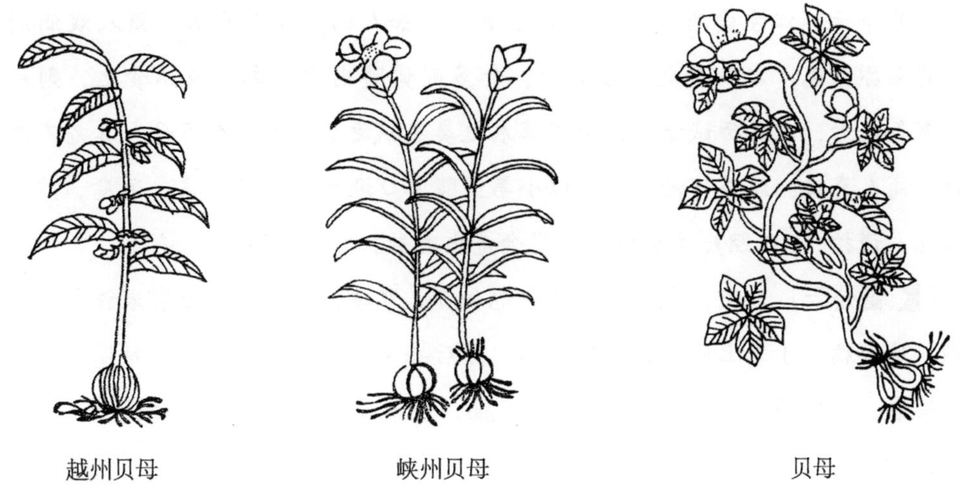

越州贝母　　峡州贝母　　贝母

[陶隐居] 云：今出近道。形似聚贝子，故名贝母。断谷服之不饥。

[唐本注] 云：此叶似大蒜。四月蒜熟时采，良。若十月苗枯，根亦不佳也。出润州、荆州、襄州者最佳，江南诸州亦有。味甘、苦、不辛。按《尔雅》，一名

① 河：其下，《纲目》有“怀、卫、彰、德”4字。

② 绞：刘《大观》、柯《大观》作“取”。

③ 无毒：成化《政和》、商务《政和》作白字《本经》文。

莔忙庚切也。

［臣禹锡等谨按尔雅］云：莔，贝母。注：根如小贝，圆而白华，叶似韭。疏引陆机①云：其叶如栝楼而细小。其子在根下，如芋子，正白，四方连累相著，有分解也。

［药性论］云：贝母，臣，微寒。治虚热，主难产，作末服之。兼治胞衣不出，取七枚末，酒下。末，点眼去肤翳。主胸胁逆气，疗时疾、黄疸。与连翘同主项下瘤瘿疾。

［日华子］云：消痰，润心肺。末和沙糖为丸，含止嗽。烧灰②，油调③傅人畜恶疮。

［图经曰］贝母，生晋地，今河中、江陵府、郢、寿、随、郑、蔡、润、滁州皆有之。根有瓣子，黄白色，如聚贝子，故名贝母。二月生苗，茎细青色，叶亦青，似荞麦，叶随苗出。七月开花碧绿色，形如鼓子花。八月采根，晒干。又云：四月蒜熟时采之，良。此有数种。《鄘诗》言采其莔音虻。陆机④疏云：贝母也。其叶如栝楼而细小，其子⑤在根下，如芋子，正白，四方连累相著，有分解。今近道出者正类此。郭璞注《尔雅》云：白花，叶似韭，此种罕复见之。此药亦治恶疮。唐人记其事云：江左尝有商人，左膊上有疮，如人面，亦无它苦。商人戏滴酒口中，其面亦赤色。以物食之，亦能食，食多则觉膊内肉胀起。或不食之，则一臂痹。有善医者，教其历试诸药，金石草木之类悉试之无苦⑥，至贝母，其疮乃聚眉闭口，商人喜曰：此药可治也。因以小苇筒毁其口灌之，数日成痂，遂愈，然不知何疾也。谨按，《本经》主金疮，此岂金疮之类欤！

［■雷公云］凡使，先于柳木灰中炮令黄。擘破，去内口鼻上有米许大者心一小颗。后拌糯米于鏊上同炒，待米黄熟，然后去米，取出。其中有独颗团，不作两片无皱者，号曰丹龙精，不入用⑦。若误服，令人筋脉永不收。用黄精、小蓝汁合服，立愈。

---

① 机：疑作“玑”。

② 灰：柯《大观》作“脂”。

③ 调：原脱，据柯《大观》补。

④ 机：疑作“玑”。

⑤ 子：柯《大观》无。

⑥ 苦：成化《政和》、商务《政和》作“若”。

⑦ 用：其上，成化《政和》、商务《政和》有“药”字。

[**别说云**] 谨按，贝母能散心胸郁结之气，殊有功。则《诗》所谓言采其虻者是也。盖作诗者，本以不得志而言之，今用以治心中气不快多愁郁者，殊有功信矣！

白芷

味辛，温，无毒。**主女人漏下赤白，血闭，阴肿，寒热，风头侵目泪出，长肌肤，润泽可作面脂**，疗风邪，久渴，吐呕，两胁满，风痛，头眩目痒。可作膏药、面脂，润颜色。**一名芳香**，一名白茝，一名嚣许骄切，一名莞，一名苻蓠，一名泽芬。叶名蒚音历麻①，可作浴汤。生河东川谷下泽。二月、八月采根，暴干。当归为之使，恶旋覆花②。

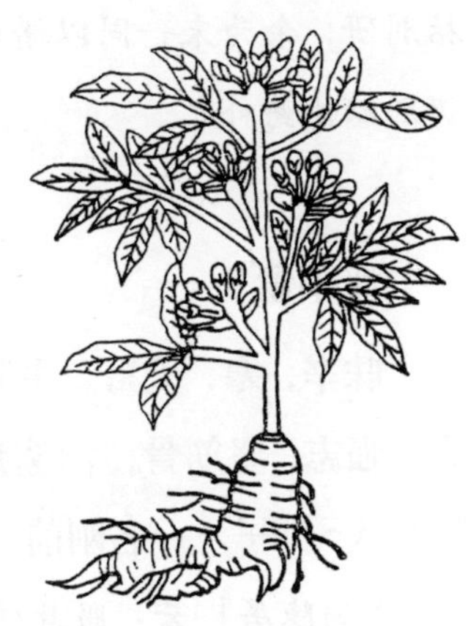

泽州白芷

[陶隐居] 云：今出近道处处有，近下湿地东间甚多。叶亦可作浴汤，道家以此香浴，去尸虫。又用合香也。

[臣禹锡等谨按范子计然] 云：白芷出齐郡，以春取黄泽者善也。

[药性论] 云：白芷，君。能治心腹血刺痛，除风邪，主女人血崩及呕逆，明目止泪出。疗妇人沥血腰痛，能蚀脓。

[日华子] 云：治目赤胬肉，及补胎漏滑落，破宿血，补新血，乳痈发背，瘰疬，肠风，痔瘘，排脓，疮痍疥癣，止痛，生肌，去面皯疵瘢。

[**图经曰**] 白芷，生河东川谷下泽，今所在有之，吴地尤多。根长尺余，白色，粗细不等，枝秆去地五寸已上。春生叶，相对婆娑，紫色，阔三指许。花白微黄。入伏后结子，立秋后苗枯。二月、八月采根，暴干。以黄泽者为佳，楚人谓之药。《九歌》云：辛夷楣兮药房。王逸注云：药，白芷是也。

[**▶雷公云**] 凡采得后，勿用四条作一处生者，此名丧公藤。兼勿用马蔺，并不入药中。采得后刮削上皮，细剉，用黄精亦细剉，以竹刀切，二味等分，两度蒸一伏时后，出。于日中晒干，去黄精用之。

[**外台秘要**] 治丹瘾疹。白芷及③根叶煮汁洗之，效。

---

① 麻：其下，《纲目》有"药"字。

② 花：其下，《纲目》有"制雄黄、硫黄"5字。

③ 及：柯《大观》无。

[子母秘录] 治小儿身热。白芷煮汤浴儿，避风。

[衍义曰] 白芷，菹是也。出吴地者良。《经》曰：能蚀脓。今人用治带下，肠有败脓，淋露不已，腥秽殊甚，遂至脐腹更增冷痛。此盖为败脓血所致。卒无已期，须以此排脓。白芷一两，单叶红蜀葵根二两，芍药根白者、白矾各半两，矾烧枯别研，余为末，同以蜡丸如梧子大，空肚及饭前米饮下十丸或十五丸。俟脓尽，仍别以他药补之。

淫羊藿

味辛，寒，无毒。**主阴痿，绝伤，茎中痛，利小便，益气力，强志，**坚筋骨，消瘰疬赤痈，下部有疮洗出虫。丈夫久服令人无①子。**一名刚前。**生上郡阳山山谷。署预为之使。

永康军淫羊藿

［陶隐居］云：服此使人好为阴阳。西川北部有淫羊，一日百遍合，盖食藿所致，故名淫羊藿。

［唐本注］云：此草，叶形似小豆而圆薄，茎细亦坚，所在皆有，俗名仙灵脾者是也。

［臣禹锡等谨按蜀本］云：淫羊藿，温。注云：生处不闻水声者良。

［药性论］云：淫羊藿亦可单用。味甘，平。主坚筋益骨。

［日华子］云：仙灵脾，紫芝为使，得酒良。治一切冷风劳气，补腰膝，强心力，丈夫绝阳不起，女人绝阴无子，筋骨挛急，四肢不任②，老人昏耄，中年健忘。又③名黄连祖、千两金、干鸡筋、放杖草、弃杖草。

沂州淫羊藿

[图经曰] 淫羊藿，俗名仙灵脾。生上郡阳山山谷，今江东、陕西、泰山、汉中、湖湘间皆有之。叶青似杏叶，上有刺，茎如粟秆，根紫色有须，四月开花白色，亦有紫色碎小独头子。五月采叶，晒干。湖湘出者叶如小豆，枝茎紧细，经冬不凋，根似黄连，关中俗呼三枝九叶草，苗高一二尺许，根、叶俱堪使。

---

① 无：柯《大观》作"有"。

② 任：成化《政和》、商务《政和》、柯《大观》作"仁"。

③ 又：柯《大观》作"俗"。

［【雷公云］凡使①时呼仙灵脾，须用夹刀夹去叶四畔花杦尽后，细剉，用羊脂相对拌炒过，待羊脂尽为度。每修事一斤，用羊脂四两为度也。

［圣惠方］治偏风，手足不遂，皮肤不仁，宜服仙灵脾浸酒方：仙灵脾一斤，好者细剉，以生绢袋盛于不津器中，用无灰酒二斗浸之，以厚纸重重密封不通气，春夏三日，秋冬五日后旋开，每日随性暖饮之，常令醺醺不得大醉。若酒尽，再合服之，无不效验。合时切忌鸡、犬见之。

［经验方］治疮子入眼。以仙灵脾、威灵仙等分为末，食后米汤下二钱匕，小儿半钱匕。

［食医心镜］益丈夫，兴阳，理脚膝冷。淫羊藿一斤，酒一斗，浸经二日，饮之佳。

黄芩

味苦，平、大寒，无毒。**主诸热黄疸，肠澼泄痢，逐水，下血闭，恶疮疽蚀火疡**，疗痰热，胃中热，小腹绞痛，消谷，利小肠，女子血闭，淋露下血，小儿腹痛。一**名腐肠**，一名空肠，一名内虚，一名黄文，一名经芩，一名妒妇。其子主肠澼脓血。生秭归川谷及冤句。三月三日采根，阴干。得厚朴、黄连止腹痛。得五味子、牡蒙、牡蛎令人有子。得黄芪、白蔹、赤小豆疗鼠瘘。山茱萸、龙骨为之使，恶葱实，畏丹砂、牡丹、藜芦。

耀州黄芩

［陶隐居］云：秭归属建平郡，今第一出彭城，郁州亦有之。圆者名子芩为胜，破者名宿芩，其腹中皆烂，故名腐肠，惟取深色坚实者为好。俗方多用，道家不须。

［唐本注］云：叶细长，两叶相对，作丛生，亦有独茎者。今出宜州、鄜州、泾州者佳。兖州者大实亦好，名豚尾芩也。

潞州黄芩

［臣禹锡等谨按药性论］云：黄芩，臣，味苦、甘。能治热毒，骨蒸，寒热往来，肠胃不利②，破拥气，治五淋，令人宣畅，去关节烦闷，解热渴，治热，腹中疠痛，

① 凡使：刘《大观》、柯《大观》作“淫羊藿”。

② 利：柯《大观》作“和”。

心腹坚胀。

［日华子］云：下气，主天行热疾，丁疮，排脓，治乳痈、发背。

［图经曰］黄芩，生秭归山谷及冤句，今川蜀、河东、陕西近郡皆有之。苗长尺余，茎秆粗如箸，叶从地四面作丛生，类紫草，高一尺许，亦有独茎者，叶细长，青色，两两相对。六月开紫花①，根黄如知母粗细，长四五寸。二月、八月采根，暴干用之。《吴普本草》云：黄芩又名印头，一名内虚。二月生赤黄叶，两两、四四相值，其茎空中或方圆，高三四尺。花紫红赤，五月实黑，根黄。二月、九月采。与今所有②小异。张仲景治伤寒心下痞满泻心汤，四方皆用黄芩，以其主诸热，利小肠故也。又太阳病，下之利不止，有葛根黄芩黄连汤，及主妊娠安胎散亦多用黄芩③。今医家尝用有效者，因著之。又《千金方》巴郡太守奏加减三黄丸，疗男子五劳七伤，消渴，不生肌肉，妇人带下，手足寒热者。春三月，黄芩四两，大黄三两，黄连四两；夏三月，黄芩六两，大黄一两，黄连七两；秋三月，黄芩六两，大黄二两，黄连三两；冬三月，黄芩三两，大黄五两，黄连二两。三物随时合捣下筛，蜜丸大如乌豆，米饮服五丸，日三。不知，稍增七丸，服一月病愈。久服走及奔马，近频有验。食禁猪肉。又陶隐居云：黄芩圆者名子芩。仲景治杂病方多用之。

［◣千金翼］治淋。黄芩四两，袋贮之，水五升，煮三④升，分三服。

［梅师］治火⑤丹。杵黄芩末，水调傅之。

狗脊

味苦、甘，**平**、微温，无毒。**主腰背强，关机缓急，周痹寒湿膝痛，颇利老人**，疗失溺不节，男子脚弱腰痛，风邪淋露，少气，目暗，坚脊利俯仰，女子伤中，关节重。**一名百枝**，一名强膂，一名扶盖，一名扶筋。生常山川谷。二月、八月采根，暴干。萆薢为之使，恶败酱。

---

① 紫花：刘《大观》、柯《大观》作“花紫色”。

② 有：柯《大观》作“著”。

③ 芩：其下，柯《大观》有“并”字。

④ 三：柯《大观》作“二”。

⑤ 火：成化《政和》、商务《政和》误作“水”。

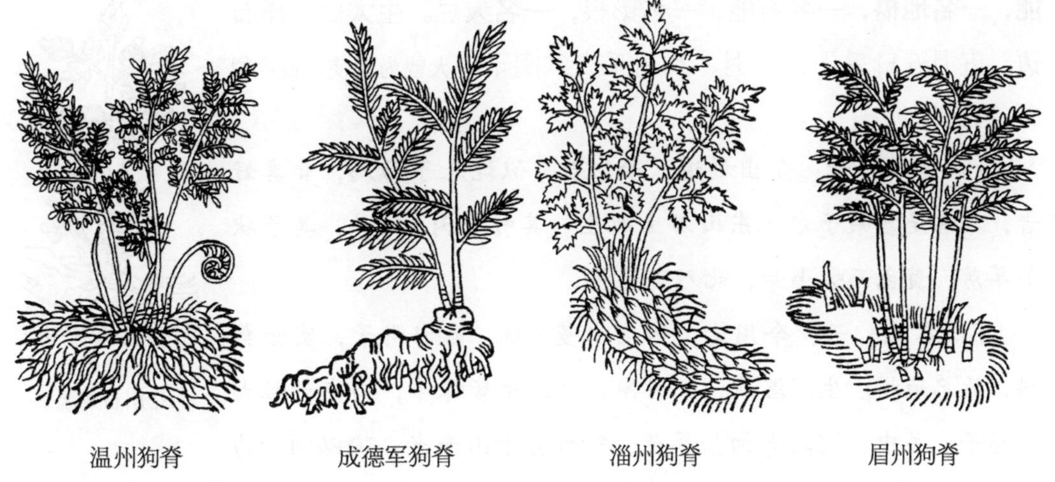

温州狗脊　　成德军狗脊　　淄州狗脊　　眉州狗脊

［陶隐居］云：今山野处处有，与菝葜相似而小异。其茎叶小肥，其节疏，其茎大直，上有刺，叶圆有赤脉。根凹乌交切凸徒结切茏从①如羊角，细强者是。

［唐本注］云：此药，苗似贯众，根长多歧，状如狗脊骨，其肉作青绿色，今京下用者是。陶所说乃有刺萆薢，非狗脊也，今江左俗犹用之。

［臣禹锡等谨按吴氏］云：狗脊，一名狗青，一名赤节。神农：苦。桐君、黄帝、岐伯、雷公、扁鹊：甘，无毒。季氏：小温。如萆薢，茎节如竹，有刺，叶圆赤，根黄白，亦如竹根，毛有刺。岐伯经云：茎无节，叶端圆青赤，皮白，有赤脉。

［药性论］云：狗脊，味苦、辛，微热。能治男子、女人毒风，软脚邪气湿痹，肾气虚弱，补益男子，续筋骨。

［图经曰］狗脊，生常山川谷，今太行山、淄、温、眉州亦有。根黑色，长三四寸，两指许大，苗尖细碎，青色，高一尺已来，无花。其茎叶似贯众而细，其根长而多歧，似狗脊骨，故以名之。其肉青绿，春秋采根，暴干用。今方亦用金毛者。

［◣雷公云］凡使，勿用透山藤，其大腑根与透山藤一般，只是入顶苦，不可饵之。凡修事，细剉了，酒拌，蒸，从巳至申，出，晒干用。

石龙芮

味苦，平，无毒。**主风寒湿痹，心腹邪气，利关节，止烦满，**平肾、胃气，补阴气不足，失精茎冷。**久服轻身，明目，不老，**令人皮肤光泽，有子。**一名鲁果**

---

① 茏从：柯《大观本草札记》注："《政和》作'茏苁'。"商务《政和》作"茏从"。

能，一名地椹，一名石能，一名彭根，一名天豆。生太山川泽石边。五月五日采子，二月、八月采皮，阴干。大戟为之使，畏蛇蜕皮、吴茱萸。

兖州石龙芮

［陶隐居］云：今出近道，子形粗，似蛇床子而扁，非真好者，人言是蓄菜子尔。东山石上所生。其叶芮芮短小①，其子状如葶苈，黄色而味小辛，此乃实是也。

［唐本注］云：今用者，俗名水堇音谨。苗似附子，实如桑椹，故名地椹。生下湿地，五月熟，叶、子皆味辛，山南者粒大如葵子。关中、河北者细如葶苈，气力劣于山南者。陶以细者为真，未为通论。又《别录》水堇云：主毒肿，痈疖疮，蛔虫，齿龋。

［臣禹锡等谨按药性论］云：石龙芮，能逐诸风，主除心热躁。

［图经曰］石龙芮，生泰山川泽石边。陶隐居云：近道处处有之。今惟出兖州。一丛数茎，茎青紫色，每茎三叶，其叶芮芮短小多刻缺。子如葶苈而色黄。五月采子，二月、八月采皮，阴干用。能逐诸风，除心热躁。苏恭云：俗名水堇，苗如附子，实如桑椹。生下湿地，此乃水堇，非石龙芮也。今兖州所生者，正与《本经》、陶说相合，为得其真矣。

［◣陈藏器］云：芮子，味辛。按，苏、《别②录》云：水堇，主毒肿，蛇虫，齿龋。且水堇如苏所注，定是石龙芮，更非别草。《尔雅》云：芨，堇草。郭注云：乌头苗也。苏又注天雄云：石龙芮，叶似堇草，故名水堇。如此，则依苏所注是水堇，附子是堇草。水堇、堇草二物同名也。

［衍义曰］石龙芮，今有两种。水中生者，叶光而末圆；陆生者，叶有毛而末锐。入药须生水者。陆生者又谓之天灸③，取少叶揉系臂上，一夜作大泡，如火烧者是。惟陆生者，补阴不足，茎常冷，失精。余如《经》。

茅根

味甘，寒，无毒。**主劳伤虚羸，补中益气，除瘀血、血闭，寒热，利小便，**下五淋，除客热在肠胃，止渴，坚筋，妇人崩中。久服利人。**其苗主下水。一名兰**

---

① 小：成化《政和》、商务《政和》作“少”。

② 别：其下，原有“药”字，据本条上文删。

③ 灸：原作“炙”，据庆元《衍义》、商务《衍义》改。

根，一名茹根，一名地菅①，一名地筋，一名兼杜。生楚地山谷、田野。六月采根。

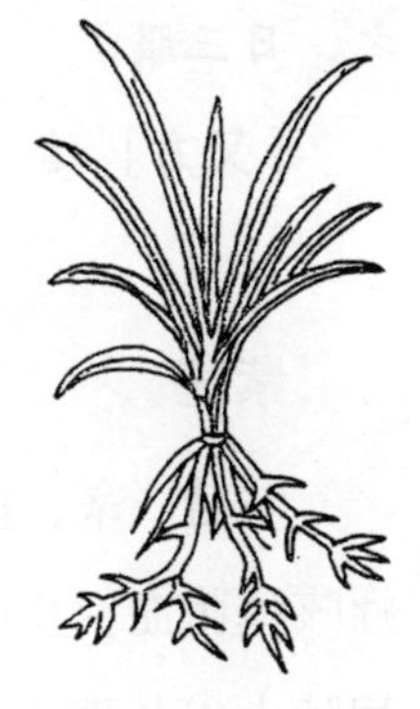

潼州茅根

［陶隐居］云：此即今白茅菅音奸。《诗》云：露彼菅②茅，其根如渣芹，甜美。服食此，断谷甚良。俗方稀用，惟疗淋及崩中尔。

［唐本注］云：菅花，味甘，温，无毒。主衄血，吐血，灸疮。

［臣禹锡等谨按药性论］云：白茅，臣，能破血，主消渴。根治五淋，煎汁服之。

鼎州茅根

［陈藏器］云：茅针，味甘，平，无毒。主恶疮肿未溃者，煮服之。服一针一孔，二针二孔。生挼傅金疮，止血。煮服之，主鼻衄及暴下血。成白③花者，功用亦同。针即茅笋也。

［又云］屋茅，主卒吐血。细剉三升，酒浸煮，服一升。屋上烂茅，和酱汁研傅斑疮、蚕啮疮。一名百足虫。茅屋滴溜水，杀云母毒。

［日华子］云：茅针，凉。通小肠，痈毒、软疖不作头，浓煎和酒服。花署刀箭疮，止血并痛。根主妇人月经不匀。又云：茅根，通血脉淋沥，是白花茅根也。又云：屋四角茅，平，无毒。主鼻洪。

［图经曰］茅根，生楚地山谷、田野，今处处有之。春生苗④，布地如针，俗间谓之茅针，亦可啖，甚益小儿，夏生白花茸茸然，至秋而枯。其根至洁白，亦甚甘美。六月采根用。今人取茅针，挼以傅金疮，塞鼻洪，止暴下血及溺血者，殊效。刘禹锡《传信方》疗痈肿有头，使必穴方，取茅锥一茎正尔，全煎十数沸，服之，立溃。若两茎即生两孔，或折断一枝为二，亦生两穴。白茅花，亦主金疮，止血。又有菅，亦茅类也。陆机《草木疏》云：菅似茅而滑无毛，根下五寸中有白粉者，柔韧宜为索，沤之尤善。其未沤者名野菅。《诗》所谓白茅菅兮是此也。入药与茅等。其屋苫茅经久者，主卒吐血。细剉三升，酒浸，煮服一升，良已⑤。

［肘后方］疗热。取白茅根四升剉之，以水一斗五升，煮取五升，适冷暖饮

① 菅：成化《政和》、商务《政和》作“管”。

② 菅：成化《政和》、商务《政和》作“管”。

③ 白：成化《政和》、商务《政和》作“曰”；柯《大观》作“日”。

④ 苗：刘《大观》、柯《大观》作“芽”。

⑤ 已：柯《大观》作“也”。

之，日三服。

[又方] 诸竹木刺在肉中不出。取白茅根烧末，脂膏和涂之。亦治因风致肿。

紫菀

味苦、辛，**温**，无毒。**主咳逆上气，胸中寒热结气，去蛊毒，痿蹷，安五脏**，疗咳唾脓血，止喘悸，五劳体虚，补不足，小儿惊痫。一名紫蒨，一名青苑①。生房陵山谷及真定、邯郸。二月、三月采根，阴干。款冬为之使，恶天雄、瞿麦、雷丸、远志，畏茵陈蒿。

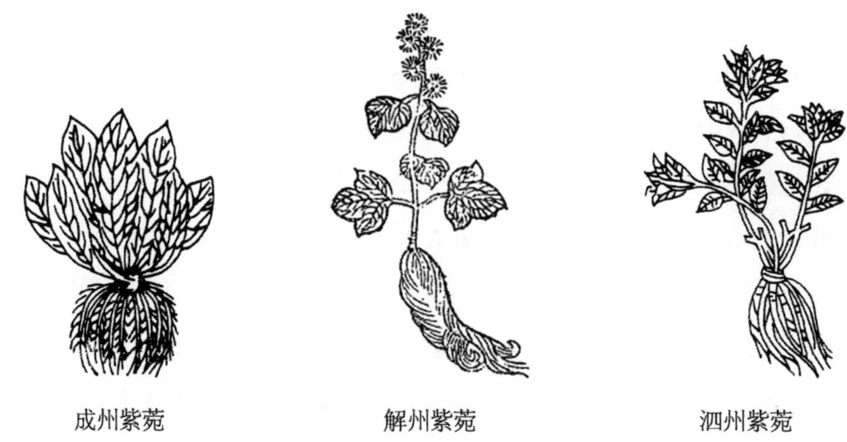

成州紫菀　　解州紫菀　　泗州紫菀

[陶隐居] 云：近道处处有，生②布地，花亦紫，本有白毛，根甚柔细。有白者名白菀，不复用。

[唐本注] 云：白菀即女菀也。疗体与紫菀同。无紫菀时亦用白菀。陶云不复用，或是未悉。

[臣禹锡等谨按药性论] 云：紫菀，臣，味苦，平。能治尸疰，补虚，下气及胸胁逆气，治百邪鬼魅，劳气虚热。

[日华子] 云：调中及肺痿吐血，消痰止渴，润肌肤，添骨髓。形似重台，根作节，紫色，润软者佳。

[图经曰] 紫菀，生房陵山谷及真定、邯郸，今耀、成、泗、寿、台、孟州，兴国军皆有之。三月内布地生苗叶，其叶三四相连，五月、六月内开黄紫白花，结黑子。本有白毛，根甚柔细。二月、三月内取根，阴干用。又有一种白者名③白

---

① 苑：刘《大观》、柯《大观》作"菀"。

② 生：柯《大观》作"主"。

③ 名：其下，柯《大观》有"曰"字；成化《政和》、商务《政和》无。

菀。苏恭云：白菀即女菀也。疗体并同，无紫菀时，亦可通用。女菀下自有条，今人亦稀用。《古今传信方》用之最要，近医疗久嗽不差，此方甚佳。紫菀去芦头、款冬花各一两，百部半两，三物捣罗为散，每服三钱匕。生姜三片，乌梅一个，同煎汤调下，食后、欲卧各一服。

[**◣唐本余**] 治气喘，阴痿。

[**雷公云**] 凡使，先去髭，有白如练色者，号曰羊须草，自然不同。采得后，去头、土了，用东流水淘洗令净，用蜜浸一宿，至明于火上焙干用。凡修一两，用蜜二分。

[**千金方**] 治妇人卒不得小便。紫菀末，以井花水服三撮，便通。小便血，服五撮立止。

[**斗门方**] 治缠喉风，喉闭饮食不通欲死者。用返魂草根一茎，净洗内入喉中，待取恶涎出即差，神效。更以马牙消津咽之，即绝根本。一名紫菀，又南中呼为液牵牛是也。

[**衍义曰**] 紫菀，用根。其根柔细，紫色，益肺气，《经》具言之。《唐本》注言无紫菀时，亦用白菀。白菀即女菀也。今本草无白菀之名，盖唐修本草时已删去。

紫草

味苦，寒，无毒。**主心腹邪气，五疸，补中益气，利九窍，通水道，**疗腹肿胀满痛。以合膏，疗小儿疮及面皻侧加切。**一名紫丹，一名紫芙**哀老反。生砀山山谷及楚地。三月采根，阴干。

紫草

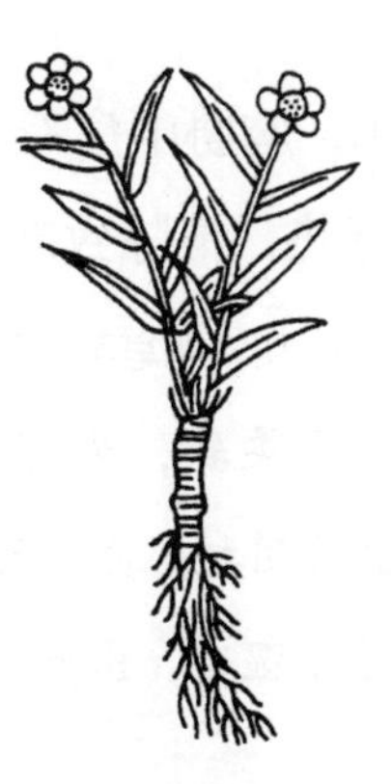
东京紫草

单州紫草

［陶隐居云］今出襄阳，多从南阳、新野来，彼人种之，即是今染紫者，方药家都不复用。《博物志》云：平氏阳山紫草特好。魏国以染色，殊黑。比年东山亦种，色小浅于北者。

［唐本注］云：紫草，所在皆有。《尔雅》云：一名藐。苗似兰香，茎赤节青，花紫白色，而实白。

［臣禹锡等谨按广雅］云：紫草，一名茈莨。

［药性论］云：紫草亦可单用。味甘，平。能治恶疮病癣。

［图经曰］紫草，生砀[①]山山谷及楚地，今处处有之，人家园圃中或种莳，其根所以染紫也。《尔雅》谓之藐，《广雅》谓之茈莨。苗似兰香，茎赤节青。二月有花紫白色，秋实白。三月采根，阴干。古方稀见使。今医家多用治伤寒时疾，发疮疹不出者，以此作药，使其发出。韦宙《独行方》治豌豆疮，煮紫草汤饮。后人相承用之，其效尤速。

［◣雷公云］凡使，须用蜡水蒸之，待水干，取去头并两畔髭，细剉用。每修事紫草一斤，用蜡三两，于铛中熔，熔尽，便投蜡水作汤用。

［圣惠方］治恶虫咬人，用紫草油涂之。

［又方］治卒小便淋沥痛。用紫草一两，捣罗为散，每于食前，以井花水调下二钱匕。《产宝》治淋涩。《产后》同。

［经验后方］治婴儿童子患疹豆疾。用紫草二两细剉，以百沸汤一大盏泡，便以物合定，勿令气漏，放如人体温，量儿大小服半合至一合，服此疮虽出，亦当轻减。

前胡

味苦，微寒，无毒。主疗痰满，胸胁中痞[②]，心腹结气，风头痛，去痰实，下气。治伤寒寒热，推陈致新，明目，益精。二月、八月采根，暴干。半夏为之使，恶皂荚，畏藜芦。

成州前胡

［陶隐居］云：前胡，似茈胡而柔软，为疗殆欲同，而《本经》上品有茈胡而无此，晚来医乃用之。亦有畏恶，明畏恶非尽出《本经》也。此近道皆有，生下湿地，出吴兴者为胜。

① 砀：原误作“阳”，据本条正文改。

② 痞：刘《大观》、柯《大观》作“痰”。

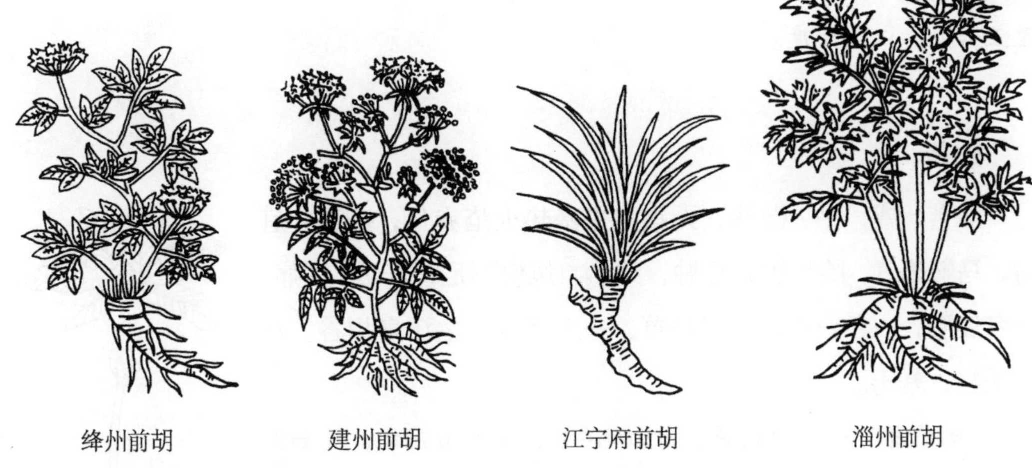

绛州前胡　　建州前胡　　江宁府前胡　　淄州前胡

［臣禹锡等谨按药性论］云：前胡，使，味甘、辛。能去热实，下气，主时气内外俱热。单煮服佳。

［日华子］云：治一切劳，下一切气，止嗽，破癥结，开胃下食，通五脏，主霍乱转筋，骨节烦闷，反胃呕逆，气喘，安胎，小儿一切疳气。越、衢、婺、睦①等处皆好②。七八月采。外黑里白。

［图经曰］前胡，旧不著所出州土，今陕西、梁、汉、江淮、荆襄州郡及相州、孟州皆有之。春生苗，青白色，似斜蒿。初出时有白芽，长三四寸，味甚香美，又似芸蒿。七月内开白花，与葱花相类。八月结实。根细，青紫色。二月、八月采，暴干。今鄜延将来者，大与柴胡相似。但柴胡赤色而脆，前胡黄而柔软不同耳。一说，今诸方所用前胡皆不同。京师北地者，色黄白，枯脆，绝无气味。江东乃有三四种。一种类当归，皮斑黑，肌黄而脂润，气味浓烈。一种色理黄白，似人参而细短，香味都微。又有如草乌头，肤黑而坚，有两三歧为一本者，食之亦戟人咽喉。中破以姜汁渍，捣服之，甚下膈，解痰实。然皆非前胡也。今最上者出吴中。又寿春生者，皆类柴胡而大，气芳烈，味亦浓苦，疗痰下气最要，都胜诸道者。

［**雷公云**］凡使，勿用野蒿根，缘真似前胡，只是味粗酸。若误用，令人胃反不受食。若是前胡，味甘、微苦。凡修事，先用刀刮上苍黑皮并髭、土了，细剉，用甜竹沥浸令润，于日中晒干用之。

---

① 睦：成化《政和》、商务《政和》作“陆”。

② 处皆好：柯《大观》作“州皆产”。

[外台秘要] 治小儿夜啼。前胡捣筛，蜜丸如小①豆。日②服一丸，熟水③下，至五六丸，以差为度。

败酱

味苦、咸，**平**、微寒，无毒。**主暴热火疮赤气，疥瘙，疸痔，马鞍热气**，除痈肿，浮肿，结热，风痹不足，产后疾④痛。**一名鹿肠**，一名鹿首，一名马草，一名泽败。生江夏川谷。八月采根，暴干。

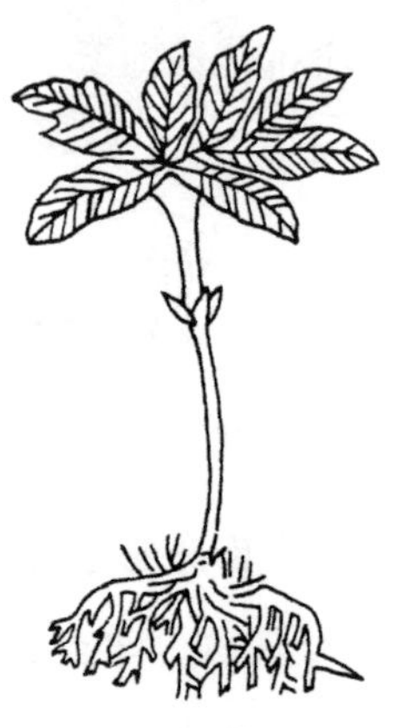
江宁府败酱

[陶隐居] 云：出近道，叶似豨⑤莶，根形似茈胡，气如败豆酱，故以为名。

[唐本注] 云：此药不出近道，多生岗岭间。叶似水莨及薇衔，丛生，花黄根紫，作陈酱色，其叶殊不似豨⑤莶也。

[臣禹锡等谨按药性论] 云：鹿酱，臣，败酱是也。味辛、苦，微寒。治毒风𤸷痹，主破多年凝血，能化脓为水及产后诸病，止腹痛，余⑥疹烦渴。

[日华子] 云：味酸。治赤眼障膜，胬肉，聤耳，血气心腹痛，破癥结，产前后诸疾，催生落胞，血运，排脓，补瘘，鼻洪，吐血，赤白带下，疮痍疥癣，丹毒。又名酸益。七、八、十月采。

[图经曰] 败酱，生江夏川谷，今江东亦有之，多生岗岭间。叶似水莨及薇衔，丛生，花黄根紫色，似柴胡，作陈败豆酱气，故以为名。八月采根，暴干用。张仲景治腹痛，腹有脓者，薏苡仁附子败酱汤⑦：薏苡仁十分，附子二分，败酱五分，三物捣为末，取方寸匕，以水二升，煎取一升，顿服之。小便当下，愈。

[◣雷公云] 凡使，收得后便粗杵，入甘草叶相拌对蒸，从巳至未，出，焙干，去甘草叶，取用。

---

① 小：柯《大观》作“大”。

② 日：柯《大观》无。

③ 熟水：柯《大观》作“日加三”。

④ 疾：《千金翼》作“腹”。

⑤ 豨：原作“狶”，据药名改。柯《大观》作“稀”。

⑥ 余：柯《大观》作“除”。

⑦ 汤：《金匮》作“散”。

[杨氏产乳] 治蠼螋尿绕腰者。煎败酱汁涂之，差。

白鲜

味苦、咸，**寒**，无毒。**主头风，黄疸，咳逆，淋沥，女子阴中肿痛，湿痹死肌，不可屈伸，起止行步**，疗四肢不安，时行腹中大热饮水，欲走大呼，小儿惊痫，妇人产后余痛。生上谷川谷及冤句。四月、五月采根，阴干。恶螵蛸、桔梗、茯苓、萆薢。

江宁府白鲜

［陶隐居］云：近道处处有，以蜀中者为良。俗呼为白羊鲜音仙，气息正似羊羶，或名白羶。

［唐本注］云：此药叶似茱萸，苗高尺余，根皮白而心实，花紫白色。根宜二月采。若四月、五月采，便虚恶也。

［臣禹锡等谨按药性论］云：白鲜皮，臣。治一切热毒风，恶风，风疮疥癣赤烂，眉发脱脆，皮肌①急，壮热恶寒，主解热黄、酒黄、急黄、谷黄、劳黄等良。

滁州白鲜

［日华子］云：通关节，利九窍及血脉，并一切风痹，筋骨弱乏，通小肠水气，天行时疾，头痛眼疼。根皮良。花功用同上，亦可作菜食。又名金雀儿椒。

［图经曰］ 白鲜，生上谷川谷及冤句，今河中、江宁府、滁州、润州亦有之。苗高尺余，茎青，叶稍白如槐，亦似茱萸。四月开花淡紫色，似小蜀葵。根似蔓菁，皮黄白而心实。四月、五月采根，阴干用。又云：宜二月采，差晚则虚恶也。其气息都似羊羶，故俗呼为白羊鲜，又名地羊羶，又名金爵儿椒。其苗，山人以为菜茹。葛洪治鼠瘘已有口，脓血出者，白鲜皮煮汁服一升，当吐鼠子乃愈。李《兵部手集方》疗肺嗽，有白鲜皮汤②方，甚妙。

---

① 肌：成化《政和》、商务《政和》作“饥”。

② 汤：其下，柯《大观》有“大”字。

酸浆

酸浆

味酸，平、寒，无毒。**主热烦满，定志益气，利水道。产难，吞其实立产。一名醋浆。**生荆楚川泽及人家田园中。五月采，阴干。

[陶隐居] 云：处处人家多有。叶亦可食，子作房，房中有子，如梅李大，皆黄赤色。小儿食之能除热，亦主黄病，多效。

[臣禹锡等谨按蜀本] 云：根如菹芹，白色，绝苦，捣其汁治黄病，多效。

[尔雅] 云：葴，寒浆。注：今酸浆草，江东人呼曰苦葴。

[图经曰] 酸浆，生荆楚川泽及人家田园中，今处处有之。苗似水茄而小，叶亦可食。实作房如囊，囊中有子，如梅李大，皆赤黄色。小儿食之尤有益。可除热。根似菹芹，色白，绝苦。捣其汁饮之治黄病，多效。五月采，阴干。《尔雅》所谓葴音针，寒浆。郭璞注云：今酸浆草，江东人呼为苦葴是也。今医方稀用。

[◣千金方] 治妇人赤白带下。三叶酸草阴干为末，空心酒下三钱匕。

[灵苑方] 治卒患诸[1]淋，遗沥不止，小便赤涩疼痛。三叶酸浆草，人家园林亭[2]槛中，著地开黄花，味酸者是。取嫩者净洗，研绞自然汁一合，酒一合，搅汤暖，令[3]空心服之，立通。

[衍义曰] 酸浆，今天下皆有之。苗如天茄子，开小白花，结青壳。熟则深红，壳中子大如樱，亦红色。樱中腹有细子，如落苏之子，食之有青草气。此即苦耽也。今《图经》又立苦耽条，显然重复。《本经》无苦耽。

紫参

味苦、辛，寒、微寒，无毒。**主心腹积聚，寒热邪气，通九窍，利大小便**，疗肠胃大热，唾血，衄血，肠中聚血，痈肿，诸疮，止渴，益精。**一名牡蒙**，一名众

---

① 诸：柯《大观》作“热”。

② 亭：柯《大观》无。

③ 令：柯《大观》作“温”。

戎，一名童肠，一名马行。生河西及冤句山谷。三月采根，火炙使紫色。畏辛夷。

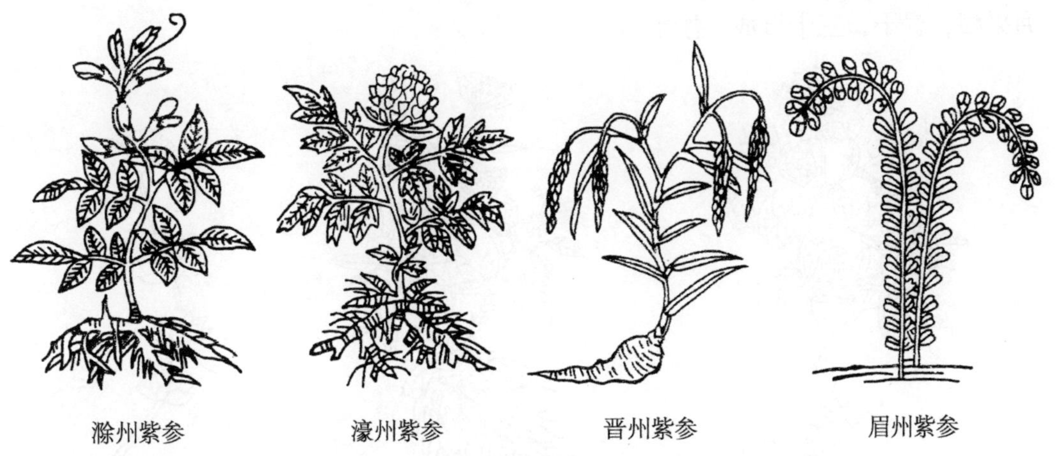

滁州紫参　濠州紫参　晋州紫参　眉州紫参

［陶隐居］云：今方家皆呼为牡蒙，用之亦少。

［唐本注］云：紫参，叶似羊蹄，紫花青穗，皮紫黑，肉红白，肉浅皮深，所在有之。牡蒙，叶似及己而大，根长尺余，皮肉①亦紫色，根苗并不相似。虽一名牡蒙，乃王孙也。紫参，京下见用者是，出蒲州也。

［臣禹锡等谨按吴氏］云：牡蒙，神农、黄帝：苦。季氏：小寒。生河西或商山。圆聚生，根黄赤有文，皮黑中紫。五月华紫赤，实黑大如豆。

［药性论］云：紫参，使，味苦。能散瘀血，主心腹坚胀，治妇人血闭不通。

［图经曰］紫参，生河西及冤句山谷，今河中解、晋、齐及淮、蜀州郡皆有之②。苗长一二尺，根淡紫色如地黄状，茎青而细，叶亦青似槐叶，亦有似羊蹄者。五月开花，白色似葱花，亦有红紫而似水荭③者。根皮紫黑，肉红白色，肉浅而皮深。三月采根，火炙令紫色。又云：六月采，晒干用。张仲景治痢，紫参汤主④之。紫参半斤，甘草二两，以水五升煎紫参，取二升，内甘草煎取半升，分温三服。

藁本

味辛、苦，**温**、微温、微寒，无毒。**主妇人疝瘕，阴中寒肿痛，腹中急，除风头痛，长肌肤，悦颜色**，辟雾露润泽，疗风邪亸曳，金疮，可作沐药面脂。

---

① 肉：刘《大观》、柯《大观》作“白”。

② 之：柯《大观》无。

③ 荭：刘《大观》、柯《大观》作“红”。

④ 主：柯《大观》作“用”。

实　主风流四肢。**一名鬼卿，一名地新，** 一名微茎。生崇山山谷。正月、二月采根，暴干，三十日成。恶蔄茹。

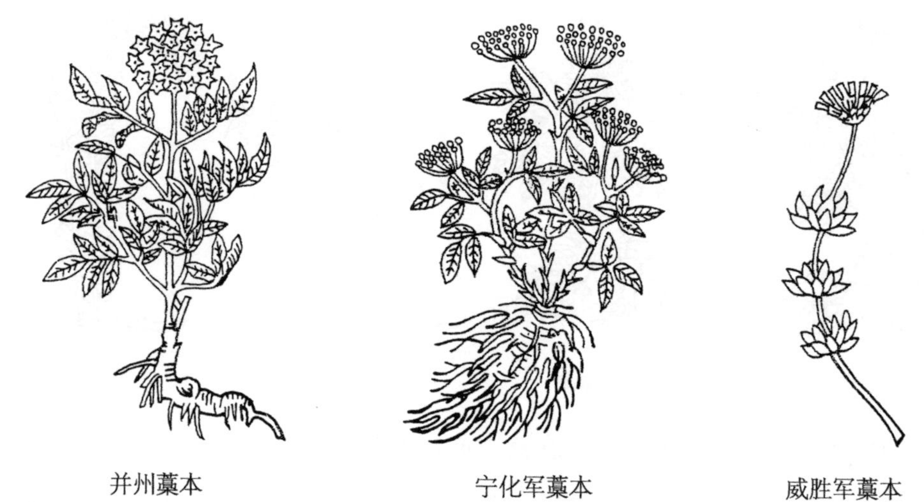
并州藁本　　宁化军藁本　　威胜军藁本

［陶隐居］云：俗中皆用芎䓖根须，其形气乃相类。而《桐君药录》说芎䓖苗似藁本，论说花实皆不同，所生处又异。今东山别有藁本，形气甚相似，惟长大尔。

［唐本注］云：藁本，茎、叶、根味与芎䓖小别。以其根上苗下似藁根，故名藁本。今出宕州者佳也。

［臣禹锡等谨按药性论］云：藁本，臣，微温。畏青葙子。能治一百六十种恶风，鬼疰，流入腰痛冷，能化小便，通血，去头风，䵟疱。

［日华子］云：治痈疾并皮肤疵皯，酒齇，粉刺。

［图经曰］藁本，生崇山山谷，今西川、河东州郡及兖州、杭州有之。叶似白芷香，又似芎䓖，但芎䓖似水芹而大，藁本叶细耳。根上苗下似禾藁，故以名之。五月有白花，七八月结子，根紫色。正月、二月采根，暴干，三十日成。

石韦

味苦、甘，**平**，无毒。**主劳热邪气，五癃闭不通，利小便水道，**止烦下气，通膀胱满，补五劳，安五脏，去恶风，益精气。**一名石韀**之夜切，一名石皮。用之去黄毛，毛射人肺，令人咳不可疗。生华阴山谷石上，不闻水及人声者良。二月采叶，阴干。滑石，［臣禹锡等谨按蜀本］作络石。杏仁为之使，得昌蒲良。

海州石苇

［陶隐居］云：蔓延石上，生叶如皮，故名石韦。今处

处有。以不闻水声[①]、人声[②]者为佳[③]。出建平者，叶长大而厚。

[唐本注] 云：此物丛生石傍阴处，不蔓延生[④]。生古瓦屋上，名瓦韦。用疗淋亦好也。

[臣禹锡等谨按药性论] 云：石韦，使，微寒。治劳及五淋，胞囊结热不通，去膀胱热满。

[日华子] 云：治淋沥，遗溺。入药须微炙[⑤]。

[图经曰] 石韦，生华阴山谷石上，今晋、绛、滁、海、福州，江宁府皆有之。丛生石上，叶如柳，背有毛而斑点如皮，故以名[⑥]。以不闻水声者良。二月、七月采叶，阴干用。南中医人炒末，冷酒调服，疗发背甚效。石韦一名石皮，而福州自有一种石皮，三月有花，其月采叶煎浴汤，主风。又有生古瓦屋上者，名瓦韦，用治淋亦佳。

萆薢

味苦、甘，**平**，无毒。**主腰背痛强，骨节风寒湿周痹，恶疮不瘳，热气**，伤中，恚怒，阴痿失溺，关节老血，老人五缓。一名赤节。生真定山谷。二月、八月采根，暴干。薏苡为之使，畏葵根、大黄、茈胡、牡蛎。

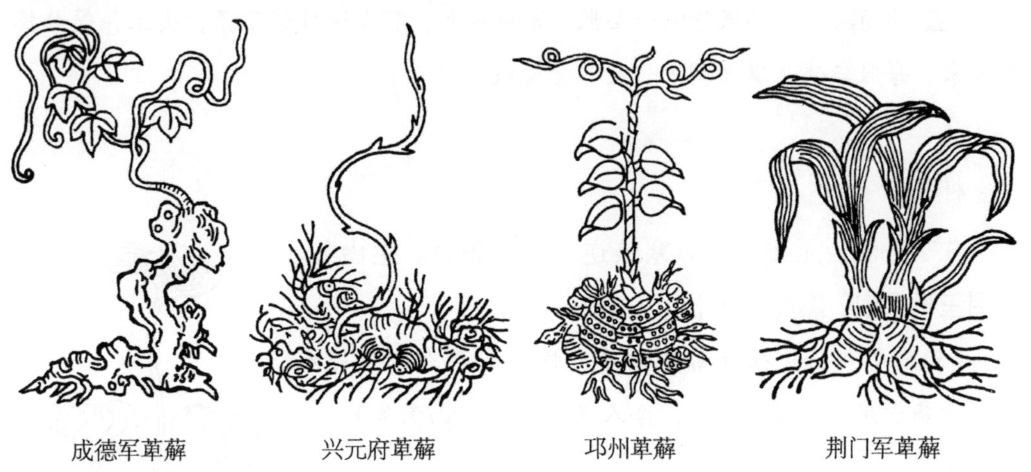

成德军萆薢　　兴元府萆薢　　邛州萆薢　　荆门军萆薢

---

① 声：其下，刘《大观》、柯《大观》有“及”字。

② 声：刘《大观》无。

③ 佳：柯《大观》作“良”。

④ 生：柯《大观》改为“其”。

⑤ 炙：其下，柯《大观》有“用”字。

⑥ 名：其下，成化《政和》、商务《政和》、柯《大观》有“之”字。

［陶隐居］云：今处处有，亦似菝葜而小异，根大，不甚有角节，色小浅。

［唐本注］云：此药有二种。茎有刺者，根白实；无刺者，根虚软。内软者为胜，叶似署预，蔓生。

［臣禹锡等谨按药性论］云：萆薢，能治冷风㿏痹，腰脚不遂，手足惊掣，主男子臂①腰痛，久冷，是肾间有膀胱宿水。

［博物志］云：菝葜与萆薢相乱。

［日华子］云：治瘫缓软，风头旋，痫疾，补水脏，坚筋骨，益精，明目，中风失音。时人呼为白菝葜。

［图经曰］萆薢，生真定山谷，今河、陕、京东、荆、蜀诸郡有之。根黄白色，多节，三指许大。苗叶俱青，作蔓生，叶作三叉似山芋，又似绿豆叶。花有黄、红、白数种，亦有无花结白子者。春秋采根，暴干。旧说此药有二种。茎有刺者，根白实；无刺者，根虚软，以软者为胜。今成德军所产者，根亦如山芋，体硬，其苗引蔓，叶似荞麦，子三棱，不拘时月采。其根用利刀切作片子，暴干用之。《正元广利方》疗丈夫腰脚痹缓急，行履不稳者，以萆薢二十四分，合杜仲八分，捣筛，每旦温酒和服三钱匕，增至五匕。禁食牛肉。又有萆薢丸大方，功用亦同。

［◣孙尚药］治肠风痔漏如圣散：萆薢细剉，贯众逐叶擘下了，去土，等分捣罗为末。每服二钱，温酒调下，空心食前服。

杜蘅

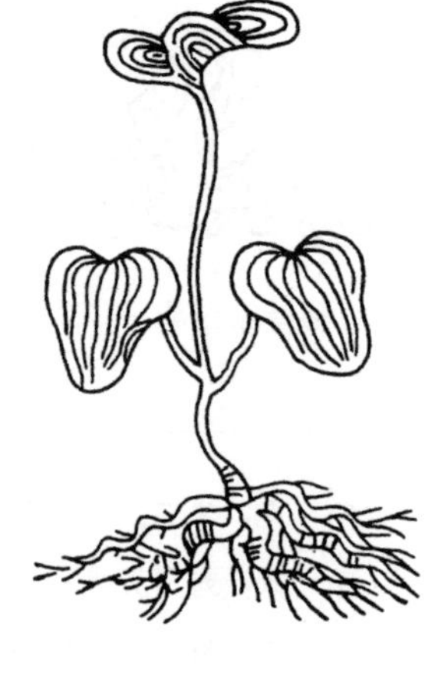

杜蘅

味辛，温，无毒。主风寒咳逆。香人衣体。生山谷。三月三日采根，熟洗，暴干。

［陶隐居］云：根叶都似细辛，惟气小异尔。处处有之。方药少用，惟道家服之。令人身衣香。《山海经》云：可疗瘿。

［唐本注］云：杜蘅叶似葵，形如马蹄，故俗云马蹄香。生山之阴，水泽下湿地。根似细辛、白前等。今俗以及己代之，谬矣。及己独茎，茎端四叶，叶间白花，殊无芳气。有毒，服之令人吐，惟疗疮疥，不可乱杜蘅也。

① 臂：成化《政和》、商务《政和》作“暨”。

［臣禹锡等谨按尔雅］云：杜，土卤。注：杜蘅也，似葵而香。

［山海经］云：天帝山有草，状如葵，其臭如蘼芜，名曰杜蘅，可以走马，食之已瘿。郭璞注云：带之令人便马，或曰马得之而健走。

［药性论］云：杜蘅，使。能止气奔喘促，消痰饮，破留血，主项间瘤瘿之疾。

［图经曰］杜蘅，旧不著所出州土，今江淮间皆有之。苗叶都似细辛，惟香气小异，而根亦粗，黄白色，叶似马蹄，故名马蹄香。三月三日采根，熟洗，暴干。谨按，《山海经》云：天帝之山有草，状如葵，其臭如蘼芜，名曰杜蘅，可以走马，食之已①瘿。郭璞注云：带之可以走马，或曰马得之而健走。《尔雅》谓之杜，又名土卤。然杜若亦名杜蘅，或疑是杜若。据郭璞注云：似葵而香，故知是此杜蘅也。今人用作浴汤及衣香甚佳。

［衍义曰］杜蘅，用根，似细辛，但根色白，叶如马蹄之下。市者往往乱细辛，须如此别之。《尔雅》以谓似葵而香是也。将杜蘅与细辛相对，便见真伪。况细辛惟出华州者良。杜蘅，其色黄白，拳局而脆，干则作团②。

白薇

味苦、咸，**平**、大寒，无毒。**主暴中风，身热肢满，忽忽不知人，狂惑邪气，寒热酸疼，温③疟洗洗，发作有时**，疗④伤中淋露，下水气，利阴气，益精。一名白幕，一名薇草，一名春草，一名骨美。久服利人。生平原川谷。三月三日采根，阴干。恶黄芪、大黄、大戟、干姜、干漆、山茱萸、大枣。

滁州白薇

［陶隐居］云：近道处处有。根状似牛膝而短小尔。方家用，多疗惊邪，风狂，痓病。

［臣禹锡等谨按药性论］云：白薇，臣。能治忽忽睡不知人，百邪鬼魅。

［图经曰］白薇，生平原川谷，今陕西诸郡及滁、舒、

① 已：原作“巳”，据《山海经》改。

② 团：原作“圆”，据庆元《衍义》、商务《衍义》改。

③ 温：柯《大观》作“溫”。

④ 疗：原作白字《本经》文，据刘《大观》、柯《大观》改。

润、辽州亦有之。茎叶俱青，颇类柳叶。六七月开红花，八月结实。根黄白色，类牛膝而短小。三月三日采根，阴干用。今云八月采。

[**雷公云**] 凡采得后，用糯米泔汁浸一宿，至明取出去髭了，于槐砧上细剉，蒸，从巳至申，出，用。

菝蒲八切葜弃八切

味甘，平、温，无毒。主腰背寒痛，风痹，益血气，止小便利。生山野。二月、八月采根，暴干。

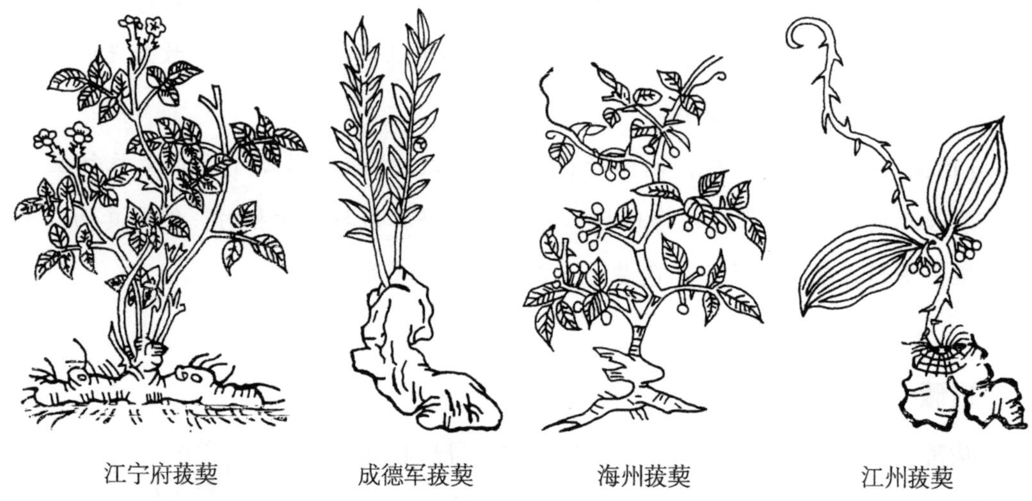

江宁府菝葜　成德军菝葜　海州菝葜　江州菝葜

[陶隐居] 云：此有三种，大略根苗并相类。菝葜茎紫，短小，多细刺，小减萆薢而色深，人用作饮。

[唐本注] 云：陶云三种相类，非也。萆薢有刺者，叶粗相类，根不相类。萆薢细长而白，菝葜根作块结，黄赤色，殊非狗脊之流也。

[臣禹锡等谨按日华子] 云：治时疾瘟①瘴。叶治风肿，止痛，扑损，恶疮。以盐涂傅，佳。又名金刚根，又名王瓜草。

[**图经曰**] 菝葜，旧不载所出州土，但云生山野，今近京及江浙州郡多有之。苗茎成蔓，长二三尺，有刺。其叶如冬青、乌药叶，又似菱叶差大。秋生黄花，结黑子樱桃许大。其根作块，赤黄色。二月、八月采根，暴干用。江浙间人呼为金刚根。浸赤汁以煮粉食，云啖之可以辟瘴。其叶以盐捣，傅风肿恶疮等，俗用有效。田舍贫家亦取以酿酒，治风毒脚弱，痹满上气，殊佳。

---

① 瘟：柯《大观》作“温”。

大青

信州大青

味苦，大寒，无毒。主疗时气头痛，大热口疮。三①四月采茎，阴干。

［陶隐居］云：疗伤寒方多用此，《本经》又无。今出东境及近道。长尺许，紫茎。除时行热毒为良。

［唐本注］云：大青用叶兼茎，不独用茎也。

［臣禹锡等谨按药性论］云：大青，臣，味甘。能去大热，治温疫，寒热。

［日华子］云：治热毒风，心烦闷渴疾，口干，小儿身热疾，风疹，天行热疾及金石药毒，兼涂署肿毒。

［图经曰］大青，旧不载所出州土，今江东州郡及荆南，眉、蜀、濠、淄诸州皆有之。春生青紫茎似石竹，苗叶花红紫色似马蓼，亦似芫花。根黄。三②月、四月采茎叶，阴干用。古方治伤寒、黄汗、黄疸等有大青汤，又治伤寒头身强、腰脊痛。葛根汤亦用大青。大抵时疾药多用之。

女萎③

女萎

味辛，温。主风寒洒洒，霍乱泄痢，肠鸣游气上下无常，惊痫寒热百病，出汗。李氏本草云：止下，消食。

［唐本注］云：其④叶似白蔹，蔓生，花白，子细。荆、襄之间名为女萎，亦名蔓楚。止痢有效。用苗不用根，与萎蕤全别。今太常谬以为白头翁者是也。唐本先附

［图经］文具萎蕤条下。

［◣雷公云］凡采得，阴干，去头并白蕊，于槐砧上剉，拌豆淋酒蒸，从巳至未出，晒令干用。

---

① 三：其下，柯《大观》有“月”字。

② 三：柯《大观》作“二”。

③ 女萎：本条和本书卷6“女萎”条是同名异物。

④ 其：柯《大观》作“萎”字。

石香菜

石香菜

味辛，香，温，无毒。主调中温胃，止霍乱吐泻，心腹胀满，脐腹痛，肠鸣。一名石苏。生蜀郡陵、荣、资、简州及南中诸处，在山岩石缝中生。二月、八月采。苗、茎、花、实俱用。今附

［衍义曰］石香菜，处处有之，不必山岩石缝中，但山中临水附崖处或有之。九月、十月尚有花。

二十二种陈藏器余

兜纳香

味甘，温，无毒。去恶气，温中，除暴冷。《广志》云：生剽国。《魏略》曰：大秦国出兜纳香。

［🅚海药］谨按，《广志》云：生西海诸山。味辛，平，无毒。主恶疮肿瘘，止痛生肌，并入膏用。烧之能辟远近恶气。带之夜行，壮胆安神。与茅香、柳枝合为汤浴小儿，则易长。

风延母

味苦，寒，无毒。小儿发热发强，惊痫寒热，热淋，解烦，利小便，明目。主蛇、犬毒，恶疮，痈肿，黄疸。并煮服之。细叶蔓生，缨绕草木。《南都赋》云：风衍蔓延于衡皋是也。

［🅚海药］谨按，《徐表南州记》：生南海山野中。主三消五淋，下痰，小儿赤白毒痢，蛇毒瘴溪等毒，一切疮肿。并宜煎服，祇出南中，诸无所出也。

耕香

味辛，温，无毒。主臭鬼气，调中。生乌浒国。《南方草木状》曰：耕香，茎生细叶。

大瓠藤水

味甘，寒，无毒。主烦热，止渴，润五脏，利小便。藤如瓠，断之水出。生安南。《太康地记》曰：朱崖，儋耳无水处，种用此藤，取汁用之。

[**▌海药云**]：**谨按，《太原记》云：生安南朱崖上，彼无水，惟大瓠中有天生水。味甘，冷，香美。主解大热，止烦渴，润五脏，利水道。彼人造饮馔皆瓠也。**

筋子根

味苦，温，无毒。主心腹痛，不问冷热远近，恶鬼气注刺痛，霍乱，蛊毒，暴下血，腹冷不调。酒饮磨服。生四明山。苗高尺余，叶圆厚光润，冬不凋，根大如指，亦名根子。

土芋

味甘，寒，小毒。解诸药毒。生研水服，当吐出恶物尽便止。煮食之，甘美不饥，厚人肠胃，去热嗽。蔓如豆，根圆如卵。鶗鴂食后弥吐，人不可食①。

优殿

味辛，温。去恶气，温中消食。生安南，人种为茹。《南方草木状》曰：合浦有优殿，人种之，以豆酱汁食，芳香好味。

土落草

味甘，温，无毒。主腹冷疼气，痃癖。作煎酒，亦捣绞汁，温服。叶细长。生岭南山谷。土人服之。

䓿菜猪孝切

味辛，温，无毒。主冷气，腹内久寒，食饮不消，令人能食。《字林》曰：䓿，辛菜，南人食之，去冷气。

---

① 不可食：柯《大观》无。

必似勒

味辛，温，无毒。主冷气，胃①闭不消食，心腹胀满。生昆仑，似马蔺子。

胡面莽

味甘，温。去痃癖及冷气，止腹痛。煮之。生岭南。叶如地黄。

海蕴

味咸，寒，无毒。主瘿瘤结气在喉间，下水。生大海中。细叶如马尾，似海藻而短也。

百丈青

味苦，寒，平，无毒。主解诸毒物，天行瘴疟疫毒。并煮服，亦生捣绞汁。生江南林泽。藤蔓紧硬，叶如署预，对生。根服令人下痢。

斫合子

无毒。主金疮，生肤，止血。捣碎傅疮上。叶主目热赤，挼碎②滴目中。云昔汉高帝战时，用此傅军士金疮，故云斫合子。篱落间③藤蔓生，至秋霜，子如柳絮。一名薰桑，一名鸡肠。

独自草

有大毒。煎傅箭镞，人中之立死。生西南夷中，独茎生。《续汉书》曰：出西夜国，人中之辄死。今西南夷獠中，犹用此药傅箭镞。解之法，在《拾遗》石部盐药条中。

---

① 胃：其下，柯《大观》有“气”字。

② 碎：成化《政和》、柯《大观》无。

③ 间：其下，《本草拾遗》有“有”字。

金钗股

味辛，平，小毒。解诸药毒，人中毒者，煮汁服之。亦生研更烈，必大吐下。如无毒，亦吐。去热痰疟瘴，天行蛊毒，喉闭。生岭南山谷。根如细辛，三四十茎，一名三十根钗子股，岭南人用之。

博落回

有大毒。主恶疮瘿根，瘤赘，瘜肉，白癜风，蛊毒，精魅溪毒。已上疮瘘者，和百丈青、鸡桑灰等为末，傅瘘疮。蛊毒，精魅，当有别法。生江南山谷。茎叶如萆麻，茎中空，吹作声如博落回，折之有黄汁，药人立死，不可入口也。

毛建草及子

味辛，温，有毒。主恶疮、痈肿疼痛未溃，煎捣叶傅之，不得入疮，令人肉烂。主疟，令病者取一握，微碎，缚臂上，男左女右，勿令近肉，便即成疮。子和姜捣破①，破冷气。田野间呼为猴蒜。生江东泽畔。叶如芥而大，上有毛，花黄，子如蒺藜。又有建，有毒。生水旁，叶似胡芹，未闻余功，大相似。

数低

味甘，温，无毒。主冷风冷气，下宿食不消，胀满。生西蕃，北土亦无有。似茴香，胡人作羹食之。

仰盆

味辛，温，有小毒。主蛊、飞尸，喉闭。水磨服少许，亦磨傅皮肤恶肿。生东阳山谷。苗似承露仙，根圆如仰盆，子大如鸡卵。

离鬲草

味辛，寒，有小毒。主瘰疬丹毒，小儿无辜寒热，大腹痞满，痰饮膈上热。生

① 破：《纲目》作“涂腹”。

研绞汁服一合，当吐出胸膈间宿物。生人家阶庭湿处，高三二寸，苗叶似羃䍥，去疟为上。江东有之，北土无。

盧药

味咸，温，无毒。主折伤内损血瘀，生肤止痛，主产后血病，治五脏，除邪气，补虚损，乳及水煮服之，亦捣碎傅伤折处。生胡国[1]，似干茅，黄赤色。

重修政和经史证类备用本草卷第八

① 国：《纲目》作“地”。